De smaak van vrijheid

De smaak van vrijheid

*Een openhartig verhaal over eten en liefde in
het door oorlog verscheurde Midden-Oosten*

Annia Ciezadlo

Karakter Uitgevers B.V.

Oorspronkelijke titel: *Day of Honey*
© 2011 Annia Ciezadlo
Published by arrangement with Sterling Lord Literistic, Inc.
Vertaling: Merel Leene

© 2011 Karakter Uitgevers B.V., Uithoorn
Opmaak binnenwerk: The DocWorkers, Almere
Omslagontwerp en artwork: Mariska Cock

ISBN 978 90 452 0212 9
NUR 302

Voor Mohamad

Inhoud

Eerder deze eeuw wees een Oostenrijkse journalist, Karl Kraus, erop dat als je de echte werkelijkheid achter het nieuws tot je zou laten doordringen, je gillend de straat op zou rennen. Ik ben tientallen keren gillend de straat op gerend, maar ik wist altijd op tijd thuis te zijn voor het avondeten.

– Jim Harrison, *The Raw and the Cooked. Adventures of a Roving Gourmand*

Deel I

New York

Alle grote veranderingen in Amerika beginnen aan de eettafel.
– Ronald Reagan

Inleiding

De noodtoestand

Hij behoorde tot een uitstervend ras: een van de weinige blanke, autochtone taxichauffeurs die nog in New York rondreden. Lijvig, van middelbare leeftijd en met een gezicht als een aardappel. Op zijn hoofd droeg hij een grijze tweedpet. Hij stopte naast me langs de stoeprand, draaide het raampje open en bromde uit zijn mondhoek: 'Moet je ergens heen?'

We reden in stilte tot we op Atlantic Avenue aankwamen.

'Zie je die straat hier?' zei hij met een breed armgebaar langs de voorruit. 'Wonen alleen maar Arabieren.'

Hij had gelijk, min of meer. De verovering begon eind negentiende eeuw, toen het Ottomaanse Rijk in verval raakte en de zijdehandel in het Middellandse Zeegebied instortte. Tussen 1899 en 1932 emigreerden meer dan 100.000 'Syriërs' – in die tijd een verzamelnaam voor zo ongeveer iedereen uit de Levant, de uit het Frans afkomstige naam voor het oostelijke deel van het Middellandse Zeegebied – naar de Nieuwe Wereld. Veel van hen vestigden zich in New York. In 1933 beschreef de Arabisch-Amerikaanse krant *The Syrian World* het gebied rond Atlantic Avenue met licht sarcastische trots als 'het belangrijkste leefgebied van de mensensoort Syrianica'.

In 1998 was de strook rond Atlantic Avenue inmiddels zozeer symbool geworden voor de Arabisch-Amerikaanse identiteit, dat de filmmaatschappij 20th Century Fox het gebied herschiep voor de film *The Siege*. In die film plegen Arabische terroristen een aantal bomaanslagen in New York, waarna de regering de noodtoestand afkondigt, alle Arabieren, schuldig en onschuldig, arresteert en ze opsluit in gevangenkampen.

'Die Arabieren, hè,' ging de taxichauffeur verder, 'die komen hierheen en proberen heel normaal te doen. Net als jij en ik. Alsof ze erbij horen, weet je wel?' Hij stootte een blaffend lachje uit. 'En vervolgens blijkt dat ze bij Al-Qaida horen.'

Het was altijd een opluchting als mensen zoiets hardop zeiden. Met deze vent kon ik praten. Hij was een autochtone Amerikaan en hij nam aan dat ik er ook een was. Hij had gelijk: ik ben een Pools-Grieks-Schots-Ierse bastaard uit een arbeiderswijk in Chicago. Een product van de stad van slachthuizen, staalfabrieken en secretaressescholen. Ik begreep hem. We hadden dezelfde achtergrond.

Aan de andere kant: de man van wie ik hield, was genoemd naar de profeet van de islam. We kenden elkaar nu een maand of vijf. Ik had hem altijd beschouwd als een gewone Amerikaan, maar nu was het 13 september 2001 en plotseling leek niemand anders dat meer zo te zien. Op 11 september had zijn huisbazin vlak voor middernacht op zijn deur geklopt. Mevrouw Scanlon was zelf ook een immigrant, een Ierse, en had ongetwijfeld zo haar eigen herinneringen aan terrorisme. Met hoge, trillende stem had ze gevraagd: 'Mohamad, ben jij een Arabier?'

Sindsdien had ik veel aan *The Siege* gedacht.

Toen 20th Century Fox eind jaren negentig met de filmopnamen voor *The Siege* begon, was ik net verhuisd naar de buurt Greenpoint in Brooklyn, waar vooral veel Polen wonen. Blijkbaar stonden er aan de echte Atlantic Avenue niet meer genoeg van die typische bruine bakstenen panden om het in de film op New York te laten lijken, dus veranderden decorbouwers uit Hollywood 'Klein Warschau' in Greenpoint van de ene op de andere dag in een imitatie van de Arabische straat. Luifels waarop eerst *Obiady Polski* (Poolse maaltijden) had gestaan, stonden nu vol met Arabisch schrift. Onder felle filmlampen rolden tanks voorbij. Als je over deze namaakversie van Atlantic Avenue wandelde, was het gemakkelijk om je voor te stellen dat ieders zorgvuldig geconstrueerde etnische identiteit niet meer was dan een filmdecor, een term net zo misleidend als 'de mensensoort Syrianica', een steiger die je binnen een paar uur kon opbouwen en ook weer afbreken.

De lantaarnpalen in Greenpoint waren door de filmmensen volgeplakt met posters waarop stond dat je hier niet mocht parkeren vanwege *Martial Law*, oftewel Noodtoestand, de werktitel van de film. Het toeval wilde dat veel van de inwoners van Greenpoint in het begin van de jaren tachtig Polen ontvlucht waren, waar door de communisten destijds daadwerkelijk de noodtoestand was afgekondigd. Je kon Poolse immigranten van middelbare leeftijd met een sombere maar zelfgenoegzame blik naar een dergelijk bevel uit Hollywood zien kijken, alsof ze dachten: zie je wel? Ik zei toch dat het hier ook zou gebeuren?

In september 2001 gleed het rode en gele schijnsel van de stoplichten over de voorruit van de taxi. De weinige auto's die door de lege straat reden, negeerden de verkeerslichten. Iedereen reed in die eerste dagen na de aanslagen door rood. Stoppen leek zinloos, net als alles ongeveer.

'Nee, dat is niet waar,' zei ik ten slotte. 'Veel Arabieren hier zijn hun land ontvlucht omdat ze niet van Al-Qaida zijn. Veel van hen zijn juist weggegaan om aan die lui te ontkomen.'

Met mijn Arabier zou Al-Qaida trouwens niet veel hebben kunnen beginnen: hij is een sjiiet, in elk geval van geboorte. Het leek me in deze situatie echter iets te ambitieus om over het onderscheid tussen soennieten en sjiieten te beginnen.

'Ze zijn vertrokken omdat het in hun land een puinhoop was,' zei ik. 'De mensen die hier zijn, zijn degenen die juist naar Amerika wilden.'

Hij keek me aan via de achteruitkijkspiegel; in het kleine stukje glas zag ik zijn ogen flitsen.

Ik zuchtte. 'Wist je dat de meeste Arabieren hier in de Verenigde Staten christenen zijn?'

Een laf argument. Mijn eigen Arabier was tenslotte een moslim.

'Huh!' stootte de taxichauffeur uit. 'Ze gedrágen zich als christenen. Ze doen alsof. Maar eigenlijk zijn ze allemaal van Al-Qaida.'

Grijze rolluiken verborgen de etalages, maar mijn herinnering vulde in wat ik niet kon zien. Hier rechts was de sjofele winkelpui van Malko Karkanni, de etalage volgepropt met blikken olijven en stoffige koffiepotten. Meneer Karkanni hield ervan om een praatje te maken; als je tijd had, trok hij er een kruk bij, zette een pot thee en vertelde over de beroerde mensenrechtensituatie in Syrië, het land dat hij nog altijd miste. Iets verderop aan de linkerkant was een restaurant dat Fountain heette, met binnen een echte fontein, als op een Ottomaanse binnenplaats. Toen ik ooit eens aan de ober vertelde waar mijn grootmoeder vandaan kwam, barstte hij los in vloeiend Grieks. En daar had je Sahadi's, de beroemde delicatessenwinkel en supermarkt, gerund door een familie die al deel uitmaakte van New York sinds 1895, toen Abraham Sahadi zijn import- en exportbedrijf in Lower Manhattan begon, in de tijd dat mijn voorouders nog akkers omploegden in Schotland, Galicië en de Peloponnesos.

'Nou ja, mijn vriend is een Arabier,' flapte ik er plotseling uit, op hoge toon en bijna buiten adem. De woorden tuimelden mijn mond uit. 'Hij hoort niet bij Al-Qaida. En ik heb een heleboel Arabische vrienden en die zitten ook niet bij Al-Qaida!'

De ogen flitsten opnieuw mijn kant op, deze keer ietwat benauwd. Zou hij me zijn taxi uit gooien? Zou hij de politie bellen, of de FBI, en hun over mij en mijn Arabische vriendje vertellen?

Of zou hij alleen zijn hoofd schudden en besluiten dat ik gek was; een van die ongelukkige vrouwen die met een buitenlander trouwen, hem vlieglessen laten nemen en vervolgens later in een talkshow beweren dat hij 'altijd zo normaal had geleken'? Net als Annette Bening in *The Siege*, die valt voor een hoogopgeleide Arabische man, een Palestijnse hoogleraar die zich heel normaal gedraagt, maar – je kunt ze ook nooit vertrouwen – uiteindelijk een terrorist blijkt te zijn?

Hij dacht een of twee blokken na voordat hij weer iets zei. Zijn stem klonk nonchalant en onverwacht vriendelijk, alsof hij de hele conversatie had teruggespoeld naar het begin. 'Ken je die tent, Sahadi's?' vroeg hij. 'Ben je er wel eens geweest? Ze hebben daar geweldig eten, ja. Hummus, falafel, dat soort dingen. Man, dat spul is echt lekker. Wel eens geprobeerd?'

Er bestaat een Arabisch spreekwoord: *Fi khibz wa meleh bainetna* – Er is brood en zout tussen ons. Het betekent dat zodra we samen gegeten hebben, zodra we brood en zout, de oeroude symbolen voor gastvrijheid, gedeeld hebben, we geen ruzie meer met elkaar kunnen maken. Het is een prachtig idee dat je conflicten zou kunnen voorkomen met kookkunst. En ik geloof er niets van, nog geen seconde. Je hoeft alleen maar te kijken naar landen waar burgeroorlog heerst. Of naar onszelf aan de eettafel, die kreunt en steunt onder het bewijs van het tegendeel.

Na 11 september stroomden de liberale New Yorkers binnen bij Arabische, Afghaanse, zelfs Indiase restaurants – alles wat ook maar enigszins islamitisch leek – alsof ze wilden zeggen: 'Hé, wij weten dat jullie niet de slechteriken zijn. Kijk, we vertrouwen jullie, we eten jullie eten.' Kranten in New York schreven artikelen over buitenlanders en hun voedsel, meestal volgens hetzelfde stramien: de hartelijke immigrant vertelt bedroefd over de problemen in zijn vaderland, verzekert de lezers dat niet alle Arabieren/Afghanen/moslims slecht zijn en deelt vervolgens een recept met hen waarin aubergines gebruikt worden. Je zag ze overal na 11 september: foto's van immigranten die borden eten lieten zien, terwijl hun ogen schreeuwden: 'Stuur me niet weg! Neem wat hummus!' Maar velen van hen werden wel weggevoerd en er werden Amerikaanse soldaten naar Afghanistan en Irak gestuurd. Tien jaar later lijkt de les duidelijk: je kunt aubergines eten tot je tenen er paars van zien, maar daarmee houd je regeringen die oorlog willen voeren niet tegen.

Aan de andere kant: er is wel iets aan de hand met voedsel. Zelfs de normaalste avondmaaltijd vertelt een veelvoud aan verhalen over geschiedenis, economie en cultuur. Je kunt een land en zijn inwoners door hun gerechten leren kennen op een manier die onmogelijk is door, zeg, de nieuwsuitzendingen uit dat gebied.

Eten verbindt. In de tijd van de Bijbel bezegelden mensen contracten met zout, omdat zout conserveert, beschermt en geneest; een idee dat teruggaat tot de oude Assyriërs, die een vriend 'een man van mijn zout' noemden. Zoals de granaatappelpitten van Persephone haar aan Hades bonden, verbindt de alchemie van eten je aan een plek en een volk. Deze band is fragiel: mensen die de ene dag met elkaar eten, kunnen elkaar de volgende dag vermoorden. Des te meer reden om goed voor die band te zorgen.

Veel boeken behandelen de geschiedenis als een reeks oorlogen: wie was de winnaar, wie de verliezer, wiens schuld was het (meestal degene die verloren had). Ik kijk naar de geschiedenis als naar een reeks maaltijden. Oorlog is een deel van onze altijd voortdurende strijd om aan eten te komen; de meeste oorlogen gaan tenslotte over grondstoffen, ook al doen de strijdende partijen alsof dat niet zo is.

Eten is echter ook deel van een dieper liggend conflict, een dat we allemaal met ons meedragen: of we op één plek blijven en ons daar vestigen, of dat we liever verder trekken. De strijd tussen deze twee neigingen, of die nu de vorm van een oorlog aanneemt of niet, geeft het verhaal van de menselijke beschaving vorm. En dus is dit een boek over oorlog, maar het gaat ook over reizen en migratie, en over hoe eten mensen helpt hun thuis te vinden of te herscheppen.

Een van mijn oude leraren journalistiek, een man met de onvergetelijke naam Dick Blood, brulde altijd tegen ons dat als we een verhaal wilden schrijven, we eerst het eten moesten eten. Hij had het over Thanksgiving, wanneer verslaggevers een bezoek brengen aan opvanghuizen voor daklozen, een paar citaatjes verzamelen en snel weer terugkeren naar de nieuwsredactie om daar hun warme, invoelende artikeltjes te produceren zonder ook maar één hap van de kalkoen geproefd te hebben. Ik heb inmiddels ontdekt dat deze oproep – 'Eet eerst het eten!' – een goede regel is voor het leven in het algemeen. En dus is er één persoonlijk ritueel dat ik altijd uitvoer wanneer ik een nieuwe plek bezoek: ik zorg dat ik nooit vertrek zonder op zijn minst één lokaal gerecht te hebben geproefd.

Ieder van ons heeft een kaart van de wereld in zijn hoofd. Als je hem kon zien, zou de mijne lijken op een gigantische gedekte tafel, vol met gerechten uit elke plaats en elke streek waar ik ooit geweest ben. Spanish Harlem is een *cubano*-sandwich. Tucson is kip met avocado. Chicago is *yaprakis*, Beirut is *makdous* en Bagdad... nou ja, Bagdad is weer een heel ander verhaal.

In de herfst van 2003 bracht ik mijn wittebroodsweken door in Bagdad. Ik was getrouwd met het vriendje, dat bovendien verslaggever was en door zijn krant naar Irak werd gestuurd.

Hoofdstuk 1

De stille moordenaar

In een rationele wereld zouden Mohamad en ik het nooit lang met elkaar hebben uitgehouden. Ik praat, hij observeert. Ik barst los in eindeloze, in een cirkeltje ronddraaiende verhalen waarvan ik halverwege vaak niet meer weet waar ze heen gingen. Hij luistert zonder iets te zeggen en haalt de hele boel vervolgens met één zin onderuit. Ik hou van wijn. Hij neemt één of twee slokjes rode wijn en zit verder rustig en met een glimlach naar me te kijken. Hij is kalm en rationeel, ik ben trots, eigenwijs en snel driftig. Ik vloek als een zeeman. Hij niet. Je zult Mohamad nooit van iets horen zeggen dat het 'het allergrootste ter wereld' is, of 'het domste wat ik ooit gehoord heb'. Ik zou sterven als ik niet kon overdrijven.

Over niets zijn we het zo hartgrondig oneens als over eten. Ik eet alles, van tong tot pens tot gegrilde lamsballen – een delicatesse in Libanon, wat een van de redenen is dat ik gek ben op dat land. Ik was altijd diegene die naast je kwam staan en vroeg: 'Ga je dat nog opeten?' Toen een vriend me eens overgebleven gehaktballetjes zag opeten, zei hij: 'Weet je, Annia, volgens mij zou jij zelfs een rol keukenpapier opeten als iemand tegen je zei dat het eten was.'

Mohamad daarentegen weigert het volgende te eten: asperges, artisjokken, paddenstoelen, bieten, alles van de familie van de kruisbloemigen, pompoen (tenzij in de vorm van pompoentaart), varkensvlees, alle soorten vis, schelpdieren, zeewier en alle andere dingen die uit het water komen zoals kikkers of paling, biefstuk, tenzij die zo lang gebakken is dat het een stuk schoenzool lijkt, koffie of bier. En dat is een onvolledige lijst.

Een vriendin vroeg ons eens te eten en belde me van tevoren om te vragen wat Mohamad lekker vond.

'Als ik je nou eens vertel wat hij allemaal niet lust?' vroeg ik, voor het geval ze al een idee had.

Er viel een lange stilte, waarin ze zich waarschijnlijk een leven voorstelde met iemand die al die etenswaren weigerde te eten. 'Wauw, Annia,' zei ze daarna op fluistertoon. 'Je moet echt heel veel van hem houden.'

Het is daarom des te vreemder dat alles begon met eten. En ook nog eens een ingewikkeld, in zichzelf gekeerd soort eten: gevulde wijnbladeren. Als we geen gevulde wijnbladeren hadden gegeten, had Mohamad me nooit naar mijn oma gevraagd; als ik hem niet over mijn oma verteld had, zou hij nooit over zijn moeder gesproken hebben; en dan hadden we nooit de verhalen gehoord (of waren het toch de gevulde wijnbladeren zelf?) die maakten dat tot ons doordrong dat we verliefd werden.

Hoe dan ook, ik geef de gevulde wijnbladeren de schuld. Die kregen ons aan de praat, die stonden aan de wieg van al onze reizen, over Queens Boulevard – de 'Boulevard of Death' – naar Turkije, Afghanistan en uiteindelijk Bagdad en Beiroet.

Ik keek al een tijdje naar hem voor hij mij zag. Hij stond op me te wachten toen ik het verhoogde metrostation uit liep, een ernstige, kleine figuur die stilstond te midden van de drukke stroom spitsreizigers, met zacht glanzend, zwart haar dat bijna, maar niet helemaal, zijn ogen verborg. Die waren groot, met lange wimpers, en hadden de kleur van geroosterde cacaobonen onder zijn rechte, zwarte wenkbrauwen. Wat ervoor zorgde dat hij er toch niet al te knap uitzag, was de lange, sardonische neus en zijn houding van een man wiens idee van een opwindende avond is om zich te buigen over aankoopdocumenten van de gemeente. Mohamad schreef voor *Newsday*, de krant uit Long Island, over transport. Ik schreef voor een klein maandelijks nieuwsmagazine over stedelijke armoede en politiek. Het was april 2001.

In die tijd was ik ervan overtuigd dat er geen glamoureuzer onderwerp was om over te schrijven dan transport, het netwerk van bruggen, busroutes en metro's dat de acht miljoen zielen van New York met elkaar verbond. En dus spraken we tijdens onze spaarzame etentjes over transportbeleid. In een Indiaas restaurant aan Sixth Street bespraken we het tienstappenplan van de stad voor de uitgifte van franchiseovereenkomsten aan vervoerbedrijven; bij Habib's, een piepklein falafeltentje in de East Village waar Habib Ella Fitzgerald en Louis Armstrong draaide, spraken we over de uitbreiding van voetgangersgebieden. Tijdens het toetje discussieerden we over de ingewikkelde schoonheid van tolwegen en kilometerheffing. Tijdens ons gesprek vlogen de afkortingen van instellingen uit de stad, de staat en het hele land over tafel: HPD, MTA, HCFA. Erg romantisch en avontuurlijk was onze gespreksstof niet.

En toch, elke keer dat deze nieuwe vriend me belde, kreeg ik een geheimzinnig gevoel van opwinding. Ik onthield anekdotes over vreemde gemeenteambtenaren zodat ik ze later aan hem kon vertellen. Soms lachte ik hardop, zomaar, zonder reden. Ik zei tegen mezelf dat die gevoelens gewoon veroorzaakt werden door de nieuwigheid van deze vriendschap. 'Een aardige jongen,' zei ik tegen mijn vrienden, 'maar ook een beetje saai. We praten eigenlijk vooral over ons werk.' De waarheid was dat ik over mijn werk praatte. Hij luisterde.

Mohamad is een stille man. Hij spreekt zo zachtjes en zelden dat een van zijn vroegere collega's hem 'de stille moordenaar' doopte. Die opmerkzaamheid maakt hem een fantastische onderzoeksjournalist, maar tijdens die etentjes kreeg ik er zweethanden van. Wanneer ik hem iets vroeg, wachtte hij een tijdje voordat hij antwoord gaf en keek me zwijgend aan, waardoor ik het gevoel kreeg dat ik degene was die hier ondervraagd werd. Ik vermeed het om hem recht in de ogen te kijken, want als ik dat wel deed, vergat ik wat ik aan het vertellen was, helemaal van mijn à propos door die geamuseerde, intelligente blik. En dus staarde ik naar zijn keurig gevouwen handen of naar zijn mond, die hij af en toe vertrok in een scheve glimlach, en bleef praten. Ik kan net zoveel praten als ik kan eten, en ook nog tegelijk.

Hij praatte nooit over zichzelf en ventileerde zelden een mening. Wat jammer was, omdat er iets was aan zijn stem wat mijn hart sneller deed slaan, misschien omdat ik hem zo weinig hoorde. Zijn ogen deden allerlei gedachten en verhalen vermoeden, diep weggestopt ergens daarbinnen. Of misschien verbeeldde ik me dat alleen maar. Ik stond op het punt om het op te geven met hem, toen hij me op een zonnige lentedag onverwacht uitnodigde om mee te gaan naar de buurt waar hij woonde, in Queens.

Tijdens onze wandeling wees Mohamad me de bezienswaardigheden van de buurt aan: hier was Queens Boulevard, zo gevaarlijk voor voetgangers dat de *Daily News* hem de 'Boulevard of Death' gedoopt had. En daar was Sunnyside Gardens, waar hij woonde, het beroemde experiment uit het begin van de twintigste eeuw van stedelijk gezamenlijk wonen. Rijen bakstenen appartementen met tuintjes kwamen allemaal uit op een groot gemeenschappelijk terrein: een gedeelde achtertuin waar kinderen konden spelen, honden konden ravotten en gezinnen samen konden picknicken.

'Het idee van de Gardens was echt geweldig. Doordat mensen de ruimte deelden, moesten ze met hun buren samenwerken en met ze kunnen opschieten,' zei Mohamad. Toen lachte hij en rolde met zijn ogen. 'Wat natuurlijk meestal gebeurt, is dat ze allemaal hun eigen stukje grond confisqueren en er een hek omheen zetten. Maar toch, het was een aardig idee.'

Sunnyside was de wereld in het klein: Ierse cafés gebouwd door buitenlandse bouwvakkers, Roemeense nachtclubs zonder ramen, Mexicaanse vrouwen die uit koelboxen *tamales* verkochten, Koreaanse barbecuetentjes. Er was zelfs, aan de andere kant van de boulevard, een Turks restaurant.

'Turks?'

Mijn grootmoeder was Grieks. Ze was een jaar daarvoor gestorven en het verlies voelde als een altijd aanwezige doffe pijn. Het eten van gevulde wijnbladeren, een van de gerechten die ze vaak maakte, zorgde voor tijdelijke verlichting.

'Kunnen we daarheen gaan?'

Hij haalde zijn schouders op. Waarom niet? We staken langs een zebrapad de boulevard over en liepen er naar binnen.

Het restaurant was stil en donker. Achterin flikkerde een televisie met het geluid uit. In een glazen vitrine stonden borden met eten in ongewone vormen en kleuren. Ik bestelde wijnbladeren, *baba ghanouj* en een rode, korrelige substantie die door een vuist leek te zijn samengeknepen (wat ook zo was, bleek later).

De ober kwam met de borden naast ons tafeltje staan. Hij hield zijn hoofd scheef en bekeek me met samengeknepen ogen. 'Neemt u mij niet kwalijk,' zei hij aarzelend en met een licht accent. 'U ziet er Turks uit. Komt u misschien uit Turkije?'

'Nee,' antwoordde ik met een glimlach. 'Maar u zit er niet ver naast. Ik ben deels Grieks.'

Zijn hoofd schoot een stukje achteruit, alsof ik hem een klap in het gezicht had gegeven. Dat doen ze altijd. De Grieks-Turkse oorlog was afgelopen in 1922, maar dat soort dingen vergeten mensen niet van de ene op de andere dag.

'Aha,' zei hij terwijl hij de borden neerzette. Hij legde één hand op zijn hart en maakte met de andere een grote cirkel in de lucht. 'Welkom dan. Mijn, eh… zogenaamde vijand.'

Sommige recepten zijn net gedichten. Een paar aandachttrekkers zijn novelles. Maar gevulde wijnbladeren zijn korte verhalen: kleine fabels over transformatie, niet van mensen (al weten echt goede recepten dat ook voor elkaar te krijgen) maar van voedsel.

De meeste gevulde wijnbladeren die in restaurants geserveerd worden, komen uit grote fabrieksblikken. Toch ontdek je af en toe een plek waar de eigenaars koppig genoeg zijn om ze zelf te maken. Als ze goed smaken, ben ik meteen terug in de omstreken van Chicago, rond 1977. Ik hoor het astmatische gereutel van onze oude, door rook verkleurde koelkast, terwijl uit onze zwart-wittelevisie het deuntje van de plaatselijke zender klinkt. Ik ruik de geur van het lamsvlees dat samen met tomaten en courgettes op het fornuis staat te stoven, waardoor de ramen beslaan. Ik zie mijn grootmoeder in de keuken staan, shag van het merk Bugler rokend en yaprakis rollend, zoals wij gevulde wijnbladeren bij ons thuis noemden. *Yaprak* is Turks voor 'blad', maar het kan ook 'laag' betekenen, zoals de boterachtige tule van baklava, of 'bladzij', als in de bruine, broze bladzijden van *Leaves of Grass*, het lievelingsboek van mijn oma.

Yaprakis is het voedsel van mensen die nooit iets weggooien, zelfs niet de leerachtige bladeren van de wijnrank. 'Als je niets verspilt, kun je het later ook niet missen,' was het credo van mijn grootmoeder; wat ze ook aan ingrediënten had, ze kookte ze, bewaarde ze, verzamelde de restjes en verwerkte die tot bouillon. Ze maakte al compost lang voordat composteren hip werd. Restjes vlees en zuivel gaf ze aan het legertje half-Siamese katten dat bij ons rondliep. In haar keuken werd niets verspild; in plaats daarvan onderging het een metamorfose en keerde terug als iets anders.

Ze groeide op tijdens de Grote Depressie; daar was het voor een deel aan te wijten. Toch ging het veel dieper dan alleen het besparen van geld. 'Wat je van de aarde wegneemt, moet je ook weer teruggeven,' vertelde ze me ooit, in de zomer voor haar dood. 'Je moet de wereld iets teruggeven. Dat is wat mij altijd verteld is – door mijn ouders, mijn grootouders – toen ik opgroeide. En dus zaai ik altijd van alles, plant dingen, al zo lang ik leef.'

In haar tuin groeiden dikke sperziebonen, die ze in haar lamsstoofpot deed; donkerrode tomaten, waar ze zout overheen strooide en vervolgens een salade van maakte met oregano, olijfolie, verkruimelde feta en flinterdun gesneden uien (je depte de dressing op met het brood van de vorige dag); maïs en aardappels, courgettes en dille. En langs het hek groeide een wijnrank, met donkere, glanzende bladeren die ze vulde met rijst en vlees en vervolgens stoofde in *avgolémono*, de Griekse bouillon met citroen en ei.

Elk gerecht bevat een onzichtbaar ingrediënt, een soort culinaire donkere materie: als dat ontbreekt, smaakt het gerecht niet precies zoals het hoort. Pesto kun je het beste met de hand maken in een vijzel; als de basilicumblaadjes worden fijngewreven komt uit de celwanden veel meer olie vrij, waardoor de saus zachter en romiger wordt dan wanneer ze fijngesneden worden met een mes of vermalen worden door de scherpe metalen bladen van een keukenmachine. In dit geval is het geheime ingrediënt dus brute kracht: pesto, van het Italiaanse *pestare*, betekent 'gestampt'.

Soms is het geheime ingrediënt tijd. Maak stoofpot met courgettes in een snelkookpan en je kunt het binnen een uur op tafel zetten, maar het zal vlak smaken, naar aluminiumfolie. Laat het vlees en de uien een paar uur lang met elkaar kennismaken en je proeft meer dan de som van de ingrediënten die je in de pan hebt gedaan.

Het duurt eindeloos lang om gevulde wijnbladeren te maken. Als je het in je eentje doet, ga je dood van verveling; dat is de reden dat tegenwoordig nog maar zo weinig mensen ze zelf klaarmaken. Je moet omringd worden door familieleden, vrienden, buren; je hebt roddels nodig, verhalen en gesprekken. Misschien moet je ook wel een beetje afgeleid zijn, zodat de rolletjes verschillend van grootte worden en allemaal een andere kooktijd nodig hebben. Of misschien moeten de bladeren door verschillende handen worden opgerold: één blik op de donkergroene berg die Leena en haar vingervlugge dochters in hun keuken in Beirut produceren en je kunt zien welke handen welk rolletje gemaakt hebben. Wat de reden ervan ook is: als je ze gezamenlijk maakt, creëren de gevulde wijnbladeren lagen en lagen van smaak, ongeveer op dezelfde manier als het vertellen van hetzelfde verhaal uit verschillende gezichtspunten allerlei betekenislagen toevoegt. Wijnbladeren zijn een gerecht als een verhaal: elk ingrediënt spreekt tot je terwijl het pakketje zich ontvouwt en van alles in zich blijkt te dragen, als kleine, eetbare matroesjkapoppetjes.

In een of ander mythisch, in een vage verte liggend Peloponnesisch verleden heeft mijn grootmoeder wellicht buiten gezeten, onder het groene gebladerte van een wijngaard, en samen met haar zusters yaprakis gerold. Maar wanneer mijn grootmoeder in Chicago samenkwam met haar zussen besteedden ze meer tijd aan het gooien van de dobbelstenen tijdens een potje yahtzee dan aan het rollen van wijnbladeren voor de yaprakis.

En dus maakte mijn oma de ingewikkelde gerechten waar ze van hield – éclairs, yaprakis, eten gevuld met ander eten – thuis in haar keuken met mij. Ze vormde de rijst tot rolletjes met handen met een huid als papier, net zo teer en sterk en fijn dooraderd als de yaprak zelf. Terwijl ze een voor een elk leerachtig, groen blad oprolde, vertelde ze me verhalen die tussen waarheid en fantasie heen en weer schoven; verhalen die weer andere verhalen in zich droegen, ook al was ik destijds te jong om dat te begrijpen.

In mijn grootmoeders tijd, de jaren dertig en veertig, verkochten heel weinig grote supermarkten 'etnische' producten zoals Griekse yoghurt. 'Tahin. Ooit van gehoord?' vroeg ze me eens terwijl ze wijnbladeren en sigaretjes rolde. 'Dat is gemaakt van sesamzaad, het voedsel van de goden! Toen wij klein waren, maakte mijn moeder zelf yoghurt. En toen ze was overleden ging mijn vader altijd naar de Griekse markten in de buurt van Halsted en Harrison. Dan nam hij ansjovis en van die oranje viskuit mee, en baklava. Wij vonden het geweldig!' Ze lachte en likte aan het sigarettenvloeitje. 'Yoghurt vonden we een traktatie,' vertelde ze. 'Tegenwoordig kun je dat spul overal krijgen.'

Terug in Queens begon het me – rijkelijk laat – te dagen dat dit etentje misschien eigenlijk een date was. En als dat zo was, beging ik een doodzonde door eindeloos over mezelf te praten.

'Verveel ik je?'

'Nee, helemaal niet,' zei hij, maar hij was altijd perfect beleefd. Anders dan ik.

We staarden elkaar aan en keken toen snel weer naar onze borden.

'Weet je,' begon hij, 'mijn moeder maakte ook altijd wijnbladeren.'

'Maakte?'

'Nou ja, waarschijnlijk doet ze het nog steeds. Ik bedoel toen ik een kind was. Ze woont in Libanon.'

'Ik dacht dat je hier was opgegroeid. Is ze terug verhuisd?'

'Nee, zij is altijd in Libanon gebleven. Tijdens de oorlog.'

Beirut, rond 1979, een wijk die Chiyah heette: een samenraapsel van kapotte betonnen gebouwen. Een wirwar van waslijnen en elektriciteitsdraden tekende zich af tegen de hemel. Stalen wapening stak uit de bovenkanten en zijkanten van ruwe betonnen muren, als de stekels van een stekelvarken; veel van deze gebouwen zouden de komende dertig jaar zo blijven, eeuwig onafgemaakt. Mensen woonden in appartementen waarvan hele muren opengeschoten waren, doormidden gesneden kijkdozen, als mieren tussen glas. De familie Bazzi – moeder, vader, drie oudere broers, één oudere zus en de kleine Mohamad – wist zich met zijn allen in een piepkleine tweekamerflat te proppen.

Achter het flatgebouw was een binnenplaats waar een kind kon spelen: een boom, een muur van cementblokken, een kaal stukje gras. Zijn moeder plantte gardenia's en oregano in roestige poedermelkblikken en zette die op de muur, waar ze wat zon vingen. 's Nachts vielen kogelhulzen en granaatscherven in de tuin. 's Ochtends verzamelde hij de stukjes metaal in een rammelend blikje waarin vroeger pepermuntsnoepjes hadden gezeten. Andere gebouwen rezen op rond het minuscule tuintje en beschermden het.

De buurt behoorde tot het gebied van de sjiitische moslimmilitie Amal. De wijk die een paar straten verder begon, was het terrein van een christelijke militie. Wat ertussen lag, was niemandsland, een rafelige grenslijn die dwars door de hele stad liep. Sommige stukken waren zo verlaten en raakten zo overgroeid met onkruid en struiken dat buitenlanders het de Groene Lijn noemden. De Libanezen noemden het *khatt al-tamaas*, de lijn van contact. Behalve bij een paar controleposten waar mensen van de ene naar de andere kant konden gaan, maakten sluipschutters het aan beide kanten praktisch onmogelijk om de grens over te steken.

De milities tolereerden geen neutraliteit. Ze deden een beroep op jongemannen om hun buurt, hun familie, hun God te verdedigen. Zij die niet wilden vechten, werden bedreigd, lastiggevallen of in elkaar geslagen.

Of ze sloten zich aan bij de grootste militie van allemaal: het leger van vermisten. Meer dan zeventienduizend mensen, de meeste mannen van strijdbare leeftijd, verdwenen in het gapende gat van de vijftien jaar durende oorlog. Ze losten op in het niets, bij controleposten of tijdens ontvoeringen zonder losgeld. Tot op de dag van vandaag is hun lot onbekend (en tegelijkertijd een afschuwelijke zekerheid).

Of – als ze geluk hadden en een visum voor een of ander land, welk land dan ook, wisten te krijgen – ze vertrokken.

De eersten die weggingen, waren Mohamads drie oudere broers: Hassan naar Frankrijk, Hassane naar Spanje, Ahmad en zijn vrouw naar New York. Zijn zus Hanan bleef achter, maar de broers hadden meer gevaar te duchten van de milities die op straat heersten. Ze waren van plan terug te keren zodra de oorlog voorbij was.

En in een van die zuivere, fotografische momenten die ons lot bepalen, besloten zijn ouders hun jongste zoon niet naar Parijs of Barcelona te sturen, maar naar Jackson Heights, Queens. Het was 1985. Hij was tien jaar oud.

Eerlijk gezegd was ik nooit erg geïnteresseerd geweest in het Midden-Oosten. Ik wist zo ongeveer wat er aan de hand was, maar zodra het ging om de eindeloze beschuldigingen en tegenbeschuldigingen, het bittere armpje drukken vanwege de geschiedenis, kon ik het niet meer volgen, net als de meeste Amerikanen.

Toch was Libanon anders. Het maakte deel uit van mijn jeugd, samen met Sesamstraat, de liedjes van *Free to Be... You and Me* en de Vietnamoorlog. Ik lag onder mijn grootmoeders piano, languit op het hoogpolige, donkeroranje vloerkleed, en keek op onze flikkerende oude tv naar de oorlog. Vietnam liep bijna naadloos over in Beirut, zo kwam het op mij als zesjarige tenminste over. We hadden de oorlog in Vietnam gewonnen, vertelden ze ons op school, maar nu waren er problemen in een land dat ze *Lebanon* noemden.

Daar schrok ik van, want drie of vier keer per jaar gingen wij naar Lebanon. Lebanon was het slaperige stadje in het noorden van Indiana waar we doorheen reden tijdens de vijf uur durende rit van Bloomington, waar ik opgroeide, naar Chicago, waar mijn grootouders woonden. In Lebanon was een tankstation met cafetaria waar we onze benen strekten. Oudere echtparen, man én vrouw gekleed in pastelkleurige polyester broek met bijpassend jasje, drentelden rond hun campers. Mannen uit de streek wisselden tips over vliegvissen met elkaar uit terwijl ze in de rij stonden voor het drinkwaterfonteintje. In een rioolbuis woonde een gezinnetje straatkatten. Het leek allemaal heel onschuldig.

Het avondnieuws toonde in zwart-wit een heel ander 'Lebanon', waar auto's ontploften, gebouwen instortten en oude vrouwen gilden terwijl ze hun handen tegen hun hoofd sloegen. Mannen met bakkebaarden en wijd uitlopende spijkerbroeken renden met hun kalasjnikovs van gebouw naar gebouw, alsof ze verstoppertje speelden maar dan op leven en dood.

De volgende keer dat op tv de oorlog langsflitste, vroeg ik aan mijn grootvader of we Lebanon konden overslaan op de weg terug naar Bloomington.

Hij brulde van het lachen. 'Hé, Dina!' riep hij naar de keuken, waar mijn grootmoeder de ene sigaret met de andere aanstak en gehakt maalde, bijtankend voor haar eigen huiselijke oorlogen. 'Moet je horen! Putti denkt dat de oorlog in ons Lebanon is!'

Ik schaamde me. Ik had iets doms gezegd, maar ik wist niet wat.

'Nee, Putti,' zei hij vriendelijk toen hij mijn verwarde, beteuterde gezicht zag. 'Dat is niet hetzelfde. Lebanon is niet de plek waar ze het op tv over hebben.'

Mohamad lachte. Mooi. Hij was niet beledigd.

Ik werd geboren in 1970, vertelde ik hem, midden tussen het Tet-offensief en het Watergate-schandaal. Voor ons, kinderen van Nixon, symboliseerde Libanon alles wat er tussen mensen verkeerd kon lopen, zoals Vietnam dat deed voor onze ouders. Dus toen deze man, met wie ik misschien wel een date had, me vertelde dat hij uit Libanon kwam, stelde ik me iets groters voor dan een stuk land de helft zo groot als de staat New Jersey: een land van mythes en symbolen, een Libanon van de verbeelding. Terwijl hij vertelde over zijn jeugd in Beirut knikte ik en probeerde begrijpend te kijken. Na afloop rende ik naar huis en tikte als een idioot 'burgeroorlog Libanon' op Google in. Wie vocht er tegen wie en waarom? Hoe begon het? Hoe liep het af?

Internet vertelde me niet wat ik nu weet: dat we nog steeds ruziemaken over de antwoorden op die vragen. Dat we nog steeds ruziemaken, tot op de dag van vandaag, over de vragen zelf.

Queens had zo zijn eigen groene lijnen, alleen waren die onzichtbaar. Zuid-Aziaten in het ene blok, Ieren in het andere. Je liep zo van het ene continent naar het andere, van Zuid-Azië naar Zuid-Amerika. Er waren geen controleposten, geen sluipschutters; de grenzen bestonden alleen in je hoofd.

Ahmad woonde samen met zijn vrouw en hun babydochtertje in een driekamerappartement in een gigantisch gebouw van rode baksteen. De magere, ernstige tienjarige uit Beirut sliep op de bank in de woonkamer. Ahmads vrouw was ongelukkig in haar nieuwe land en eten was een van de weinige dingen waarover ze enige macht bezat. Als ze iets lekkers had – snoep, cake – verstopte ze het voor Mohamad en gaf het aan haar dochter. Op foto's uit die tijd ziet hij er uitgehongerd uit, tijdelijk, een mager, boos kijkend kind dat weliswaar in beeld rondhangt maar eigenlijk probeert te verdwijnen.

Hij leerde onmiddellijk Engels, zonder enig accent. Zijn lerares Engels in de eerste klas van de middelbare school, mevrouw Hertz, wist hem zover te krijgen dat hij verhalen ging schrijven voor de schoolkrant. Tegen de tijd dat hij in de tweede zat, versloeg hij voor de *Western Queens Gazette* het plaatselijke nieuws: een kerkconcert, een tentoonstelling in de bibliotheek. Mensen lachten om de stille, serieus uitziende dertienjarige die met zijn opschrijfblok achter in de zaal zat, maar hij trok zich er niets van aan: in Libanon was hij altijd de jongste geweest, omringd door oudere broers en zussen, neven en nichten. Als hij verhalen schreef, miste hij Libanon en zijn vader en moeder een heel klein beetje minder.

In 1994, negen jaar nadat hij Beirut verlaten had, at Mohamad eindelijk weer een maaltijd met zijn gehele familie. De oorlog was al vier jaar daarvoor afgelopen, maar geen van de broers was teruggegaan naar Libanon. Ze waren verspreid geraakt, opgesloten in hun individuele levens in verschillende landen, met banen en echtgenotes en kinderen. Ze spraken Engels, Frans en Spaans, en natuurlijk Arabisch. Ze waren allemaal naar Hassanes huis in Barcelona gekomen. Niemand zei het hardop, maar dat hoefde ook niet: van teruggaan was gewoonweg geen sprake meer.

Die avond maakte zijn moeder gevulde courgettes en wijnbladeren, een van haar meest spectaculaire gerechten. Ze hield steeds een korte, dikke courgette in de ene hand en boorde met de andere het binnenste eruit met een soort lange metalen vijl. De *boub al-kusa*, de bleekgroene krullen vruchtvlees, hield ze apart om later, gesmoord met uien en een Libanese specerijenmix, te kunnen serveren als bijgerecht. Ze kneedde de rijst door het gehakt, op smaak gebracht met kaneel en piment, en vulde de tere, uitgeholde courgettes met het mengsel. Daarna vulde ze een voor een de wijnbladeren, waarbij ze het blad op haar ene hand legde en het met de andere oprolde. Ze bedekte de bodem van een enorme pan met ongevulde platte wijnbladeren om te zorgen dat de groenten niet zouden aanbranden. Vervolgens legde ze er om en om een laag gevulde wijnbladeren

en een laag gevulde courgettes in, ze stevig op elkaar pakkend als metsel-
werk, tot de pan vol was, waarna ze alles met een bord op elkaar drukte.
Het was alsof ze door het ingewikkeldste gerecht klaar te maken dat ze
kende, eten gevuld met eten, als een Scheherazade van het fornuis de tijd
voor de gek kon houden en haar gezin voor eeuwig bij elkaar kon houden.

Toen de maaltijd was afgelopen stonden haar kinderen op van tafel en
maakten zich op om haar opnieuw te verlaten. Ze begon te huilen.

'Ze zei iets wat ik nooit heb vergeten,' vertelde Mohamad me, zo zacht
dat ik me naar voren moest buigen om hem te kunnen verstaan. 'Ze zei:
"Wat heb ik misdaan, dat God me zo heeft vervloekt dat al mijn kinderen
in verschillende uithoeken van de wereld moeten wonen?"'

In Bloomington, Indiana, waar ik opgroeide, werd op het plein voor de
rechtbank in het centrum een boerenmarkt gehouden. Elke zaterdagochtend vroeg reden boeren uit de omgeving naar de stad en zetten hun kra-
men op, volgestapeld met de seizoensproducten van dat moment: voorjaar betekende aardbeienrabarbertaart, wilde bieslook en lente-uitjes. De
zomer bracht perziktaart, *succotash*, kruisbessen en maïs. In de herfst reden we de stad uit en kochten appelcider rechtstreeks bij een boomgaard.
Gigantische bobbelige groene pompoenen direct van het land. Paarse,
witte en gele maïskolven met rode strepen. En in de winter, als er niets geoogst kon worden, hadden we altijd nog het op stenen gemalen maïsmeel
en de kazen van de amish. De markt was de plek waar mijn moeder me
leerde om seizoenproducten te eten in plaats van de harde, felgekleurde
aardbeien waar ik bij de groentewinkel altijd om zeurde. Op zaterdagochtend kwam mijn moeder voortdurend bekenden tegen terwijl ze zelfgemaakte taarten, gedroogde sassafrasbast of groene paprika's kocht (die
laatste waren in Indiana begin jaren zeventig, voordat de globalisering alle
uithoeken van de wereld binnen handbereik bracht, zo exotisch dat mensen ze 'mango's' noemden).

Maar toen ik dertien was, trouwde mijn moeder met de verkeerde
man, in elk geval volgens mijn grootvader. Gedreven door demonen die
niemand begreep, hijzelf nog het allerminst, verklaarde mijn grootvader
dat we 'onterfd' waren. Zijn anachronistische gebaar betekende dat we
niet langer welkom waren in het huis dat ik altijd als thuis beschouwd
had, met de piano, het donkeroranje vloerkleed en de keuken van mijn
grootmoeder. Mijn oma was er niet blij mee, maar wat kon ze eraan doen?
Haar macht reikte niet verder dan de muren van haar keuken.

Mijn moeder en ik zetten al onze bezittingen op de achterbank van de
gebutste oude Honda en reden naar het huis van haar nieuwe echtgenoot
in Arizona. Op dat moment wist ik het nog niet, maar het zou jaren duren
voor we weer een vaste plek zouden hebben.

Onze eerste tussenstop was Ganado, een piepklein plaatsje in het noorden van Arizona, in het Navajo-indianenreservaat. In Ganado ging ik voor

het eerst naar de middelbare school, een rijtje extra brede stacaravans in de woestijn. Ganado was indiaans *frybread*, *pozole* en Navajo-taco's: gigantische flappen gefrituurd brood met daarop rundvlees, bonen, kaas, uien, sla, tomaten en zoveel hete saus als je kon hebben. Toen ging mijn moeder scheiden en al snel was Ganado niet meer dan een afgelegen woestijndorpje in de achteruitkijkspiegel.

In het midden van de jaren tachtig (kunststof polsbandjes, Wham! op de radio, Latijns-Amerikaanse doodseskaders) verhuisden we naar San Francisco. Banen waren schaars en appartementen nog moeilijker te vinden: huisbazen hadden hun huurders voor het uitkiezen en niemand wilde een alleenstaande moeder met een tienerdochter. Nadat we een aantal afschrikwekkende pensions hadden bekeken en onze opties begonnen op te raken, kwamen we uiteindelijk terecht in een opvanghuis voor daklozen dat Raphael House heette. Het huis werd gerund door een obscure christelijke sekte en was bedoeld voor gezinnen die tijd nodig hadden om hun leven weer op orde te krijgen.

De eerste avond liepen mijn moeder en ik achter de anderen aan de eetzaal in, die vol stond met lange, gemeenschappelijke tafels. De broeders en zusters deelden borden uit met daarop grauwe, geleiachtige vierkantjes van een goedje dat 'tofoe' heette.

Ik staarde naar het spul. Het staarde terug, nat en trillend. Je bent ver van huis en Californië is een vreemd land, leek het te zeggen. Eet me, mooi meisje, en je vindt de weg naar huis nooit meer terug.

Tofoe was een fenomeen waar ik vaag wel eens van gehoord had, maar waarvan ik in mijn naïveteit gedacht had dat ik er nooit mee in aanraking zou komen, net zomin als met dakloosheid. Een degelijk meisje uit het Midden-Westen, groot geworden op maïs en kip en eten dat je vast kon pakken, moest wel iets onvergeeflijks gedaan hebben om dit glibberige spul te verdienen.

Ik keek naar mijn moeder. Ook in haar ogen stond afschuw te lezen, wat geen goed teken leek. Blijkbaar waren we verstrikt geraakt in de netten van een Californische sekte.

Een van de broeders zag me naar de tofoe kijken – de broeders en zusters aten samen met de bewoners – en merkte mijn ontzetting op. 'Dit spul eten we anders nooit, hoor,' zei hij verontschuldigend, en iedereen lachte.

De broeders en zusters bleken vrome mensen, ondanks hun voorliefde voor dit duivelsvoedsel, en meestal kookten ze echt eten. Ze hielden Raphael House draaiend met de opbrengst van een restaurant; we werden een keer uitgenodigd voor een picknick met meer dan tien verschillende soorten brood. Ik kan me grote, donkere bollen herinneren waarin noten en kaas waren meegebakken, luchtige witte broden met groene vlekjes dille, en ik proefde voor het eerst Iers sodabrood. Ik wist niet eens dat brood zoveel vormen kon aannemen, elk ervan als het openslaan van een nieuw boek, en het maakte de tofoe meer dan goed.

We bleven drieënhalve week in Raphael House. In die tijd was het moeilijk om een dakloos kind op een school in te schrijven, maar na veel en overtuigend praten wist mijn moeder een plek voor me te regelen op een zogenaamde magneetschool, waar ik één week naartoe ging voor we ons boeltje oppakten en opnieuw vertrokken.

In Overland Park, Kansas, bezocht ik mijn derde middelbare school, maar ik herinner me de plek vooral vanwege iets wat de inwoners 'pizza' noemden, maar wat in geen enkel opzicht leek op de pizza die ik kende; dit was een soort gigantische cracker, geplamuurd met fluorescerend oranje fabriekskaas en vervolgens in vierkante stukken gesneden.

Saint Louis, Missouri, was een echte stad; je kon er de Sting Burger kopen, de trots van de restaurantwijk Delmar Loop, een hamburger die in brand leek te staan door alle kruiden en barbecuesaus en die niet werd aangeraden aan 'mensen met een gevoelig smaakorgaan'. Maar in de buitenwijken waren de lokale belastingen lager. Mijn moeder ging alle openbare scholen af en zocht een huis in de goedkoopste wijk van het beste schooldistrict. Dit was school nummer vier en inmiddels waren mijn wiskundige vaardigheden zo beroerd dat ik nooit zou worden aangenomen bij een goed *college*, bijles of geen bijles. Niet dat me dat destijds iets kon schelen. Het enige wat ik wilde was verder blijven trekken. Je zou kunnen zeggen dat ik ergens naar op zoek was; een psychiater zou het wellicht beschreven hebben als het verlangen terug te keren naar het huis in Chicago, met de piano en mijn grootmoeders keuken. Toch was dat het niet; mijn grootvader had inmiddels ingebonden en we kwamen weer gewoon op bezoek, maar het was niet meer thuis.

Er waren dagen dat we niet wisten waar we 's avonds zouden slapen; maanden waarin ik ernaar verlangde om net als een gewoon kind naar school te gaan. Toch kon ik van één ding altijd op aan: het avondeten. Op de een of andere manier wist mijn moeder ervoor te zorgen dat we elke avond een normale maaltijd aten, zittend aan tafel. Een of twee glazen wijn en de slowcooker toverden terwijl ze op haar werk was goedkope stukken vlees om tot *daube Provençale*; bacon, prei en room (je hebt van elk maar weinig nodig) veranderden de proletarische aardappel in een koningin. Waar we ook waren – in een daklozenopvang, op de bank in het huis van vrienden, in onze auto – we gingen zitten om te eten en we waren thuis.

Tegen het einde van mijn laatste schooljaar bracht een vriendin me een keer thuis met haar auto. Meestal liet ik klasgenoten niet binnen in ons eenvoudige tweekamerappartement, waar mijn moeder op een bedbank in de woonkamer sliep zodat ik mijn eigen kamer kon hebben. Maar ik mocht Wendy wel, dus nam ik haar mee en mijn moeder nodigde haar uit om te blijven eten.

Die avond aten we Sulimans pilav, een stoofschotel van lamsvlees en uien, bestrooid met peterselie, gehakte amandelen en rozijnen, geserveerd met rijst en yoghurt. Het was een recept uit mijn moeders vaste repertoire, een aangepaste versie van een recept van de Engelse kookboekenschrijfster Elizabeth David, de vrouw die het warme zonlicht van de mediterrane keuken introduceerde in het Engeland van na de oorlog, een vrijwillige nomade, een aristocratische vagebond die liet zien hoe je uit niets een rijke maaltijd kon bereiden.

Wendy woonde in wat ik beschouwde als een villa, met vele slaapkamers en zelfs een echte aparte eetkamer. Ik stelde me altijd voor dat mensen in dat soort huizen eend in aspic aten, van dezelfde borden en onder kristallen kroonluchters. Maar toen we met zijn drieën plaatsnamen rond onze kleine keukentafel, waaraan ik ook altijd mijn huiswerk deed, was Wendy stomverbaasd. Bij haar thuis, vertelde ze, snaaide iedereen gewoon wat uit de koelkast, of bestelde een pizza. Het kon niemand iets schelen wat of wanneer de kinderen aten.

'Eten jullie élke avond zo?' vroeg ze met iets wat klonk als bewondering, en toen mijn moeder bevestigend antwoordde, begreep ik dat thuis iets kon zijn wat je zelf maakte in plaats van de plek waar je woonde.

Tijdens mijn studiejaren en daarna bleef ik rondzwerven: Chicago, Portland, Minneapolis, Oakland. Een tijdje was ik terug in Bloomington. (Hinkle's Hamburgers, waar ze je altijd in één adem vroegen: 'Ketchup-mosterd? Zuurenuitjes?') Na mijn studie verhuisde ik naar Buffalo, waar ik als serveerster werkte in een hele reeks groezelige cafetaria's en wachtte tot de recessie voorbij was. Buffalo was ijzige trottoirs en stadse sneeuwstormen, biefstuk met ei voor $1.99 en om drie uur 's ochtends een bodemloze kop koffie in het oude Pano's Restaurant.

Na vier jaar aan de koude noordgrens van Amerika trok ik zuidwaarts naar de grote stad. Op een handvol geboren New Yorkers na waren de meeste mensen die ik kende ontheemden zoals ik, wat waarschijnlijk de reden was dat het de eerste plek was waar ik me thuis voelde.

En toen ontmoette ik Mohamad. Nog zo'n nomade tegen wil en dank.

Hoofdstuk 2

Afghanistanisme

Na de dag van de wijnbladeren begonnen Mohamad en ik elkaar elke dag te bellen. Een paar weken later nam hij me mee naar zijn favoriete restaurant, Afghan Kebab House. De naam van het restaurant schitterde in rode neonletters achter het raam, omringd door de omtrek van Afghanistan in groen neon. Eronder stond in lavendelkleurige neonletters: HALAL MEAT.

Binnen was onder het plafond canvas gedrapeerd, waardoor het leek alsof je in een tent zat. Kleine tafeltjes stonden langs de muren. Obers kwamen langsrennen met sissende schalen kebab die de ruimte vulden met de geuren van piment, kaneel en geroosterd lamsvlees. Zodra we waren gaan zitten stond Mohamad alweer op om de eigenaar te begroeten. Hij kende hem sinds hij een artikel had geschreven over de Afghaanse gemeenschap in Queens. Ze pakten elkaars handen beet en spraken zachtjes met elkaar, en heel even voelde ik de wereld om ons heen opbollen als een zeil.

De ober bracht ons *bolani kachaloo,* knapperige deegflapjes gevuld met zachte aardappelen en kruiden en aan de buitenkant bruin geschroeid. Daarna kregen we *banjan burani*, zwartgeblakerde, boterzachte plakken aubergine verstopt onder een laag yoghurt bestrooid met gedroogde munt. Ten slotte arriveerde de kebab, mals en rokerig, geflankeerd door lichtbruine basmatirijst, gegrild Afghaans brood en een salade overgoten met een romige witte dressing vol groene kruiden.

Mohamad nam altijd de kipkebab. Hij hield van de manier waarop het gerecht geserveerd werd: alles op één groot bord, met eigen, afgebakende, semiautonome gebiedjes voor de rijst, het vlees en de salade. Het deed hem denken aan zijn moeder – hoe ze het eten in precies de goede hoeveelheden op zijn bord legde, de juiste configuratie van vlees, salade, zuur, en hoe ze alles rijkelijk overgoot met yoghurtsaus. Ik was degene die de viskebab probeerde, of de *narenj palau*: rijstpilav met groene pistachenoten en oranje stukjes sinaasappelschil.

Aan een van de ruwe bruine muren hing een poster met daarop een jong meisje dat je aankeek vanuit de diepe rode vouwen van een wollen omslagdoek. Haar naam was Sharbat Gula, al wist in die tijd nog niemand dat. In 1985, het jaar waarin ze op het omslag van de *National Geographic* verscheen, vestigde de strakke blik van haar zeegroene ogen de aandacht van de westerse wereld op de stroom Afghaanse vluchtelingen die aan de Sovjet-bezetting probeerden te ontkomen.

Toen kwam er een einde aan de Koude Oorlog, de Sovjet-troepen ver-

lieten Afghanistan en de meeste Amerikanen, behalve militaire geschied-
kundigen en feministen, vergaten Centraal-Azië. Er bestond zelfs een
woord voor deze moedwillige vergeetachtigheid: 'afghanistanisme'. Mensen gebruikten het om kranten te bekritiseren die volgens hen ruimte ver-
spilden aan irrelevante onderwerpen die speelden in verre landen zoals
Afghanistan.

Maar de wezen van deze vergeten oorlog groeiden op en sloten zich
aan bij de taliban, en ze werden steeds stoutmoediger en extremer. In februari 2001 executeerden de bebaarde militanten in het openbaar twee
vrouwen die ervan werden beschuldigd 'prostituees' te zijn, door ze in
een voetbalstadion voor een publiek van honderden toeschouwers op te
hangen. Drie weken later bliezen de taliban twee zesde-eeuwse Boeddha-
beelden op. Hun leiders hadden ze tot afgoden verklaard, verboden door
de islamitische wet. De gigantische boeddha's waren historisch genoeg om
de voorpagina van *The New York Times* te halen.

'Hoe komt het toch dat mensen zich meer opwinden over die beelden
dan over het feit dat een maand geleden in het openbaar twee vrouwen
geëxecuteerd werden?' vroeg ik aan Mohamad.

'Of dat ze nog maar drie maanden geleden driehonderd mensen hebben afgeslacht,' beaamde hij, met in zijn stem een felle, agressieve klank
die ik niet kende. Over dat bloedbad had ik niets gehoord of gelezen.

De taliban, zo bleek, waren lang niet zo ver weg als het leek: ze hadden
een kantoor geopend in Queens. Mohamad had hun vriendelijke, bebaarde ambassadeur bij de Verenigde Naties, die hem gesuikerde amandelen en groene thee aanbood, geïnterviewd en een artikel geschreven
over deze buitenpost van de taliban in New York. De kleine Afghaanse
gemeenschap in Queens was verdeeld, vertelde Mohamad me; sommigen
waren pro-taliban, anderen anti. Slechts een paar Afghanen slaagden erin
om niet meegesleurd te worden in de politiek van hun thuisland.

De eigenaars van Afghan Kebab House waren Hazaren, sjiitische moslims, net als de meeste van de mensen die in januari door de taliban gedood waren. Mohamad was ook een sjiiet, of dat dacht ik tenminste te
weten; in die tijd leek het een detail waar alleen types als de taliban iets
om gaven.

Onze hofmakerij duurde de hele lente en zomer. We noemden het onze
'grensoverschrijdende romance', omdat Greenpoint, in het stadsdeel Brooklyn, aan de grens met Queens ligt. Ik reed op mijn fiets via de brug over
Newton Creek, langs de rioolzuivering en de begraafplaats, en dan over
Queens Boulevard naar Sunnyside, en vaker wel dan niet kwamen we uiteindelijk in Afghan Kebab House terecht.

Op een warme avond vroeg in de herfst reed ik na mijn werk naar Sunnyside. We aten zoals altijd buiten de deur en gingen daarna terug naar
zijn appartement. Tegen die tijd was ik al bezig om langzaam elke plek
die nog vrij was in zijn keuken te koloniseren. Er lag een stapel kleren van

mij op de vloer en die doorzocht ik op zoek naar een schone blouse om de volgende dag naar mijn werk te dragen.

'Misschien moeten we eens over samenwonen gaan denken,' zei hij langzaam. 'Niet nu,' voegde hij er haastig aan toe toen hij de uitdrukking op mijn gezicht zag. 'Misschien volgend jaar, in het voorjaar of zo.'

Ik was verliefd op hem. Maar ik hield ook van het ritueel om op mijn fiets heen en weer te rijden, het gevoel van vrijheid dat het me gaf; op een onuitgesproken niveau dacht ik dat we het misschien altijd zo konden blijven doen.

'Laten we erover nadenken,' zei ik. 'We zijn pas vijf maanden bij elkaar.'

We besloten om er een nachtje over te slapen. We hadden alle twee een lange dag voor de boeg: de volgende dag zouden in een voorverkiezing de burgemeesterskandidaten gekozen worden. Het was de culminatie van een lange, bittere campagne en we zouden beiden nog lang nadat de stemlokalen gesloten waren aan het schrijven zijn.

Ik werd laat wakker, zoals meestal, en liep de woonkamer in. Mohamad had de televisie al aangezet. Maar er was geen nieuws over de verkiezingen, ik zag geen rijen New Yorkers op weg naar de stembus. Alleen beelden van een hoog, zwart met wit gebouw tegen een lichtblauwe hemel, waar uit de zijkant grote rookwolken kwamen.

Zes dagen later zat hij in het vliegtuig naar Pakistan.

In de maanden daarna ontdekten New Yorkers een wereld waarvan de meesten van ons niet wisten dat hij bestond. We snauwden om niets onze vrienden af. We vergaten de gemakkelijkste namen en nummers. We lagen 's nachts wakker, niet in staat om te slapen, en brachten onze dagen slaapwandelend door. Kuchend en piepend sloegen we ons door de herfst en de winter. We deinden zwijgend heen en weer in de metro, een stad vol zombies, en staarden elkaar aan met mismoedig begrip.

Ik werkte op Wall Street, acht blokken bij Ground Zero vandaan. Na mijn werk stapte ik de rokerige avond in, langs mannen van de National Guard en kiepwagens vol verbogen metaal, en liep door het gemilitariseerde bouwterrein waarin Lower Manhattan veranderd was. Mohamad belde me elke avond, waar hij ook was. Islamabad, Quetta, Peshawar. Jalalabad toen het niet langer in handen van de taliban was. En elke keer dat de telefoon ging, trok mijn maag zich samen omdat ik vreesde voor slecht nieuws.

Op een winteravond liep ik, in afwachting van zijn telefoontje, langs een plein waar we elkaar tijdens een van onze eerste afspraakjes bijna gekust hadden. Normaal gesproken baadde de kleine binnenplaats in het geruststellende oranje licht van straatlantaarns. Nu was het donker en het krioelde er van de donkergrijze rattenlijven. In die weken zag je overal in Lower Manhattan ratten, en de gedachte aan de reden voor hun plotselinge vermenigvuldiging stuurde me stom snikkend naar huis.

Toen Mohamad die avond eindelijk belde, probeerde ik het hem uit te leggen. Het waren niet de ratten, maar iets anders, iets wat ik niet goed kon uitdrukken: de donkere straten, de controleposten overal. De ondergrondse brand die al drie maanden woedde, waardoor alles doortrokken raakte van de stank van rottende, natte as. Geüniformeerde, gewapende mannen in de metro. De ruïne die nog lang nadat het beton en het puin waren afgevoerd haar dreigende schaduw over ons wierp. Deze stad was ons thuis geweest, een levend ding; nu was het een gemilitariseerde zone rond een massagraf.

Hij zuchtte. Hij had van een groep Pakistaanse militanten het aanbod gekregen een gewond Al-Qaida-lid te interviewen en probeerde erachter te komen of dat veilig was. (Een paar weken later, nadat de verslaggever van *The Wall Street Journal* Daniel Pearl was verdwenen, verbraken ze alle contact met Mohamad.) Dat hoorde ik echter allemaal pas veel later.

'Luister, ik moet gaan,' zei hij. Zijn stem klonk gespannen. 'Ik wilde je alleen laten weten dat alles goed met me is.'

'Kunnen we niet nog even praten? Ik wil zo graag je stem horen.' Op dat moment waren we al bijna langer van elkaar gescheiden dan we samen geweest waren.

'Annia, er zijn hier wilde honden,' zei hij. 'Ik sta buiten om een satellietsignaal te kunnen opvangen en ze beginnen me te omcirkelen. Ik moet echt gaan.'

Gedurende die lange, donkere winter sleepte ik al mijn vrienden mee naar Afghan Kebab House of vergelijkbare restaurants. Ik viel ze lastig met gedetailleerde herinneringen: Mohamad eet geen viskebab, alleen kip; Mohamad houdt van *firni*, het melkachtige witte dessert met rozenwater en kardemom, bestrooid met gehakte pistachenoten; Mohamad zegt dat het hem doet denken aan Libanese *mhalabieh*.

Elke keer dat ik er was, herinnerde ik me de laatste keer dat Mohamad en ik er samen hadden gegeten. Het was een paar dagen voor hij naar Pakistan vloog. Ik vocht tegen de tranen, terwijl ik probeerde sterk en rustig te blijven en niet te denken aan waar hij naartoe ging.

'Luister, ik wil niet dat je je zorgen over me gaat maken,' zei hij terwijl we aan een tafeltje gingen zitten.

'Dat is belachelijk. Hoe moet ik me nou geen zorgen over je maken?'

Hij zweeg. Hij maakte lange dagen, die hij vooral besteedde aan het schrijven over Osama bin Laden en de taliban, en kwam dan laat thuis en ging zijn spullen pakken. Ik hield me vooral onledig met drinken en huilen. Meestal ben ik niet zo'n janker, maar in de zes dagen voor Mohamads vertrek huilde ik als een baby, als ik niet zwaar aan het drinken was, en ook als ik dat wel was. Al het andere voelde compleet nutteloos.

'Heb ik je het verhaal over het raam in ons vroegere huis in Beirut wel eens verteld?' vroeg hij ten slotte.

Ik schudde mijn hoofd.

In die dagen was er in Beirut altijd granaatvuur. Je wist nooit waar het vandaan zou komen; het kon van die kant zijn, maar ook van de andere. Het was dus te gevaarlijk om op de binnenplaats in Chiyah te spelen, maar in het appartement van de Bazzi's zaten tralies voor het raam van de woonkamer, precies de goede maat voor een kind om in te klimmen. Hij klauterde er lenig tegenop en ging er vervolgens als een slingeraapje aan hangen. Hij noemde ze zijn apenklimrek.

Op een dag was hij aan het spelen op zijn apenklimrek, terwijl zijn ouders en Hassane in de keuken een yoghurtsalade maakten. Alle anderen zaten in de woonkamer: Hanan, Hassan, Ahmad en hun buurmeisje Amal.

Drie Libanezen in één kamer, gaat het spreekwoord, en je hebt vier meningen. Dit gaat net zo goed op voor eten als voor andere vormen van politiek. Terwijl Hassane en zijn vader toekeken hoe zijn moeder de knoflook fijnstampte en de komkommer sneed, dacht iedereen te weten wat de beste, nee, de énige manier was om de salade klaar te maken: 'Twee knoflooktenen!' 'Nee, dat is te veel, eentje maar!' 'Nee, twee tenen knoflook, maar meer komkommer!' 'Minder munt!' 'Wat pas echt belangrijk is, is dat je het een tijdje laat staan om de smaken te laten intrekken!'

Uiteindelijk riep zijn moeder Ahmad, om in de keuken te komen proeven of er genoeg knoflook in de salade zat. Mohamad sprong van het apenklimrek en volgde zijn grote broer naar de keuken; als er iets te proeven viel, wilde hij ook wel een hapje.

Precies op dat moment sloeg een gigantische onzichtbare vuist alle lucht uit de kamer. Een artilleriegranaat had het huis van de buren geraakt. Het raam explodeerde in een regen van vliegende messen. Stukken metaal boorden zich diep in de muren: granaatscherven, delen van het omhulsel van de bom. Glazen dolken sneden dwars door de bank heen; later ontdekten ze dat de scherven er aan de andere kant uitstaken. Een ervan raakte Amals bovenbeen. In eerste instantie voelde ze het niet eens; ze merkte pas dat ze gewond was toen Hanan het bloed zag en begon te gillen. Plotseling schreeuwde iedereen. Het huis vulde zich met rook. Als Mohamad niet naar zijn familie in de keuken was gegaan – als hij nog steeds in het raam aan zijn apenklimrek had gehangen – was hij dood geweest.

Hij leunde naar achteren, sloeg zijn armen over elkaar en glimlachte naar me, welwillend en vol verwachting.

Ik staarde hem stomverbaasd aan. 'Is het de bedoeling,' vroeg ik, 'dat ik me door dit verhaal beter voel?'

'Eh… ja,' antwoordde hij. Hij haalde niet-begrijpend zijn schouders op. Het was duidelijk dat ik de clou gemist had: 'Ik zie het zo: als ik had moeten sterven, was het toen wel gebeurd.'

De misvatting van de gokker. Ik lachte. Dit was de man die de rede hoger inschatte dan wie dan ook die ik kende, maar ja, mannen zijn bijgelovige wezens.

'Je realiseert je wel dat dat totaal irrationeel is, toch?'

Hij lachte. 'Nou, oké, misschien is het dat wel. Maar ik voel me er altijd beter door.'

Toch bood het verhaal me later, toen ik zonder hem in Afghan Kebab House zat, op een onverklaarbare manier troost. Misschien had ik iets overgenomen van zijn geloof in het onzichtbare, in het web van omstandigheden dat hem in zijn ogen veilig zou kunnen houden. Of misschien kwam het doordat hij bijna nooit over Beirut praatte en me desondanks dit verhaal had gegeven, een stukje van zijn vroegere ervaring met oorlog, in de hoop dat de wereld daar een veiliger plek door zou lijken.

En uiteindelijk was er nog het verhaal zelf. Bij mij thuis maakten we ook yoghurtsalade (de Grieken noemen het *tzatziki*) en ik wist hoe het smaakte: de gedroogde munt en de komkommer, de koperachtige smaak van knoflook in de romige yoghurt. Ik kon hem voor me zien, in de keuken met zijn familie, terwijl de dodelijke metalen scherven door de lucht naar hen toe vlogen, proevend van de salade die zijn leven zou redden.

Hoofdstuk 3

Bruid van de wereld

Steden kiezen hun bewoners, niet andersom.
– Vassilis Vassilikos, *The Few Things I Know About Glafkos Thrassakis*

In juli 2002 verhuisden Mohamad en ik samen naar een appartement in Brooklyn. Toch bracht hij het grootste deel van zijn tijd in het buitenland door: Pakistan, Syrië, Libanon, de Westelijke Jordaanoever. In januari 2003 stelde *Newsday* hem aan als buitenlandredacteur voor het Midden-Oosten. Hij zou ergens in de regio moeten gaan wonen. Jeruzalem en Cairo waren de traditionele keuzes voor de meeste Amerikaanse kranten, maar hij wilde graag naar Beirut en hij vroeg of ik met hem mee wilde gaan. En dus ging ik in mei van dat jaar twee weken naar Beirut om te zien hoe het me daar zou bevallen.

Overdag werd Beirut geregeerd door auto's. De stad verstikte in woedende verkeersstromen, auto's zochten zich agressief een weg door de straten en over de trottoirs, de lucht hing vol dieseldampen. Maar 's avonds kwamen de mensen naar buiten. Ze zaten op de stoep en rookten waterpijp, speelden muziek en dronken koffie. Ze wandelden langs de zee en aten lupinezaad, een soort bonen die in de landen rond de Middellandse Zee geserveerd worden met zout, als voorafje of goedkope snack op straat. Mannen op brommertjes sjeesden langs om kooltjes voor waterpijpen te bezorgen en verlichtten de hemel met hun oranje vonkende minikometen. Als je Beirut wilt zien, kun je het beste 's avonds beginnen.

We begonnen bij restaurant Regusto, waar we hadden afgesproken met Mohamads zus Hanan, hun nicht Huda en haar man Ibrahim. Daarna gingen we naar een piepklein barretje achter in een winkelcentrum, Chez André, waar de barman bij iedereen die zo dom was om er een te dragen zijn stropdas afknipte en die aan de muur hing, over de door rook geel verkleurde pornografische cartoons en het bordje 'Geen politiek!' heen. We dronken Libanees bier onder een franje van onthoofde stropdassen en ons gezelschap breidde zich uit met een besnorde schrijver die precies leek op de ernstig kijkende oude Hemingway uit de jaren vijftig. Zijn naam had ik niet verstaan.

We eindigden in de Baromètre, verstopt achter dikke gordijnen in een uithoek van een ander winkelcentrum. De meisjes waren prachtig, de jongens nauwgezet onverzorgd, en iedereen leek elkaar te kennen. Het menu stond in het Arabisch op een groen schoolbord en was nauwelijks zichtbaar door de mist van sigarettenrook en muziek. Ziad Rahbani, de briljante componist en muzikant, keek op ons neer vanuit een lijst die in een hoek hing; op de foto leunde hij naar voren boven een tafel, genietend van een sigaret en met zijn nette overhemd ver open geknoopt, wat precies was wat iedereen in de Baromètre deed. We dronken heel wat glaasjes arak, de melkachtige sterke drank met anijssmaak, terwijl langharige meisjes als leeuwinnen van tafel naar tafel slopen en Rahbani's Arabisch klinkende jazz door de rokerige duisternis schetterde. Schreeuwend om zich verstaanbaar te maken stelde iedereen me dezelfde vraag: 'Wat vind je van Beirut?'

Berytus, *Biruta*, *Beyrouth*. De stad gaat terug tot zeker drieduizend jaar voor Christus en altijd al zijn bezoekers er meteen verliefd op geworden. Het is een stad van migranten, van mensen die voortdurend komen en gaan, een plek waar ballingen en opportunisten uit alle landen zich thuis voelen. 'Nee, Libanon is echt een speciaal geval,' zei mijn vriend Munir ooit lachend. 'We zijn door iedereen binnengevallen: de Kanaänieten, de Feniciërs, de Turken, de Grieken, de Arabieren. Het bloed van al die veroveraars stroomt door onze aderen!'

Toen Libanon onder Frans gezag stond, noemde men Beirut 'het Parijs van het Midden-Oosten'. (Sommigen noemden het liever het Zwitserland, een meer accurate koosnaam, gezien al het witwassen van geld dat er plaatsvond.) Maar al die geleende opsmuk deed geen recht aan de stad. Het oude Beirut was *Medinat al-Alam*, 'Stad van de Wereld', waar mensen Grieks spraken in de haven, Turks in de *souk* en Frans in de cafés.

In de jaren na de Tweede Wereldoorlog groeide Beirut uit tot de kosmopolitische hoofdstad van het Midden-Oosten; een Arabische stad, een mediterrane stad, maar ook een stad die de hele wereld omspande. Dichters, partizanen en avonturiers stroomden Beirut binnen. Sommige emigrés waren niet wat ze leken; zoals Kim Philby, de welgemanierde correspondent van *The Economist* in Beirut, die een van de beruchtste dubbelagenten van de Koude Oorlog bleek te zijn. Dissidenten op de vlucht voor tirannen kwamen naar Beirut om onder te duiken. Boeken die wilden ontsnappen aan de censuur werden hier gedrukt, zoals *Awlad Haratina* (in het Nederlands verschenen als *Kinderen van Gabalawi*, vert.), Nagieb Mahfoez' allegorische epische meesterwerk over de Abrahamitische profeten: onmogelijk te publiceren in Cairo maar welkom in Beirut. Verbannen schrijvers kwamen hier om hun volgende roman te bedenken, verbannen tirannen kwamen hier om hun volgende coup te plannen (inclusief, voor een zeer korte periode, een veelbelovende jonge Irakees genaamd Saddam Hussein). Wereldrijken, zowel echte als alleen in de verbeelding bestaande, kwamen op en stortten in bij Arabische koffie en arak in de cafés en bars van Beirut. In 1951 ging dertig procent van alle wereldhandel in goud via de handelshuizen in Beirut. In het midden van de twintigste eeuw waren er in het centrum van Beirut ongeveer vijfentwintig bioscopen, waarmee het filmbezoek per hoofd van de bevolking tot het hoogste ter wereld behoorde. Alleen al in de hoofdstad verschenen vijftig kranten; in 1975 had de regering meer dan vierhonderd vergunningen voor dagbladen uitgegeven, een koninkrijk van woorden. *'Babel des accents Arabes'* schreef de Libanese journalist Samir Kassir (zoon van een Palestijn en een Syrische, wat hem een typische Beiruti maakte). Een stad van vluchtelingen, van complotten en kosmopolieten, een stad zo volgepakt met ideeën dat ze zelfs de zee in stroomden.

Het was in die kosmopolitische tijd, vertelden oudgedienden me, dat Beirut nog een andere bijnaam kreeg: *Sitt al-Dunya*, 'Dame van de Wereld', en soms *Arous al-Dunya*, 'Bruid van de Wereld'. En Beirut speelde die warme zomeravond onder één hoedje met Mohamad, want hij vroeg het me niet rechtstreeks, maar zinspeelde er wel op dat hij wilde trouwen.

Ik wilde niet trouwen. Ik vond het een vreselijk idee, om ingewikkelde redenen die niets met Mohamad te maken hadden en alles met mijn eigen geschiedenis. Trouwen was wat me uit mijn vredige kindertijd in het Midden-Westen had geschopt en een half continent verderop in Californië had doen belanden. Trouwen betekende verbanning, catastrofe, dakloosheid. Trouwen was een fout die andere mensen maakten en waartoe ze jou vervolgens ook probeerden te verleiden: een kolossaal menselijk piramidespel door de generaties heen.

Meer filosofisch bekeken vond ik dat het huwelijk deel uitmaakte van een door anderen – familie, de kerk, de regering – opgelegde identiteit in plaats van een die je zelf koos. Maar Mohamad wilde dat ik met hem mee verhuisde naar Beirut en dus leek het een goed moment om kennis te maken met zijn ouders. De vraag van het trouwen kon wachten, liefst voor altijd.

In New York had ik Mohamads broer Ahmad al ontmoet. Ahmads vrouw had gewacht tot er een stilte viel in het gesprek, waarna ze had toegeslagen en met een agressiviteit waarvan ik me later pas realiseerde dat die defensief was, gevraagd: 'En, Annia. Hoe denk jij over Arabieren?'

Ik zou gedacht hebben dat het antwoord nogal voor de hand lag; ik woonde tenslotte met een Arabier samen. Ze keek me echter met samengeknepen ogen aan, alsof ik ze, gebroken door haar ondervraging, elk moment allemaal terroristen kon gaan noemen.

Een kennismaking met de ouders beloofde een minstens even ongemakkelijke ontmoeting te worden. Ze spraken geen Engels (misschien gelukkig maar, als ik dacht aan de schoonzuster) en ik sprak nauwelijks Arabisch. En ze waren moslims. Ik was katholiek – in veel opzichten een slechte katholiek, maar ik betwijfelde of dat mijn zaak veel goed zou doen.

Een vriend van ons had al verscheidene aanstaande bruiden bij zijn ouders laten opdraven. Zijn Iraakse vader had een reeks willekeurige oordelen over ze afgevuurd; de ene was te oud, de ander te kort. Een van hen, herinnerde ik me, was echter precies goed geweest. Zij is aardig, had de vader van onze vriend besloten, zij glimlacht. Ik nam me voor om veel te glimlachen.

Mohamad belde aan. De donkerrode, zware metalen deur ging piepend open en ik stond oog in oog met de vijand: een oud vrouwtje van slechts één meter vijftig hoog in een verbleekte, blauwe katoenen huisjurk. Zwarte ogen glommen onder dunne gebogen wenkbrauwen, dezelfde als die van haar zoon. Haar mondhoeken wezen afkeurend naar beneden, maar haar ogen lachten; de combinatie deed vermoeden dat ze streng probeerde te kijken terwijl ze haar best moest doen om niet te glimlachen. Umm Hassane was eenenzeventig. Haar huid was nauwelijks gerimpeld, maar haar gezicht leek in het midden naar binnen te klappen; neus en kin raakten elkaar bijna boven haar mond in een permanente uitdrukking van zuinige geamuseerdheid.

Ik glimlachte. Ze glimlachte terug, een bijna onmerkbaar omhoog krullen van haar mondhoeken.

Ik glimlachte breder. 'Hallo!' brulde ik, waarmee ik meteen een van de weinige Arabische woorden die ik met moeite had weten te leren had opgebruikt, en ik glimlachte nog harder, alsof ik meedeed aan een missverkiezing.

'Welkom,' zei ze, 'welkom.' Ze stak haar handen uit, greep me stevig bij mijn schouders en trok me omlaag om me vervolgens drie keer op de wangen te kussen. Ik rook knoflook, citroen en iets groens en grassigs: koriander. Ze keek naar me, alwetend en vol humor, alsof ze een goeie mop kende en die voor zichzelf wilde houden, maar mij toch wilde laten weten dat ze hem kende.

Abu Hassane, Mohamads vader, tuurde voorzichtig over de schouder van zijn vrouw. 'Welkom, welkom,' herhaalde hij terwijl hij op zijn sloffen naar me toe schuifelde. Ik glimlachte naar hem. Hij glimlachte terug, een brede lach met hier en daar een missende tand. We gingen naar binnen.

Umm Hassane had courgettestoofpot klaargemaakt. Voor haar recept moest je knoflook en koriander in een vijzel fijnwrijven tot een geurige pesto, die ze vervolgens voor nog meer smaak kort in een pan had gebakken. Ook had ze *fattoush* gemaakt, de Levantijnse broodsalade. De dressing maakte ze door in dezelfde oude houten vijzel citroensap, zout en knoflook fijn te wrijven en die daarna een tijdje te laten staan om de knoflook goed in het citroensap te laten trekken. Het hele huis rook naar knoflook, runderbouillon, smorende groenten en citroenen; voor mij rook het er naar thuis.

Maar voor we konden eten zouden we moeten praten. In het Arabisch.

Thuis in New York had ik een heleboel Levantijns-Arabische woordjes en zinnetjes geleerd, van het algemene 'Hoe gaat het met je? Is er nog nieuws?' tot meer betekenisvolle zinnen als 'De grens is vandaag gesloten, maar ik weet niet waarom.' En dan had je nog wat ik de 'onvertaalbaren' noemde: woorden of zinnen die geen echt equivalent hadden in het Engels, maar dat volgens mij wel zouden moeten hebben, zoals *sahtain*. Het betekent 'op je gezondheid' (letterlijk: 'dubbele gezondheid') en net als *bon appétit* of *buen provecho* wordt 'sahtain' gebruikt met het zeer beschaafde doel om iemand die aan het eten is of op het punt staat om daarmee te beginnen geluk te wensen.

Bijna al die woorden ontschoten me zodra we door de deur naar binnen liepen. Ik hield het bij 'hallo' en glimlachte nog maar eens. We liepen achter elkaar de woonkamer in en gingen op het bruine bankstel zitten.

'Je bent dik geworden!' zei Abu Hassane tegen Mohamad zodra hij was gaan zitten. Hij lachte piepend, als een oude accordeon.

Mohamad was inderdaad iets aangekomen, maar dit was wel akelig direct. Ik was nog niet gewend aan de Libanese manier om verloren zonen en dochters thuis te verwelkomen. In de zes jaar die volgden zou ik veel gebruiken leren: een ervan was de ongelukkige gewoonte om mensen te begroeten door kleine fluctuaties in hun gewicht te benoemen.

'Spreek je Arabisch?' vroeg Abu Hassane terwijl hij met een hand op elke knie naar voren leunde en me dwars door de kamer met vriendelijke nieuwsgierigheid aankeek.

'Een beetje,' antwoordde ik en ongrammaticaal voegde ik eraan toe: 'Ik ga school New York één keer elke week.'

Hij reageerde met een vrolijk gebrabbel in het Arabisch, een snelle, onverstaanbare stroom waarin ik alleen af en toe een los woordje kon herkennen: 'Beiroet... Arabisch leren... mooi... New York... welkom.'

'Ze verstaat nog niet zoveel,' zei Mohamad lachend.

'O.' We beperkten ons maar weer tot wederzijds glimlachen.

Het is vreemd om als volwassene een nieuwe taal te leren. Je begrip loopt soms ver vooruit op je spreekvaardigheid en omdat je niet op hun niveau kunt converseren, denken mensen dat je ze niet verstaat. Het resultaat is dat je een groot deel van de tijd aan het luisteren bent naar mensen die in de derde persoon over je praten.

'Ze is knap,' zei Abu Hassane.

'Ja, zeker,' zei Mohamad, die wel vermoedde dat ik hun gesprek in elk geval gedeeltelijk kon volgen.

'Heeft ze een baan?'

'Ja, ze werkt erg hard. Ze is redacteur bij een tijdschrift.'

'Bij een tijdschrift!' jubelde Abu Hassane.

'Niet zoals Ahmads vrouw! Die werkt niet!' Umm Hassane hief haar kin, een typisch Levantijnse uitdrukking van ontkenning, en maakte een wegwerpgebaar.

Van Mohamads drie broers was alleen Ahmad met een Libanese vrouw getrouwd. Maar Umm Hassanes geloof in werk, zou ik ontdekken, steeg uit boven elk gevoel van nationale solidariteit.

'Hoeveel verdient ze?' vroeg Abu Hassane.

'O, nou ja, niet helemaal zoveel als ik.' Mohamad vermeed het om me aan te kijken.

We vertelden ze niet dat ik erover dacht om mijn baan op te zeggen en met hem mee te verhuizen naar Beirut. Dat kon allemaal wachten tot we dit eerste gesprek achter de rug hadden.

'Maar toch: ze werkt, ze zit niet maar een beetje thuis,' zei Umm Hassane. 'Dat is goed.'

Abu Hassane keek me stralend aan. Ik glimlachte alsof ik een lobotomie had ondergaan. Umm Hassane bekeek ons allemaal met haar gebruikelijke uitdrukking van stiekem geamuseerde tolerantie. En toen nam ze een besluit. Ik had een baan. Ik sprak een beetje Arabisch. Ik glimlachte. Er was maar één reactie mogelijk.

'Ze is erg aardig; we mogen haar.' Ze knikte vastbesloten. 'Ze probeert Arabisch te leren en ze is niet lui, zoals sommige vrouwen.' Even verscheen er een boze blik in haar ogen, misschien omdat ze dacht aan haar schoondochter, maar toen ging ze verder: 'Ik zal alles regelen. We bellen Hadj Naji en dan zal hij een afspraak maken met de *Sayyid*...' – een Sayyid is een afstammeling van de profeet Mohammed, maar in dit geval bedoelde ze een plaatselijke sjiitische geestelijke – '... en dan kunnen jullie trouwen.'

In het Libanese gesproken Arabisch zijn er twee werkwoorden voor trouwen. Een ervan, *tazawaja*, betekent simpelweg 'trouwen'. Het andere, *katab al-kitaab* (letterlijk 'het boek schrijven') wordt gebruikt voor het sluiten van een islamitisch huwelijkscontract. In mijn Arabische les had ik alleen 'tazawaja' geleerd. Umm Hassane, die een vrome moslima was, gebruikte 'katab al-kitaab', dus begreep ik gelukkig niet wat ze zei over trouwen. Mohamad zou het ook pas veel later voor me vertalen, in de veiligheid van onze eigen hotelkamer. In mijn oren klonk het simpelweg alsof ik de goedkeuring van Umm Hassane had gekregen. En dus zat ik daar nog steeds breed te glimlachen, me totaal niet bewust van ons ophanden zijnde huwelijk.

Umm Hassane had het allemaal al gepland: zij en de familie zouden zorgen dat we getrouwd waren voordat we weer vertrokken. Maar eerst zouden we mijn bezoek en mijn nieuwe plek in de familie van Mohamad op de eenvoudigste manier vieren: door te eten. We liepen met zijn allen naar de eettafel, waarop pagina's van de krant van gisteren waren uitgespreid als placemats, en gingen zitten.

Na het eten komt de thee: dat is de regel in Umm Hassanes huis. Na de thee moet de familie bezocht worden, zeker wanneer er een nieuwe aanwinst te tonen is. Abu Hassane voelde zich niet goed, dus hij bleef thuis. Umm Hassane deed haar lange zwarte tuniek aan en de hoofddoek die ze altijd droeg als ze het huis uit ging, en we liepen naar het flatgebouw waar Hadj Naji woonde.

'Hier is de bruid!' kondigde Umm Hassane aan terwijl ze naar binnen stapte en mij met een triomfantelijk handgebaar presenteerde, als de presentatrice in een spelshow.

Een kamer vol gezichten draaide mijn kant op en staarde me aan. Een kamer vol gezichten nam me van boven tot onder op, en daarna van onder tot boven. Een omvangrijke, breedgeschouderde vrouw met strenge wenkbrauwen en diepe, ontevreden rimpels aan weerszijden van haar mond, hees zichzelf uit haar stoel. Ze legde een hand op mijn schouder, alsof ze me op mijn plek wilde vastpinnen, en bestudeerde me kritisch. Haar blik zakte langzaam van mijn gezicht omlaag tot aan mijn voeten, alles in zich opnemend – de gekreukte groene blouse, de stoffige zwarte leren schoenen, de rok die waarschijnlijk niet decent genoeg was – en gleed toen weer omhoog naar mijn inmiddels beverige glimlach.

'Gefeliciteerd!' verklaarde ze toen en ze trok haar wenkbrauwen op in een theatraal gebaar van verrassing. 'Ze is knap!' Ze zoende me drie keer op de wangen.

Umm Hassane ging triomfantelijk op een stoel zitten en stak haar kin naar voren, zeer tevreden met zichzelf.

Dit was Batoul. Mohamad en ik bedachten in de loop van de tijd allerlei bijnamen voor zijn familieleden: Khadija, met haar hese lach en modieuze hoofddoeken, was Coole Tante, en Hadj Naji werd Strenge Oom. Maar Batoul was altijd gewoon Batoul, zonder franje. De kamer was eenvoudig, kaal zelfs: geen foto's op de gepleisterde, hier en daar gebarsten muren, geen kleed op de tegelvloer. Alleen gastvrijheid, teruggebracht tot de kern: stoelen en banken rond een lage koffietafel. Wel was het een koffietafel met marmeren blad, en in het midden stond een uitbundige bos lipstickrode neprozen. Een rijkversierde gouden tissuedoos stond ernaast. In een huis zonder veel frivoliteiten gaven deze kleine luxes aan dat deze woonkamer een publieke functie had; dit was een speciale zone voor de gasten.

We gingen zitten. Een gehoofddoekte dochter van een jaar of vijftien, zestien ging rond met een blad vol glaasjes ananassap en begon bij mij. Terwijl ze de anderen serveerde, wierp ze me stiekeme, gefascineerde blikken toe.

'Ze ziet er Libanees uit,' zei Batoul, die me nog steeds met een keurende blik bekeek.

'Ze is *faqirah*!' zei Umm Hassane trots.

Faqirah: letterlijk betekent het arm, maar het is een van de onvertaalbaren. 'Faqir' (mannelijk) of 'faqirah' (vrouwelijk) kan betekenen dat je arm en onderdrukt bent, maar zoals zoveel woorden die oorspronkelijk als belediging bedoeld waren, werd 'faqirah' een bron van trots. In Libanon betekent het, vooral onder mensen van het platteland: met beide benen op de grond, niet verwaand. 'Ze is faqirah' betekende zoveel als 'ze is goed volk'. Umm Hassane had ooit tegen Mohamad gezegd dat het haar niet kon schelen met wie hij trouwde, zolang ze maar faqirah was.

'Ah!' Batoul knikte en trok goedkeurend haar wenkbrauwen op. 'Dat is goed!'

Mijn geschiktheid als bruid was vastgesteld. Nu was het de beurt aan Mohamad. Batoul en Hadj Naji hadden hem in geen jaren gezien, dus je kunt wel raden wat er nu kwam.

'Je bent dikker geworden,' zei Batoul. 'Ze geeft je zeker goed te eten!'

Iedereen lachte en keek me plagerig aan.

Hadj Naji lachte niet. Samen eten impliceerde allerlei andere vormen van verbondenheid, zoals samenleven in zonde. 'Wanneer gaan jullie trouwen?' vroeg hij. Hij legde bedachtzaam een wijsvinger langs zijn neus.

In traditionele Libanese families, of ze nu moslim zijn of christelijk, is de oudste broer of oom van vaderskant vaak de bewaker van de collectieve moraal. Als Abu Hassanes oom van vaderskant was Hadj Naji de patriarch van de familie. Het was zijn taak om ervoor te zorgen dat familieleden niet van het juiste pad afdwaalden. Hadj Naji nam zijn rol zeer serieus.

'Ik zal de Sayyid bellen,' zei hij terwijl hij opstond uit zijn stoel. 'Ik ga met je mee. We halen eerst Abu Hassane op en dan gaan we direct naar de Sayyid.'

Zelfs als ik wel had willen trouwen betekende dit problemen. Net als in Israël had je in Libanon geen burgerlijk huwelijk: je kon alleen door religieuze autoriteiten in de echt verbonden worden. Jonge Libanezen streden al tientallen jaren voor invoering van het burgerlijk huwelijk, maar de mannen van God – zowel moslims als christenen – hadden hen tot nu toe weten te weerstaan. Noch de moskee noch de kerk wilde de macht – en de inkomsten – opgeven die voortkwam uit het controleren van een van de meest persoonlijke beslissingen in een mensenleven. Als twee Libanezen met een verschillende religieuze achtergrond wilden trouwen, hadden ze twee opties: ze konden naar Cyprus vliegen, een vlucht van twintig minuten in een vliegtuig volgepakt met verliefde jonge Libanezen, en een burgerlijk huwelijk sluiten, of een van hen moest zich bekeren.

Sommige liberale geestelijken waren bereid om een christen en een moslim te trouwen zonder de christen te dwingen zich te bekeren. Maar Hadj Naji zou nooit zo'n geestelijke kiezen en Mohamad wist dat. Een niet-burgerlijk huwelijk, waar we nu op af leken te stevenen, was wel het laatste wat we alle twee wilden. Als hij niet snel handelde, waren we straks opeens getrouwd en was ik veranderd in een moslima. Of hij zou Hadj Naji moeten vertellen waarom we dat niet konden doen. In beide gevallen viel er een boel uit te leggen.

Mohamad verwachtte niet dat Hadj Naji mijn existentiële angst voor het huwelijk zou begrijpen. Ik kon het zelf nauwelijks uitleggen. En dus bedacht hij een beter excuus. 'Eh... we kunnen niet nu meteen al trouwen,' zei hij met spijt in zijn stem, die in elk geval deels gemeend was. 'Ik heb namelijk nog niet met Annia's familie gesproken. Als we trouwen zonder de toestemming van haar familie zouden ze erg beledigd zijn.'

De familie van de bruid beledigen: dat was iets wat Hadj Naji, met zijn hele schare dochters, toch moeilijk kon suggereren.

De familieleden mompelden instemmend, onder de indruk van Mohamads prudentie. Het huwelijk zou plaatsvinden, daar was geen twijfel aan, maar het zou op de correcte manier geregeld worden, als een overeenkomst tussen twee families en in dit geval ook tussen twee landen. Mohamad zou de pelgrimsreis naar Chicago maken, net zoals ik de mijne naar Beirut had gemaakt. Ik zou hem voorstellen aan mijn familie, zoals hij me had voorgesteld aan de zijne, en de verbintenis zou worden beklonken.

Hadj Naji ging met tegenzin weer zitten. Voorlopig waren we ontsnapt, en hij wist het.

'Je spreekt verstandig,' zei hij knikkend. 'Je hebt verstand.'

'We zullen trouwen als we terug zijn in Amerika,' zei Mohamad, nu in het wilde weg improviserend. 'In New York, een burgerlijk huwelijk.'

Dit zou groot nieuws voor me geweest zijn als ik het verstaan had, maar gelukkig voor hem was ik de draad van de conversatie inmiddels allang kwijt.

'Dat is goed,' zei Hadj Naji met één wijsvinger in de lucht. Een burgerlijk huwelijk was tenslotte beter dan helemaal geen huwelijk. 'Maar om het geldig te laten zijn moet je ook nog een katab al-kitaab doen.'

Toen we vertrokken herinnerde hij ons er nog een keer aan: 'Vergeet niet om een katab al-kitaab te doen. Ik bel de Sayyid als jullie er klaar voor zijn.'

Toen we door de donkere gang van het flatgebouw van Hadj Naji liepen, zei Mohamad met een opluchting die ik maar voor een deel begreep: 'Geen familie meer. Ik beloof het.'

Gelukkig hield zijn belofte slechts een paar uur stand. Later die avond spraken we af met Hanan, Mohamads oudere zus. Met zijn drieën gingen we op bezoek bij Huda, Hanans beste vriendin, en Ibrahim, die ons begroette door luid 'Welkom!' te roepen en de deur wijd open te gooien alsof we bij royalty op bezoek gingen. Ibrahim was lang en elegant, zijn rug iets gebogen, met treurige, wijze ogen en een wolk krulhaar rond zijn oren. Huda droeg roze lippenstift en haar kersenrood gelakte teentjes staken uit chique sandaaltjes.

Huda's appartement hing vol Japanse prenten en overal stonden boeken met kleurige reproducties van schilderijen. We gingen zitten, dronken mangosap en praatten. Hanan sprak een beetje Engels maar was onzeker over haar grammatica, dus het grootste deel van de tijd zat ze me stil aan te staren met die grote, pikzwarte Bazzi-ogen. Naast haar leek Mohamad een prater. Huda maakte dat echter meer dan goed: kettingroker Huda stopte alleen met praten om een sigaret te roken en hield alleen op met roken om te praten, en soms barstte ze uit in een hoestende lachbui.

Zowel Ibrahim als Huda werkte voor het ministerie van Werkgelegenheid (de werkloosheid was ongeveer twintig procent, vertelde Ibrahim), dus vroeg ik Huda wat ze daar precies deed.

'Doe? Wat ik doe?' zei ze spottend in het Frans. Het idee alleen al veroorzaakte een diepe frons en ze hield haar hoofd afkeurend naar achteren. 'Nou, ik schrijf poëzie!'

Iedereen was een dichter. Later die avond, toen we inmiddels in de Baromètre beland waren, werd Ibrahim ontzettend dronken en hij begon poëzie voor te dragen aan de man die op Hemingway leek. Ik werd ook vreselijk dronken en biechtte Huda op dat ik nog niet zo zeker was van dat hele huwelijksgedoe.

'Ik ben groter dan Mohamad vijf jaar,' zei ik in mijn Arabische kleutertaaltje.

Huda haalde haar schouders op. Zij was ook ouder dan Ibrahim, dus waar maakte ik me druk om? *'C'est mieux comme ça.'* Ze keek me aan en zette overdreven grote onschuldige ogen op. Ze nam nog een laatste trekje van haar sigaret en stak meteen een nieuwe op. *'Nous sommes chiites,'* legde ze uit. *'Et nous avons une forme de marriage...'*

'Mutah!' riep ik.

'... qui est le meilleur du monde!' beaamde ze, uitbarstend in een piepend, hees gelach.

Mutah is een tijdelijke vorm van het huwelijk, vooral in praktijk gebracht door sjiieten, tussen een man en een ongetrouwde vrouw. Het huwelijkscontract loopt af na een samen overeengekomen periode – die een paar uur kan duren, maar ook dagen of zelfs tientallen jaren – en het stel kan zonder hulp van een geestelijke trouwen. Ik wist dat mutah op papier een stuk aantrekkelijker leek dan het in werkelijkheid was; dat vrouwen die aan mutah deden gestigmatiseerd werden, maar mannen niet, en dat een van de redenen dat de Iraanse geestelijken het na de oorlog tussen Iran en Irak gepopulariseerd hadden, was dat ze zo onder het betalen van pensioenen aan oorlogsweduwen uit konden komen. Toch vond ik nog steeds dat als je het op de juiste manier deed, het de meest beschaafde vorm van het huwelijk was waar ik ooit van gehoord had.

Huda was het met me eens; je kunt precies zo lang getrouwd blijven als je zelf wilt en niet langer, zei ze met een flirterige blik op Ibrahim. Hij zette uiteen hoeveel beter mutah is voor de vrouw, en voor de man trouwens ook; je kunt het oneindig verlengen; je kunt het omzetten in een regulier huwelijk als je wilt, maar waarom zou je dat willen?

We dronken meer wijn. Een oude man haalde een *oud* tevoorschijn en begon Arabische volksliedjes te zingen. Iedereen zong mee: *'Al-Hilwa di Cou Cou.'* Ik vroeg Huda wat de woorden betekenden en ze draaide zich naar me toe, knipperde met haar met kohl omrande ogen en begon het te zingen (dat deed iedereen hier als je over een liedje begon): het knappe meisje staat bij zonsopgang op om brood te bakken, de haan kraait *cou cou* en de arbeiders maken zich klaar om aan het werk te gaan. 'O, jij die de rijkdom hebt, de arme man heeft een vrijgevige God...'

Een terracotta kom met kippenlevertjes badend in citroensap en knoflook belandde op ons tafeltje. De anderen begonnen *meze* te bestellen in combinaties die ik me nooit had kunnen voorstellen, een soort koeterwaals eten gemaakt voor wezens uit een parallelle wereld: plakjes worst, zo groot als salami maar pittig als chorizo, gestoofd in zoete granaatappelsiroop. Schaaltjes hummus met in het midden een kuiltje met daarin malse stukjes lamsvlees en pijnboompitten. Miniglaasjes kristalheldere arak, die melkachtig en iriserend werd zodra je er ijs bij deed. Een ingemaakte babyaubergine gevuld met gehakte walnoten en hete rode pepers en druipend van de olijfolie.

'Wat is dit?' vroeg ik toen de aubergine verscheen.

'Dit is makdous,' zei Hanan. 'Het is lekker om bij wijn of arak te eten.'

Wie bedacht zulke dingen? Welke god leunde naar beneden en fluisterde in welk sterfelijk oor dat je walnoten in een aubergine moest stoppen? En dat je die dan moest opeten met wijn erbij? Ik wilde huilen. Ik at vier makdouses en bestelde er nog vier. De aquamarijnen geur van anijs steeg op uit de arak.

'Zullen we *kibbeh nayeh* bestellen?' vroeg iemand.

Plotseling was het stil. Iedereen keek naar elkaar. Sommigen schudden bezorgd hun hoofd: niet straks zeggen dat we je niet gewaarschuwd hebben. Maar anderen knikten en stootten elkaar aan met hun ellebogen, een samenzweerderige blik in hun glanzende ogen.

Een paar minuten later verscheen het al: een berg rauw lamsgehakt, zo groot als een mannenhand, gemengd met specerijen en gebroken tarwe. Er waren met een vork groeven in gemaakt en het gehakt was bestrooid met geroosterde pijnboompitten. Eromheen lagen rauwe uienringen en takjes munt. Hanan schonk er donkergroene olijfolie overheen tot het op het bord een plasje vormde. Uit alle richtingen daalden handen op de berg neer, een ervan de mijne, stukjes brood afscheurend en als leeuwen op het rauwe vlees aanvallend. De kibbeh gleed mijn mond in, zacht en bijna boterachtig, tot plotseling de smaak van de specerijen losbarstte. Ik keek naar de anderen en nam net als zij een hapje munt en daarna wat rauwe ui, en de twee mesachtig scherpe smaken scheurden de bloedige smaak van het rauwe lamsvlees open.

Hanan boog zich over de tafel naar me toe, flink dronken inmiddels. Ze schreeuwde iets, glimlachend, maar ik kon haar niet verstaan. Ze zei het opnieuw: 'En, wat vind je van Beirut?'

Ik opende mijn mond om antwoord te geven. De lichten gingen uit. Een oorverdovende gil, daarna een keihard ratelend geluid dat, realiseerde ik me toen ik de taart met vuurwerksterretjes erop zag, een krakerig oud cassettebandje met 'Lang zal ze leven' in het Arabisch was. De meisjes aan het tafeltje naast ons sprongen op en begonnen met hun heupen te wiegen, gooiden hun armen in de lucht en draaiden met hun polsen; tussen de coupletten door wierpen ze als oude vrouwen bij een bruiloft hun hoofden in hun nek en jodelden op zijn Arabisch.

Hoofdstuk 4

Mjadara

Mohamad ging weer naar Bagdad en ik keerde terug naar New York. Maar er was iets veranderd. Een paar maanden nadat we ons Hadj Naji van het lijf hadden weten te houden, sprak ik een keer met Mohamad aan de telefoon toen hij vertelde dat hij meer vrije dagen zou krijgen als we getrouwd waren.

'Nou, waarom doen we dat dan niet?' reageerde ik. Ik was niet van plan geweest om het te zeggen, maar zodra de woorden uit mijn mond waren ontsnapt, wist ik dat ik het meende. En niet alleen vanwege de vrije dagen.

Er viel een lange stilte. 'Serieus?' vroeg hij ten slotte.

Dat was het romantische gedeelte. Tot op de dag van vandaag weet ik niet zeker wie nu wie ten huwelijk heeft gevraagd.

Umm Hassane stuurde mijn moeder een groene, geborduurde tuniek en wat gebedskralen. Mijn moeder stuurde Umm Hassane gedroogde munt uit de tuin van ons huis in Chicago, waar ze woonde met mijn grootvader, die inmiddels in de negentig was en bovendien een stuk milder. Ik overwon mijn angsten en we lieten ons trouwen; niet door een geestelijke, zoals Hadj Naji al had voorzien, maar in een appartement in New York, tijdens een zeer burgerlijke ceremonie die werd geleid door een familierechter die ik had geïnterviewd voor een artikel over huiselijk geweld. De toespraak van de rechter over het huwelijk was zo ontroerend dat ik me afvroeg waarom ik er ooit bang voor was geweest. Het huwelijk is een reis, merkte ze op, geen bestemming; voor een afvallige katholiek en een gelegenheidsmoslim, die werden getrouwd door een joodse, lesbische rechter en op het punt stonden om af te reizen naar Bagdad, leek dat de best mogelijke routebeschrijving.

In september 2003 pakten we onze levens in een honderdtal dozen met het opschrift NEW YORK: OPSLAG of BEIRUT: ZEEVRACHT. In oktober volgden we onze dozen naar Beirut.

In Beirut schitterde de nazomerzon in de Middellandse Zee. De regens waren nog niet echt begonnen en de zee hield nog iets van de zomerse warmte vast. Groenteboeren zetten de laatste *jabalieh*-tomaten langs de stoep; grote, vlezige roze en groene vruchten die je als kleine rimpelige bavianenachterwerken op een rijtje toelachten.

Omdat we nog geen appartement hadden gevonden, logeerden we bij Mohamads ouders. Zij wilden dat we nog een keer trouwden, nu op de islamitische manier. Dan zou ik niet alleen volgens de menselijke wet familie zijn, maar ook volgens de wet van God. Maar tante Khadija (Coole Tante) zei dat het niets uitmaakte en dat er bovendien geen tijd voor was: we waren weliswaar gestationeerd in Beirut, maar Mohamad moest terug naar Bagdad. En dus besloot ik, bij wijze van huwelijksreis, met hem mee te gaan en te proberen als freelancer te werken.

Het was geen dapperheid die me naar Bagdad bracht, maar angst. Als ik eraan dacht hoe het zou zijn om elke dag naast de telefoon te zitten wachten om iets van Mohamad te horen, me afvragend of alles wel goed met hem was, bonkte mijn hart van paniek. Het was al erg genoeg geweest in New York, waar ik mijn eigen leven had. Hoe zou het zijn in Beirut, een vreemde stad waar ik geen vrienden had, geen familie, geen huis, geen tienurige werkdag die me zo uitputte dat de angst enigszins verdoofd werd? En dus besloot ik om niet thuis te blijven zitten wachten tot de angst me gevonden had, maar hem zelf te gaan opzoeken.

Abu Hassane had zo zijn twijfels bij dit plan om de kersverse bruid mee te nemen naar Bagdad, maar Umm Hassane klakte goedkeurend met haar tong. Zo had Mohamad tenminste iemand om voor hem te zorgen, vond ze; iemand om voor ons tweeën te koken en erop te letten dat hij gezond at. En dat ik van plan was om te werken (anders dan sommige andere echtgenotes!) was nog wel het allermooist.

'Het is goed. Ze zal aan het werk zijn, niet alleen maar thuiszitten,' zei ze en dan knikte ze. 'En ze kan voor Mohamad koken. Hij heeft iemand nodig die voor hem kan zorgen.'

Ik denk dat Umm Hassane stiekem dacht dat Mohamad voorzichtiger zou zijn als ik bij hem in Bagdad was. Ik zou haar afgezant zijn, een spion in de mannenwereld die oorlog is. We vertelden haar niet dat hij waarschijnlijk meer voor mij zou zorgen dan omgekeerd. Maar er was wel meer dat we haar niet vertelden.

Naarmate ons vertrek naderde, werden Mohamads ouders steeds bezorgder. Saddam Hussein was verdwenen en dat was goed, maar Irak was nog steeds geen geschikte plek voor een aardige sjiitische jongen, laat staan voor zijn kersverse Amerikaanse vrouw. Op 19 augustus had een bom in een vrachtwagen die voor het hoofdkwartier van de Verenigde Naties in Bagdad stond tweeëntwintig mensen gedood, inclusief de VN-gezant in Irak. Tien dagen later had een krachtige autobom in Najaf de sjiitische ayatollah Muhammad Baqir al-Hakim gedood, samen met meer dan honderd anderen. Met groeiende ontzetting bekeken ze deze en andere rampen op Al Jazeera.

'We hebben je juist naar Amerika gestuurd om te kunnen ontsnappen aan al die oorlog,' mompelde Umm Hassane wijzend naar de televisie, alsof Irak niets anders was dan het laatste hoofdstuk in de Libanese burgeroorlog. Abu Hassane knikte. 'En nu heb je een baan gekozen waardoor je weer midden in een oorlog terechtkomt!'

De meeste verslaggevers zouden hun eigen moeder verkopen om een baan als oorlogscorrespondent te kunnen bemachtigen, maar dat zei Umm Hassane niets. In haar oren klonk 'buitenlandredacteur' als een *mudir kabir*, een grote baas. In Libanon zit een grote baas in een kantoor met glanzende gordijnen. Hij zwaait met zijn arm en iemand haalt koffie. Hij schreeuwt in zijn telefoon en een legertje ondergeschikten rukt uit. Als haar zoon zo'n mudir kabir was, waarom moest hij dan zelf naar Irak gaan? Hij zou er een of andere ongelukkige werkslaaf op af moeten sturen en zelf in Beirut moeten blijven. Ze begrepen niet dat juist het feit dat hij verslag deed over Irak betekende dat hij in Beirut kon zijn; dat voor hun zoon de weg naar huis door Bagdad leidde.

'Wat is dat voor baan?' vroeg ze wantrouwig, alsof de krant ons een loer probeerde te draaien. 'Hoeveel betalen ze je? Waarom kunnen ze niet iemand anders sturen?'

Ze waren trots op Mohamads carrière; hij was naar Amerika vertrokken en als succesvol man teruggekeerd. Toen hij verslag had gedaan van de top van de Arabische Liga in 2002 had op zijn Libanese perskaart als vertaling van het Engelse *bureau chief*, *Kabir al-Murasileen* gestaan, letterlijk: 'de grootste van alle correspondenten', wat klonk alsof hij een koning onder de verslaggevers was. Hij had een zilveren journalistiekprijs gewonnen die eruitzag als een grote, ronde medaille; Umm Hassane dacht dat het de Nobelprijs was, waar hij ook wel wat op leek, en toen Mohamad hem aan haar gaf, hield ze hem op een armlengte afstand en bromde wat, om te laten merken wat ze ervan vond dat die Nobelmensen hem de prijs niet al veel eerder hadden gegeven.

Een paar dagen voor ons vertrek kwam Mohamads vader bij ons met een laatste wanhoopspoging tot een samenzwering. 'Ga niet naar Irak,' smeekte hij. 'Ik zal naar dokter Nabil gaan en hem een verklaring laten schrijven dat je ziek bent. Dan moet de krant wel iemand anders sturen!' Abu Hassane, die er angstig en breekbaar uitzag, knipperde met zijn vochtige ogen terwijl Mohamad hem vriendelijk uitlegde dat hij zich niet met een briefje van de huisarts onder deze buitenlandopdracht uit kon wurmen.

Verscheurd tussen trots en bezorgdheid reageerde Umm Hassane als moeders over de hele wereld: met eten. Ze stopte ons vol alsof extra vetlagen ons konden beschermen tegen autobommen en raketwerpers; alsof ze ons in Beirut kon houden door ons zo vet te mesten dat we niet meer van tafel konden opstaan.

Ze maakte al Mohamads lievelingsgerechten: *yakhnes*, de hartige groentestoofschotels met courgette, okra, erwtjes en wortels, dikke sperziebonen of wat dan ook, afhankelijk van het seizoen. Van olie glinsterende bergen Libanese rijst met gebakken vermicelli. Fattoush met gesnipperde lente-uitjes en komkommer en munt, badend in een knoflookcitroendressing. Zoute, met de hand gesneden frieten die we in yoghurt doopten in plaats van in ketchup. En voor mij maakte ze *mlukhieh* en *frikeh*, de stoofpot van groene blaadjes en de geroosterde tarwe met kip die in hoog tempo uitgroeiden tot mijn nieuwste obsessies. En natuurlijk maakte ze Mohamads lievelingseten: *mjadara hamra*.

Mjadara is klassiek boerenvoedsel, een eeuwenoud gerecht waarvan de naam 'de pokdalige' betekent, vanwege de donkere linzen in het graan. Maar mensen noemen het ook wel 'Esaus favoriet' omdat ze geloofden dat het 'dat rode daar' uit het Bijbelverhaal was, de beroemde rode linzensoep waarvoor de jager Esau zijn geboorterecht opgaf.

De meeste mjadara die je tegenwoordig ziet, wordt gemaakt met rijst. Maar in Libanon, vooral in de dorpen, maken de mensen het nog steeds met bulgur, gestoomde en daarna gebroken tarwe. En in sommige dorpen brengen mensen het op smaak met uien die ze zo ver laten karameliseren dat ze bijna verbranden. Deze zwartgeblakerde uien geven het gerecht een diepe, donkerrode, bijna zwarte kleur, die altijd maakt dat ik moet denken aan wat Esau tegen zijn broer Jakob zei: 'Gauw, geef me wat van dat rode dat je daar kookt.' Dat is hoe ze het maken in de zuidelijke plaats waar Umm Hassane opgroeide.

De eerste keer dat ik mjadara proefde, kon ik niet begrijpen waarom Mohamad er zo lyrisch over was. Het zijn gewoon linzen met graan. Maar de rood-zwarte uiensmaak bleef hangen op mijn tong: de verbrande uien gaven de mjadara een diepe, baconachtige smaak. De bulgur was stevig, bijna vleesachtig, en had heel wat meer te vertellen dan rijst, en ik merkte dat ik begon te verlangen naar dat rode daar.

Slechts heel weinig restaurants weten hoe ze een goede mjadara hamra moeten maken. De uien laten karameliseren tot ze zo donker zijn, maar zonder ze te verbranden, is als het maken van een roux voor gumbo uit de cajunkeuken: je hoeft maar een moment de andere kant op te kijken en het brandt aan. Zelfs de meest ervaren kok moet het dan weggooien en opnieuw beginnen. Umm Hassane roerde de uien soms wel veertig minuten lang en bracht ze op het punt dat ze bijna verkoolden. Daarbij was er altijd wel een moment dat ze bezorgd begon te kijken en mompelde dat ze de uien misschien toch had laten aanbranden, en als ik gezeten had in plaats van over haar schouder mee te kijken, was ik naar het puntje van mijn stoel geschoven. Maar ze liet ze nooit verbranden.

Als ze het bord neerzette, bracht ze ons keer op keer in herinnering, met een handbeweging in de richting van de tafel: 'Dit krijg je dus echt niet in Irak!'

Mohamad was blij dat ik besloten had om met hem mee te gaan naar Bagdad, maar naarmate onze vertrekdatum naderde, kregen we steeds vaker kleine ruzietjes. Dit was niet per se verkeerd: we leerden om op een opbouwende manier ruzie te maken, zoals katjes leren jagen door speels met elkaar te vechten. Maar we hadden heel wat oefening nodig. We ruzieden over eten, over taxi's en over mijn gebrekkige pogingen om Arabisch te spreken. We ruzieden over kleine kwesties als wat we zouden meenemen en grote kwesties als waarom we eigenlijk hadden besloten om naar Beirut te verhuizen. We ruzieden over frietjes. Maar elke keer dat we over dergelijke kleine dingen bekvechtten, maakten we eigenlijk ruzie over de grotere vraag hoe het zou zijn om samen in Bagdad te zijn.

Een paar dagen voor ons vertrek liepen we door de Hamrastraat toen ik een roestige metalen knoop op de stoep zag liggen. Zonder nadenken deed ik wat mijn moeder me had voorgedaan toen ik nog klein was: ik bukte me, raapte de knoop op en schoof hem in mijn linkerschoen omdat dat geluk brengt. Vind een knoop en raap hem op, je geluk raakt de hele dag niet op.

'Als we in Bagdad zijn kun je dat soort dingen niet meer doen,' zei Mohamad fronsend. Hij vond mijn vreemde Amerikaanse bijgeloof niet grappig. Hij waarschuwde me dat ik in Irak moest ophouden met het oprapen van munten en knopen en interessante stukjes metaal. En ik kon ook niet zomaar weglopen om in een hoop puin rond te gaan neuzen of in te breken in een verlaten huis, andere gewoonten van mij die hij helaas niet schattig vond.

'Hé, ik ben echt geen idioot,' zei ik tegen hem, inmiddels boos wordend. 'Ik ga in Bagdad heus niet allerlei vreemde voorwerpen oprapen.'

'Ik heb het niet over het oprapen van vreemde voorwerpen,' snauwde hij, zijn stem plotseling gespannen. 'Ik heb het over voorwerpen die er heel gewoon uitzien.'

'O,' zei ik.

Tijdens de invasie hadden de Amerikanen en Britten clusterbommen afgevuurd die geladen waren met munitie die eruitzag als batterijen of roestige stukjes metaal. Behalve die in grote hoeveelheden geproduceerde munitie waren er ook de duivelse kleine bommen vermomd als onschuldig alledaags afval – een blikje, een autoband – die geplant werden door opstandelingen. Dit waren geïmproviseerde explosieven, in het Midden-Oosten geïntroduceerd door T.E. Lawrence en anderen. Tijdens de Arabische opstand tegen de Ottomanen trainden zij de bedoeïenen die voor hen vochten in de kunst van het verstoren van het treinverkeer door explosieven langs de rails te plaatsen. De door de Britten in Irak geïnstalleerde monarchie overleefde het niet, maar de tactiek van Lawrence van Arabië bleef bestaan; tegenwoordig gebruikten Iraakse opstandelingen die tegen de Britten en de Amerikanen en alle burgers die toevallig in de weg liepen.

Er was een hele wereld van dingen waar ik nooit aan had gedacht. Terwijl ik naar *Sesamstraat* had zitten kijken, had Mohamad via een draagbare radio geluisterd in welke straten de sluipschutters actief waren. Terwijl ik naar fossielen had gezocht in de beek achter ons huis of had gewerkt aan mijn verzameling van interessante stukjes metaal, had hij granaatscherven verzameld. Ik had een kort bezoek aan deze wereld gebracht in de maanden na 11 september in New York. Mohamad was erin opgegroeid. Hij kende de voortdurend verschuivende, ongeschreven regels. Nu zou ik ze ook moeten leren.

De dag naderde dat we naar Amman, de Jordaanse hoofdstad, zouden vliegen en van daar de grens zouden oversteken en verder zouden rijden naar Bagdad. De dag voor onze vlucht maakte Umm Hassane mjadara hamra. We waren in de slaapkamer en vochten een van onze ruzies uit toen ze ons kwam vertellen dat het eten klaar was.

Twee witte houten bedden, net groot genoeg voor een kind, domineerden de kamer, naast elkaar maar gescheiden door een nachtkastje. Het waren de bedden waar Mohamad en zijn broers in hadden geslapen toen ze klein waren en wij waren op dit moment ook weer beland in onze kindertijd: beiden zaten we op ons bed, armen over elkaar, en staarden naar tegenoverstelde hoeken van de kamer.

Umm Hassane stond in de deuropening van de slaapkamer. Ze keek van de een naar de ander en weer terug. Met haar blik op mij gericht kneep ze haar ogen tot spleetjes en mompelde een paar mopperig klinkende zinnen in het Arabisch. Daarna beende ze terug naar de keuken, met haar gebruikelijke gezichtsuitdrukking alsof ze met moeite een mening binnenhield.

Geweldig, dacht ik. Ik ken haar nauwelijks en nu haat ze me al. De moeder van mijn ex-vriendje had me de schuld gegeven van zijn drankmisbruik. En nu geeft deze me de schuld van de baan van haar zoon. En ik kan niet eens met haar praten om haar uit te leggen dat het niet mijn fout is.

'Wat zei ze?' vroeg ik aan Mohamad. Ik keek uit een ooghoek zo ongeveer in zijn richting, maar zonder me naar hem toe te draaien, om te laten zien dat ik nog steeds kwaad was.

Hij zuchtte. Hij haat het om te moeten vertalen. Hij deed het langzaam, met tegenzin; aan waar zijn stem vandaan kwam, kon ik horen dat hij ook niet naar mij keek.

'Ze zei: "Wat doet hij nu weer? Wil je dat ik hem een pak slaag geef voor je?"'

Zonder mijn lichaam te bewegen, waaruit hij zou kunnen afleiden dat er een wapenstilstand was, draaide ik mijn hoofd een paar centimeter opzij. Hij keek op precies dezelfde zijdelingse manier naar mij. Onze ogen vonden elkaar. We barstten in lachen uit.

'We zouden geen ruzie moeten maken,' zei hij.

'Vooral niet over stomme dingen,' zei ik.

We stonden op en liepen de gang in naar de keuken, waar Umm Hassane op ons wachtte met haar mjadara.

Deel II

Wittebroodsweken in Bagdad

Van alle landen die we kennen, is er geen enkele met zo'n overvloedige graanoogst. Het land maakt geen enkele aanspraak op het verbouwen van de vijg, de olijf, de druif of welke andere fruitboom dan ook; maar in graan is het zo overvloedig dat het gewoonlijk tweehonderd keer een normale oogst opbrengt... Wat betreft gierst en sesam: ik zal niet vertellen hoe groot die er worden, ook al weet ik dat wel; want ik weet heel goed dat wat ik al geschreven heb over de vruchtbaarheid van Babylonië in de ogen van degenen die het land nooit bezocht hebben ongelooflijk moet lijken.
– Herodotus, *Historiën, Boek één*

Hoofdstuk 5

De voordelen van de beschaving

In oktober 1929 vertrok een zesendertigjarige Engelse vrouw genaamd Freya Stark vanuit de haven van Beirut naar Bagdad. Ze was teleurgesteld toen ze erachter kwam dat het in de Iraakse woestijn wemelde van de auto's, vrachtwagens en grote tourbussen en dat er overal bordjes stonden waarop picknickende toeristen in het Engels verzocht werd geen rommel in de woestijn achter te laten. Bij Rutba, in het hart van de provincie Al-Anbar, ontdekte ze tot haar afschuw dat het Britse militaire garnizoen 'zalmmayonaise en andere verfijnde gerechten' serveerde, inclusief custardpudding met vruchtengelei. 'Nu al,' verzuchtte ze in haar boek, waarin ze de herinnering aan het oude Irak wilde vastleggen voordat het verdween, 'is het oversteken van de woestijn een alledaagse aangelegenheid.'

Ze was te laat. Irak was in hoog tempo aan het verwestersen. De Britten hadden er in 1921 (niet toevallig hetzelfde jaar waarin ze een coup in het naburige Iran hadden gesteund) een constitutionele monarchie geïnstalleerd. Ze hadden genoeg koloniale ambtenaren uit India geïmporteerd om van Irak een soort miniversie van Brits-Indië te maken, compleet met Engelse *memsahibs* die thee dronken, aan scones knabbelden en klaagden over het dienstbodenprobleem. In 1927 hadden de Britten olie ontdekt in Kirkuk. Al snel dreigden de Simplon Oriënt-Express en de Taurus-Express Londen en Bagdad via een reis van slechts acht dagen met elkaar te verbinden.

Voor Stark, die als kind de vertellingen van Duizend-en-een-nacht had verslonden, was dit een ramp. Binnen een paar jaar, voorspelde ze, zou het oude Irak verdwenen zijn; verdronken in een vloedstroom van custard en scones en andere onwelkome 'voordelen van de beschaving'.

Toch voelde ze tijdens die woestijnreis door haar cynisme heen ook iets van een grote macht. En dus voegde ze, alsof ze op twee paarden wilde wedden, deze zin toe, die door de tijd en de geschiedenis is opgepoetst en een bespiegelende glans heeft gekregen: 'Of deze westerse vloedstromen waarvoor het Oosten al zijn sluizen heeft opengezet, hierheen komen om het te dopen of te verdrinken, is moeilijk te zeggen.'

Vierenzeventig jaar later, in de donkere uren na middernacht, stonden Mohamad en ik op het punt om dezelfde route door de woestijn te nemen. We vertrokken vroeg uit Amman om de gevaren van de weg te vermijden: terroristen en rovers – de Irakezen noemden ze Ali Baba's – en de overweldigende hitte.

Onze chauffeur was een slungelachtige man van middelbare leeftijd die uit Ramadi kwam. Hij had een donker, engelachtig gezicht, verweerd door jaren in de woestijn rijden, en een stem die zo zacht was dat we ons moesten inspannen om hem te kunnen verstaan. Steeds als hij tegen mij sprak, keek hij verlegen weg, en dat deed hij zelfs als hij het tegenover Mohamad over mij had. De gesp van zijn riem verraadde in enorme, verkeerd gespelde letters zijn illegale herkomst: CALVEN KLEIN. De enorme gesp hield zijn rode kunststof overhemd stevig vast in zijn stijve blauwe spijkerbroek, waardoor hij wel wat weg had van een Iraakse cowboy. In stilte doopte ik hem 'The Ramadi Kid'.

Zijn auto was een 'Jimse', verzekerde de Kid ons zachtjes maar met trots, terwijl we tassen en dozen in de kofferbak laadden. Binnen zouden we veilig zijn; we waren zijn gasten en vielen onder zijn bescherming. Hij nodigde ons uit om onderweg naar Bagdad met zijn familie in Ramadi te lunchen.

Ik was opgewonden: nu al uitgenodigd om bij iemand te komen eten, en we waren nog niet eens in Irak.

'We zullen zien,' zei Mohamad op een toon die er geen twijfel over liet bestaan dat hij 'nee' bedoelde.

Het was een genereus aanbod – de beroemde gastvrijheid van de woestijn in de praktijk – en ik wilde ontzettend graag Iraaks eten proeven. Maar Ramadi was de gesp in de riem van Al-Anbars bandietengordel. Een auto vol buitenlanders meenemen om bij je thuis te komen lunchen was de beste manier om de Ali Baba's te lokken.

Na 1990, het jaar waarin de Veiligheidsraad van de Verenigde Naties sancties oplegde aan Irak, konden nog maar weinig goederen legaal het land in of uit komen zonder de goedkeuring van de VN. Veel Irakezen waren om te overleven afhankelijk van VN-voedselrantsoenen: rijst, meel, olie, suiker en andere basislevensmiddelen zoals thee. Na de invasie van 2003 stelden de Amerikaanse bezettingsautoriteiten de grenzen open en schaften de invoerrechten af, en plotseling stroomden de voordelen van de beschaving opnieuw van alle kanten Irak binnen: voedsel, stereo-installaties, satellietschotels. Opels, Renaults, Mercedessen. Auto's met het stuur rechts of links, het maakte niet uit. De Irakezen, die het lang zonder auto's hadden moeten doen, doopten de zwarte sleeën van Mercedes-Benz 'Laila's', naar de Egyptische actrice Laila Elwi. De enorme landrovers van Toyota heetten 'Monica's', naar de vroegere stagiaire op het Witte Huis, Monica Lewinsky. Gigantische vrachtwagentrucks haalden ons met veel lawaai in, op weg naar Irak met hun lading van auto's, vee, televisies of koelkasten.

In het naoorlogse goederenverkeer stroomde er ook van alles Irak uit. Een Amerikaans wetenschapper werd na zijn terugkeer uit Irak op John F. Kennedy International Airport gepakt met in zijn bagage drie rolzegels van vierduizend jaar oud, gestolen uit het Nationaal Museum van Irak. Het uit kalksteen gebeeldhouwde hoofd van koning Sanatruq I van Hatra, uit de tweede eeuw voor Christus, eindigde op de schoorsteenmantel van een Libanese interieurontwerper. Drie Libanezen die voor het door de Amerikanen in Irak ingestelde ministerie van Binnenlandse Zaken werkten, werden op het vliegveld van Beirut vastgezet omdat ze Iraakse dinars ter waarde van bijna twintig miljoen dollar het witwasparadijs Libanon binnen wilden smokkelen. Een heel land was in de uitverkoop, iedereen kocht of verkocht wel iets, en onze kleine Jimse was een minuscuul stipje dat dobberde op een rivier aan contrabande die van oost naar west stroomde, en vice versa.

Al die rijkdom trok de Ali Baba's aan. In Irak waren geen functionerende banken: geen reischeques, geen bankoverschrijvingen, geen geldautomaten. Buitenlanders kwamen het land in met geld, computers, satelliettelefoons. Bandieten en smokkelaars zetten mensen op de uitkijk langs de snelweg en bij stopplaatsen. De kruidenier die je benzine verkocht of thee serveerde, verhandelde als bijverdienste misschien ook wel informatie. Korte tijd later zouden de Ali Baba's je achterop komen rijden en met hun snelle, glanzende BMW's je logge Jimse inhalen. Eén auto voor je, een achter je en je zat in de val; precies voor dit soort gevallen bewaarde de Kid een handgranaat in zijn dashboardkastje. Freya Stark, met haar grote verlangen naar het onverwachte, had het vast geweldig gevonden.

Na Amman werd het landschap vlakker, het strekte zich naar alle kanten uit en verdween langzaam in de duisternis. Op Mohamads aanraden ging ik liggen. 'Het is veiliger als niemand je ziet,' zei hij. Ik ging er niet tegenin. Ik had in geen dagen kunnen slapen.

De Kid had zijn Jimse uitgerust met donkere gordijntjes zodat zijn passagiers onzichtbaar konden reizen, waardoor het net was alsof je in een bedoeïenentent zat. Ik trok de gordijnen dicht en ging met mijn hoofd op mijn rugzak liggen. De twee mannen bleven wakker en praatten bij de zwakke gloed van het dashboard zachtjes in het Arabisch. 'Weg,' hoorde ik vaag. 'Bagdad.' En 'Jimse'.

De meeste Arabische woorden worden gevormd vanuit een wortel van meestal drie medeklinkers, *jazr* genoemd. Klinkers en andere medeklinkers worden tussen de letters van de wortel door geweven, waardoor de vorm, uitspraak en betekenis verandert. Met verschillende letters erbij wordt de wortel KTB bijvoorbeeld: boek, boeken, schrijven, geschreven, schrijver, bibliotheek, boekhandel. 'Jimse', realiseerde ik me terwijl ik langzaam in slaap viel, was een gearabiseerde versie van een Amerikaanse jazr: het automerk GMC.

Ik werd af en toe wakker en trok dan de gordijntjes opzij om het donker in te kunnen kijken. Ik zag zand, hemel, sterren. Geen telefoonpalen of kilometerborden of tankstations. Een oranje gloed hier en daar in de verte gaf aan dat daar mensen waren, bezig hun schapen te hoeden, hun auto te repareren of brood te bakken.

Voor ons verschenen de lichten van een vrachtwagen. De truck stond langs de kant van de weg geparkeerd en de felle koplampen schenen op de chauffeur, die op een gebedsmatje in het zand knielde. Hij bad naar het oosten, de richting waarin wij reden. Knielend in het lichtschijnsel, een piepklein privévlammetje in de onmetelijke duisternis, leek hij de enige andere mens ter wereld.

Ik werd weer wakker toen de Jimse een stukje stoffige weg langs de snelweg op reed. Er was een winkeltje, niet veel meer dan een hutje in de woestijn. We strompelden half slapend naar binnen en van de ene op de andere seconde kwamen we van het fluwelen zwart-op-zwart van de weg in een regenboogwereld van gekleurde verpakkingen. Turkse snoeprepen met iriserend lavendelkleurige wikkels. Posters met reclame voor Gauloises-sigaretten in lichtblauw. Donkerroze, geparfumeerde tissues die roken naar benzine en rozen.

We knipperden met onze ogen bij al die overdaad, het geraas van de snelweg nog steeds zoemend in onze oren. Een magere, donkere jongen haastte zich naar ons toe, zijn jack dicht geritst tegen de ochtendlijke woestijnkou. Met een dringende uitdrukking op zijn gezicht stak hij ons twee plastic bekertjes toe. 'Drink op,' zei hij.

Wat maakt ons beschaafd? Schrijvers en geleerden, van de achttiende-eeuwse biograaf James Boswell tot de Franse cultureel antropoloog Claude Lévi-Strauss, hebben geopperd dat koken is wat ons menselijk maakt. Er is echter een nog fundamenteler onderscheid tussen ons en de miljoenen andere diersoorten op deze aarde: wij zijn de enige wezens die eten delen met vreemdelingen, mensen die niet tot onze familie of stam behoren, merkt Martin Jones, archeoloog aan Cambridge University, op in zijn boek *Feast: Why Humans Share Food*.

Als er al geclaimd kan worden dat de beschaving op één plek begonnen is, zou Jerf el-Ahmar een goede kandidaat zijn, een piepklein dorpje aan de Eufraat, ongeveer 650 kilometer en elfduizend jaar verwijderd van de weg waarover Mohamad en ik reden. Jerf el-Ahmar en een handvol andere plekken markeren een keerpunt in de menselijke geschiedenis, door historicus en archeoloog Gordon Childe de neolithische revolutie genoemd. Antropologen discussiëren nog altijd over waar en wanneer die precies begonnen is – ergens tussen acht- en tienduizend jaar voor Christus in de Vruchtbare Halvemaan, maar op verschillende plekken op een verschillend moment – en of het een plotselinge aardverschuiving was of een langdurige en langzame evolutie. Wat we in elk geval wel weten, is dat de mensen voor die tijd als nomaden leefden; ze volgden kuddes gazellen en velden met eetbare wilde grassen, die zich verplaatsten met de veranderingen in het seizoen en het klimaat.

En toen (de geleerden discussiëren over het waarom) begonnen de mensen de wilde tarwe en gerst die ze eerder als voedsel verzamelden te verbouwen. Ze vestigden zich en bleven op één plek wonen. In Jerf el-Ahmar hebben archeologen een aantal van de vroegste bewijzen van menselijke bewoning gevonden: maalstenen, een voorraadkuil en, in een ruimte die volgens Jones wel eens 'de oudste ons bekende "keuken"' ter wereld zou kunnen zijn, korrels gerst, mosterdzaden en tarwe. De gerst was gebroken, precies zoals de bulgur die we tot op de dag van vandaag gebruiken om tabouleh en mjadara te maken, en waarschijnlijk ook om precies dezelfde reden: om te zorgen dat het langer houdbaar bleef.

De dorpelingen van Jerf el-Ahmar bezaten echter ook stukjes obsidiaan uit Anatolië, in wat tegenwoordig Turkije is, te voet vele dagen reizen van hun woonplaats vandaan. In de vroegste permanente nederzetting is dus het allereerste bewijs van reizen gevonden. En daarin ligt een van de diepste menselijke paradoxen: dat we niet kunnen reizen, in de zin van onze woonplaats verlaten en er weer terugkeren, tot we ook een huis hebben om te verlaten. En daar verschijnen Kaïn en Abel ten tonele, Jakob en Esau, boer en nomade; zij die blijven en zij die zwerven.

Ibn Khaldun, de Andalusische geleerde uit de veertiende eeuw, verdeelde maatschappijen in twee categorieën: nomadische en sedentaire samenlevingen. De meeste beschavingen, geloofde hij, beginnen zoals de bedoeïenen: sterke, trotse krijgers die weten te overleven op weinig meer dan het hoogstnoodzakelijke. Het ligt in hun aard om te plunderen. 'Hun levensonderhoud,' schreef hij, 'ligt daar waar de schaduw van hun lans valt.'

Ibn Khaldun bewonderde de *asabiyah* van de bedoeïenen, hun solidariteit of samenhang, een houding die wordt beschreven in een oud spreekwoord dat in Irak nog steeds wordt gebruikt: 'Ik en mijn broer tegen onze neef, ik en mijn neef tegen de buitenstaander.' Reizigers die niet onder de bescherming van een stam stonden, waren buitenstaanders en konden dus als prooi beschouwd worden.

Toch is het volgens Ibn Khaldun onvermijdelijk dat nomadische volken zich uiteindelijk overgeven aan de verleidingen van een leven op één plek. Ze vestigen zich en beginnen cultuur te produceren: wetten, kunst, architectuur, kookkunst. Ze maken grote bouwwerken, schrijven boeken en algauw worden ze lui en zwak door het vele voedzame eten, met name voedsel dat bereid is met dierlijke vetten (een gevaar waar Ibn Khaldun meerdere malen op wijst). Ze verliezen hun asabiyah. Er komt een nieuwe groep nomaden, gehard door het leven in de woestijn en hun vetarme dieet, en die vernietigt de decadente stedelijke nederzettingen. Ze breken de grote gebouwen af en gebruiken de stenen voor hun kampvuren, waarop ze hun eenvoudige nomadeneten klaarmaken. Ze brengen de beschaving weer terug naar waar ze vandaan kwam en de cyclus begint opnieuw.

Toch is dat slechts één kant van het verhaal.

De woestijn doorkruisen is altijd een gok. Zullen de mensen die je tegenkomt je vermoorden en je karavaan beroven? Of slachten ze in plaats daarvan een kameel of een schaap, een symbolisch offer, en geven ze je daarvan te eten? De uitkomst hangt af van een taal (en ik heb het nu niet alleen over Arabisch) die de meesten van ons niet ten volle begrijpen. We kunnen niet op reis gaan tenzij er ergens een plaats is om te stoppen, voedsel om te eten, water om te drinken, een veilige plek om te slapen en mensen die ons van deze zaken voorzien.

En zo werd de woestijncode van de gastvrijheid geboren. Gastvrijheid evolueerde als een manier om er zeker van te zijn dat je zou overleven, niet alleen als individu maar met een heel sociaal netwerk; een fragiel web dat het menselijk leven in de uitgestrekte woestijn mogelijk maakt. Dit ideaal van gastvrijheid wordt prachtig verwoord in het oudtestamentische verhaal over Lot, dat ons laat zien dat we gasten moeten beschermen omdat ze wel eens vermomde engelen zouden kunnen zijn. (Het leert ons ook om meer waarde te hechten aan het leven van een mannelijke vreemdeling dan aan dat van onze eigen dochters, een heel wat minder fraai ideaal.)

In het DNA van de Arabische taal ligt een geschiedenis van water en overleven in de woestijn besloten. Het woord *sharia*, de weg naar God, betekende vóór de islam: pad naar een waterbron. Het woord voor bron, *ain*, is hetzelfde als het woord voor oog; beide zijn essentieel, beide zorgen ze voor water. De Arabische folklore en literatuur zitten vol met verhalen van bedoeïenen die een nobele dood sterven omdat ze hun deel van het water aan een ander geven. Tot op de dag van vandaag is het een traditie in de woestijn om buitenstaanders te begroeten met vocht: een glas water in de hitte, een kop thee tegen de ijskoude woestijnnacht.

Ik bedankte de jongen slaperig en dronk de thee op. Die was zoet en heet en sterk. Licht en warmte schoten door mijn ledematen, lieten het snelweggeraas tot rust komen en verankerden me op mijn plek, in elk geval voor eventjes.

Nu al begon ik de tirannie van de thee te internaliseren, de miljoenen liters in minuscule glaasjes die de gastvrijheid in het Midden-Oosten je dwingt op te drinken. In Beirut was thee het teken dat de maaltijd was afgelopen; je dronk je thee, schudde met het kopje, zette het neer en zei: 'Daimeh, inshallah' – altijd, als God het wil. Hier was het iets nog basalers: een welkom.

Gastvrijheid, of die nu verleend wordt door een keizer of een analfabete geitenhoeder, is wat ons beschaafd maakt. Zonder dat kan de rotzooi waarvan wij denken dat het de 'beschaving' is – auto's, scones, zalmmayonaise in de woestijn – zomaar opeens verdwijnen. Elke vorm van goederenverkeer kan stilgelegd worden, door sancties of Ali Baba's of de plunderaars van de zogenaamde beschaafde wereld. Maar het oude gebruik van gastvrijheid tegenover vreemdelingen, van de zorgende engelen, heeft het overleefd.

Mohamad kocht een pakje Turkse koekjes, dikke biscuitjes aan elkaar gemetseld met een roze suikerpasta. We aten ze samen op en lieten de chemische zoetigheid van de koekjes oplossen in de ijzerhoudende thee.

Ik keek naar mijn echtgenoot. Hij keek naar mij en glimlachte.

Dit is de reden dat ik hier ben, dacht ik. We hebben oceanen vol thee gedronken en we zullen er nog oceanen vol van drinken – daimeh, inshallah. Maar dit bekertje drinken we nu, op dit moment, hier, samen.

En zo begon daar onze huwelijksreis, met een simpele daad van vriendelijkheid: een klein, anoniem geschenk in de onmetelijke woestijnnacht.

Hoofdstuk 6

'De Iraakse keuken bestaat niet'

Als iemand me later wel eens vroeg hoe het in Bagdad was, vertelde ik altijd over de in mooie vormen gesnoeide heggen.

Net als veel Amerikanen had ik een bepaalde voorstelling van Bagdad, een soort montage van tv-beelden van de Golfoorlog gecombineerd met oude films met Douglas Fairbanks: palmbomen, minaretten, tanks, veel zand. Toen we onder de sterke oktoberzon Bagdad binnenreden, verwachtte ik bepaalde dingen te zullen zien. Gesnoeide heggen hoorden daar niet bij en toch waren ze daar: donkergroene heggen, keurig gesnoeid in golvende, abstracte, vrolijke vormen, als tot leven gekomen schilderijen van Joan Miró. Ik keek uit het raampje en bedacht dat er een ander Bagdad was, dat verschilde van wat ik kende van tv, net zoals er een ander 'Lebanon' geweest was.

De heggen zag je vooral in de rijkere buurten, zoals Mansour en Jadriyah, als omlijsting van de gevels van chique villa's. De villa's van Bagdad! Die waren pas echt een botsing van beschavingen, een woeste mengelmoes van internationale kitschstijlen. Sommige huizen hadden een gewelfde entree, zoals je wel ziet bij ouderwetse bankgebouwen. Sommige leken op speelgoedkastelen van kruisvaarders, met ronde torentjes en halvemaanvormige raampjes. Een paar waren gebouwd als imitaties van Romeinse ruïnes. Andere deden denken aan het Alhambra, maar dan met moderne accenten: een groot ruitvormig raam met zilverblauw glas, of een enorme omgekeerde piramide die rustte op zijn punt. De meest overdadig versierde oriëntaalse huizen, met boogramen en prachtige opengewerkte balkons, pronkten met de meest uitgesproken westerse details. Een miniatuur-Taj Mahal had een barok gietijzeren hek. Een Ottomaanse villa werd bewaakt door een hoge victoriaanse lantaarnpaal. De meeste huizen waren goed onderhouden: hun eigenaren hadden onder Saddam goed geboerd.

Bagdad binnenkomen was in die dagen alsof je terugging in de tijd. Hele wijken zagen eruit als het decor van een vroege James Bondfilm: auto's uit de Sovjet-Unie, witte plastic stoelen met ronde vormen, abstracte expressionistische kunst. Het land was tientallen jaren lang afgesneden geweest van de rest van de wereld en leefde dus in het verleden. Het resultaat was een cultachtige fascinatie voor idolen die door de rest van de wereld allang opzij waren gezet en vervangen door andere. Toen ik eenmaal een paar maanden in Bagdad woonde, was ik niet meer verbaasd wanneer iemand midden in een gesprek stopte en een liedje van The Doors of Bryan Adams begon te zingen.

Tijdperken botsten. Een ezeltje met doorgezakte rug trok een houten kar langs de kolos van een gigantisch grijsmetalen pantservoertuig. Huurlingen in glanzende witte suv's duwden boeren op tractors de berm in. Arme mensen stonden anderhalve dag in de rij te wachten voor gesubsidieerde benzine, terwijl zij die het zich konden veroorloven voor een paar dollar meer langs de kant van de weg jerrycans met brandstof op de zwarte markt kochten. Kinderen op blote voeten leurden met benzine, Kleenex-tissues (of de namaakversie uit het Midden-Oosten, Khaleenex), strooien hoeden, Marlboro's en rode plastic rozen bij mensen die vast stonden in het verkeer.

Lage gebouwen bakten in de zon, omringd door muren, armzalige boompjes en het altijd aanwezige stof van een stad die voortdurend probeert de woestijn buiten de deur te houden. Als Los Angeles een korte periode van olierijkdom had gekend en vervolgens een paar tientallen jaren afgesloten was geweest van de rest van de wereld, zou het er waarschijnlijk net zo hebben uitgezien als Bagdad: lange snelwegen vol auto's, veel meer dan waar ze ooit voor ontworpen waren, die als pythons de stad leken te wurgen. Een gemene, olieachtige smog. Een stad met grofweg vijf miljoen inwoners, rommelig, ingewikkeld en uitgestrekt, doorsneden door een rivier; een paar van de belangrijkste bruggen afgesloten; doorgaande wegen die gebarricadeerd werden door tanks en controleposten zodra er een aanval plaatsvond of dreigde te gebeuren, wat meerdere malen per dag zo was, of wanneer een belangrijk persoon in een groot, gepantserd konvooi van de ene militaire zone naar de andere reisde; grote, agressief rijdende Jimses vol huursoldaten die zomaar het vuur konden openen op wie dan ook, wanneer dan ook; en geen mobiele telefoons om te kunnen communiceren met echtgenoten, vrouwen of kinderen die thuis angstig zaten te wachten. Al deze frustrerende omstandigheden, die eind 2003 in Bagdad heel gebruikelijk waren (en dan was het een goede dag), leidden tot de ultieme verkeerschaos.

En toen kwamen we bij de Tigris, waar alles anders werd. De rivier loopt dwars door het hart van Irak en splitst de hoofdstad in tweeën, een lange, vloeiende streep water omzoomd door bomen. De eindeloze stad van blokkendozen zou benauwend geweest zijn zonder de rivier en de dadelpalmen: stevige, hoge stammen die omhoog torenden tot hun groene, gebogen bladeren naar alle kanten uitbarstten. Bomen die de gratie van een fontein leken te imiteren.

Zevenenhalve maand heb ik in Bagdad doorgebracht, verspreid over vijftien maanden, het grootste deel van de tijd samen met Mohamad. Een korte periode in een langdurige oorlog; een soort huwelijksreis. Een tijd waarin allerlei dingen mogelijk waren, tot ze onmogelijk werden.

De grote kranten huurden hun eigen villa. Freelancers en kleinere kranten zoals *Newsday* opereerden vanuit hotels: een hele stoet pensions en hotelletjes, van verlopen tot afschrikwekkend. Allemaal lagen ze in de Rode

Zone, wat inhield: alles buiten het bewaakte Amerikaanse militaire gebied dat de Groene Zone genoemd werd. We reden rechtstreeks naar het Hamra Hotel in Jadriyah, een rustige woonwijk.

Het Hamra bestond uit twee grote blokkendozen in een Bauhaus-achtige stijl met daartussen een binnenplaats. In het halletje bij de hoofdingang verkocht een man kleden en sieraden. Een bordje op de deur verzocht bezoekers vriendelijk hun wapens af te geven bij de receptiebalie.

Mohamad en ik gooiden onze stoffige bagage op het bed en liepen naar beneden om in het restaurant wat te gaan eten. Via de lobby en langs het café met de oranje stoeltjes kwamen we op de binnenplaats tussen de gebouwen. Er was een zwembad – het beroemde zwembad van het Hamra, blauw en glanzend – met daaromheen een heel leger witte plastic tafels en stoelen. We hadden sinds Jordanië niets meer gegeten, behalve koekjes en thee, en we waren uitgehongerd. Ik bestelde fattoush, de salade die ik in Beirut zo heerlijk had gevonden, hummus en *chicken tikka*, de lokale naam voor wat in Beirut *shish taouk* genoemd wordt.

Bij fattoush is het geheime ingrediënt de samenstelling, het strak gechoreografeerde contrast tussen tegengestelde elementen. Je moet de ingrediënten tot op het allerlaatste moment apart houden, zodat het brood niet te veel vocht opneemt; het moet een knapperig, krokant tegenwicht bieden tegen de zachte sla en de sappige tomaten. De frisse, zure dressing bindt de verschillende elementen samen. De zure smaak kan van citroensap komen of van granaatappelsiroop, of van beide. Soms is het de sumak, het roodbruine poeder dat smaakt alsof duizend citroenen op je tong openbarsten. In Libanon wordt fattoush meestal geserveerd met een beetje sumak eroverheen gestrooid: genoeg om 'je eetlust op te wekken', zoals de Libanezen zeggen, maar niet zoveel dat je smaakpapillen op hol slaan.

Deze fattoush was anders. Iemand had er zoveel sumak overheen gestrooid dat wanneer je een hap in je mond stopte, het net was alsof je een slok citroenzuur nam. Het brood was zwaar en bedroevend zompig. Het wilde oplossen in een soort waterig slijm, maar de ranzige frituurolie waarmee het doortrokken was, hield het bij elkaar. De ijsbergsla was doorschijnend geworden door het langdurige bad in de dressing, wit en verschrompeld, zoals je vingers wanneer je te lang in het water hebt gelegen. De verlepte blaadjes smaakten taai en touwachtig, alsof je een kom elastiekjes probeerde op te eten. De tomaten waren korrelig en staarden je vanuit de sumakplas op het bord aan alsof ze wilden zeggen: eet me op als je durft.

Verslagen door de fattoush begon ik aan de hummus. Het zag eruit zoals hummus er altijd uitziet: een rond bord met een beige pasta, een kuiltje in het midden en al weer bestrooid met de onvermijdelijke sumak. Ik had nog nooit zulke bleke hummus gezien en ook was het dikker dan normaal en vreemd doorzichtig, als eetbare beige huidcrème. Maar hummus is hummus; wat kon er misgaan? Ik scheurde een stukje brood af en viel aan.

In Buffalo had ik kort voor een huisschilder gewerkt, en hoewel ik nooit geproefd had van de verschillende goedjes die ik op de muren moest smeren, deed deze hummus me denken aan pleister. Op de een of andere manier slaagde de pasta erin om tegelijkertijd slijmerig en kalkachtig te zijn. Het spul was niet veel meer dan gepureerde kikkererwten uit blik vermengd met water, heel veel water. (Eén ijsklontje aan hummus toevoegen geeft het een lichte, crèmeachtige textuur; meer dan één blokje erbij doen is een truc die sommige restaurants uithalen om geld te besparen.) Geen tahin, geen knoflook, geen citroensap. Geen olijfolie. En het had waarschijnlijk al heel, heel lang in de keuken gestaan.

Ik keek naar Mohamad.

'Ik had je moeten waarschuwen,' zei hij met een gespannen, berouwvol glimlachje. 'Het eten is hier nogal beroerd.'

Ik voelde me uit het veld geslagen. Ik had stapels boeken gelezen over de sancties en over Saddam, maar dit had ik toch niet verwacht. Het Midden-Oosten was niet een regio die ik ooit geassocieerd had met beroerd eten.

'Is het overal zo slecht? Of alleen hier?'

Van alle buitenlanders in Bagdad was Mohamad een van de weinigen die zich niet geringschattend uitlieten over het Iraakse eten. Hij scheurde een stukje van het dikke stokbrood af, doopte het in de muurvuller en stopte het in zijn mond. Hij kauwde erop en dacht na over mijn vraag. 'De Irakezen,' zei hij toen, 'hebben heel goed brood.'

Oorlog maakt goede bevoorrading onmogelijk. Het verstoort de natuurlijke orde van ingrediënten en arbeid. Het dwingt mensen om zich meer te richten op wat voedzaam is dan op wat goed smaakt. Het leek belachelijk, misdadig bijna, om naar een door oorlog verscheurd land te komen, naar een volk dat klem zat tussen bezetting en opstand, en een fatsoenlijke maaltijd te verwachten.

Maar ik wist van Mohamad en andere Libanezen dat eten een van de weinige dingen was die hen tijdens de grimmige en eindeloze oorlog in hun land op de been hadden gehouden; dat het eten van een goede maaltijd, in gezelschap van de mensen van wie ze hielden, hen hielp om de gebeurtenissen te verdragen. Hoe wisten de Irakezen het zonder dat te redden?

Het was niet alleen zo in het Hamra Hotel. Bij de Hunting Club, vaste stek van de olie-elite van het land, werden lappen vlees vol kraakbeen geserveerd, waaromheen een wolk lethargische vliegen zoemde. Andere, duurdere restaurants waren al niet veel beter. Het menu was altijd hetzelfde: vlees. Vleeskebabs, gefrituurd vlees, gebraden vlees. Vlees met rijst, vlees met brood, vlees met vlees. En alles vol met de glibberige witte vetklonten waar de Irakezen gek op waren, maar die verder iedereen verafschuwde.

Het kwam niet door de oorlog. Iraaks eten, zei iedereen, was gewoonweg smerig, zelfs al voor de invasie. Sommigen speculeerden dat het iets genetisch was, volgens anderen was het de cultuur. De meesten namen aan dat het gewoon bij het land hoorde. Een Amerikaanse journalist die jaren in Bagdad gewoond had, beschreef het Iraakse eten als 'een oorlog tegen je smaakpapillen'.

Naarmate de oorlog zich voortsleepte, werd het onder de huurlingen, hulpverleners, oorlogscorrespondenten en andere buitenlanders die in Bagdad verbleven steeds gebruikelijker om grappen te maken over de Iraakse kookkunst. Mensen meldden lachend dat ze het 'Iraakse Atkins-dieet' volgden. Vegetariërs hielden zich braaf bij hun pasta met hummus, maar een paar begonnen uit pure wanhoop weer vlees te eten. Iraaks eten, grapte men, was het echte massavernietigingswapen.

De ergste critici waren mensen uit andere landen in het Midden-Oosten: Syriërs, Iraniërs, Libanezen. Als mensen uit Iran een minachtende term voor Arabieren willen gebruiken, grijpen ze terug naar het antieke 'hagedisseneters'; een al eeuwenoude Perzische sneer die verwijst naar het dieet van de bedoeïenen. 'De Irakezen hebben nooit lekker eten gehad,' hield Rebecca vol, een Libanese vriendin van ons die in Bagdad als vertaler werkte. 'Mijn vader is hier voor de eerste Golfoorlog wel eens geweest voor zaken, en toen was het al precies zo. Hun restaurants waren verschrikkelijk. Alle Libanezen namen hun eigen eten mee!' Daarna voegde ze iets toe wat ik in Libanon nog vaak zou horen: 'Wij hebben altijd al het beste eten gehad.'

Veel later vatte een andere journalist die ik kende de heersende mening mooi samen. Na jaren in Bagdad had ze een zeldzame gevoeligheid en compassie voor de Irakezen ontwikkeld. Alleen voor hun eten had ze geen goed woord over. 'Hoe kun je nou schrijven over de Iraakse keuken?' vroeg ze me met een ongelovig lachje toen ik haar vertelde dat ik bezig was met dit boek. 'De Iraakse keuken bestáát helemaal niet.'

Ik vroeg me dat af. In New York had ik mensen vaak met veel aplomb horen beweren dat het eten uit het Midden-Westen smaakloos was. Volgens deze gesofisticeerde stedelingen (veel van hen zelf ooit uit de provincie afkomstig) leefden wij boeren uit Indiana op aardappels uit de oven. Onze kookkunst bestond uit het openen van blikjes; onze enige kruiden waren zout en peper. Onze ziel zelf was gemaakt van slap fabrieksbrood.

En toch was ik opgegroeid met *persimmon pudding*, een traditioneel gerecht uit het zuiden van Indiana: kruidige vruchtencake met kaneel, gember, nootmuskaat en kruidnagels. Mijn moeder maakte morieljes klaar, geplukt langs de mossige randen van donkere, natte bossen. Ze nam me mee uit eten bij de Port Hole Inn, waar gefrituurde meerval met een gepeperd korstje geserveerd werd met *hushpuppies*, knapperige balletjes van maïsmeel met een smeltend zachte binnenkant. Kip, nog voor zonsopgang door boeren uit de buurt bij Hays Market afgeleverd: gevogelte dat meer naar beemdgras, wilde cichorei en natte aarde, meer naar kíp smaakte dan de in plastic verpakte kadavertjes uit de supermarkt. Maïsbrood, zo zoet dat je er bijna van in vervoering raakte. Appelstroop zo vol van smaak dat het verboden zou moeten worden. Het echte eten van het Midden-Westen smaakte naar paddenstoelen en sassafras, ongerepte bossen en kruidige bloemenweiden vol rode zonnehoed en wilde peen.

Dus als die New Yorkers weer eens uitweidden over onze saaie, smaakloze keuken, knikte ik altijd maar wat en hield verder mijn mond. Toe maar, doe je best maar, dacht ik. Des te meer persimmon pudding voor mij!

Wat als het in Irak ook zo was?

Het eten dat buitenlanders in Irak voorgeschoteld kregen – en dat niet noodzakelijkerwijs hetzelfde was als Iraaks eten – smaakte beroerd. Maar was dat omdat Irakezen ongeciviliseerde, hagedissen etende bedoeïenen waren die de culinaire kunsten nooit in de vingers hadden weten te krijgen? Of was er misschien iets anders aan de hand?

Zodra je jezelf die vraag stelde, veranderde opeens het hele perspectief. Het was misschien arrogant om goed eten te verwachten van een volk dat al tientallen jaren leed onder de gevolgen van een oorlog, maar het was minstens even arrogant om dat niet te doen. Beweren dat een land geen eigen kookkunst heeft, leek net zoiets als zeggen dat het geen cultuur had, geen burgermaatschappij. Die afschuwelijke maaltijd in het Hamra Hotel was een uitdaging, een raadsel. Dit was de Vruchtbare Halvemaan, waar de oorspong lag van onze beschaving en van de landbouw. Dit land móést wel een eigen keuken hebben, en ik had het vermoeden dat die uitstekend was. Ik besloot om eropuit te gaan en hem te vinden.

Hoofdstuk 7

Mens worden

Lang geleden leeft er in een land hier ver vandaan een koning die Gilgamesj heet. Hij is dapper en knap. Hij is voor twee derde god en één derde mens. Hij bouwt de gigantische metropool Uruk met zijn enorme muren, de grootste stad die de wereld ooit gezien heeft. Wanneer een verschrikkelijke overstroming de stad vernietigt, bouwt hij die meteen weer op.

Maar langzamerhand wordt Gilgamesj slecht. Hij haalt jongemannen weg bij hun vaders en doodt ze. Hij eist het recht op om met bruiden het bed te delen tijdens hun huwelijksnacht. 'Hij vertrapt ons als een machtige wilde stier,' beginnen de mensen te mopperen. De inwoners van Uruk wenden zich tot de goden voor hulp.

De goden gaan naar Aruru, de godin die alle ellende heeft veroorzaakt door van klei Gilgamesj en het hele menselijke ras te maken. 'Je moet echt iets doen aan die vent,' zeggen ze tegen haar. 'Maak een man voor ons die tegen hem op kan.'

Aruru zucht, sluit haar ogen en vraagt zich af waarom ze niet boogschieten als hobby heeft gekozen in plaats van pottenbakken. Dan wast ze haar handen, pakt een stuk klei en vormt er een man van die de machtige Gilgamesj de baas kan.

Enkidu heeft een bos lang haar, is behaard over zijn hele lijf en is twee keer zo groot als een normale man. Hij leeft in de wildernis buiten de stadsmuren. Hij loopt naakt rond, drinkt samen met de dieren bij de waterpoel en eet gras met de gazellen.

Op een dag ziet een jager Enkidu gehurkt bij de waterplas zitten. De wildeman kijkt op. Hun ogen ontmoeten elkaar. Plotseling realiseert de jager zich dat deze harige wildeman de dierenrechtenactivist is die zijn vallen uit de holen heeft losgetrokken, zijn valkuilen heeft dichtgegooid en wilde dieren uit zijn strikken heeft bevrijd. De jager is zo bang dat hij de hele weg terug naar de stad holt, rechtstreeks naar Gilgamesj gaat en hijgt: 'Je moet iets doen aan die vent.'

De machtige Gilgamesj rent, precies zoals de goden voor hem, direct naar een vrouw. En wat voor vrouw! Shamhat, deels priesteres, deels prostituee. Ze werkt in de tempel van Inanna, de godin van liefde en oorlog. Shamhat weet precies hoe ze deze wildeman moet aanpakken: ze gaat rechtstreeks naar de waterpoel en trekt al haar kleren uit. Zodra Enkidu dat ziet, is hij zijn vrienden de dieren meteen vergeten.

Shamhat weet hem met twee van de oudste en effectiefste middelen uit zijn wilde staat tot beschaving te brengen. Eerst slaapt ze met hem totdat hij 'bevredigd is door haar charmes'. Dat duurt precies zes dagen en zeven nachten.

Daarna (ze zullen inmiddels tamelijk uitgehongerd zijn) neemt ze hem mee en geeft hem eten en bier. Hij staart ernaar en knijpt zijn ogen samen. Wat is dat voor spul?

Enkidu wist niets over het eten van brood als voedsel,
en van het drinken van bier had hij nooit gehoord.
De hoer sprak tot Enkidu en zei:
'Eet dit voedsel, Enkidu, het is wat je nodig hebt om te leven.
Drink het bier, zoals het in dit land gebruikelijk is.'
Enkidu at het brood tot hij voldaan was,
hij dronk van het bier – zeven kruiken! – en werd uitbundig
en zong van vreugde!
Hij was uitgelaten en zijn gezicht glom.
Hij gooide water over zijn behaarde lichaam
en wreef zich in met olie, en hij werd mens.

Als je een beetje op mij lijkt, is het eerste wat je denkt nadat je dit oude Mesopotamische verhaal over eten, seks en beschaving gehoord hebt: wat aten ze dan eigenlijk?

In den beginne was het woord. Met het woord kwam de mogelijkheid om te zeggen: 'Ik heb honger.' En dus kwam niet lang na het woord het recept.

Tot de jaren tachtig van de twintigste eeuw namen geleerden aan dat het oudste kookboek ter wereld *De re coquinaria* ('Over het onderwerp koken') was, een verzameling Romeinse recepten waarvan gedacht wordt dat ze aan het eind van de vierde, begin van de vijfde eeuw bijeen zijn gebracht, maar die worden toegeschreven aan de eerste-eeuwse Romeinse gourmand Apicius.

Toen begon de Franse historicus Jean Bottéro aan het monnikenwerk van het vertalen van drie gebarsten kleitabletten, afkomstig uit het zuiden van Mesopotamië, die bewaard werden in de Babylonische collectie van Yale University. De meeste historici vermoedden dat er farmaceutische recepten op stonden, maar zodra Bottéro het wigvormige spijkerschrift begon te vertalen, ontdekte hij dat de tabletten een verzameling van zo'n veertig recepten bevatten, daterend van ongeveer 1600 voor Christus. Daarmee waren het niet alleen de eerste Iraakse recepten, of de eerste recepten uit het Midden-Oosten, maar de allereerste recepten uit de geschiedenis waarvan we het bestaan kennen.

Bottéro, een echte wetenschapper, beschouwde de tabletten niet als 'kookvoorschriften' in de moderne zin van het woord; het waren eerder een soort verslagen over de paleiskeuken en de rituelen die daar plaatsvonden. Maar in essentie zijn de kleitabletten even onmiskenbaar een kookboek als mijn moeders oude exemplaar van *Fannie Farmer*, vol ezelsoren en vetvlekken. De recepten (die waarschijnlijk door verschillende koks aan schrijvers gedicteerd werden) bevatten instructies voor een aantal stoofpotten en verfijnde, verrukkelijk klinkende gerechten met vlees en graan. Sommige zijn beknopte, professionele lijsten ingrediënten (zoals die van Elizabeth David, die nooit hoeveelheden of kooktijden aangeeft). Andere geven nauwgezette instructies, gesplitst in duidelijk omschreven taken (zoals in de recepten van de spraakzame, altijd vriendelijke Julia Child). De basishandelingen zijn dezelfde die we nu nog in onze keukens uitvoeren: snij de kip open, haal de ingewanden eruit, laat het vlees dicht-schroeien, voeg water toe. Onze anonieme koks (die waarschijnlijk man-nen waren) bonden zelfs de poten van de kip samen, zoals we dat nu nog doen. En ze gaven aan van wie geleende recepten afkomstig waren: één recept schreven ze toe aan 'de Elamieten', die leefden in wat nu het zuid-westen van Iran is, en een ander kreeg de toevoeging 'op de Assyrische manier'. Het meest aantrekkelijke, ingewikkelde recept is dat voor een be-werkelijk kipgerecht met uien en kruiden, geserveerd met onder- en bo-venop een tweedelige broodkorst: een 3600 jaar oude kippenpastei.

Maar wat aten Enkidu en Shamhat nu? De kleitabletten vertellen het ons niet precies, want zij werden ongeveer duizend jaar na de tijd van Gilga-mesj geschreven (dat wil zeggen, de tijd waarin de hoofdpersoon waarop het epos gebaseerd is waarschijnlijk geleefd heeft), volgens de geleerden rond 2600 of 2700 voor Christus. Toch hebben we dankzij Bottéro en an-dere vertalers van antieke teksten een beter idee dan we ooit gehad heb-ben, en wat nog het meest verrassend is aan deze eeuwenoude recepten is niet hoe vreemd ze zijn, maar hoe weinig sommige dingen zijn veranderd.

We weten dat de Mesopotamiërs van stoofschotels hielden. Hun ge-stoofde groente- en vleesgerechten, vertelt Nawal Nasrallah in *Delights from the Garden of Eden*, haar definitieve handboek voor de Iraakse kook-kunst, evolueerden tot de *marga's* die tot op de dag van vandaag een be-langrijk deel uitmaken van de Iraakse keuken. We weten dat de oude Mesopotamiërs veel bier dronken. (Ze hadden zelfs bier met granaatap-pelsmaak, iets wat ik graag zou willen proeven.) Ze hielden ook van ge-broken, gestoomde en geroosterde granen, vergelijkbaar met de huidige bulgur en frikeh. Ze maakten brood van gerst, tarwe en emer, een oude tarwesoort die we tegenwoordig vooral kennen als het Italiaanse *farro*. En we weten dat ze hielden van sterke smaken: behalve dat er kruiden en specerijen zoals koriander en komijn genoemd worden, eindigen veel van de recepten op Bottéro's kleitabletten met een variant op 'voeg geplette knoflook, uien en prei toe'; een instructie die ik me later zou herinneren, toen Mohamads moeder me liet zien hoe ik haar courgettestoofpot moest maken.

Ongeveer 3600 jaar nadat Bottéro's koks hun recepten dicteerden, maakte ik samen met een Iraakse vluchteling, Ali Shamkhi, stoofpot met kip klaar. Hij woonde met twee Iraakse vrienden, ook vluchtelingen, in een wijk aan de rand van Beirut. De drie mannen kookten zelf en bestreden hun heimwee door traditioneel Iraaks eten te maken; ze belden zelfs af en toe met hun moeders in Irak voor advies over recepten. Ali kookte de kip op een manier die ik nooit eerder gezien had: eerst waste hij hem onder stromend water goed af terwijl hij uit respect voor het vlees dat we op het punt stonden te gaan eten 'Bismillah' fluisterde, 'In de naam van God'. Vervolgens kookte hij de kip ongeveer vijf minuten in zoveel water dat hij net onderstond. Daarna goot hij de kippenbouillon van deze eerste kookronde af en liet het vocht – tot mijn ontzetting – door de gootsteen weglopen.

'We gieten het eerste kookwater af om de wildsmaak weg te nemen,' legde hij uit. 'Zo smaakt de kip beter.'

Ditzelfde zag ik keer op keer als Irakezen eten klaarmaakten. Ze kookten vlees, rijst, vis – zelfs groenten als okra – eerst een paar minuten. Daarna goten ze het vocht af en voegden nieuw water toe, soms zelfs in een nieuwe pan, voor een tweede ronde. Er was iets aan deze bereidingswijze wat door mijn hoofd bleef spoken. Ik had er eerder over gehoord, maar waar? Toen herinnerde ik het me: het was hoe Soemerische koks hun lezers vertelden dat ze gevogelte moesten bereiden. (Bottéro noemde het hun 'manie om vlees na elk stadium in het kookproces te wassen'.) Irakezen maken hun stoofpotten al drieënhalfduizend jaar op die manier.

Na de neolithische revolutie, maar vóór Gilgamesj – historici weten niet precies wanneer, maar waarschijnlijk ruim drieduizend jaar voor Christus – bedachten de mensen dat het land tussen de Tigris en de Eufraat een stuk groener zou zijn als ze de machtige stromen van die twee rivieren konden beheersen. Ze groeven kanalen tussen de rivieren, vonden irrigatie uit en vestigden zich als boeren. Plotseling werd het nodig om allerlei zaken bij te houden: de loop van de seizoenen, overschotten, voorraden. En dus ontstond niet lang daarna het schrift, wat waarschijnlijk de reden is dat de godin van het graan in het antieke Mesopotamië ook de godin was van schrijven en boekhouden. (De Mesopotamiërs hadden zelfs een godin van het bier.)

Brood vormde het hart van deze agrarische revolutie. In het Akkadische spijkerschrift, de Semitische taal waarin de tabletten van Bottéro geschreven zijn, was brood synoniem met voedsel: het woord voor eten, akâlu, was het symbool voor brood gecombineerd met het symbool voor mond. Babylonische kleitabletten van rond tweeduizend jaar voor Christus noemen op zijn minst driehonderd soorten brood, met verschillende ingrediënten, smaken en bereidingswijzen. Ze maakten broden in de vorm van mensenhanden en zelfs vrouwenborsten; een listige verwijzing naar brood als het essentiële, oorspronkelijke voedsel.

De Mesopotamiërs bakten veel van hun brood in een tinuru, een cilindervormige kleioven met een open bovenkant en duivels hete warmtestraling binnenin. Ze rolden het deeg uit tot kleine ronde plakken en lieten die even liggen om de gluten te laten rusten. Daarna maakten ze er platte pannenkoeken van en sloegen die tegen de gloeiend hete binnenkant, waar ze gaarden tot stevige, gebobbelde platte broden.

Duizenden jaren later maken Iraakse buurtbakkers hun brood nog precies zo. Het Akkadische woord voor eten, dat kleine ideogram van brood in een mond, heeft tot op de dag van vandaag overleefd als het Arabische werkwoord *akala*, 'eten', en het nauw verwante zelfstandig naamwoord *akil*, 'voedsel'. (De drieletterige stam AKL vormt woorden als voedsel, eet, gerecht.) De Akkadische tinuru leeft voort als de Arabische *tanuru* en de Zuid-Aziatische *tandoor*. Denk hier maar eens over na, de volgende keer dat je in een Indiaas restaurant kip tandoori bestelt: je spreekt een woord uit dat menselijke monden, in een of andere vorm, al op zijn minst vierduizend jaar lang zeggen.

Hoofdstuk 8

De beweging van Irak-liefhebbers

Onze kamer in het Hamra Hotel had een echte keuken, dus op onze tweede dag in Bagdad ging ik op pad om boodschappen te doen. Ik kwam uiteindelijk terecht in de *souk al-ajanib*, de 'buitenlandersmarkt', waar ik behalve mijzelf nooit een andere buitenlander zag. Het werd een van mijn favoriete plekken in Bagdad en ik kwam er vaak, vooral wanneer ik behoefte had aan de troost van bepaalde producten. Romeinse sla lag in enorme hopen op de achterkant van pick-uptrucks. Met de hand gevlochten manden stroomden over van de donkerpaars gerimpelde en zachte vijgen. Aubergines glommen als gigantische druppels obsidiaan. In donkere winkelramen hingen bananen met pluizig touw aan het plafond, als aas uitgegooid door een enorme oerwoudspin. En de tomaten: glanzend en dieprood, opgestapeld in bloedige piramides als de hoofden van de slachtoffers van de Mongoolse veroveraar Hulagu. Tijdens mijn eerste bezoek kocht ik tomaten en glanzend zwarte olijven uit Turkije, en die avond gingen Mohamad en ik niet naar het restaurant beneden om te eten, maar dineerden we met pasta puttanesca.

Puttanesca is mijn favoriete pastasaus. Net als een goede vriend is hij flexibel en vergevensgezind; betrouwbaar, constant, maar ook bereid om te evolueren. Bovendien kan hij er, eveneens net als een goede vriend, als je dat nodig hebt in een minuut of twintig zijn. En dan heb je nog de naam: 'de pasta van prostituees'. Het verhaal is dat puttanesca uitgevonden werd door vrouwen van lichte zeden die een saus nodig hadden die je snel in elkaar kon draaien en tussen twee klanten door naar binnen kon werken. Dergelijke mythes over de oorsprong van eten zijn meestal apocrief, maar ze geven een gerecht wel smaak. Door de naam hangt er om puttanesca een vleugje seks; dit, zegt die, is een saus voor de werkende vrouw.

Er volgden een paar wanhopige momenten toen ik de olijven probeerde te ontpitten met een bot schilmesje. Ik vervloekte mezelf omdat ik de Leatherman in Beirut had achtergelaten en vroeg me af of ik dat hele eind naar Irak gereisd was om hier een afgestompte huisvrouw te worden. Toen herinnerde ik me de muurvuller die ze beneden serveerden en plotseling leek puttanesca maken in Irak niet meer zo belachelijk.

We duwden onze laptops, de enorme stapels printjes en Iraakse kranten naar één kant van de tafel. We trokken een fles Massaya open, een uitstekende Libanese wijn die in Bagdad verkrijgbaar was, en gingen aan tafel zitten om te eten.

'Ik ben blij dat je hier bent,' zei Mohamad.

Een paar dagen later bezochten Mohamad en ik het Institute for War &
Peace Reporting, een non-profitorganisatie die in vroegere conflictgebie-
den – wat Irak op dat moment zou moeten zijn – onafhankelijke verslaggevers opleidt.

Ik schoof aan bij een les die gegeven werd door Maggy en Hiwa, twee
journalisten die Mohamad kende van zijn eerdere bezoeken aan Bagdad.
De studenten bombardeerden hen met vragen. Ze wilden allemaal dol-
graag echte verhalen schrijven, niet de propaganda waarmee ze waren opgegroeid, en aan de wereld vertellen wat er in Irak gebeurde. De meeste
van de studenten waren in de twintig, maar er waren ook een paar afge-
zwaaide militaire officieren, oudere mannen die hun jeugd vergooid hadden met vechten in oorlogen waarin ze niet geloofden en die nu een
nieuw leven wilden beginnen. Wat ze wilden was ontzettend veel, maar
op dat moment leek het mogelijk: in één zomer tientallen jaren oversteken
en met één enthousiaste sprong over de afgelopen vijfendertig jaar heen
springen.

'Vroeger konden we niets zeggen,' zei een magere, gepassioneerde
jonge communist die Salaam heette. 'En dus proberen we nu alles tegelijk
te zeggen, zelfs als we het alleen maar hebben over eten of zo.' Salaam
was de eerste communist die ik ontmoette die George W. Bush prees,
maar hij zou niet de laatste zijn.

Na de les zat ik nog een hele tijd buiten aan een picknicktafel met een
stel studenten te praten. Er was een gespierde twintiger, Ali, met een luie,
scheve glimlach. Hij reed elke dag van Babylon hierheen en weer terug
– vier uur rijden – alleen om de colleges te kunnen bijwonen.

'Hij is een strijder!' zei een meisje met een bleek, fijn gezicht en zand-
kleurig haar. Ze zat op de picknicktafel en stak haar ronde kinnetje in de
lucht terwijl ze met een felle blik van Ali naar mij keek.

Heel even was ik kwaad dat ze ons onderbrak. Toen besloot ik dat ik
haar onbevreesdheid wel mocht; hoe ze midden op tafel was gaan zitten
en haar mening ventileerde alsof ik er eigenlijk om had moeten vragen.

Haar naam was Roaa. Ik nam haar aan als mijn vertaler. Maar net als
de meeste vertalers werd ze uiteindelijk veel meer dan dat.

In 1951 hield een Iraakse socioloog, Ali al-Wardi, op de Universiteit van
Bagdad een beroemde toespraak. In navolging van Ibn Khaldun, de
veertiende-eeuwse filosoof die de beschaving onderverdeelde in nomaden en stedelingen, beschreef Wardi twee naast elkaar bestaande tenden-
sen in de Iraakse maatschappij: *badawah*, of de levenswijze van bedoeïenen, en *hadarah*, of de op één plek gevestigde beschaving, die hij
gelijkstelde met stedelijkheid en moderniteit. 'Het traditionele gezichtspunt van Ibn Khaldun is dat er twee soorten mensen zijn, de stadsbe-
woners en de nomaden, en dat die altijd met elkaar in conflict zijn,' ver-

telde de prominente Iraakse socioloog en schrijver Faleh Jabar me. 'Ali al-Wardi geeft hier een draai aan: hij plaatst beide kanten in dezelfde persoon, binnen één karakter. Hij transformeert het tot een psychologische strijd, een soort schizofrenie, zogezegd.' Deze strijd, betoogde Wardi, heeft de geschiedenis en het karakter van Irak bepaald, en, uitgebreider, die van het hele Midden-Oosten.

Tegen het midden van de twintigste eeuw was Irak een van de modernste landen in de regio. Ondanks de religieuze en etnische scheidslijnen in de Iraakse maatschappij, bestond er in Bagdad een rijk cultureel leven: een museum voor antieke kunst, een museum voor moderne kunst, een symfonieorkest. De ziekenhuizen en universiteiten trokken studenten uit het hele Midden-Oosten aan. De Bauhaus-architect Walter Gropius ontwierp een bibliotheek voor de Universiteit van Bagdad, waarvan de hoge bogen, vertelden Irakezen me tientallen jaren later, een open geest symboliseerden. In 1948 werd Irak het eerste Arabische land dat vrouwen kiesrecht verleende. Elf jaar later benoemde de regering de eerste vrouwelijke minister van de Arabische wereld. In hetzelfde jaar werd een wet van kracht die kindhuwelijken verbood en de Iraakse vrouwen meer rechten gaf op het gebied van echtscheiding, erfenissen en voogdij van kinderen. De alfabetiseringsgraad schoot omhoog: 'Cairo schrijft, Beirut publiceert en Bagdad leest' was een bekend gezegde. Als Beirut het Parijs van het Midden-Oosten was, kon Bagdad claimen het Londen of Berlijn te zijn.

Toch liepen er nog steeds scherpe scheidslijnen door het Iraakse volk, waarvan de Ba'ath-partij gebruikmaakte toen die in 1963 en vervolgens opnieuw in 1968 de macht greep. Ba'ath, een seculiere beweging die de nadruk legde op de pan-Arabische identiteit, wist het revolutionaire vuur te kanaliseren dat op dat moment in de regio heerste. De partij voerde bloedige zuiveringen uit onder schrijvers, intellectuelen, kunstenaars en professoren, en zelfs in eigen gelederen. De paar joden die nog in Irak woonden, waren 'zionistische agenten'. Iraakse sjiieten waren Perzische infiltranten. Iraakse communisten waren Russische spionnen. Showprocessen werden gevolgd door openbare executies.

De belangrijkste machtsfactor in dit nieuwe regime was Saddam Hussein. Hij was een man van de stammen van het platteland, afkomstig uit een klasse die de stedelijke elite minachtend 'zij die eten met vijf' genoemd werden, dat wil zeggen met de vijf vingers van één hand, op de manier van de bedoeïenen. Maar uiteindelijk won de bedoeïenenmanier. (Ibn Khaldun, die zich altijd graag aan de kant van de overwinnaars schaarde, zou waarschijnlijk de schuld gegeven hebben aan het zilveren bestek van de bourgeoisie.)

In het midden van de jaren zeventig was de Iraakse president eigenlijk nog slechts een stroman: zijn neef Saddam, die aan het hoofd stond van een uitgebreid web van inlichtingendiensten, was in feite de baas van het land. Saddam zag toe op de nationalisatie van de oliebezittingen van Irak en nam ze net op het moment dat de prijzen vanwege de oliecrisis begonnen te stijgen over uit de handen van buitenlandse bedrijven; de olie-inkomsten stegen in iets meer dan twee jaar van één miljard naar acht miljard. Veel van dit extra geld werd besteed aan wapens en het leger. Toch bleef er genoeg over om snelwegen aan te leggen, ziekenhuizen en waterzuiveringsinstallaties te bouwen en geld te steken in landbouw- en industrieprojecten. In de jaren zeventig was de economische en sociale ontwikkeling van Irak, zoals gemeten door de Wereldbank, te vergelijken met die van Europese landen als Tsjecho-Slowakije en Griekenland.

Maar Saddam was al begonnen Irak van de buitenwereld af te sluiten. 'Leer de kinderen om op hun hoede te zijn voor elke buitenlander,' zei hij in een in 1977 gepubliceerde toespraak aan de werknemers van het ministerie van Onderwijs, 'want die laatste is een paar ogen voor zijn land en sommigen van hen zijn saboteurs van de revolutie.' Je bedrijf of zelfs je kind een buitenlandse naam geven was verdacht. Een ontmoeting met een 'buitenlander' was genoeg om je te kunnen ondervragen. Toen Saddam in 1979 eindelijk president werd, zuiverde hij de Ba'ath-partij opnieuw en zette loyale mensen van zijn eigen stam, zijn neven, ooms en zwagers op hoge regeringsposten.

In datzelfde jaar zette een islamitische revolutie de tirannieke sjah van Iran af en bracht de sjiitische ayatollah Ruhollah Khomeini aan de macht. In 1980 viel Saddam, gealarmeerd door de onrust onder de sjiitische meerderheid van Irak, het naburige Iran binnen. Westerse landen, inclusief de Verenigde Staten, en hun Arabische bondgenoten voorzagen hem tijdens de Irak-Iranoorlog rijkelijk van hulp, wapens en informatie van hun inlichtingendiensten.

De acht jaar durende oorlog kostte in totaal het leven aan minstens één miljoen mensen, sloeg een enorm gat in de Iraakse olierijkdom en liet het land achter met miljardenhoge schulden aan andere landen, waaronder buurland Koeweit. Het minuscule woestijnstaatje weigerde Irak die schuld kwijt te schelden. Saddam viel het land in augustus 1990 binnen en het olierijke Saoedi-Arabië, bondgenoot van Amerika, maakte zich zorgen dat het hierna aan de beurt zou zijn. De Veiligheidsraad van de Verenigde Naties isoleerde Irak en stelde sancties in die het Saddam onmogelijk maakten zijn olie te exporteren.

In januari 1991 verdreef een grote, door Amerika geleide legermacht de Iraakse troepen uit Koeweit en viel het zuiden van Irak binnen. President George Bush senior riep de Irakezen op om in opstand te komen tegen Saddam en dat deden ze ook: er ontstonden opstanden in het sjiitische hart in het zuiden en het voornamelijk Koerdische noorden. Maar Bush en zijn adviseurs vreesden dat als het door soennieten geleide regime van Saddam zou vallen, de sjiitische meerderheid de macht zou grijpen en zich aan de kant van Iran zou scharen. Het Amerikaanse leger liet toe dat Saddam de rebellen met aanvalshelikopters verpletterde. Nadat het regime de opstanden de kop had ingedrukt, executeerde het tienduizenden Irakezen, voor het grootste deel Koerdische en sjiitische rebellen. Aan het einde van Saddams regeerperiode had zijn regime op zijn minst enkele honderdduizenden van zijn eigen burgers geëxecuteerd.

De VN-sancties bleven van kracht tot de Amerikaanse invasie van 2003. In de jaren negentig stroomde elke dag tweeënhalfduizend kilo ongezuiverd rioolafval de Tigris in omdat Irak niet de chemicaliën en apparatuur mocht invoeren die nodig waren voor waterzuiveringsinstallaties. Zonder de olie-export en door het gebrek aan economische activiteit kelderde de Iraakse munt. De voedselprijzen schoten omhoog: in augustus 1995 was meel vierhonderd keer zo duur als voor de oorlog. De salarissen van mensen werden praktisch waardeloos. Gezinnen uit de middenklasse konden zich alleen met moeite basislevensmiddelen als eieren en melk veroorloven. Vlees werd een luxe. In 1988 had zeven procent van de kinderen in Bagdad tekenen van obesitas vertoond, midden jaren negentig stierven honderdduizenden Iraakse kinderen aan een dodelijke combinatie van ondervoeding, besmet water en infectieziekten.

In het midden van de jaren negentig schatten onderzoekers van de Voedsel- en Landbouworganisatie van de Verenigde Naties dat 567.000 kinderen onder de vijf als gevolg van de sancties waren gestorven. (Latere schattingen kwamen uit op een getal rond een kwart miljoen; nog steeds vreselijk hoog.) In een televisie-interview in 1996 tijdens het programma *60 Minutes* vroeg CBS-correspondent Lesley Stahl aan Madeleine Albright, die toen de Amerikaanse ambassadeur bij de Verenigde Naties was, of de isolatie van Saddams regime al die doden waard was. Albright antwoordde met een uitspraak waar ze later spijt van zou krijgen: 'Ik denk dat het een ontzettend moeilijke keuze is,' zei ze, 'maar de prijs... we denken dat het die prijs waard is.' In 2003 waren de meeste Amerikanen Albrights woorden allang vergeten. Veel Irakezen niet.

Saddam en zijn getrouwen werden nauwelijks geraakt door de sancties: dankzij oliesmokkel en zakken vol geld wist zijn kring van vertrouwelingen de hand te leggen op alles wat ze nodig hadden. Hij wist het olie-voor-voedselprogramma van de Verenigde Naties, bedoeld om de verarmde Irakezen van eten te voorzien, om te vormen tot een lucratief handeltje. Maar doordat de sancties de gemiddelde Irakees tot armoede veroordeelden, was die juist nóg afhankelijker van het regime geworden: een onderwijzeres die tien dollar per maand verdiende, ging haar voedselrantsoenen niet op het spel zetten door Saddam te bekritiseren. Irak was, zoals de Iraakse schrijver Kanan Makiya het in 1993 beschreef in zijn boek *Cruelty and Silence* (in het Nederlands verschenen als *Verzwegen wreedheid*, vert.) één grote gevangenis. In die periode begon de hoger opgeleide Iraakse middenklasse haar boeken te verkopen – wéér een link met de buitenwereld minder – om eten te kunnen kopen. Er kon geen twijfel over bestaan welke kant in de historische strijd van Wardi had gewonnen.

Roaa werd geboren in Bagdad in 1980, het jaar waarin de Irak-Iranoorlog begon. Net als veel andere Irakezen leerde ze op de lagere school met een kalasjnikov om te gaan. Van de leraren moesten de kinderen hun president 'oom Saddam' noemen en aan het begin van elke les schreeuwde Roaa samen met alle andere leerlingen: 'Lang leve de grote Saddam!'

Toen de oorlog in 1988 op zijn einde liep, voerden de troepen van Saddam een gifgasaanval uit op de Koerdische stad Halabja. Ongeveer vijfduizend mensen kwamen om; sommige binnen enkele minuten – hun van pijn vertrokken lichamen vielen stijf op de grond – en duizenden andere later, toen het gif hun zenuwstelsel aantastte. Roaa en haar familie zijn Koerden, en een aantal van haar ooms en tantes behoorden tot de slachtoffers in Halabja. Ze was toen acht jaar oud.

Roaas vader werkte als boordwerktuigkundige voor Iraqi Airways, een goede baan die het gezin een comfortabele plek in de Iraakse middenklasse opleverde. Haar ouders reisden naar Turkije, Griekenland, Libanon; zelfs naar China en Japan. Toen ze nog klein was, namen haar ouders Roaa mee op een reis van twee maanden door Canada en ook bracht ze één maand in Frankrijk door. Die reizen wakkerden haar verlangen aan om vreemde talen te leren en veel van de wereld te zien. Na de Irak-Iranoorlog, toen de sancties vluchten naar en van Irak verboden, verloor haar vader echter zijn baan bij de luchtvaartmaatschappij en dus sloot het gezin zich aan bij de rest van de verdwijnende middenklasse.

Roaa en haar broers behoorden tot een generatie jonge Irakezen wier intellectuele capaciteiten verloren gingen, en dat wisten ze. Iedereen die na 1968 geboren was, kende niets anders dan een wereld met Saddam. Meisjes als Roaa konden alleen dromen van de dingen waarvan hun in minirokjes geklede moeders wel hadden genoten: reizen, feestjes, een academische opleiding. 'Als mijn moeder over haar leven praat en over hoeveel plezier ze had in de jaren zestig en zeventig, krijg ik het gevoel dat ik mijn leven gemist heb,' vertelde Roaa me eens. 'En dat geldt niet alleen voor mij. Zo voelen we ons allemaal.'

Een van hun weinige links met de buitenwereld was Shabab TV, 'Jeugd TV', een televisiekanaal dat in handen was van Saddams zoon Uday. Shabab TV vertoonde af en toe illegale kopieën van Amerikaanse films en een daarvan werd een icoon voor jonge Irakezen: *The Truman Show*, de film uit 1998 waarin de hoofdpersoon zonder het te weten de ster is in een zorgvuldig geregisseerde realityshow. 'Voor Irakezen van mijn leeftijd geeft dat precies weer hoe wij leefden onder het regime van Saddam,' vertelde ze me. 'Je werd altijd bekeken; je was nooit alleen, zelf niet 's nachts in bed.'

Roaa woonde met haar familie vlak bij een van de vele paleizen van Saddam. In het begin van 2003, toen de invasie dreigde, waren ze bang dat hun kleine huis gebombardeerd zou worden. Voor het geval ze plotseling zouden moeten vertrekken, hadden ze allemaal een koffer gepakt. Ze moesten bedenken wat ze nodig zouden hebben als ze hun huis nooit meer terug zouden zien.

Roaa keek haar kamer rond en realiseerde zich dat haar liefste bezit de knuffeldieren waren die ze van haar klasgenoten had gekregen. Ze pakte één teddybeer in, een gele met grijze oren die ze van een vriendin had gekregen en die ze Champagne had genoemd, 'omdat hij precies de kleur van champagne had'.

Toen ze me een krap jaar later over haar beer vertelde, vulden haar ogen zich met tranen. 'Voor andere mensen lijkt het misschien niet belangrijk, maar voor ons is het dat wel, want het zijn onze herinneringen,' zei ze bijna verontschuldigend. 'Ik hou er niet van om spullen weg te gooien. Het liefst bewaar ik elk kleinste dingetje van mezelf. Dat is belangrijk, want het is alles wat we nog hebben van het verleden.'

Van dat verleden had ze niet veel meer: een paar foto's en een teddybeer die genoemd was naar een drank die ze slechts één keer had geproefd, jaren geleden. Op haar drieëntwintigste bereidde ze zich erop voor te sterven zonder dat ze ooit geleefd had.

Toen de oorlog uitbrak en hun huis niet gebombardeerd werd, betrapte Roaa zich erop dat ze voor het eerst over een toekomst nadacht. Eerder had ze erover gedroomd om diplomaat te worden en vreemde landen te bezoeken. Maar voor haar generatie, grootgebracht op mythes en propaganda, was Irak zelf ook terra incognita: zelfs binnen het land had het regime scherp in de gaten gehouden waar mensen naartoe gingen en met wie ze spraken. Nu gaven de journalistiekcolleges haar de gelegenheid om haar eigen land te ontdekken en te communiceren met de rest van de wereld.

Voor de gewone Irakees was het nog steeds niet gemakkelijk om te reizen; je had er een nieuw paspoort voor nodig, wat omkoopgeld vereiste, en landen die bereid waren om een Irakees een visum te verlenen. Maar in de zomer en het najaar van 2003 kwamen van alle kanten buitenlanders naar Bagdad: Nepalese Gurkha's, Amerikaanse huurlingen, Libanese militieleden uit de burgeroorlog, Chinese restauranthouders, Britse reisschrijvers en Iraakse bannelingen die tientallen jaren eerder naar Londen, Parijs en Beirut waren uitgeweken. Tegen de tijd dat ik in Bagdad aankwam, eind 2003, was de halve wereld er al vertegenwoordigd.

De stad was aan het veranderen. In de maanden na de invasie ging het aantal huwelijken omhoog, de huren stegen, pasgetrouwde stellen trokken in bij hun ouders, het aantal scheidingen ging omhoog. Langs winkelstraten schreeuwden gefotoshopte reclamedoeken de namen van merken die via de plotseling poreuze grenzen het land binnenstroomden: Samsung, Davidoff, Gauloises. Op de pleinen kondigden met de hand geschreven bordjes in het Arabisch en Engels de oprichting van trotse nieuwe politieke partijen en groepen aan, met namen die gonsden van het optimisme: Het Nationale Front van Iraakse Intellectuelen. Beweging van Democratische Irak-Liefhebbers. De Iraakse Vereniging voor Humaniteit en Getroffen Gezinnen. Het Verbond van Achtergebleven Burgers. De Open Organisatie van Verdedigers van het Iraakse Volk.

Het was voor het eerst dat ik langer dan twee weken in een ander land verbleef. Ook voor mij leek alles vreemd en nieuw. Mensen hadden andere gebruiken: Iraakse mannen liepen arm in arm over straat, met hun gezicht in elkaars nek als geliefden, maar Mohamad en ik konden niet in het openbaar elkaars hand vasthouden zonder meteen de aandacht te trekken. Irakezen praatten over eeuwenoude koningen als Hammurabi en Assurbanipal alsof het familieleden waren die afgelopen week nog bij ze op de thee waren geweest. De mensen hadden een wild, bizar gevoel voor humor. De jongens van het internetcafé tegenover het Hamra Hotel hingen de muren vol met printjes van zelfverzonnen moppen; een ervan ging zo: 'Maak je niet druk als je computer crasht, het is slechts een kwestie van BOMMEN!', gevolgd door een smiley en het icoontje van een bom.

Ik bracht steeds vaker tijd door met een groep kunstenaars, dichters en toneelschrijvers; lui die rondhingen in cafés en boekwinkels, kettingrokende intellectuelen die lange, gepassioneerde gesprekken voerden over kunst en literatuur en Jim Morrison. Ze noemden zichzelf Al-Najeen, 'de Overlevers'. De meesten van hen waren jongemannen van in de twintig. Basim Hamed, de beeldhouwer die het beroemde beeld van Saddam op het Firdousplein, dat Irakezen en Amerikaanse soldaten de dag nadat Bagdad viel hadden neergehaald, verving door een modernistisch beeldhouwwerk van een Iraaks gezin met een zon en een halvemaan. Basim al-Hajar, de toneelschrijver die minder dan een maand nadat het regime gevallen was, debuteerde met een stuk in de ruïnes van het Al-Rasheedtheater. En Oday Rasheed, een eenendertigjarige filmmaker die bezig was met de opnamen van de eerste naoorlogse Iraakse film. Na een heleboel afwijzingen (de meeste redacteuren wilden artikelen over opstandelingen) was ik erin geslaagd een krant ervan te overtuigen een verhaal over Odays film te plaatsen. Roaa en ik maakten een afspraak voor een interview met hem en zijn vrienden in zijn appartement.

Roaa mocht de jongens van Al-Najeen wel; alle twee beschouwden we hen als vrienden. Toch begon ze onrustig om zich heen te kijken toen we door de drukke straten liepen te zoeken naar het appartement. Toen we bij het donkere, nauwe steegje kwamen waaraan hun flatgebouw stond, bleef ze staan en keek met een onzekere, angstige blik omhoog naar de vieze ramen. Ze wilde niet mee naar binnen.

'Je begrijpt het niet,' zei ze. 'In onze cultuur zijn het zulk soort dingen… naar het huis van een paar mannen gaan…' Ze stopte. 'Als iemand me dit huis binnen zou zien gaan, zouden ze zeggen dat ik verkeerde dingen deed.'

Het begrip 'verkeerde dingen' dook vaak op in mijn gesprekken met Iraakse vrouwen. Juist de vaagheid ervan was dodelijk: je kon je er van alles bij voorstellen, en dat deden mensen dan ook. Het had de macht om vrouwen als Roaa ervan te weerhouden een groep vriendelijke, intelligente mannen van haar eigen leeftijd te ontmoeten. Het hield vrouwen weg van het openbare leven; weg van ál het leven, behalve dat in de keuken.

'Luister, je hoeft niet mee naar binnen,' zei ik, waarschijnlijk minder geduldig dan ik had moeten zijn. 'Die jongens spreken goed genoeg Engels, ik kan zo ook wel met ze praten. Je kunt best naar huis gaan.'

Ze haalde diep adem. 'Nee,' zei ze toen en ze stak haar kin vooruit. 'Dit is hoe het vroeger ging. Dit is een van de dingen die we achter ons moeten laten,' legde ze uit. 'Ik heb nog altijd respect voor mijn cultuur. Ik zou nooit iets doen wat schadelijk is voor de islamitische cultuur. Nooit. Maar alles verandert; de wereld verandert. En als we hetzelfde blijven denken als honderd jaar geleden, zullen wij nooit mee veranderen.' Toen stak ze het straatje over en liep het gebouw in.

Hoofdstuk 9

Het Sumer Land Hotel

Een paar weken nadat we in Bagdad waren aangekomen, nam onze Libanese vriendin Rebecca ons mee uit eten in het hotel waar zij logeerde, het Sumer Land Hotel. 'Wacht maar tot je hun shish taouk geproefd hebt!' zei ze tegen ons, waarna ze het grootste compliment uitsprak dat ze kon geven: 'Het smaakt bijna Libanees!'

Even los van nationalistische gevoelens: het was inderdaad echte shish taouk. Stukken kippenborst, oranje gekleurd door de specerijen en gemarineerd in yoghurt tot het vlees mals en sappig was geworden, heel wat anders dan de harde bruine brokjes in het Hamra Hotel. We besloten om zo snel als we konden naar het Sumer Land Hotel te verhuizen. Hiervoor was een ingewikkelde driehoek aan ontmoetingen nodig: eerst van Rebecca en Muhammad, de hotelmanager, om hem over te halen ons een kamer te geven voor dezelfde speciale prijs als zij betaalde ('Doe niet zo belachelijk! Ze kunnen er zo intrekken, maar dan moet je ze wel een goede prijs bieden!'); daarna van Mohamad en Muhammad; en ten slotte van Muhammad, Mohamad en ikzelf, om met het drinken van koffie uit kleine porseleinen kopjes op zijn kantoor de afspraak te beklinken.

Muhammad de manager was een lange, gebogen man met een hangsnor. Hij leek in eerste instantie een stugge man, als je hem door de donkere, echoënde lobby met de marmeren tegels zag schuifelen. Alles aan hem hing naar beneden, als een leeg pak dat aan een haakje hangt. Maar toen we eenmaal in zijn hotel woonden, ontdooide hij enigszins en hij bleek zelfs een krom gevoel voor humor te hebben. Onder Muhammad en zijn werknemers heerste een cynische kameraadschap en we maakten nieuwe vrienden in de lobby, het restaurant en het internetcafé. We settelden ons in onze kamer en begonnen ons thuis te voelen.

De kamer had zelfs een klein keukentje, met een echt fornuis, een gootsteen en een koelkastje. We gingen nu vaker naar de markt en aten regelmatig Iraaks eten. Vlak bij het hotel was een bakkerij waar je falafel kon kopen en een andere waar ze *tanoor*-brood hadden. In de falafeltent maakten ze hun broodjes met *samoun*, een soort dik stokbrood dat Nawal Nasrallah de 'gedomesticeerde versie' van Frans en Italiaans brood noemt, dat ze dik met mayonaise besmeerden. We begonnen alleen de falafel zelf te kopen, die we vervolgens samen met verse groenten van de markt in tanoor-brood deden. Thuis aten we ze op met hummus die ik zelf maakte, met geïmporteerde Libanese olijfolie en een snufje Iraakse *bharaat*, een specerijenmengsel met veel zwarte peper, komijn, koriander en kaneel.

Mohamad miste het Libanese eten en ik vond het geweldig om in Irak naar allerlei levensmiddelen op zoek te gaan, en dus maakten we onze eigen fusioncreaties van op Libanese manier klaargemaakte Iraakse ingrediënten. We ontwikkelden een ritueel: nadat we de hele dag gewerkt hadden, gingen we eerst langs de markt voor een tas met brood en groente en fruit van het seizoen: tomaten, okra's, vijgen en de legendarische Iraakse dadels. Ik raakte helemaal verslaafd aan *tamur rutab*, de verse dadels die vroeg in het seizoen geplukt worden. Ze waren anders dan alle dadels die ik ooit had gegeten; sappig en vederlicht vanbinnen, met een schil zo dun en doorschijnend dat hij knisperde als je erin beet.

En op de dagen dat we te moe waren om zelf tomaten te snijden, het verkeer te druk was om naar de markt te gaan of het brood bij de bakkerij op was – of alle drie – was er altijd nog het restaurant van het Sumer Land. Het was alsof je een andere wereld in stapte: de oranje met bruine jarenvijftiginrichting, de muren van ruwe baksteen, de rustieke picknicktafels gemaakt van dikke houten planken. Soms liep ik even de keuken in, gewoon om een kijkje te nemen, en dan lachte de dikke kok. Hij droeg altijd een schoon wit koksjasje. Ik wist hem uiteindelijk zover te krijgen dat hij een voorgerecht maakte van de groenten die het restaurant normaal gesproken alleen als bijgerecht serveerde: courgette, wortel en bloemkool, kort gesauteerd in boter. Het was op een gegeven moment zelfs zo dat de restaurantmedewerkers zodra ze me aan zagen komen, begonnen te zingen: *'Shajar, jazar wa qarnabeet?'* – 'Courgette, wortel en bloemkool?' Hussein, de lange, spraakzame jonge ober, probeerde me vaak over te halen iets nieuws te proberen: 'Vandaag hebben we garnalen, direct uit Basra,' zei hij dan, voorover leunend over onze tafel en samenzweerderig fluisterend, 'en ze zijn vervoerd in een koelwagen!'

Het Sumer Land Hotel serveerde een geweldig voorgerechtje: een kruising tussen het moderne Midden-Oosterse gerecht kibbeh en een gevuld ei: het Eiermandje. Het leek wel wat op de Levantijnse gefrituurde bal van vlees en graan die *kibbeh qras* genoemd wordt. De klassieke kibbeh qras, in de vorm van een ei maar variërend in grootte, bestaat uit twee lagen: een dunne, krokante laag van gebroken tarwe gemengd met gehakt vormt de schaal van het 'ei'. Gekruid gehakt, soms met pijnboompitten erdoorheen, vormt de 'dooier'. De meeste restaurants hielden het daarbij. Maar de chefkok van het Sumer Land sneed aan één kant twee kwarten uit de kibbeh, waarbij hij in het midden een dun stukje liet staan, als het hengsel van een mandje. Vervolgens holde hij de kibbeh uit en deed er een half hardgekookt ei in, in de lengte doormidden gesneden. Over zijn creatie goot hij een dikke, oranje Russische dressing, waardoor het op een gevuld ei leek. Het Eiermandje was een veroosterd vogelnestje of een verwesterde kibbeh, afhankelijk van waar je vandaan kwam; een interculturele woordspeling par excellence, een spel met de vorm en functie van kibbeh en ei. In feite was het een culinaire echo van wat de middeleeuwse Iraakse koks deden, die hardgekookte eieren in hun gehaktballen verstopten om hun gasten te verrassen. Het stilde je trek en maakte je vrolijk – en dat voor maar twee dollar.

Een Iraakse vriend vertelde ons dat het Sumer Land Hotel voor de oorlog beroemd geweest was vanwege de feesten die er plaatsvonden; wilde Beirut-achtige bacchanalen waarbij de vooroorlogse Iraakse elite aan het einde van de nacht op de tafels danste. Het idee dat de mistroostige Muhammad verantwoordelijk was geweest voor een dergelijke losbandigheid leek niet erg waarschijnlijk. Maar toen Mohamad hem ernaar vroeg, plooide het sombere gezicht van de manager zich in een nostalgische glimlach. 'Ja, wij hadden de beste feesten,' snoof hij met een schuine blik langs zijn hangneus. 'Mensen uit Mansour kwamen hierheen, uit de hele stad. Het Hamra stelde niets voor.'

Op een avond laat, het was een uur of halfeen, zat ik in het internetcafé van het Sumer Land toen er een lange vrouw binnenkwam. Iets aan haar maakte dat je wel moest kijken. Misschien was het haar babyroze joggingpak, dat nogal ongebruikelijk leek voor Bagdad. Of wellicht waren het haar honingblonde haren die in zorgeloze golven over haar schouders vielen, haar slanke, haarloze armen, de perfect driehoekige neusgaten. Wat de reden ook was: de mannen in de ruimte gingen rechter zitten, de vrouwen probeerden haar te negeren en een voor een vonden de mannelijke personeelsleden van het hotel een excuus om even in het café langs te gaan.

Na die keer zag ik haar nog een paar maal. Ze kwam altijd 's avonds laat, en hoewel ze de hotelmedewerkers zeer goed leek te kennen, sprak ze nooit met iemand anders.

De volgende keer dat deze geheimzinnige vrouw het café in kwam, begroette ik haar in het Arabisch. Ze keek me aan, nam me met haar lichtbruine ogen rustig op en vroeg toen zonder omhaal in het Engels: 'Ben je met je man naar bed geweest voor jullie getrouwd waren?'

Ik wist dat de hotelmedewerkers haar waarschijnlijk wel verteld hadden wie Mohamad en ik waren, maar ik wist niet wie zij was – ik wist helemaal niets van haar – en in Irak besprak je je seksleven niet met onbekenden.

'Wat denk je zelf?' zei ik uiteindelijk.

Ze schoot in de lach en glimlachte toen lui. Nu waren we vrienden, of in elk geval medeplichtigen. Ze stak haar hand uit en wreef over de donzige gouden haartjes op mijn onderarm. 'Dit!' mopperde ze. 'Waarom doe je daar niet iets aan? Dan houdt je man meer van je.'

'O, volgens mij geeft hij niet erg om dat soort dingen,' antwoordde ik.

'Ha,' blafte ze. En tevreden voegde ze eraan toe: 'Hij zal je verlaten.'

De eerste keer dat ik Layla in haar kamer bezocht, zat ze in een stoel vlak voor de televisie. In de claustrofobische woonkamer van haar suite was nauwelijks genoeg ruimte voor de bank en de stoelen. Op de muren zaten overal vette vingers. Haar twee dochters, zes en zeven jaar oud, beiden net zo mooi als hun moeder, speelden een computerspelletje. De screensaver was een foto van Saddam na een van zijn beroemde zwempartijtjes in de Tigris, een heropvoering van zijn natte ontsnapping in 1959 na zijn mislukte poging om de Iraakse premier Qassem te vermoorden. De dictator droop van het water en droeg alleen een zwembroek en een stralende glimlach. Layla zat naar *Friends* te kijken.

'Ik ben gek op Ross,' verzuchtte ze. Ze sloot dromerig haar ogen en legde een perfect gemanicuurde hand op haar hart.

In het jaar dat volgde, bezocht ik Layla regelmatig. Dan zaten we in haar woonkamer en dronken koffie, rookten een sigaretje en aten Arabische zoetigheden. Layla was van mijn leeftijd, begin dertig. Ze had kunstgeschiedenis en klassieke poëzie gestudeerd aan de Universiteit van Bagdad, maar was gestopt met haar studie toen ze op haar drieëntwintigste trouwde. 'Hij was heel lief voor me, heel romantisch,' vertelde ze, 'maar hij gaf niet echt om mij of de meisjes. Hij was alleen uit op mijn geld.'

Toen Layla ontdekte dat Mohamad en ik op huwelijksreis waren, was ze ontzet. Pasgetrouwd en nu al liet ik mezelf helemaal gaan: geen pedicure, niet harsen en haar dat nog nooit een chemisch product had gezien. 'Wij oosterse vrouwen zien er graag mooi uit voor onze echtgenoot.' Ze keek me beschuldigend aan, alsof ik deel uitmaakte van een Amerikaanse imperialistische campagne om lelijkheid te promoten.

'Onze mannen houden ervan als we er mooi uitzien,' legde haar nicht Shirin uit, die haar die dag bezocht. 'Zacht.'

'En ze houden ervan als we grote borsten hebben,' vulde Layla aan. Ze trok haar T-shirt omhoog en liet haar glanzende, beige, opgevulde bh zien. 'Wij Iraakse vrouwen hebben grotere borsten dan Amerikaanse vrouwen,' zei ze terwijl ze haar T-shirt weer in haar broek stopte.

Toen we elkaar een paar maanden kenden, besloot Layla mijn huwelijk te redden door me een complete Iraakse make-over te geven: benen, armen, wenkbrauwen, manicure en pedicure. 'Ik bel een vrouw, een vriendin, en die komt naar het hotel,' zei ze, blij dat ze een project had om zich op te storten. 'Ze doet alles behalve haren. Voor een kleurtje moet je naar de salon.'

Ik vertelde haar niet dat de enige keer dat ik mijn haar had laten doen, de dag was dat ik met Mohamad trouwde, of dat ik het zo vreselijk had gevonden dat ik nog voor de bruiloft naar huis rende om de haarlak die op mijn hoofdhuid plakte eruit te borstelen.

Voor de oorlog ging Layla naar feestjes met zowel mannen als vrouwen, waar ze de modieuze kleren kon dragen waarvan ze zo hield en waar ze 'kletste, danste, lachte... de dingen waar meisjes van houden'. Ze bezocht concerten van Libanese popsterren in de Alwiya Club, waarvan gezegd werd dat Uday Hussein er zijn verjaardagsfeest had gevierd. Kaartjes kostten vijftig dollar; voor de meeste mensen in Irak een vermogen, vooral na de sancties. Ze miste geen enkele show. Ze reisde naar het buitenland zonder *mahram*, de mannelijke chaperon die nodig was wanneer je als vrouw het land uit wilde. De regels golden niet voor haar.

'Ik deed alles wat ik wilde,' vertelde ze. 'Dat is de reden dat ik nu niet gelukkig ben. Voor de val van het regime had ik veel meer vrijheid.'

Layla was in wezen een Ba'athist, ook al was ze misschien geen lid van de partij. Etnisch gezien was ze Koerdisch, maar boven een bepaalde grens van rijkdom en privilege was etniciteit lang niet meer zo belangrijk als voor de mensen onderaan. Er waren zat sjiitische en Koerdische Ba'athisten. Onder haar vriendinnen waren christenen, Koerden, sjiieten, soennieten; het maakte niet uit. Wat wel uitmaakte, was geld, en daarvan had ze genoeg. Layla was eigenaresse van een villa aan de Tigris, maar na de invasie kon ze daar niet meer wonen; ze was een te gemakkelijk doelwit voor ontvoerders. Gelukkig was de eigenaar van het Sumer Land een vriend van de familie en dus verhuisde ze met haar dochters naar het hotel.

Ondanks het feit dat ze zo fanatiek met haar schoonheid bezig was, zag bijna nooit iemand haar. Ze deed me denken aan een Britse koloniale ambtenaar die zich elke avond voor het diner keurig aankleedt om de beschaving niet naar de haaien te laten gaan. Ze leek de meeste dagen alleen in de benauwde woonkamer door te brengen, koffiedrinkend met haar perfect gemanicuurde nagels, kijkend naar Rachel en Ross en hun vrienden, die in zonde samenwoonden in hun luxueuze, sprookjesachtige appartementen, en dromend dat ze een van hen was.

Een prachtige jonge vrouw die verlangde naar zowel David Schwimmer als Saddam Hussein. Het verraste me in eerste instantie. Maar er zat logica in: voor haar betekenden beiden vrijheid.

Hoofdstuk 10

De smaak van vrijheid

Als je een stad bezoekt, eet dan haar groenten en uien,
want zij verdrijven de ziekten die heersen in die stad.
— *Tibb-al-Nabi (Geneeskunde van de Profeet)*, Mahmud bin Mohamed al-Chaghhayni

Toen we een paar weken in Bagdad waren, regelde Mohamad een chauffeur. Hij heette Abu Zeinab en was een vrolijke reus die in het allerkleinste rode autootje van Bagdad reed. (Abu Zeinab is een *kunyah*, een bijnaam afgeleid van de naam van iemands eerstgeborene, in dit geval 'vader van Zeinab', zijn vierjarige dochtertje. In een groot deel van de Arabische wereld noemen ouders zich naar hun eerstgeboren zoon, maar onder Iraakse sjiieten is het niet ongebruikelijk om de naam van de eerstgeboren dochter aan te nemen.)

Op een dag reed Abu Zeinab met ons langs de Tigris, toen we bij een boomgaard met dadelpalmen kwamen, zo groot als een voetbalveld. De hoge, gracieuze stammen waren in statige rijen geplant. De kruinen waren samengevlochten tot één groen bladerdak. Eronder groeide gras zo helder appelgroen dat ik in eerste instantie dacht dat het kunstgras was. Toen ik vanuit Abu Zeinabs hete autootje uitkeek over deze oase, realiseerde ik me dat het maanden geleden was dat ik gras onder mijn voeten gevoeld had. En zomaar, opeens, werd ik bevangen door heimwee.

Vanuit Chicago stuurde mijn moeder me mails waarin ze de herfst in het Midden-Westen beschreef. De magnolia liet zijn blaadjes vallen. De wilde appels glommen als helderrode kersen. Elke avond kwamen er herten in de achtertuin, die verschrikt opkeken wanneer ze de hordeur hoorden dichtslaan. De lucht geurde naar rook van houtvuren en kaneel.

Heimwee voelde als een echte ziekte. Ledematen die niet lekker op hun plek zaten. Een chemische onbalans in het bloed. Lichaam en ziel uit evenwicht doordat ze tegelijkertijd op twee plekken probeerden te zijn. Mijn huid herinnerde zich precies de vochtigheid van de lucht en kwam in opstand tegen de hitte, het stof. Mijn voeten voelden nog exact de hardheid van de stoepen in New York, de grond in Noord-Illinois, hardhouten vloeren. Mijn ogen hadden behoefte aan groen.

Als je je lichaam niet kunt terugbrengen naar de plek die het zich herinnert, doe je het op een na beste: je brengt een deel van de plek naar waar het lichaam is. Je kunt je stofwisseling, in elk geval tijdelijk, voor de gek houden met muziek. Je kunt haar verdoven met drank. Maar zoals elke reiziger weet, is de beste manier om heimwee te bestrijden: eten.

Na die eerste desastreuze maaltijd in het Hamra Hotel stelde ik elke Irakees die ik tegenkwam vragen over eten. Zelfs toen al kregen de mensen genoeg van politiek, maar iedereen houdt ervan om over eten te praten. En eten was een van de weinige gespreksonderwerpen waarvoor mijn Arabisch toereikend was.

In het begin dwaalde ik gewoon door Bagdad en sprak ik mensen aan in het weinige Levantijnse dialect dat ik kende. Tafelzuur heet in Beirut *kabees*, 'geperst'. In Bagdad werd het *mkhallal* genoemd 'gezuurd', of *turshi*, een Perzisch woord voor zuur. In Libanon heette courgette *kusa* of op zijn Frans *courgette*; in Irak was het shajar, dat in het Libanees 'boom' betekent.

Maar zelfs toen ik de woorden kende, verstond ik nauwelijks iets van het Iraakse dialect met al zijn keelklanken. De woorden klonken zwaarder, de mensen hier lieten medeklinkers rollen die Libanezen gewoon inslikten of uitspuugden. Als Irakezen me niet verstonden, kon dat zijn omdat ik een woord verkeerd uitsprak, maar het kon ook dat ik een Levantijns woord gebruikte dat ze nooit eerder hadden gehoord. De keren dat er werkelijk sprake was van communicatie waren kleine wondertjes, en dan fluisterde ik de woorden voor me uit als een goddelijke bezwering. *Dajaj*, kip. *Maj*, water. *Rumman*, granaatappel. *Masquf*, masquf.

Ik begon iedereen die ik sprak te vragen naar hun favoriete gerecht. Iedereen zei hetzelfde: masquf. Je moet eens masquf proberen. De beste masquf kocht je vroeger altijd aan Abu Nuwas, aan de Tigris...

En dan zuchtten ze en op hun gezichten kwam een scala aan emoties voorbij: genot, trots en spijt.

Tegenwoordig, gingen ze dan verder, vind je de beste masquf bij een afhaalrestaurantje in Karada, vlak naast de leerfabriek. Ik zal het voor je opschrijven...

De zoektocht naar eten bracht me naar de plekken waar Bagdad op zijn best was. Karada was mijn favoriete buurt, vooral de lange, drukke marktstraat die door het midden van de wijk liep. Amerikaanse tijdschriften beschreven Iraakse vrouwen die zich binnenshuis schuilhielden en die ontvoerd of verkracht werden zodra ze zich buiten de deur waagden. In de straten van Bagdad, meldden deze artikelen, vond je geen leden van de schone sekse. Toch wemelde het in Karada van de vrouwen: Iraakse vrouwen uit de arbeidersklasse hadden geen bedienden om voor hen te winkelen. Ze moesten werken, boodschappen doen en de kinderen ophalen. Ze droegen T-shirts met korte mouwen, lange zwarte *abaya's* en alles daartussenin. De vrouwen die in hun abaya's over de stoepen fladderden, leken wel wat op sierlijk zwemmende zwarte kwallen. Regelmatig schoot er een hand naar buiten om een kind beet te grijpen, naar tomaten te wijzen of de zwarte stof onder een ronde kin bij elkaar te houden.

In het masquf-tentje Mahar nam een man me mee naar een badkuip waarin dikke grijze karpers hun slome rondjes draaiden. Hij vroeg me een slachtoffer uit te kiezen. Ik wees naar het levendigste exemplaar. De kok stak zijn hand in het water en greep de vis, legde hem op een afgesleten houten plank en sloeg zijn kop in met een hamer. De vis was verdoofd maar nog niet dood; ik had hem tenslotte gekozen vanwege zijn enorme levensdrift.

De kok begon aan de achterkant van de vissenkop en sneed met een mes de rug open, waarna hij beide zijden vastpakte en de vis binnenste-buiten keerde. De twee helften van het vissengezicht staarden elkaar aan in een macabere kus. De kok duwde de vis met snelle, sterke handen open en drukte hem, nu grondig uit elkaar gehaald, plat in een grote O. Die legde hij tussen de twee helften van een scharnierend barbecuerooster (later bezocht ik meer traditionele restaurantjes, waar ze de vis op houten stokjes prikten). Het rooster legde hij boven een grote, open ton met daar-in een smeulend vuur.

'Kom over een uur terug,' zei hij tegen me, 'en dan is de masquf klaar om op te eten.'

Er was een uitdrukking die Irakezen steeds gebruikten: de smaak van vrij-heid. Voor veel inwoners van Bagdad was dat de smaak van masquf. Het was meer dan alleen een vis of een manier om die te bereiden; het ritueel van masquf was de belichaming van een verdwenen tijd en plaats, een verdwenen manier van leven.

Je kunt masquf overal maken; ze maken het in Basra en tegenwoordig zelfs in Beirut. Maar eigenlijk hoort het gegeten te worden in de open-luchtrestaurants aan Abu Nuwas, de straat langs de oever van de Tigris waar de Irakezen bij zonsondergang flaneerden.

Traditioneel werd de beste masquf gemaakt van barbeel, een karper-achtige vis die de Irakezen al eten sinds de dagen van het antieke Meso-potamië. Een deel van de smaak van masquf kwam echter ook door de anticipatie tijdens het uur wachten tot je vis klaar was. Tijdens dat uur ging je eten, drinken, gokken, praten. Jongens en meisjes slenterden langs de boulevard, lachend en stiekem naar elkaar kijkend. Moeders en vaders huurden een bootje en dobberden over de maanverlichte rivier, genietend van de muziek en het gelach dat over het water klonk, van de flakkerende vuurtjes en de geur van geroosterde vis die van de oever kwam. 'Waar het om ging op Abu Nuwas,' legde Salaam, de jonge communist die ik ontmoet had tijdens de journalistiekcolleges van Maggy, me uit, 'was het drinken van arak en het eten van meze zoals *jalik*, terwijl je wachtte tot je vis klaar was.'

Abu Nuwas beleefde zijn hoogtepunt in de jaren vijftig en zestig, toen de stad elke zomer lapjes grond langs de rivier verhuurde. Gezinnen huurden een seizoen lang een landje en zetten er tijdelijke afdakjes neer van hout en gevlochten rietstengels. Op hete zomeravonden ging iedereen naar de rivieroever om te praten, *oud* te spelen, met een bootje te varen en masquf te eten.

Sommige mensen zeiden dat masquf geïmporteerd was door de Otto-manen. Anderen hielden vol dat het een Babylonische traditie was, al duizenden jaren oud. Moslims beweerden dat het een christelijk gerecht was (de christelijke voorkeur voor vis was immers welbekend). Christenen fluisterden dat het een specialiteit was uit de oude joodse wijk aan de rivier (de joodse affiniteit met vis was immers welbekend). Sommigen geloofden dat het bij de Mandaeërs vandaan kwam (de Mandaïsche liefde voor de rivier en water was immers welbekend).

Ik vond het nogal frustrerend. Ik wilde feiten, data, wetenschappelijke referenties, niet een vage brij van nostalgische herinneringen met een exotisch tintje. Iedereen had het over masquf, maar niemand wist waar het vandaan kwam. De etymologie bracht me ook niet veel verder: zoals bij veel Arabische gerechten verwijst de naam eerder naar de vorm van het gerecht dan naar de ingrediënten. Masquf betekent 'als een plafond', van *saqf*, 'plafond'; een poëtische beschrijving van de vis die gespreid boven het vuur hangt, als de afdakjes langs de rivier.

Oude Soemerische kleitabletten hebben het over vis 'geraakt door vuur', een niet erg eenduidige omschrijving. Herodotus schreef over drie Babylonische stammen die leefden van vis alleen, maar volgens zijn gedetailleerde beschrijving droogden zij hun vangst in de zon, stampten de vis fijn in een vijzel en maakten er koeken of 'een soort brood' van. (Een Irakees die tot een van de stammen uit het moerasland in het zuiden behoorde, vertelde me dat vis daar nog steeds op dezelfde manier wordt klaargemaakt.) Pedro Teixeira, de Portugese handelaar en avonturier die in 1604 door Bagdad reisde, merkte op: 'Vissen zijn er in overvloed en ze zijn smakelijk, en de Moren gebruiken ze.' Alleen noteert de anders altijd zo precieze Teixeira niet hóé de Moren de vis gebruikten. En zo was het met alle bronnen die ik kon vinden: hoe meer ik las, hoe meer mensen ik ernaar vroeg, hoe mysterieuzer masquf en zijn oorsprong leken te worden.

Net als overal wist je in Irak bij een bepaald gerecht of product meteen waar het vandaan kwam. Je had het beroemde zwarte tafelzuur uit Najaf, gemaakt met dadelsiroop; de kleine, fijne okra uit Hilla; de malse, sappige kebab uit Falluja. Er was een bepaald soort geroosterd lam dat niet zozeer een specialiteit was uit Basra, maar van één bepaalde familie uit Basra. Dit culinaire gps kwam vaak overeen met de scheidslijnen tussen religieuze groepen. 'Ik kan een Iraaks huis binnenlopen en vervolgens aan het eten zien of er sjiieten of soennieten wonen,' schepte een Iraakse man ooit tegen me op. 'Ik zal niet zeggen dat soennieten geen sjiitische gerechten maken of andersom, maar er zijn gewoon bepaalde gerechten die horen bij bepaalde plekken.'

Masquf was zo'n gerecht. Het werd dan misschien ook in andere steden gemaakt, maar de ziel ervan woonde in Bagdad. De smaak vond zijn oorsprong in de Tigris, zelfs als de vis het water van die rivier nooit had aangeraakt, en aan Abu Nuwas.

De straat Abu Nuwas was genoemd naar een dichter uit de achtste eeuw. Hij was bevriend met de kalief al-Amin, zoon van Haroun al-Rashid, de kalief uit de verhalen van Duizend-en-een-nacht. Abu Nuwas was zijn bijnaam, 'vader van de gekrulde haarlok', vanwege zijn weelderige haar. Hij was een biseksuele bon vivant, beroemd om zijn *khamriyaat*, zijn 'wijnliederen'; hymnen die de lof zongen van wijn en de nachten die hij drinkend doorbracht met mooie meisjes en jongens. Hij was de dichterbeschermheilige van cafés, van drinken en zorgeloze vrijheid. 'Bega zoveel zonden als je kunt,' schreef hij ooit, want als de dag des oordeels komt en je ziet hoe vergevensgezind en genadig God is, zul je spijt krijgen als haren op je hoofd vanwege al het plezier dat je nooit gemaakt hebt. '[Dus] drink de wijn, ook al is dat verboden, want God vergeeft zelfs de zwaarste zonden.'

De nomadische barden van het pre-islamitische Arabië stopten hun gedichten vol met hoogdravende oproepen als het beroemde *qifa nabki*, 'stop, en laat ons wenen'. Ze huilden om de verlaten kampplaats, de plek in de woestijn waar de karavaan van hun geliefde ooit was gestopt en de romantiek van het eindeloze reizen. De formule bleef ook nadat de poëzie naar de steden verhuisd was nog lang bestaan; in het middeleeuwse Bagdad bezongen verstedelijkte dichters die een kameel zelfs niet zouden herkennen als die in hun achterste beet, nog altijd het gedoofde kampvuur, de sporen in het zand, de verloren geliefde. Abu Nuwas zorgde eerst dat hij de nomadische dichtvorm onder de knie kreeg en vervolgens moderniseerde hij die tot een parodie die beter paste bij het stadsleven van zijn tijd: 'Die loser stopte om tegen een verlaten kamp te praten,' schreef hij (ik parafraseer), 'terwijl ik intussen vroeg wat er met het buurtcafé gebeurd was.'

In de jaren zestig en zeventig ontdekte een generatie Iraakse intellectuelen in de straat die naar Abu Nuwas genoemd was een nieuwe wereld van ideeën, debatten en vriendschap. De Iraakse journalist en schrijver van memoires Zuhair al-Jezairy beschreef hoe Bagdads relatie tot de rivier veranderde toen de straat en de restaurants tot bloei waren gekomen: 'De rivier werd een soort long waarmee de stad ademhaalde; een weldaad voor het oog en voor de geest.'

Falch Jabar groeide op in Bagdad tijdens de gouden eeuw van de Abu Nuwasstraat. Tegenwoordig is hij een bekende socioloog en schrijver, maar toen was hij een arme jonge student, die zijn kostje net bij elkaar wist te schrapen met af en toe een schrijfklus of wat vertaalwerk, 'verschrikkelijke zinnen producerend' met behulp van zijn kostbare Engelse studentenwoordenboek. Elke avond kwamen Jabar en zijn vriendenkring bij elkaar langs Abu Nuwas en ze brachten er lange zomeravonden door met drinken, praten en het uitwisselen van boeken, argumenten en ideeën.

Op een avond bracht een vriend van Jabar zijn vrouw mee naar het café. Sommige masquf-restaurants hadden een speciale plek voor gezinnen ingericht, waar hele families samen konden eten, maar het was nog steeds schokkend wanneer jonge mannen en vrouwen die geen bloedverwanten waren met elkaar in aanraking kwamen in cafés en bars; dat ze samen zaten en dronken op plekken waar alcohol geserveerd werd. Niemand had ooit zoiets gezien. Het restaurant stond op zijn kop.

De eigenaar kwam naar hun tafeltje toe. 'We hebben geen apart gedeelte voor gezinnen,' meldde hij, waarmee hij wilde zeggen dat vrouwen niet welkom waren.

'Waar bemoeit u zich mee?' reageerde de dame met een felle blik in haar groene ogen. 'Ik drink thee. Waar staat in de Koran, of in de sharia, of in de wet dat het verboden is om in een café thee te drinken met mijn echtgenoot? Met mijn neven, met al mijn broers?'

Zoiets kon alleen op Abu Nuwas gebeuren, vertelde Jabar me, met gedempte stem en een snelle blik over zijn schouder, alsof de café-eigenaar hem dertig jaar later nog steeds zou kunnen horen.

Na de dood van de profeet Mohammed in 632 ging de leiding van de islam over in de handen van een opeenvolging van kaliefen. De kalief was de 'bevelhebber van de gelovigen', de politieke en militaire leider van de wereldwijde gemeenschap van moslims, en de stad waar hij woonde, was het kalifaat: de hoofdstad van de moslimwereld. In 762 verhuisde de kalief Al-Mansur het kalifaat van Syrië naar Irak. Hij bouwde de ronde stad Bagdad op een kleine maar strategische plek aan de oevers van de Tigris. Hij doopte zijn nieuwe hoofdstad *Medinat al-Salam*, de Stad van de Vrede, en begon direct met de bouw van een enorm paleis.

Toen, net als nu, was Bagdad een stad van souks. Elk beroep had zijn eigen markt: de zilversmeden, de boekverkopers, de parfumeurs. En pal in het midden van de drukke marktplaats, omringd door zeepmakers, slagers en koks, stond het nieuwe paleis van de kalief. En net toen het paleis klaar was, kwam er een ambassadeur van het Byzantijnse rijk op bezoek.

Schrijvers en geleerden geven verschillende versies van de gebeurtenissen die volgden. *Kan ya ma kan*, zoals de verhalenvertellers zeggen: letterlijk 'het was en het was niet' of 'er was eens, lang geleden'. Dit is wat er ongeveer gebeurde.

'Wat vindt u van mijn stad?' vroeg de kalief aan zijn Byzantijnse gast, in de verwachting uitbundig geprezen te worden.

'U heeft inderdaad een paleis gebouwd zoals nooit iemand voor u gedaan heeft,' zei de ambassadeur. 'Toch heeft het één gebrek: de markten. Omdat die voor iedereen toegankelijk zijn, kan uw vijand zo binnenkomen, en de handelaars kunnen informatie over u doorspelen. Een leider die zo dicht bij zijn onderdanen woont, kan geen geheimen bewaren.'

De kalief verstijfde, fronste zijn wenkbrauwen en overwoog om in woede uit te barsten. 'Ik heb geen geheimen voor mijn onderdanen,' zei hij koeltjes.

Maar zodra de Byzantijnse ambassadeur vertrokken was, beval de kalief zijn dienaren om hem een wijd gewaad te brengen. Hij spreidde het uit over tafel en schetste op de stof een nieuwe plattegrond voor de stad. Hij verbande alle markten uit het stadscentrum; alleen een paar *baqqals*, groentehandelaars, mochten blijven, maar ze mochten alleen azijn en groenten verkopen. Hij verplaatste de markten naar de overkant van de rivier en gaf elke soort handel een eigen plek, met de slagers helemaal aan het eind, want 'hun messen zijn scherp en hun verstand is bot'. Met één pennenstreek veranderde hij de hele stad.

Saddam Hussein rekende zichzelf graag tot de grote kaliefen. Ook hij bouwde een paleis aan de Tigris; ook hij herordende de stad. In 1968, na de tweede coup, had de Ba'ath-partij een einde gemaakt aan de verhuur van de lapjes grond langs de rivier. In het midden van de jaren tachtig begon Saddam met zijn aanval op de Abu Nuwasstraat en de cultuur van kosmopolitische vrijheid die er heerste. Hij leidde het water van de rivier om voor de fonteinen en zwembaden van zijn paleis. Hij zette de oevers af met prikkeldraad. Hij liet langs Abu Nuwas bewakers posten, die de voetgangers voortdurend opnamen met hun kille ogen. Hij liet hele blokken van de oude huizen met hun elegante, ver uitstekende balkons afbreken en verving ze door een rij identieke stadshuizen van bruine baksteen. Hoe lelijk ze ook waren, deze bruine barakken golden als topvastgoed, de beloning voor loyale partijvolgelingen; Saddam vulde ze met leden van zijn Republikeinse Garde, 'en daarmee,' schreef Jezairy, 'werd de rivier hun prijs'. De straat van de dronken biseksuele dichter, van masquf en bier en zomeravonden, werd een buurt van drugs, prostituees en wilde honden. Sommige restaurants verkochten nog altijd masquf langs de rivier, maar met de ogen en oren van het regime overal om je heen smaakte het niet meer hetzelfde.

In de tijd van de sancties raakte de Tigris door het rioolwater dat er rechtstreeks in stroomde te vervuild om in te vissen en de masquf-zaakjes verhuisden naar Karada. De vissen werden nu gekweekt in enorme kwekerijen, met vrachtwagens naar de stad vervoerd en verkocht vanuit badkuipen op de stoepen van Karada of in restaurants als White Palace. De vissers die ooit de kost hadden verdiend met het vangen van *shabout* en *bunni* in de Tigris vertrokken naar elders of stierven uit.

In juni 2003 keerde Jabar na bijna vijfentwintig jaar terug naar Bagdad. Het eerste waar hij naartoe ging, was Abu Nuwas. Vlak bij de Jumhuriyah-brug keek hij omlaag naar de Tigris; de rivier die ooit als een zilveren lint door de stad stroomde, had een chemische, gifgroene kleur. Een metalen hek blokkeerde de doorgang voor iedereen die gek genoeg was om naar het water te willen lopen. Rollen prikkeldraad groeiden als gemuteerd metalen onkruid langs de rivieroever. Qifa nabki: stop, en laat ons wenen.

Toen hij beter keek, ontdekte Jabar een opening in het hek. Iemand had er met een tang een rafelig gat in geknipt. Een tandeloos, gerimpeld gezicht keek naar hem op vanaf de oever: een stokoude visser, een overblijfsel van het oude Abu Nuwas.

'Wat is dit voor hek, wie heeft het hier neergezet?' vroeg Jabar.

'Het staat er al twintig jaar,' antwoordde de oude man.

'En wie heeft dat gat erin geknipt?'

'Dat hebben wij gedaan,' zei hij triomfantelijk. 'We hebben onze rivier teruggepakt, voor het eerst in twintig jaar.'

De oude visser vertelde Jabar dat hij elke dag bij zonsopgang opstond, naar de vismarkt in Karada ging om bunni te kopen en de vissen vervolgens helemaal naar de rivier bracht, waar hij ze in een bak zette om ze in leven te houden. En dat allemaal alleen om masquf te kunnen roosteren langs de rivier die te vervuild was om in te vissen. Economisch gezien sloeg het nergens op: de oude man was waarschijnlijk meer kwijt aan benzine dan het beetje dat hij verdiende met de paar vissen die hij verkocht. Maar daar ging het niet om; het ging erom dat hij hier was, bij de rivier, en masquf klaarmaakte. 'Hij kon die plek niet achterlaten,' vertelde Jabar. 'Het was zijn thuis.'

Terug in Mahar, midden in Karada, was mijn masquf eindelijk klaar. De vlammen hadden gelikt aan elk stukje buitenkant van de vis, tot die goudbruin en geurig geroosterd was, als een gigantische, eetbare stralenkrans. Ze hadden de vis in een stuk tanoor-brood gevouwen en er een bordje gesnipperde ui, tomaat en peterselie bij gedaan.

De smaak van masquf komt van het hout waarboven de vis geroosterd wordt. Appelhout is het beste, maar dat van andere fruitbomen – granaatappel, sinaasappel, abrikoos – is ook goed. De kant die direct aan de vlammen was blootgesteld was leerachtig en op een paar plekken zwartgeblakerd, maar daaronder zat heerlijk zacht, wit vlees met een fijne smaak van houtrook. Ik heb nog nooit forel gegeten net nadat die gerookt is, maar ik stel me zo voor dat dat ongeveer net zo smaakt als masquf. Ik gebruikte stukjes brood om steeds wat van het witte vlees af te scheuren. Ik maakte er minisandwiches van en wisselde een mondvol gerookte vis af met een hap scherpe uitjes, tomaat en peterselie. In die tijd hadden ze bij Mahar alleen afhaal, dus ik was van plan geweest mijn masquf mee te nemen en ergens een tafel te zoeken om aan te eten. Tegen de tijd dat ik mijn eten kreeg, was ik inmiddels echter zo hongerig dat ik de hele vis zittend in Abu Zeinabs auto verorberde, midden in een verkeersopstopping in Karada.

Hoofdstuk 11

Eenzame *iftar*

Eind oktober liepen Mohamad en ik door een straat ergens in Bagdad, toen we een hese, plagerige stem in Libanees Arabisch hoorden roepen: 'Mohamad Ali! Herken je me nog?'

We draaiden ons om en zagen een slungelige, gevaarlijk knap uitziende vent met donkerbruine ogen en zwart krulhaar. Het was Maher, de broer van Hanans ex-man, en het feit dat Mohamad niet erg verrast leek zijn zusters ex-zwager hier tegen te komen, wandelend op de stoep in een buitenlandse hoofdstad met vijf miljoen inwoners, leerde me iets over hoe verbonden alles en iedereen in het Midden-Oosten met elkaar is en over familierelaties in de diaspora.

Maher was een onafhankelijke filmmaker, een freelancer net als ik, of zoals hij het zei, met zijn armen wijd en een brede lach op zijn gezicht: *'Je suis libre, comme Irak!'* Hij logeerde bij Hazem, een verslaggever die Mohamad kende uit Beirut en die werkte voor de Arabische krant *Al-Hayat* ('Leven'). Ze zaten in het Cedars Hotel, maar dat was te gevaarlijk in verband met bombardementen, dus regelde Mohamad een kamer voor ze in het Sumer Land Hotel. Ze hingen in slobberige witte T-shirts rond in hun hotelkamer, waar ze rookten als ketters, verhalen vertelden en alcohol dronken terwijl de tv keihard aanstond. Geen van beiden sprak erg goed Engels en dus switchten we tijdens onze gesprekken van Arabisch naar Engels naar Frans. Ze waren alle twee ex-communisten en beiden zo gek als een deur, en ik viel als een blok voor ze.

Behalve dat het onze huwelijksreis was, was de herfst van 2003 de eerste keer dat Mohamad en ik in hetzelfde land waren tijdens onze verjaardagen, die elf dagen uit elkaar liggen. Dat jaar viel Mohamads verjaardag bovendien samen met het begin van de ramadan. Toen Hazem en Maher hoorden van deze reeks speciale gebeurtenissen – huwelijksreis, ramadan, twee verjaardagen – besloten ze dat meteen te vieren met een geïmproviseerde *iftar* in de hotelkamer.

Iftar is de maaltijd waarmee tijdens de ramadanmaand de dagelijkse vasten verbroken wordt. De onze was echter door en door seculier; een iftar van ongelovigen. Maher had een fles arak meegenomen, helemaal uit Beirut. Het rook naar mijn eerste avond in de Baromètre, een paar maanden daarvoor in mei, al leek dat inmiddels jaren geleden. Toch leek op die oktoberavond, met de Libanese diva Fairouz spelend op de achtergrond, drie talen die over elkaar heen buitelden en het ijskoude, scherpe vuur van de arak, Beiruts liberale intellectuele leven opeens niet meer zo ver weg. Ik maakte hummus met olijfolie en Iraakse specerijen. Hazem en Maher bakten roerei met *sujuk* en ook aten we makdous. Ik voelde dat mijn Arabisch beter en beter werd naarmate er minder arak in de fles zat. De volgende dag was ik alles weer vergeten, en de kater hielp ook niet erg mee, maar voor die ene avond had ik het gevoel dat ik precies was waar ik thuishoorde.

Ramadan is de negende maand van de islamitische maankalender en herdenkt de periode waarin de engel Gabriël de eerste verzen van de Koran aan de profeet Mohammed openbaarde, waarbij hij hem beval: 'Lees!' Moslims geloven dat tijdens de ramadan de poorten van de hemel geopend zijn en die van de hel gesloten, en dat de engelen afdalen om tussen ons te verkeren. Het is een maand om je leven te overdenken, om dichter bij God te komen en te worden vergeven voor alle zonden die je in het voorafgaande jaar begaan hebt. Mensen vasten de hele dag en ook roken ze niet, onthouden zich van seks en drinken geen water. Bij zonsondergang, wanneer vanaf de moskee de oproep tot het avondgebed klinkt, breken ze hun vasten met het eten van dadels en yoghurt, net zoals de profeet en zijn metgezellen ooit deden. Een goede moslim vast tijdens de ramadan, denkt na over honger en het lijden van anderen, geeft aalmoezen en voedsel aan de armen en gaat 's avonds naar de moskee voor speciale lezingen uit de Koran.

Dat is in elk geval het idee. In een groot deel van de islamitische wereld ziet de realiteit van ramadan er anders uit. Voor de voedingsindustrie is de ramadan de drukste tijd van het jaar. Restaurants zijn volgeboekt. Liefdadigheidsinstellingen, bedrijven en politieke partijen organiseren overdadige iftars voor tientallen of honderden gasten. Families zijn de hele dag aan het koken voor enorme iftars waarbij elk gerecht uit hun repertoire op tafel komt, inclusief bewerkelijke gerechten en zoetigheden die ze de rest van het jaar nooit maken. Iedereen gaat wel naar een iftar; het is gebruikelijk om ook niet-moslims voor het eten uit te nodigen. Op zijn best geeft de iftar iedereen, zelfs heidenen en goddeloze ex-communisten, de gelegenheid om samen iets te vieren.

Na de iftar zoeken mensen elkaar op. Winkels blijven tot laat open, overal zijn alle lichten aan en opgewekte shoppers lopen tot in de kleine uurtjes door de straten. (Hoe langer je opblijft, hoe langer je uitslaapt en hoe minder lang je de volgende dag hoeft te vasten.) Sommige mensen blijven zelfs op tot aan de *suhoor*, de maaltijd vlak voor zonsopgang die mensen voorbereidt op een dag lang vasten. De Arabische satellietzenders zenden die maand populaire soaps uit, waar hele gezelschappen samen naar kijken. In theaters worden toneelstukken opgevoerd. In Beirut is het niet ongebruikelijk dat snoepwinkels in de ramadanmaand meer verdienen dan in de rest van het jaar bij elkaar. Mensen eten tijdens ramadan zoveel brood dat bakkerijen door hun meel heen raken en soms brood van gemalen gerst bakken – een eeuwenoude toevlucht. Het is een tijd van vasten en onthouding, maar in de ramadanmaand draait alles om eten.

Voor een hele generatie Irakezen was de ramadan van 2003 de eerste zonder sancties of Saddam. Voor het eerst in tientallen jaren waren mensen vrij om samen te komen en politieke discussies te voeren waarvan ze eerder nooit hadden kunnen dromen. Roaa was van plan af te spreken met vrienden die ze sinds het begin van de oorlog niet meer gezien had. Iedereen keek er enorm naar uit. Ze hadden heel wat langer gevast dan één maand lang.

Op maandag 27 oktober, de eerste hele dag van de ramadan, werden vijfendertig mensen gedood door gelijktijdige bombardementen van het hoofdkwartier van het Rode Kruis en drie politiebureaus. Meer dan tweehonderd mensen raakten gewond. In één ochtend verdween Iraks hoop op een gelukkige ramadan als sneeuw voor de zon. De eerste week van de heilige maand ging voorbij in somberheid en akelige voorgevoelens. Die vrijdag hield Reem, een vriendin van Hazem, een verjaardagspartijtje voor haar dochter Laylak en wij zouden even langskomen met Hazem, Maher en Ali, een Iraakse redacteur bij een krant die daarnaast dichter was.

Reem had haar dochter sinds het bombardement van het Rode Kruis thuisgehouden van school; veel ouders in Bagdad hadden hetzelfde gedaan. Ze had haar dochter een geweldig verjaardagsfeestje met een spectaculaire taart beloofd, om zo de week van thuiszitten goed te maken. Maar op de ochtend van het feestje begon er een pamflet te circuleren in Bagdad. Het beval alle scholen, kantoren en winkels om drie dagen lang dicht te gaan en dreigde iedereen die niet gehoorzaamde te doden. Reem negeerde de sinistere waarschuwing van het pamflet en reed de hele stad door, maar er was nergens een taart te krijgen: alle bakkerijen waren dicht. En erger nog, alle gasten hadden afgezegd.

Toen Laylak die middag hoorde dat haar tante en haar neven en nichtjes niet zouden komen, barstte ze in tranen uit. 'Niemand gaat vandaag zijn huis uit!' schreeuwde ze. Ze rende naar haar kamer, trok haar feestjurk uit en deed in plaats daarvan een flodderige pyjama aan. Ze stampte terug de woonkamer in en klaagde: 'Dit is geen verjaardag, het is een Dag van Bloed!'

Laylak was dun, met een donker, ernstig gezicht en die verontschuldigende manier om haar hoofd tussen haar schouders te trekken die een universele trek lijkt van elfjarige meisjes. Tegen de tijd dat wij aankwamen, had ze haar feestje min of meer opgegeven. Ze ging zitten, glimlachte verlegen naar ons en vertelde me zachtjes dat ze graag naar school ging.

Arm kind, dacht ik. Huisarrest vanwege terroristen en vervolgens veroordeeld tot een verjaardag met alleen haar ouders en hun saaie volwassen vrienden.

'Het is zo triest dat ze niet naar school kan,' fluisterde ik tegen Mohamad toen Laylak terugging naar haar kamer.

'Je zou er een artikel over moeten schrijven,' zei hij.

Hij had gelijk. Vergeet de legers, de opstandelingen, de politici; vijftig procent van alle verslaggevers ter wereld verdrong elkaar om die te krijgen. Het eerste verhaal dat ik schreef vanuit Bagdad ging over een meisje dat naar school wilde en dat niet kon.

De taart die Reem uiteindelijk toch had weten te vinden was een paar dagen oud. Hij was al enigszins uitgedroogd en het witte glazuur had een licht chemische bijsmaak gekregen van de harde suikersnoepjes in rood, groen en geel die waren gebarsten en hun kleurstof in het glazuur hadden gelekt. Hij was besteld en gebakken op een hoopvoller moment, nog voor het bombardement van het Rode Kruis, hij was liefdevol geglazuurd en versierd met suikersnoepjes en vervolgens meer en meer oudbakken geworden terwijl hij wachtte op een iftar die nooit zou plaatsvinden.

Op zijn best is ramadan een evenwicht: overdag onthouding, 's nachts feestvieren. Door Bagdad zijn nachten af te pakken, door de inwoners ervan te weerhouden samen te komen en samen te eten, reduceerden de terroristen ramadan tot een periode van angst en vasten. Laylaks eenzame verjaarspartijtje was die avond een van duizenden geïsoleerde etentjes. In plaats van over Abu Nuwas te wandelen, te winkelen in het centrum van Karada, ijs te eten in de beroemde ijssalon Faqma of laat op te blijven en te praten met neven, nichten, ooms, tantes en vrienden van lang geleden – alle dingen die je normaal gesproken doet met ramadan – zat een stad van vijf miljoen mensen aan tafel voor een maaltijd die ze nooit eerder zo gehad hadden, zelfs niet in de donkerste dagen van de Irak-Iranoorlog: een eenzame iftar.

We vertrokken al vroeg. Ramadan was nog maar net begonnen, maar iedereen verwachtte meer aanvallen voordat de maand voorbij was. Bij het hek brak Reem een takje van de 's nachts bloeiende jasmijn af en ze gaf het aan mij. 'Neem mee,' zei ze. 'Het ruikt zo lekker.'

Mensen in Bagdad gaven je vaak een bloem bij het afscheid – jasmijn, gardenia – een echo van het eeuwenoude gebruik om bij het vertrek de handen van de gast in te wrijven met rozenwater. De geur bleef om ons heen zweven terwijl we controleposten en gewapende wachters passeerden, en hield de stank van rioolwater, brandend afval en generatorbrandstof op een afstand, als een onzichtbare bewaker die met ons meeliep door de roerige nacht.

Hoofdstuk 12

Balsem voor de Iraakse ziel

Heb je ooit een tuin gezien die in de mouw van een man past, een boomgaard die je op schoot kunt nemen, een spreker die kan spreken over de doden en toch de tolk kan zijn van de levenden?
— Abu Uthman Amr ibn Bahr al-Jahiz

Twee weken later vertrokken Hazem en Maher: Hazem naar Beirut en Maher naar Parijs, waar hij woonde. (Oday en de andere jongens van Al-Najeen vroegen hem om een bos rozen op het graf van Jim Morrison te leggen, een missie die hij galant accepteerde.) Ik miste hen vreselijk. Maar inmiddels had mijn zoektocht naar eten en drinken me naar de Mutanabbistraat geleid, genoemd naar de beroemde tiende-eeuwse Iraakse dichter die ooit had opgeschept dat zijn poëzie zo krachtig was dat de blinden het konden lezen en de doven het konden horen.

De Perzen beeldden het paradijs af als een ommuurde tuin. Ik stel me het paradijs meer voor als de Mutanabbistraat in het oude centrum van Bagdad: een hele stadsstraat zonder auto's, alleen boeken en cafés. Elke vrijdag spreidden boekhandelaars en krantenverkopers er dekens en plastic zeiltjes uit, legden die vol met boeken, tijdschriften en kranten en brachten vervolgens het geschreven woord aan de man alsof het aardappelen of meloenen waren. De hele straat en delen van de stoep waren geplaveid met boeken, tweedehands en nieuw; boeken met bezweringen, religieuze teksten, gedichten, spreekwoorden en propaganda. Het was een soort gigantische horizontale bibliotheek, een aardse tuin met boeken. En niet alleen boeken! In de Mutanabbistraat kon je alles kopen wat te maken had met schrijven of papier. Korans, groen met goudopdruk. Enorme posters van imam Hussein en zijn stervende zoontje, doorboord met pijlen van de soldaten van Yazid tijdens de slag bij Karbala. Lijmstiften, pennen met veertjes achterop en opblaasbare kinderstoeltjes. Schrijfblokken met op de voorkant pluizige witte poesjes, stoeiende puppy's of vamps die je verleidelijk aankeken vanonder lange donkere wimpers. Studieboeken over techniek. *The Oxford Guide to Phrasal Verbs*. Leer-jezelf-Engels-cursus-boeken naast handboeken over archaïsche talen als Pascal, BASIC en COBOL; en, om redenen die ik nooit heb kunnen doorgronden, exemplaar na vergelend exemplaar van het tijdschrift *The Journal of Heat Transfer*. Rijen en rijen van oude nummers van *Time* en *Newsweek*, een paar ervan zelfs oud genoeg om Nixon op de cover te hebben. Bijna antieke *Playboys* en *Hustlers* vochten om stoepruimte met oude nummers van *Flex* en andere tijdschriften over bodybuilding. De Mutanabbistraat stond ook bekend om zijn boeken met bezweringen en tovenarij, waarmee je vloeken kon uitspreken over rivalen of vijanden. Die waren verboden onder Saddam, omdat hij bang was dat zwarte magie wellicht succes zou kunnen hebben waar door de CIA gesteunde coups gefaald hadden, en volgens mijn vriend Usama gingen sommige over de toonbank voor duizenden dollars.

De Ba'ath-partij had in 1970 controles ingesteld op de invoer van boeken. Vanaf die tijd konden boeken niet meer legaal het land in komen zonder toestemming van de regering en het aantal dat Irak binnenkwam, was dramatisch gedaald. De boekverkopers kwamen onder het Ba'ath-regime nog steeds naar Mutanabbi, maar de boeken die ze konden verkopen werden streng gecontroleerd en sommige werden verboden verklaard. Mijn lievelingsboeken in Mutanabbi waren de clandestien gedrukte exemplaren van titels die vroeger verboden waren geweest, zoals *1984* en *Animal Farm*. Ze waren piepklein, het formaat van de goedkope volksuitgaven van poëzie van vroeger, gemakkelijk te verbergen of je er zo nodig snel van te ontdoen. Ze waren gestencild op goedkoop, glanzend papier en schots en scheef in elkaar geniet, niet veel meer dan het idee van een boek teruggebracht tot de kern: gedachten op papier gezet. Het was moeilijk te geloven dat deze lichtpaarse, verblekende woorden ooit de macht hadden gehad om hun lezers in de gevangenis te doen belanden of zelfs te laten executeren. En toch hadden mensen ze gelezen. De massa's mensen die elke vrijdag in de Mutanabbistraat te vinden waren, bewezen hoe gretig Bagdad deze ooit verboden vruchten plukte.

De meeste boeken waren in het Arabisch, maar binnen in de stoffige boekwinkeltjes kon je in eeuwig omvallende stapels een overvloed aan Engelse paperbacks vinden: E.M. Forster, Herman Melville, Engelse vertalingen van beroemde Iraakse schrijvers, zelfs Wilfred Thesigers klassieke etnografie van Zuid-Irak, *The Marsh Arabs*. Verder waren er stapels en stapels van stoffige, verkleurde liefdesromannetjes van Mills & Boon, het Britse zusje van Harlequin.

De eerste keer dat we naar Mutanabbi gingen, kocht Roaa een vijftien centimeter hoge stapel van stukgelezen romannetjes uit de jaren zeventig. Op de omslagen stonden ruige mannen en rondborstige vrouwen die elkaar omhelsden tegen een achtergrond van paarse bergen en woeste zeeën. 'Mensen lachen me erom uit,' zei ze toen ze de boekjes in haar tas stopte, 'maar in feite heb ik door deze boeken Engels geleerd.'

Roaa was niet in staat geweest om naar de Engelstalige middelbare school te gaan, waar de zonen en dochters van Bagdads elite in perfect Amerikaans accent met elkaar kletsten. Maar de boekwinkels van Mutanabbi fungeerden als de perfecte uitleenbibliotheek: voor een kleine borg kon ze een paar boeken meenemen, ze thuis verslinden en ze vervolgens een week later terugbrengen om ze in te ruilen voor nieuwe. Na jaren te hebben gestudeerd op haar geleende romannetjes vol mannen die lijfjes openscheuren, sprak ze net zo vloeiend Engels als welke dochter van een

Ba'athistische apparatsjik dan ook. De Mutanabbistraat was een geweldige gladstrijker van verschillen.

Het hart van Mutanabbi werd gevormd door de cafés, waarvan Hassan Ajami en Shahbandar de beroemdste waren. Net zoals in de cafés aan Abu Nuwas vond je hier een cultuur van intellectuele nieuwsgierigheid die dwars over religieuze en etnische grenzen heen ging. De cafés maakten deel uit van een traditie van openbare discussies en debatten die terugging tot het Bagdad van de middeleeuwen.

Shahbandar was mijn favoriete theehuis, bijna een eeuw oud, op een hoek van de Mutanabbistraat. In het café hingen vogelkooien aan het plafond. Roddels dreven omhoog met de sigarettenrook, die de hoge, blauw met wit geschilderde muren geel kleurde met de dampen van eeuwenoude literaire vetes. Over de hele ruimte hing de troostende, sepiakleurige glans van een eeuw lang nicotine. Aan de muren hingen bonte schilderijen van de oude straten van Bagdad met hun overhangende balkons, pastelkleurige schilderijen van moskeeën, een tekening van de Grote Moskee in Mekka met een inscriptie van de *shahadah*, de geloofsgetuigenis van de islam, een aquarel met in rood en blauw de stamboom van de profeet Mohammed, en de negenennegentig namen van God in Arabische kalligrafie. Verbleekte zwart-witfoto's vertelden het verhaal van de tragische twintigste eeuw in Irak. Er was een foto van koning Faisal I, de Hasjemitische hoofdman die als beloning voor het leiden van de Arabische opstand tegen de Ottomanen in 1921 door de Britten geïnstalleerd werd als koning van Irak. Ernaast hing een foto van Faisals nog jonge zoon Ghazi: een klein jongetje dat bijna verdween op de grote troon, zijn voeten bungelend boven de vloer. Een stukje verderop liet een andere foto de massale begrafenis in 1939 zien van de flamboyante, geliefde, zevenentwintigjarige Ghazi, inmiddels koning van Irak. Hij was gedood bij een zeer gelegen komend auto-ongeluk toen hij zich steeds kritischer begon uit te laten over de Britse controle in de zogenaamd onafhankelijke staat Irak.

Bij Shahbandar kwam ik altijd wel iemand tegen die ik kende. Basim de beeldhouwer; Nassire, een dichter die ik had leren kennen via de Al-Najeen-groep; Reems echtgenoot Sadiq; en altijd, hof houdend op zijn vaste plek bij de achtermuur naast de keuken, Abu Rifaat, ook wel bekend als de professor, graffitiman, koning van de graffiti, murenjager en de Vergilius van Bagdad.

Als ik naar mijn foto's van Abu Rifaat kijk, zie ik niet zozeer een persoon als wel een orkaan. Het lukte hem nooit om zo lang te blijven zitten dat je een goede foto van hem kon nemen, en dus kijkt een eenzaam oog je aan vanuit een waas van kinnen en wangen. Het roze puntje van een flinke neus lijkt een grijzende snor op zijn plek te houden, de rest van hem is een soort wervelwind doordat hij midden in een zin van de ene kant naar de andere draait om tegen iedereen tegelijk te kunnen praten. Een zwarte plastic zonnebril scheef op zijn neus, een zwarte gebreide muts over zijn kale roze hoofd getrokken, gehuld in versleten truien en jasjes als een ingepakte sneeuwman.

'Dit moet je proberen!' besloot hij tijdens mijn derde of vierde bezoek, nadat hij me een paar seconden had aangestaard en zich had proberen te herinneren welke van zijn hovelingen ik ook weer was. 'Het is traditionele thee, Irrraakse thee' – hij liet de 'r' in 'Iraakse' rollen terwijl hij een vinger opstak – 'de allerbeste thee die er bestaat!'

Ik begon tevergeefs te protesteren dat ik al een oceaan aan thee besteld en gedronken had. Ik sprak tegen het luchtledige. Hij was al verdwenen.

Hij kwam teruglopen met een glas bleke thee. 'Dit,' zei hij, terwijl hij me het glas met een zwierig gebaar aanreikte, 'dit, geloof mij nou, is de echte thee van Irak!'

Het zag er olieachtig uit, dik en geel, als een glas gesmolten topaas. Het smaakte muf en bitterzoet; de smaak van antiek, alsof je oude geschiedenisboeken dronk. Het werd *hamudh* genoemd, wat 'zuur' betekent, en het werd gemaakt van *noomi Basra*, kleine zongedroogde limoenen die van oudsher uit Perzië werden geïmporteerd via de zuidelijke haven van Basra.

Abu Rifaat had het grootste deel van zijn leven gewerkt als radaroperator in het Iraakse leger. Nadat hij daarmee gestopt was, werd hij fulltime geleerde van het woord. Middeleeuwse Iraakse dichters gingen naar de souk in Basra om het woestijn-Arabisch van de bedoeïenen te leren; twaalf eeuwen later stroopte Abu Rifaat de cafés en straten van Bagdad af om enorme gidsen samen te stellen vol aantekeningen over de sterk gekruide uitdrukkingen in het Iraakse taalgebruik: spreekwoorden, gezegden, grappen, graffiti en straattaal. 'Allemaal zijn ze levend,' vertelde hij me toen we een keer in Shahbandar zaten met een armzwaai naar het café, 'omdat ze circuleren op plekken zoals deze.'

Ik zag Abu Rifaat nooit zonder een stapel boeken. Hij legde ze op een van de kleine linoleum theetafeltjes van Shahbandar: een gelig oud nummer van het tijdschrift *Cricket* waar de voorkant van afgescheurd was, een groezelig leerboek zakelijk Engels uit de jaren vijftig, en *Chicken Soup for the Soul* van managementgoeroe Jack Canfield. Dit boek was het beste dat hij kende, op *Uncle John's Bathroom Reader* na, een verzameling trivia, anekdotes en vreemde feitjes om op het toilet te hangen die hij vaak omhooghield als bewijs van de schoonheid van de Amerikaanse literatuur.

'Ze schrijven daar zulke prachtige dingen, zoiets vind je in geen enkel ander land!' zei hij tegen me. 'De *Bathroom Reader* bijvoorbeeld. Dat is zo mooi. Het is geen boek, het is een universum! Daar staat alles in wat mooi is.'

In het Midden-Oosten vertellen volksverhalen over de ongelukkige avonturen van een wijze gek, een bedrieger die Juha of Nasir id-Deen heet, of in Libanon Abu Abed. In Amerika leefde de traditie van het verhalen vertellen op dat moment voort in verzamelingen van sterke verhalen en zelfhulpfabeltjes als de serie *Balsem voor de ziel*.

Abu Rifaat was gek op Amerika en alles wat ervandaan kwam. Dat kwam door zijn vader: als er 's avonds laat een Amerikaanse film op televisie was, schudde hij zachtjes zijn kinderen wakker: 'Kijk, moet je zien, James Cagney! Jimmy Stewart!' Later ontdekte Abu Rifaat iets wat nog beter was dan Hollywood: Amerikaanse literatuur. Jacqueline Susann, Harold Robbins, Sidney Sheldon en Barbara Taylor Bradford. Boeken waren zijn sleutel tot Amerika, de droomwereld die hem door die lange, eenzame jaren in het leger sleepte.

'We hebben kunstenaars nodig, omdat ze het leven zo mooi maken,' verzuchtte hij een keer tegen me in Shahbandar. 'Ik begrijp niet waarom journalisten me uitlachen als ik ze vertel dat ik van Sidney Sheldon hou. Hij schrijft zo prachtig. Weet je, ik heb een van zijn boeken wel tweeëntwintig keer gelezen voor ik er genoeg van had!'

Ik stak nooit de draak met Abu Rifaats literaire smaak. In Bagdad las je wat je maar kon vinden. Ik scoorde een oude paperbackeditie van *Moby-Dick* in de Mutanabbistraat, en de hele U.S.A.-trilogie van John Dos Passos in één band, maar ik was minstens even opgewonden toen ik een uit elkaar vallend exemplaar vond van Budd Schulbergs boksroman *The Harder They Fall*, met een schreeuwerig omslag dat brulde: 'Ruig en hard, met de geur van bloed en lust!' Dat was ook Amerika, en we hebben allemaal wel eens behoefte aan ontsnapping.

De late herfst in Bagdad voelde als lente in het Midden-Westen. Het was warm in plaats van heet en als het geregend had, temperde de geur van sinaasappel- en citroenbomen de stank van het verbranden van afval en generatorbrandstof. Ik ging regelmatig een eindje rijden met Abu Zeinab, en soms ook Roaa, om in verschillende delen van de stad rond te kijken: Hurriya, Kadhimiya, Bab al-Muadham, Baitaween, Mustansiriya University, de kunstgalerie Hewar ('Dialoog'), met de groene beeldentuin en een openluchtcafé. Maar er was één plek die ik tot dan toe had vermeden. Behalve een bezoekje 's avonds laat aan het Amerikaanse militaire hospitaal toen ik een keer ziek was, was ik nog nooit in de Groene Zone geweest.

De Groene Zone werd omsloten door barrières van beton, rollen prikkeldraad, gewapende bewakers, zandzakken en controleposten waar je uren in de rij moest staan, terwijl je elke minuut daarvan een gemakkelijk doelwit was voor zelfmoordterroristen, en dat allemaal om aanwezig te zijn bij persconferenties waar functionarissen die deel uitmaakten van de Amerikaanse bezettingsmacht van tevoren opgestelde verklaringen voorlazen over hoe goed alles ging in Irak. Midden november voelde ik me veiliger wanneer ik thee dronk in Shahbandar Café dan wanneer ik de citadel van de Amerikaanse macht naderde. De Mutanabbistraat voelde minder vreemd.

Toen vroeg een vriendin me kort voor Thanksgiving om een Amerikaanse kolonel op te zoeken, Alan King. Ze stelde ons via mailtjes aan elkaar voor en opperde toen het idee om een afspraak te maken. Ik nodigde hem uit om samen te lunchen; in mijn naïveteit had ik bedacht om hem mee naar Karada te nemen voor masquf.

Hij mailde me meteen terug. Lunch was prima, maar wat betreft de locatie schreef hij: 'Aangezien ik een prijs op mijn hoofd heb staan, ga ik liever niet te vaak naar openbare gelegenheden.' Hij stelde voor om elkaar te ontmoeten in de Groene Zone.

Alan King was rond als een olievat, stevig en zo blond dat zijn haar bijna wit leek. Hij had een rond, rood, door de zon verbrand gezicht en permanent samengeknepen ogen, alsof hij verblind werd door zijn eigen blonde haren. Hij zag eruit alsof hij gemaakt was voor koelere klimaten, maar hij kwam uit het noorden van Virginia en had de jaren tachtig en negentig doorgebracht in landen als Egypte, Bosnië, Honduras en Panama. Hij leek zich prima thuis te voelen in de steenovenhitte van Bagdad.

'Betsy vertelde me dat je een goede journalist bent.' Hij greep mijn hand vast met wat aanvoelde als een blok beton. 'Ontzettend leuk om je te ontmoeten.'

Alan stond aan het hoofd van een legereenheid die zich bezighield met burgerzaken en die verantwoordelijk was voor het leggen van contacten tussen het Amerikaanse leger en de lokale bevolking. Toen het leger tijdens de invasie door het zuiden van Irak trok en koers zette naar Bagdad, realiseerde Alan zich dat de invloed van de stammen groot was, vooral buiten Bagdad. Hij vulde zijn adresboekje met de namen van de Iraakse stamleiders en beschouwde het als zijn missie om allianties te sluiten met deze sjeiks en hun uitgebreide netwerken. Hij maakte een studie van de verdeling van stammen over Irak, van de overkoepelende confederaties tot de allerkleinste eenheid van vijf generaties binnen één familie. Hij tikte een exemplaar van *Arab Tribes of the Baghdad Wilayat* op de kop, een gids die in 1918 gepubliceerd werd door de Britse koloniale autoriteiten, en begon de geschiedenis van alle belangrijkste stammen te bestuderen. Hij had wekelijkse ontmoetingen met een Iraakse historicus en ze stelden een lijst op van alle stammen in Irak. Alan tikte ze in in zijn palmtop, geïndexeerd naar stam, substam, clan, subclan en familie. Hij leerde elke regel en elk vers van de Koran uit zijn hoofd, vooral de gedeelten die gaan over de verhouding tussen moslims en de 'Mensen van het Boek': christenen, Sabeërs en joden. In een gesprek kon hij zo een aantal verzen uit het islamitische heilige boek opdreunen en die laten volgen door Bijbelcitaten.

Al dit huiswerk bewees zijn nut toen hij Hussein Ali al-Shaalan leerde kennen, een sjiiet uit de zuidelijke stad Diwania. Sjeik Shaalan leidde een tak van de Khaza'il, een van oudsher opstandige confederatie van stammen met aftakkingen in het hele Midden-Oosten. Sjeik Shaalan ontvluchtte Irak na de opstand van 1991, toen sjiieten in het zuiden op aandringen van president Bush in opstand kwamen tegen Saddam. Na een jaar in Saoedi-Arabië kreeg hij politiek asiel in Londen en studeerde rechten aan de Amerikaanse universiteit daar. Na de invasie van 2003 keerde hij terug in Irak.

Om hem zijn respect te tonen nodigde Alan King sjeik Shaalan maar liefst drie keer uit voor een ontmoeting. Shaalan wachtte tot de derde uitnodiging voor hij de Amerikaanse officier een audiëntie verleende. Toen ze elkaar eindelijk ontmoetten, vertelde Alan een eeuwenoud Iraaks verhaal over Shaalans stammenconfederatie die een rivier overstak. Dat was een nog groter compliment dan de drie uitnodigingen. 'Al die kennis die hij bezat... of hij wist iets al, of hij zocht het uit,' zei Shaalan ernstig knikkend toen ik hem ontmoette. 'Het laat in beide gevallen zien dat hij deed wat hij moest doen.'

De stammen leren kennen, hun geschiedenis bestuderen: het liet het wederzijdse respect zien dat de ene groep strijders van de andere verwacht. Maar een van de belangrijkste diplomatieke handelingen die een Amerikaanse soldaat kon verrichten, ontdekte Alan al snel, was om gewoonweg te eten. Het schaap opeten dat het stamhoofd geslacht had. Bergen rijst met drie vingers naar binnen zien te krijgen. Met veel smaak klonten vet opeten, zonder een tel te aarzelen, omdat je gastheer die delicatesse normaal gesproken voor zichzelf zou opeisen en hij je die nu *min eedu* aanbiedt, met zijn eigen hand. Eten aan tafel, zittend op vergulde eetkamerstoelen met zachte zittingen, of leunend tegen kussens op een *diwan*, of knielend op een betonnen vloer rond een plastic zeiltje dat op zijn plek gehouden wordt door kommen met *kubba*. Het pad naar hoofd en hart leidt door de maag. 'Eet eerst het eten!'

Dit bleek voor mij evenzeer te gelden. Eten en drinken werkten als een waarheidsserum. Als je ze voor de eerste keer sprak, zeiden mensen één ding, maar na een kop thee of koffie en een schaal zoetigheden lieten ze je langzamerhand, hap na hap, weten wat ze ergens écht van vonden.

'We zijn woedend over de verwerpelijke gebeurtenissen in Abu Ghraib!' voeren ze in eerste instantie uit en ze leverden beleefd het geraas en getier waarvan ze dachten dat ik ernaar op zoek was.

Na een kop koffie veranderde de opwinding over Abu Ghraib in: 'Nou ja, verrassend is het natuurlijk niet.' En tegen het einde van een maaltijd kon het zijn dat iemand onverschillig zijn schouders ophaalde: 'Denk je dat het ons iets kan schelen dat de Amerikanen die lui martelen? Die Ba'athisten hebben ons jarenlang gemarteld. Vergeet Abu Ghraib. Wat ik echt zou willen weten, is wanneer we nu eindelijk weer eens elektriciteit krijgen.'

Op elke plek ter wereld bestaat er een sjibbolet, een vraag waarmee iemand erachter kan komen wie je bent en waar je loyaliteit ligt. De klassieke Grieken vroegen vreemdelingen van welke stadstaat ze een burger waren; de cynicus Diogenes had zo'n hekel aan die vraag dat hij dit beroemde antwoord bedacht: '*Kosmopolites eimi*' – 'Ik ben een wereldburger.'

Als je naar een nieuwe plek verhuist, is het verstandig om meteen de vraag die erbij hoort te leren, want de vraag leert je wat mensen het belangrijkst vinden (of wat ze het meeste vrezen). Tijdens mijn twee jaar in Clayton, Missouri, raakte ik gewend aan de vraag: 'Uit welke parochie kom je?', want in bepaalde kringen was het blijkbaar een gegeven dat je katholiek was. In New York was de vraag 'Wat doe jij?', want in New York moet iedereen iets doen.

In Irak is de vraag: *'Min aya aamam?'* – 'Bij welke stam hoor je?' Letterlijk betekent *aamam* 'ooms van vaderskant'; de stam – die *banu* genoemd wordt, het meervoud van *ibn*, wat 'zoon' betekent – is een uitgebreide grootfamilie die borg staat voor verwantschap en eer.

De stammen van het Midden-Oosten ontstonden lang voor de islam of het christendom. Stammenidentiteit doorsnijdt allerlei religieuze scheidslijnen en overschrijdt nationale grenzen; een stam kan op sommige plekken sjiitisch zijn en op andere soennitisch. Een stamlid uit het westen van Irak voelt wellicht meer loyaliteit jegens een verwant over de Syrische grens dan jegens een Irakees uit Basra. Sommige van de grotere stammenconfederaties, bestaande uit vele stammen die zich met het oog op oorlog bij elkaar aansloten, omspanden het hele Arabische schiereiland.

Historisch gezien was een van de stamleiders naaste vertrouwelingen zijn koffiemaker, de man die verantwoordelijk was voor de gastvrijheid. Stamhoofden sloten vaak bondgenootschappen tijdens een enorme feestmaaltijd. Dan werd er urenlang gegeten en daarbij gesproken in hoffelijke monologen die uiteindelijk uitmondden in concrete eisen. Vaker wel dan niet werd de overeenkomst bezegeld met een volgende ceremoniële maaltijd: geroosterd lamsvlees, kip, tanoor-brood, stoofgerechten met lamsvlees, tomaten, aubergine en courgette voor over de enorme hoeveelheden verplichte rijst. De maaltijd en de zaken die werden gedaan, vormden beide een essentieel onderdeel van hetzelfde ritueel.

Alan had ontmoetingen met sjeiks in tenten in de woestijn of in betonnen villa's. Ingewikkelde onderhandelingen rond irrigatierechten, oliepijpleidingen en veiligheidsovereenkomsten werden gevoerd tijdens de verschillende gangen van een maaltijd. Toen hij ooit eens een ontmoeting had met een sjeik, rende Alans teamleider in paniek het huis in. 'Sir, ze zijn daarbuiten bezig om een schaap te slachten!' fluisterde hij. 'Wat doen we nu?' Lachend zei Alan tegen de soldaat dat hij kon inrukken. 'Op dat moment wist ik,' vertelde hij later, 'dat we in elk geval zouden moeten blijven eten.'

Hij leerde een van de eerste en belangrijkste lessen over Irak: sla nooit, maar dan ook nooit een maaltijd af. Dus toen Alan Mohamad en mij uitnodigde voor een diner met sjeik Shaalan, realiseerde ik me dat nee zeggen onvergeeflijk zou zijn, een daad van culturele ongevoeligheid. En als dat betekende dat we een gigantische maaltijd naar binnen zouden moeten werken in het belang van het interculturele begrip, dan was ik bereid om dat offer te brengen.

En dat is hoe Mohamad en ik op de achterbank van een suv terechtkwamen, samen met Alan en een rechter uit Philadelphia die Daniel L. Rubini heette, en over de Palestinastraat reden in een uit twee auto's bestaand konvooi dat er pijnlijk opvallend en ontzettend Amerikaans uitzag.

Alan was onrustig. De Groene Zone verlaten was voor hem net zo gevaarlijk en spannend als het voor ons was om erbinnen te gaan. Hij had toestemming nodig om zich in de Rode Zone te kunnen begeven en overal waar hij ging, moest hij beveiliging meenemen; in dit geval twee mannen die hij vaag introduceerde als 'vrienden', maar die beiden de stille waakzaamheid van spionnen bezaten. Op een gegeven moment liet hij de auto stoppen om op fluistertoon een aantal dringende telefoontjes te plegen (Irak had nog steeds geen netwerk voor mobiel telefoonverkeer, maar militairen en bezettingsambtenaren hadden een speciaal telefoonnetwerk). Uiteindelijk vertelde hij ons wat het probleem was: hij had gedacht dat het etentje in de villa van sjeik Shaalan zou plaatsvinden, maar op de een of andere manier was de communicatie misgelopen, plannen waren veranderd en blijkbaar waren we nu op weg naar een andere plek: een Libanees restaurant dat Nabil heette.

Restaurants waren gevaarlijk voor militairen. Net als controleposten waren ze een plek waar intensief contact plaatsvond tussen de bezetters en degenen die bezet werden, en iedereen daartussenin. Voedsel en de publieke ruimtes waar je dat kocht of consumeerde – hotels, restaurants, cafés en markten – waren het toneel voor allerlei misverstanden en frustraties tussen Irakezen en buitenlanders, en dat was de reden dat dergelijke plekken hoorden bij de locaties die als eerste werden aangevallen.

Toen we naar binnen liepen, zag ik dat Alan en zijn beveiligers de ruimte met hun ogen grondig analyseerden; ze keken hoe de zichtlijnen van de tafels naar de ramen liepen en wat de snelste route was van de voorkant naar achteren. Na enig gefluister met de obers brachten die ons naar een achterkamer zonder ramen.

Sjeik Shaalan was lang en bewoog zich heel langzaam. Zijn gezicht was gebruind, met zware oogleden boven ogen die meestal een vermoeide uitdrukking hadden, alsof hij voortdurend allerlei dingen moest doen waarvan hij wist dat ze zinloos waren, maar waarvan hij toch het gevoel had dat hij ze niet achterwege kon laten. Hij had het uiterlijk en de houding van een geboren leider, een manier van spreken en kijken alsof iedereen op hem wachtte. Hij droeg wollen pakken, soms met krijtstreep, waarvan vaardige kleermakers met de hand ruimvallende Midden-Oosterse ontwerpen hadden gemaakt. Hij sprak in lange, bloemrijke zinnen waar Henry James trots op had kunnen zijn.

De sjeik zat aan een lange eettafel, in het midden, met naast hem Alans tolk Faisal en daarnaast Alan en een van zijn lijfwachten. Ik zat aan de andere kant van de tafel met rechter Rubini, Mohamad en de andere lijfwacht. Obers liepen in en uit met schalen hummus, tabouleh, baba ghanouj. Grote ovale schalen met geroosterd lamsvlees, kip en *kafta*, alles toegedekt met brood geweekt in tomatensap. Bergen verse komkommer, radijs en lente-uitjes, hele kroppen Romeinse sla en gepelde witte uien, teer en doorschijnend. Volgens de regels van de gastvrijheid brachten ze meer dan één schaal van elk gerecht, zodat niemand over de tafel zou hoeven reiken.

We hadden niet gegeten voor we naar Alan toe waren gegaan. Na al die uren wachten in het verkeer, het in de rij staan bij de Groene Zone en ten slotte de rit vol adrenaline door Arasat schreeuwde mijn bloed om suiker. Het vlees dat ze hadden binnengebracht was gegrild met uien en tomaten, en de rokerige geur van de zwartgeblakerde tomatenschilletjes rond het rode zachte vruchtvlees, plus het ijzerachtige aroma van geroosterd vlees, vanbinnen nog rood en mals en op lange metalen pennen gespietst, vuurden via mijn toch al tot het uiterste gespannen zenuwbanen dringende, dierlijke bevelen op me af: val aan, dood, eet!

Maar zodra we rond al die heerlijkheden waren gaan zitten, keek sjiek Shaalan om zich heen, knikte en begon te praten. 'Saddam,' zei hij, terwijl hij onheilspellend met zijn in wol gehulde arm zwaaide, alsof dit pas het begin was van een enorme opsomming, 'heeft veel dingen fout gedaan.'

Ik haalde mijn schrijfblok tevoorschijn. Dit zou lang gaan duren. Over de tafel reiken en een handvol eten pakken terwijl de sjiek aan het praten was – of zelfs af en toe een stukje van het brood afscheuren dat vlak naast mijn hand lag – was ondenkbaar, een teken van gebrek aan respect voor de gastheer. Alleen de allerergste Amerikaan zou zoiets beledigends kunnen doen. En dus gingen we ervoor zitten en luisterden naar de sjiek. Voorlopig zouden we geschiedenis eten.

Het Ottomaanse Rijk, dat eeuwenlang met tussenpozen over Irak heerste, liet de stamhoofden min of meer met rust tot het in de negentiende eeuw landhervormingen oplegde en een strafrechtsysteem invoerde dat hun macht aantastte. Toen het land na de Eerste Wereldoorlog door het Britse Rijk bezet werd, besloten de koloniale machthebbers echter om de plattelandssjeiks juist naar voren te schuiven. De Britse ambtenaren geloofden dat ze de sjeiks gemakkelijker konden beïnvloeden dan de beter opgeleide Iraakse hogere klasse in de steden, die begon te sputteren dat het Iraakse volk wellicht zijn eigen land zou willen besturen. De Britse belangen in Mesopotamië (lees: olie) zouden beter worden behartigd met een 'versluierde macht' via de sjeiks, schreef de koloniale politieke functionaris Bertram Thomas, dan met het 'premature experiment' van een inheemse regering.

In 1918 gaf de Britse regering de stamhoofden de macht om geschillen te beslechten en belasting te innen. De Irakezen hadden misschien een moderner, meer egalitair systeem gewild, maar het tribale recht, zei Thomas vroom, had 'een eeuwenoude traditie achter zich'. In de decennia daarna breidde het Britse Rijk de macht van de sjeiks zo ver uit dat de Iraakse boeren praktisch slaven werden. Tegen de tijd dat de Regels voor Tribale Geschillen in 1958 eindelijk werden afgeschaft, hadden veel van de sjeiks meer rijkdom en macht vergaard dan ooit tevoren.

In eerste instantie zag Saddam de sjeiks als een potentiële bedreiging van zijn hegemonie, maar later realiseerde hij zich dat ze ook nuttig konden zijn. Tijdens de Irak-Iranoorlog van 1980 tot 1988 deserteerden steeds vaker soldaten uit het leger, die vervolgens naar hun stam terugkeerden om onder te duiken. Saddam schakelde de sjeiks in om de deserteurs aan te geven. Net als de Britten voor hem verving hij diegenen die niet wilden samenwerken door stromannen. De mensen noemden hen 'nepsjeiks' of 'Zwitserse sjeiks', vanwege alle auto's, het goud en het geld dat Saddam hun met gulle hand schonk. Het regime hield een gedetailleerde lijst bij met daarop alle sjeiks, nep en echt; op een gegeven moment telde die 7380 namen.

De stammen van Irak, zo merkt de historicus Hanna Batatu op, hebben altijd gefloreerd wanneer de steden het zwaar hadden. Toen de maatschappelijke instituties onder het dictatoriale Ba'ath-regime in elkaar begonnen te storten, herwonnen de sjeiks veel van de invloed die ze verloren hadden. Naarmate het rechtssysteem zwakker werd, won het tribale recht juist aan kracht: als de Irakezen een meningsverschil hadden, wendden ze zich tot hun sjeiks in plaats van tot de corrupte rechters of politieagenten.

'Je hebt een conflict: diefstal van land, ruzie over irrigatierechten, onenigheid over een auto-ongeluk,' vertelde Adnan al-Janabi me, een tribale sjeik die economie gestudeerd had en in de jaren zeventig voor de OPEC werkte. 'De stammen waartoe de beide partijen behoren, proberen tot elkaar te komen en afspraken te maken. Doe je dat niet en ga je naar de rechter, dan zullen de agenten je afpersen, de rechter neemt wat er nog over is, en uiteindelijk zorgt iemand van de overheid ervoor dat de uitspraak vernietigd wordt. En zelfs als de uitspraak blijft staan, kun je naleving ervan niet afdwingen. In sommige gevallen draait het zo jaren in cirkeltjes rond... tenzij er een vendetta uitbreekt, wat zeer waarschijnlijk is.'

Wanneer tribale bemiddelaars een overeenkomst bereikten, brachten ze beide kanten bij elkaar, meestal tijdens een maaltijd. Soms deelden ze zelfs ceremonieel brood en zout. 'De rol van stamhoofden is om de twee partijen al in een heel vroeg stadium samen te brengen,' legde Janabi uit. 'Uiteindelijk breken we samen het brood, kussen we elkaar. En vaker wel dan niet is de kwestie opgelost.'

In de jaren vijftig streed Janabi's vader voor afschaffing van het tribale recht en invoering van een burgerlijk wetboek. Janabi zelf had ook geen hoge pet op van het zogenaamd heilige Iraakse gebruik om geschillen via de stammen op te lossen. 'De Britten hebben het ons opgelegd, zij hebben het hierheen gebracht,' zei hij terwijl hij onrustig zijn gebedskralen liet ratelen. 'Inshallah, als we een burgermaatschappij zouden hebben, zou ik thuis rustig kunnen slapen. Maar mijn hoop op een snelle oplossing en de overgang naar een vreedzame burgermaatschappij is helaas de grond in geboord.'

Zachtjes voegde hij eraan toe: 'Ik had gedacht dat het een paar maanden zou duren.'

In de tijd van ons etentje met sjeik Shaalan was het Iraakse rechtssysteem één puinhoop. De politie, openbare aanklagers en rechters openden een zaak pas als ze smeergeld hadden ontvangen. Betrouwbare rechters durfden zaken niet aan te nemen uit angst dat degenen die de zaak verloren hen zouden laten vermoorden. Een week voordat we bij Nabil aten, had rechter Rubini een notitie geschreven aan functionarissen van de door de Amerikanen geleide Voorlopige Autoriteit onder de Coalitie, waar hij werkte als senior adviseur van de Iraakse minister van Justitie. Daarin wees hij erop dat de strafrechtbanken nu weliswaar zeven maanden open waren, maar dat er sinds die tijd nog maar twintig veroordelingen hadden plaatsgevonden in Bagdad, een stad die in hoog tempo wegzonk in anarchie.

Als het nieuwe Iraakse ministerie van Justitie met enige kans op succes het rechtssysteem van het land weer wilde opbouwen, was het een verstandige stap om te gaan praten met de stamhoofden, die decennialang in feite als rechters hadden gefungeerd. Dat was de reden dat Alan rechter Rubini had meegenomen voor deze ontmoeting met sjeik Shaalan.

'Ik spreek vanuit onwetendheid,' zei de rechter, die zorgvuldig door Alan geïnstrueerd was. 'Ik weet alles van rechtbanken, maar ik weet niets van stammen. Ik weet alleen dat u een geschiedenis van tienduizend jaar achter u heeft. Mijn land bestaat pas 225 jaar.'

Sjeik Shaalan glimlachte licht en boog zijn hoofd.

'U heeft de macht – u en alle nationale stammen – en u heeft vele vijanden, zowel binnen als buiten het land,' ging rechter Rubini verder. 'Het land valt uit elkaar door corruptie, er ligt een geweldige macht...'

'Dat is zeer waar, ons land heeft een geschiedenis van wel tienduizend jaar,' onderbrak sjeik Shaalan hem. 'U vertelde net dat uw land pas 225 jaar bestaat, maar in die 225 jaar heeft u vele dingen weten te bereiken...'

Hij laste een goed getimede pauze in en rechter Rubini knikte.

'En hier begint de taak van de stammen, als ze hun plicht serieus nemen,' zei sjeik Shaalan. 'Door die taak op zich te nemen, zullen ze beter worden om de volgende redenen, die ik u zal uitleggen.'

Het zou nog een eeuwigheid duren voor we konden gaan eten. Alles wat sjeik Shaalan zei, moest in het Engels vertaald worden; alles wat Alan of de rechter zei in het Arabisch. Ik keek langs de rechter naar Mohamad. Hij zag er hongerig uit. Heel voorzichtig, met een beweging zo minimaal dat alleen ik die kon opmerken, rolde hij met zijn ogen.

'We zouden graag een relatie willen hebben die gebaseerd is op een stevig fundament, zodat we optimaal kunnen profiteren van uw aanwezigheid hier,' zei sjeik Shaalan. 'Het is de juiste stap. We weten dat u zult vertrekken...' – de sjeik stopte even en keek de tafel rond, alsof hij zijn punt wilde benadrukken – '... maar voordat u vertrekt, willen we profiteren van uw aanwezigheid hier. We moeten zorgen dat zaken sneller lopen dan voorheen, zodat we klaar zijn als al deze veranderingen komen. Er is een raad die een nieuwe grondwet schrijft, zoals u ongetwijfeld weet...'

Hij maakte een gracieus gebaar naar rechter Rubini.

'Dat weet ik maar al te goed,' zei de rechter.

Iedereen lachte beleefd, maar ook enigszins wanhopig. Er was nog niet eens begonnen met het schrijven van de langverwachte grondwet, maar de vraag wie hem zouden schrijven en hoe die personen geselecteerd zouden worden, veroorzaakte nu al bittere conflicten.

'Maar wij willen dat deze veranderingen sneller verlopen,' zei sjeik Shaalan met een lichte frons. 'We moeten ons klaarmaken voor snelle veranderingen. Het werk dat kolonel King doet, is van het allerhoogste belang om ervoor te zorgen dat de Voorlopige Autoriteit een realistisch beeld krijgt van wat er in Irak aan de hand is...'

Plotseling gingen de lichten uit. Eén of twee seconden heerste er een geschrokken stilte. In de kleine ruimte zonder ramen was het aardedonker.

Stroomuitval kwam regelmatig voor in Bagdad en normaal gesproken was het niets om je druk over te maken, maar Alan had iets gezegd over een prijs die op zijn hoofd stond. Als de verkeerde mensen onze auto gezien hadden, als de verkeerde mensen wisten dat hier een Amerikaanse militair zat te eten, samen met twee stillen, een stamhoofd en een stelletje bemoeials, was dit het moment om aan te vallen.

Ik voerde in de duisternis mijn eigen risicoanalyse uit. Als er een aanval zou volgen, bedacht ik met een koortsachtigheid die veroorzaakt werd door mijn lage bloedsuiker, wilde ik die niet met een lege maag moeten ondergaan. Het voelde alsof ik nu al urenlang naar het eten had zitten staren; elk schaaltje hummus, elke pen vlees was op mijn netvlies gebrand. Ik zou snel een stuk brood kunnen grijpen en een hap hummus kunnen nemen, en niemand hoefde te weten wat ik gedaan had.

Op dat moment knipten beide 'lijfwachten' een kleine maar krachtige zaklamp aan. Ze keken zwijgend om zich heen, hun gezichten van onderen verlicht.

'En als sommige van deze stamhoofden daar niet in slagen,' ging sjeik Shaalan verder alsof er niets gebeurd was, 'als zij niet slagen in hun missie zullen zij zich schamen, diep schamen, en ze zullen als schuldige worden aangewezen. Want ze zullen ten overstaan van hun stam ter verantwoording worden geroepen, ten overstaan van hun familie, de mensen uit hun regio...'

De lampen gingen weer aan. De lijfwachten knipten hun zaklampen uit. Een van hen mompelde in perfect Levantijns Arabisch: 'Alhamdulillah!' – 'God zij dank!'

Sjeik Shaalans hoofd draaide met een ruk in de richting van het geluid. 'En wat een geweldige verrassing,' riep hij uit met een brede glimlach op zijn gezicht en hij spreidde zijn armen, 'om te ontdekken dat onze vriend hier Arabisch spreekt!'

We mompelden allemaal dat dat fantastisch was. Sjeik Shaalan glimlachte en ging tactvol verder met zijn toespraak. Maar voor hij goed en wel begonnen was, scheurde Mohamad een stukje brood af, reikte met zijn hand over tafel en doopte het brood in de hummus.

Sjeik Shaalan verstijfde midden in een uit vele bijzinnen bestaande zin, zijn armen nog steeds uitgestrekt. Alan fronste. Faisal, Alans elegante, in Engeland opgeleide tolk, staarde vol afschuw naar Mohamad. Zelfs de lijfwachten stonden zichzelf minieme gezichtsbewegingen toe. Mohamad keek terug, rustig kauwend en zonder een spoor van spijt.

Ik keek hem woedend aan. We waren hier aanwezig om getuigen te zijn van de vorming van een alliantie. Niet om te eten. En bovendien hoorde ik de gulzige van ons tweeën te zijn, niet hij.

'En ik zou willen,' zei de sjeik terwijl hij zijn hand op zijn hart legde en met oneindige droefheid zijn hoofd schudde, alsof we zijn eten tot nu toe geweigerd hadden, 'dat onze gasten iets zouden eten en niet op mij zouden wachten.'

Zes dagen na ons etentje met sjeik Shaalan en een paar dagen voordat Mohamad en ik Bagdad weer zouden verlaten, ging er een gerucht door de stad: Amerikaanse militairen hadden Saddam eindelijk te pakken gekregen. Op 13 december 2003 vonden Amerikaanse troepen hem in een schuilhol in de grond, vlak bij het dorpje al-Dour. De volgende dag, nadat hij was ondervraagd en ontluisd, toonden Amerikaanse regeringsfunctionarissen een video aan heel Irak en aan de rest van de wereld: de grote dictator, vies en verslagen, die als een zwakzinnig kind achter zijn bewakers aan liep, zijn hoofd boog voor de luizencontrole en braaf zijn mond opendeed zodat de Amerikaanse zaklantaarn erin kon schijnen.

Sjiitische geestelijken deelden tijdens gebedstijd snoepjes uit. De Iraakse communistische partij hees rode vlaggen om het te vieren. Af en toe klonken er schoten van vreugdevuur. Op straat verbrandden mensen de oude Iraakse dinars met het portret van Saddam erop. Al vroeg waren de feestelijkheden weer voorbij en de meeste inwoners van Bagdad haastten zich naar huis om te schuilen voor geweervuur en vergeldingsaanvallen, en ik belde Roaa.

Toen de Amerikaanse bezettingsmacht tijdens een persconferentie de beelden van Saddam had laten zien, was een van de Iraakse journalisten opgesprongen en had hij 'Dood aan Saddam!' geroepen; woorden die hij waarschijnlijk al zijn hele leven had willen zeggen. Ik had meteen aan Roaa gedacht; ik was opgewonden en vreselijk blij voor haar. Deze gebeurtenis zou een catharsis zijn, het zou het moment zijn waarop haar vrijheid eindelijk echt zou voelen.

Ze nam snikkend de telefoon op.

'Ik dacht dat je blij zou zijn,' zei ik, me vreselijk stom voelend.

'Blij?' vroeg ze. 'Het was verschrikkelijk om die beelden van hem te zien, dat filmpje waarop hij er zo vreselijk uitzag.'

Ik schrok van de vlakke toon van haar stem. Normaal gesproken sprong ze van de ene lettergreep naar de andere en klonk haar stem zangerig van de onverwachte accenten. Nu was het één monotone dreun.

'Ik voelde me bedroefd omdat onze levens verpest zijn door deze man,' zei ze. 'En waarvoor? Voor niets.'

De hele volgende dag liepen Roaa en ik door de stad en praatten met de mensen die we tegenkwamen. Ze werden heen en weer geslingerd tussen blijdschap, vernedering en woede. Een vrouw wier vader door Saddam gedood was, vertelde dat ze boos was dat hij gevangengenomen was door Amerikanen. Een andere vrouw, die twaalf familieleden had verloren door de zuiveringen van het Ba'ath-regime, zei dat ze niet wist hoe ze zich moest voelen. De smaak van vrijheid was ingewikkelder, bitterder dan we ons hadden voorgesteld.

Uiteindelijk zei een theaterdirecteur van in de dertig wat iedereen dacht: bedankt, Amerika, en nu wegwezen.

'Wanneer zijn de Amerikanen van plan om te vertrekken?' vroeg hij. 'Ze zeiden dat ze op zoek waren naar massavernietigingswapens. Toen bleken er geen massavernietigingswapens te zijn. Ze zeiden dat ze wilden dat het regime zou vallen. Toen viel het regime. Ze wilden Saddam vinden. Nu hebben ze hem gevonden. En nou? Welke reden gaan ze deze keer verzinnen om te blijven?'

Mohamad en ik waren nu tweeënhalve maand in Bagdad en onze wittebroodsweken waren voorbij. Ik wist niet meer goed waar thuis was – we woonden niet hier, niet in Beirut en ook niet meer in New York – maar ik had heimwee. Plotseling wilde ik in Chicago zijn, waar het bijna Kerstmis was en de huizen versierd zouden zijn met gekleurde lichtjes. In plaats daarvan vlogen Mohamad en ik een paar dagen voor kerst terug naar Beirut.

Hoofdstuk 13

De *hijab* van de duivel

Toen Mohamad en ik in maart 2004 terugkeerden naar Bagdad, heerste er een sombere stemming in de stad. In de gesprekken van mensen hoorde je een ondertoon van angst, een subtiele verandering die zich in de maanden daarvoor langzaam had voltrokken. Er verdwenen mensen op klaarlichte dag, van wie het lichaam een paar dagen later met sporen van marteling werd teruggevonden. Iedereen kende wel iemand – een vriend, een familielid – die gedood was. Het was niets vergeleken met de sektarische slachtpartijen die in de jaren daarna zouden volgen, maar op dat moment leek het onvoorstelbaar.

Een Amerikaans bedrijf had het hele Sumer Land afgehuurd en het hotel liet geen andere klanten meer toe. We betrokken een kamer in het Andalus, een klein hotel in een zijstraat van Abu Nuwas, vlak bij het Firdousplein. Aan de andere kant van het plein stond de prachtige moskee met de blauwe koepel die de meeste verslaggevers probeerden in de achtergrond van hun liveopnamen te krijgen. Tegenover de moskee waren het Sheraton en het Palestine Hotel, twee grote hotels die werden beschermd door meerdere muren van betonblokken en vele controleposten. Samen vormden ze een afgeschermd terrein, een gesloten fort waarin de grote televisiezenders en persbureaus hun verslaggevers neerzetten. Het Palestine had een zwembad en een panoramabar, waarvan de mensen zeiden dat Saddams zoon Uday er vroeger geregeld kwam om iets te drinken. Ik ging er een paar keer naartoe; het zat er vol dronken huurlingen, wat de plek samen met de spaarzaam verlichte tafeltjes en de retrolampen uit de jaren zeventig een koortsachtige, dreigende glamour gaf. Door de ramen kon ik de Tigris zien, een donkere slang die de stad in tweeën deelde, met aan beide kanten flikkerende oranje lichten, in leven gehouden door honderden generatoren.

Buiten de eerste linie van controleposten en rijen betonblokken rond het Palestine en het Sheraton was een straatje met een stel kleinere, goedkopere en minder veilige hotels, waaronder ook het onze. Het Andalus was een achthoek binnen in een vierkant; midden in het gebouw was een acht verdiepingen hoog atrium tot aan het dak. De kamers lagen rond het atrium en pasten in elkaar als puzzelstukjes met vreemde vormen. Onze kamer had geen keuken, maar in het smalle gangetje naast de badkamer was wel een gootsteentje en er stond een minikoelkast. Ik kocht in Karada een Koreaans kookplaatje, gaf het een wankel plekje op de koelkast en bakte er roereieren op. Ik vulde plastic doosjes met uien en appels en

Iraakse dadels. Het grootste deel van de zomer van 2004 logeerden we op de derde verdieping. In het Andalus aten we veel hummus uit blik.

In de tijd dat we in het Andalus trokken, was de Abu Nuwasstraat opnieuw sterk veranderd. De oude paleizen van Saddam aan de andere kant van de rivier maakten nu deel uit van de Groene Zone. Militanten vuurden vanaf de tegenoverliggende oever mortiergranaten af op de Groene Zone; de Amerikaanse soldaten schoten terug. Af en toe raakten ze de paar masquf-restaurantjes die waren overgebleven, maar die bijna nooit open waren.

Een groot deel van de zomer werd Abu Nuwas geblokkeerd door controleposten, betonblokken en Amerikaanse tanks. Straatjochies uit de buurt hingen er rond en oefenden hun Engels op de Amerikaanse soldaten. Vrouwen van middelbare leeftijd die de controleposten bemanden, flirtten wanhopig met jonge reservisten. Jongetjes van een jaar of acht, negen, wees geworden door deze of een eerdere oorlog, snoven lijm en boden als pooiers hun zusjes aan. Het was stoffig en deprimerend. Abu Nuwas zelf zou zijn blijven staan en hebben gehuild.

Toch kwamen er op sommige avonden, wanneer de zon onderging boven de lange zilveren halsketting van de Tigris en de overgebleven palmbomen hun armen uitstaken naar de hemel, nog mensen naar de rivier. Oude mannen zaten stilletjes te roken en keken uit over het glanzende water. Als ik ze daar zwijgend over de rivier zag staren, hield ik mezelf voor dat het leven langs de Tigris, dat door de jaren heen veel erger gezien had – overstromingen, epidemieën, Mongoolse invasies – het wel zou overleven.

Een paar dagen nadat we waren teruggekomen, ging ik naar het Sumer Land om het hotelpersoneel te begroeten en te zien of Layla er nog steeds was. De man achter de receptie trakteerde me op een kop thee. Ik vroeg hem hoe het met iedereen ging.

'Veel problemen.' Hij schudde zijn hoofd. 'Nadat u en meneer Mohamad zijn vertrokken, hebben we veel problemen gehad.'

Ik vroeg hem of ik een krant kon kopen. Het hotel had vroeger altijd een klein rek met kranten in de lobby staan, maar dat was nu verdwenen.

'Geen kranten meer,' antwoordde hij. 'Wanneer ik naar het toilet ga, stelen ze ze.'

'Wie doen dat? Wie steelt er nou een krant?'

'Amerikanen,' zei hij bitter.

Boven hadden Layla en haar dochters het gevoel dat ze in een gevangenis woonden. Ze voelden zich niet op hun gemak in het restaurant beneden, waar het elke avond vol zat met dronken huursoldaten. Ze gingen niet meer naar het internetcafé. Maar het zwaarste verlies was het zwembad.

Voor de oorlog ging Layla zwemmen in het zwembad van olympisch formaat in Qadisiya, dat één dag per week speciaal open was voor vrouwen. Na de oorlog, vertelde ze me, namen 'de Amerikanen' het zwembad over en was er geen vrouwendag meer. Een tijdje hadden zij en Shirin gepoedeld in het piepkleine, niervormige zwembad achter het Sumer Land Hotel, niet veel groter dan de laadbak van een pick-uptruck. Toen kwamen de huursoldaten.

'De enige plek waar ik nu nog kan gaan zwemmen,' met haar armen deed ze de schoolslag, 'is onder de douche.'

Terwijl we zaten te praten, kwam er een stevige man met gemillimeterd haar en een rood gezicht op het balkon tegenover haar raam staan. Hij droeg een wit poloshirt en een kaki werkbroek. Hij keek naar haar raam en zwaaide.

Layla zwaaide niet terug. 'Zie je die man?' Ze stak haar kin naar voren en tuitte woedend haar lippen in zijn richting. 'Hij is een idioot.'

Hij zwaaide opnieuw. Hij ging op zijn tenen staan en hield een hand boven zijn ogen terwijl hij probeerde bij haar naar binnen te kijken.

'Als we hem in het hotel tegenkomen, zegt hij altijd "Salaam aleikum, salaam aleikum,"' vertelde ze vol afschuw. 'En hij draagt een dishdasha en kleedt zich als een sjeik.'

Op een avond, vertelde Layla, had de man op haar deur geklopt en geprobeerd zichzelf bij haar binnen uit te nodigen. Ze hield juist een feestje in haar kamer; er waren wat familieleden en ze draaiden muziek. Ze probeerde de deur dicht te doen zodat hij haar dochters en haar familieleden niet zou zien, en zij hem niet. Maar hij had zijn voet tussen de deur gestoken en geprobeerd over haar schouders naar binnen te gluren.

'Hij zei: "Hé, waarom heb je mij niet uitgenodigd? We zijn toch vrienden!"' Het laatste woord spuugde ze bijna uit.

Misschien realiseerde de man zich niet wat hij aan het doen was of wellicht probeerde hij gewoon aardig te doen. Misschien niet. Maar Layla kon met geen mogelijkheid de link leggen tussen Rachel en Ross, en deze totaal andere Amerikaanse vriend. Het was niet tot het botte hoofd van deze huurling doorgedrongen dat de Amerikanen hier geen gasten waren maar bezetters, en dat er van gastvrijheid dus geen sprake kon zijn.

Inmiddels schreef ik regelmatig artikelen voor The Christian Science Monitor. Mijn redacteuren wilden vooral graag een stuk hebben over Fern Holland, een drieëndertigjarige Amerikaanse vrouw die geprobeerd had om in het zuiden van Irak vrouwencentra op te zetten.

Op 9 maart bezocht Fern het vrouwencentrum in Karbala, samen met haar assistent Salwa Oumashi. Laat in de middag stapten Fern, Salwa en hun persvoorlichter, Robert Zangas, in hun auto om terug te rijden naar hun kantoor in Hilla. Tijdens de rit dwong een auto vol gewapende mannen hen de weg af te gaan en daarna schoten ze hen alle drie dood met hun machinegeweren. Uren na de moorden arresteerden rechercheurs van de Voorlopige Autoriteit zes verdachten. Vier van hen hadden een geldige identificatiekaart van de Iraakse politie.

Deze drie mensen waren slachtoffers in een grotere oorlog, de oorlog tegen Iraakse vrouwen. Het was onmogelijk om erachter te komen of ze specifiek waren uitgezocht omdat ze zich inzetten voor vrouwenrechten, maar dat leek wel waarschijnlijk; eerder al had ik Yanar Mohammed geïnterviewd, een uitgesproken feminist die meermaals met de dood bedreigd was, en zij was niet de enige. De Voorlopige Autoriteit had aangekondigd de leiding van de vrouwencentra voortaan over te laten aan lokale mensen. Ik wilde me in mijn artikel vooral richten op die Iraakse vrouwen. En om dat te kunnen doen, moest ik naar Karbala.

Ik was nog nooit in Karbala geweest, net zomin als Roaa. Ze sprak drie talen vloeiend, maar ze had zich nog nooit buiten Bagdad gewaagd, of buiten de noordelijke stad Sulaimania, in Iraaks Koerdistan. 'Ik ben drieëntwintig jaar oud en ik ken het grootste deel van Irak niet eens!' zei ze.

Door deze isolatie hield ze er een paar interessante ideeën over sjiieten op na: ze waren slechte moslims die niet vaak genoeg baden; ze gebruikten sjiitische trucjes om onder religieuze verplichtingen uit te komen, zoals het vasten tijdens de ramadan; hun opstand in 1991 tegen Saddam was mislukt door hun eigen falen, niet doordat de Amerikanen de zuidelijke rebellen in de steek hadden gelaten nadat ze hen eerst hadden opgeroepen om in opstand te komen. (De Koerdische opstand was volgens haar geslaagd dankzij de Koerdische vindingrijkheid en niet door militaire ondersteuning of de no-flyzone die werd bewaakt door Amerikaanse en Britse gevechtsvliegtuigen.)

Over dit soort dingen kon ik uren met haar discussiëren. Dan wees ik haar erop dat sommige van haar beste vrienden sjiieten waren; ze was gek op Usama, een andere jonge student aan het Institute for War & Peace Reporting. En ze mocht Mohamad graag, vooral na het incident met de hoofddoek, de hijab.

Voordat we uit Beirut vertrokken, had Umm Hassane me een zwart met grijze polyester hijab gegeven voor tijdens de autorit door Anbar en andere situaties waarin het handig was dat ik er als Iraakse vrouw uitzag. Toen ze me liet zien hoe ik de hoofddoek onder mijn kin moest vastmaken, gleed er een geraffineerd glimlachje over haar gezicht. 'Misschien bevalt het je wel,' zei ze en ze sloeg met een treurige blik haar ogen omhoog, 'en ga je hem de hele tijd dragen.'

Ik trok een wenkbrauw op en keek in Mohamads richting. Hij gaf antwoord met een dreigende blik die zei: over mijn lijk.

Mohamad had filosofische bezwaren tegen de hijab, maar ik heb het vermoeden dat zijn reactie ook voor een deel door esthetiek werd ingegeven. Zodra ik een hijab omdoe, vindt er een opmerkelijke transformatie plaats. Zoals de telefooncel de beleefde en vriendelijke Clark Kent omtovert tot Superman, maakt een hijab van mij een norse Albanese boerenvrouw. Mijn ronde gezicht lijkt opeens pafferig en passief, verontwaardigd en verbazingwekkend lelijk. Er verschijnt een onderkin. Ik merk opeens op dat ik mannen haat, alle mannen. Ik zie er in een hijab zo afschuwelijk uit dat alles waar ik naar kijk ook lelijk wordt, uit medelijden. Mohamad had zo'n verschrikkelijke hekel aan die metamorfose dat ik, nadat we naar het Andalus verhuisd waren, soms ineens de feministisch nogal ongemakkelijke positie moest innemen van het verdedigen van het dragen van dat stomme ding vanwege mijn eigen veiligheid.

Roaa weigerde me te steunen; ze stond geheel aan Mohamads kant. 'Voor een man uit het Midden-Oosten is het juist geweldig als hij niet wil dat zijn vrouw een hijab draagt,' riep ze enthousiast uit. 'Dit is echt fantastisch.'

Roaa was een vrome moslim. Ze bad vijf keer per dag, zoals ze haar hele leven al gedaan had, en had het alarm van haar horloge zo ingesteld dat het afging als het tijd was om te bidden. Wanneer we aan het werk waren, haalde ze 's avonds thuis de gemiste gebeden in. Toch was ze niet conservatief; haar beste vriend was een jongen van haar leeftijd, een christen, en ze spraken elkaar bijna elke dag aan de telefoon. Ze droeg geen hijab en kleedde zich in jeans en shirts in heldere vlinderkleuren – roze en geel en lichtblauw – die altijd pasten bij haar oogschaduw. 'Annia, natuurlijk zien ze meteen dat je een buitenlander bent, want je draagt niet genoeg make-up,' mopperde ze ooit eens tegen me. Ze lachte en rolde met haar warme bruine ogen, die ze die ochtend met iriserende blauwe oogschaduw had opgemaakt. 'Wij Iraakse vrouwen dragen graag veel make-up!'

Toch was het Roaa die me de juiste manier leerde om een hoofddoek te dragen. Voordat we uit Bagdad vertrokken, deden we alle twee een hoofddoek om en trokken een abaya aan. In de auto liet Roaa me zien hoe ik één kant van de hoofddoek omhoog moest trekken en aan de zijkant vast moest spelden, zodat ik eruitzag als een fatsoenlijk moslimmeisje, dat vaak genoeg een hoofddoek draagt om er een beetje stijl aan te geven. We moesten er zo onopvallend mogelijk uitzien; de weg naar Karbala was een van de gevaarlijkste wegen in Irak en de mensen noemden het gebied waar hij door liep de 'Driehoek des Doods'.

Roaa bekende dat ze de hele nacht niet had kunnen slapen. Ik was ook nerveus; een week voordat Fern en Salwa waren vermoord, hadden soennitische extremisten tijdens de sjiitische religieuze feestdag Ashura tegelijkertijd negen aanvallen gedaan op Karbala, waarbij ongeveer honderd mensen waren omgekomen.

Ik had gemaild met een adviseur van de Voorlopige Autoriteit die op het kantoor in Hilla werkte en hem verteld dat ik het centrum wilde bezoeken. Hij vertelde me ronduit dat het geen goed idee was om naar Karbala te gaan. Ik besloot om hem te negeren; als je naar de mensen van de Voorlopige Autoriteit zou luisteren, kwam je nooit ergens anders dan in de Groene Zone.

Voordat we vertrokken, belde ik mijn vriendin Manal Omar. Zij werkte voor Women for Women International, een hulporganisatie die vrouwen in oorlogsgebieden helpt een eigen bestaan op te bouwen. Fern en Salwa waren met haar bevriend geweest. Manal waarschuwde me om tijdens de rit extreem voorzichtig te zijn. 'We kunnen daar niet naartoe vanwege de veiligheidsrisico's,' zei ze. 'En dat vind ik vreselijk, omdat ik weet dat Fern en Salwa gewild zouden hebben dat wij hun werk zouden voortzetten.'

Manal zei dat we onmiddellijk moesten terugkeren als het leger de hoofdweg had afgezet, zoals ze na aanvallen vaak deden. 'Er is een smal weggetje, een zijweg die je kunt nemen als ze de hoofdweg hebben afgesloten,' vertelde ze. 'Er staat een bord bij – ik ben vergeten wat erop staat – maar als de hoofdweg gesloten is, moet je dat weggetje niet nemen. Gewoon omdraaien en terugrijden.'

Ik had nergens een bord gezien. Het ene moment waren we nog op de hoofdweg, die door de kleine soennitische dorpjes ten zuiden van Bagdad liep. En toen was de hoofdweg gesloten en reden we opeens over een van de smalle zijweggetjes die tussen de weelderig begroeide irrigatiekanalen van de Eufraat door kronkelden. Ik had geen idee of dit de route was waarvoor Manal me gewaarschuwd had of niet.

Karbala is beroemd vanwege de lekkere zoetje toetjes, *fesenjoon* en een verhaal dat teruggaat tot de vroege jaren van de islam. Nadat de profeet Mohammed was gestorven, brak er een burgeroorlog uit over de vraag wie er kalief zou worden; een familielid van de profeet of een van zijn trouwste vrienden. Het conflict tussen deze twee kampen leidde uiteindelijk tot de tweedeling van de islam in soennieten en sjiieten.

In het jaar 680 kwam Hussein, een kleinzoon van de profeet, in opstand tegen Yazid, de kalief in Damaskus. Hij vertrok samen met zijn familie en een kleine troep volgelingen naar de zuidelijke Iraakse stad Kufa, waarvan de inwoners hadden beloofd hem te steunen. Het leger van Yazid onderschepte Hussein in de Iraakse woestijn. De mannen omsingelden de karavaan van Hussein, die daardoor afgesneden raakte van het water van de Eufraat. Na een zwaar beleg dat tien dagen duurde, doodden de mannen van de kalief Hussein en sneden zijn hoofd af. Ze namen de overlevende vrouwen en kinderen mee terug naar Damaskus, waar de kalief de gevangenen en de afgehakte hoofden tentoonstelde in zijn paleis. Maar Husseins zuster Zainab weigerde om Yazids heerschappij te erkennen. In een gepassioneerde toespraak beschuldigde ze hem van de dood van haar broer, de kleinzoon van de profeet. Door in het geheim een van Husseins zonen te redden, wist ze de bloedlijn van de profeet te behouden, en tot op de dag van vandaag maken miljoenen sjiieten de pelgrimstocht naar de stoffige stad om het graf van imam Hussein te bezoeken. Sjiieten geloven dat het bloed van Hussein de aarde van Karbala heeft doordrenkt, waardoor de grond daar nog altijd heerlijk ruikt.

Toen we in Karbala aankwamen, bleek het heiligdom overspoeld met Iraanse pelgrims. De meesten waren vrouwen. Ze droegen spijkerbroeken. Wanneer hun gewaden open waaiden, zag je dat ze om hun middel stukken stof in alle kleuren van de regenboog hadden gebonden. Ze droegen de soort hoofddoeken die sommigen van de meer dogmatische Iraakse moslims *al-hijab al-shaitany* noemen, 'de hijab van de duivel': flodderige, roze en groen gebloemde sjaaltjes die ergens achter op hun hoofd zweefden, op zo'n manier vastgemaakt dat hun kunstig opgestoken kapsels goed zichtbaar waren. Ze kwetterden in het Farsi terwijl ze door de modderige straten van Karbala liepen. Eén jonge pelgrim droeg een superstrakke paarse broek en laarzen met hoge hakken.

Roaa keek haar vanuit het zwarte gat van haar hijab boos aan. 'Wij hebben deze verschrikkelijke dingen aan, en moet je die Iraanse vrouwen zien!' siste ze. 'Terwijl het hun schuld is dat wij abaya's dragen!'

In het vrouwencentrum Zainab al-Hawraa, genoemd naar de kleindochter van de profeet, voelden de Iraakse vrouwen die nu de leiding op zich moesten nemen zich erg geïsoleerd. Ze misten Fern en Salwa, die hen bijna elke week kwamen bezoeken en falafels en andere kleine cadeautjes van de souk voor hen meenamen. Ze haalden herinneringen op aan de laatste dag van Fern en Salwa: een van de Iraakse vrouwen in het centrum had die dag fesenjoon gemaakt, het spectaculaire Iraanse gerecht van kip gestoofd in een zoetzure granaatappelsaus met gemalen walnoten, en de vrouwen hadden het met zijn allen opgegeten.

Twee weken nadat Fern en Salwa waren vermoord, leefden de vrouwen in een staat van beleg. Er waren nauwelijks bezoekers geweest, vertelden ze, vanwege het gevaar op de wegen. Allemaal hadden ze meerdere doodsbedreigingen ontvangen. Soms waren het anonieme dreigtelefoontjes, maar andere dreigementen kwamen van mensen die ze kenden; plaatselijke religieuze vrouwen die hen 's nachts opbelden of bij hun huis langskwamen om hen te waarschuwen dat het vrouwencentrum geleid werd 'door joden' en dat het niet goed was voor de reputatie van een vrouw om erheen te gaan. De meest recente doodsbedreiging kwam op die dag zelf; deze werd geuit door een jonge geestelijke in opleiding die op de deur klopte terwijl Roaa en ik binnen met de vrouwen zaten te praten. Om ons geen schrik aan te jagen probeerde de manager het als een onbelangrijk incident af te doen, maar de angst die op haar gezicht te lezen stond, was bloedstollender dan wat ze ook maar had kunnen zeggen.

Het begon tot me door te dringen dat deze reis veel gevaarlijker was dan ik gedacht had, niet alleen voor mij maar ook voor anderen. Ik wilde graag de beroemde zoetigheden van Karbala proeven waarover Roaa en anderen me hadden verteld, maar we moesten de stad uit zijn voor het avond werd. En we moesten nog één stop maken voor we konden vertrekken.

Een jonge sjiitische geestelijke, Muqtada al-Sadr genaamd, had de door de Amerikanen geleide bezetting van meet af aan afgekeurd. In de weken voor de moorden hadden de geestelijken van Sadr kritiek geuit op de vrouwencentra. Ik wilde horen wat zijn vertegenwoordigers in Karbala te zeggen hadden over de moorden.

De geestelijke die de leiding had over het kantoor, sjeik Khidayer al-Ansari, liet ons binnen in de ontvangstkamer. Aan de muur hingen afbeeldingen van sjiitische martelaren, inclusief de vader van Sadr, een groot-ayatollah die in 1999 vermoord was door het regime van Saddam. We trokken onze schoenen uit en gingen bij de sjeik op de vloer zitten.

Sjeik Ansari was voorstander van de vrouwencentra; vrouwen konden er leren naaien en met computers omgaan, en het was goed voor de mensen als ze met dergelijke technologie konden omgaan, zei hij. De moorden veroordeelde hij. 'Ik begrijp niet hoe zoiets ooit kan helpen,' verzuchtte hij met een ongelukkige blik op de vloer.

Toch werd hij kwaad toen hij zich herinnerde hoe L. Paul Bremer, de Amerikaanse onderkoning die de leiding had over Irak, het centrum vorige maand met veel fotografen erbij had geopend. 'Toen Bremer dit centrum opende, hoorden we hem zeggen: "We zijn van plan om de Iraakse vrouwen hun volle vrijheid te geven,"' vertelde de sjeik en hij voegde er veelzeggend aan toe: 'en onder "volle vrijheid" mag u een paar dikke strepen zetten.'

Tijdens ons gesprek hield hij zijn ogen voortdurend gericht op Roaa, die alles vertaalde, en ik zag dat zijn ononderbroken gestaar haar nerveus maakte.

'Ze doen net alsof zij de vrijheid en democratie in pacht hebben en die voor onze vrouwen hebben meegenomen,' zei hij boos, 'maar dat is een leugen, want tot op de dag van vandaag staan ze ons geen democratie toe.'

Daar kon ik inderdaad moeilijk iets tegen inbrengen. In de zomer van 2003 had de bezettingsmacht de lokale verkiezingen, die de meeste Irakezen wanhopig graag wilden, geannuleerd en in plaats daarvan voormalige Iraakse militairen en politicfunctionarissen als plaatselijke leiders geïnstalleerd. Vervolgens zetten de Amerikaanse autoriteiten overal vrouwencentra op; veel ervan, zoals het centrum in Karbala, in voormalige kantoren van het regime waarop Iraakse politieke partijen ook hun zinnen hadden gezet. Voor mannen als de sjeik leek de boodschap duidelijk: de vrijheid van vrouwen ging ten koste van de Iraakse maatschappij. Dat de vrouwen de maatschappij wáren, was iets wat niemand begreep, behalve de Iraakse vrouwen zelf en een paar zeldzame buitenstaanders, zoals Manal Omar en Fern Holland.

Plotseling bedacht de sjeik een manier om zijn punt kracht bij te zetten. Hij ging rechtop zitten, zette een hand op zijn knie en maakte met de andere hand een theatraal gebaar in mijn richting. 'Vraag haar dit,' zei hij vastberaden en met zijn blik nog steeds op Roaa gericht. 'Weet u waarom Marlene Monroe zelfmoord pleegde?'

Het was een lange, deprimerende dag geweest. Overal langs de weg vanuit Bagdad, waarover we straks ook weer terug moesten rijden, stonden teksten op muren die moslims opriepen tot de jihad, en degene die de graffiti erop gespoten had, bedoelde niet jihad in de betekenis van 'strijd' of 'streven'. Toen de vrouwen gehoord hadden dat we zelf vanaf Bagdad waren komen rijden, hadden ze elkaar geschrokken aangekeken. Een van hen had eerder die week op diezelfde weg een neef verloren. Ze zeiden dat we zo snel mogelijk moesten teruggaan. De zon zakte al in de richting van de horizon. Het was tijd om te gaan en nu wilde Muqtada's man in Karbala praten over 'Marlene' Monroe.

'Nee,' zei ik. 'Vertelt u het me alstublieft.'

Hij ging er wat beter voor zitten en begon toen aan wat duidelijk een van zijn lievelingsverhalen was. 'Marlene Monroe had vele fans,' zei hij op de zangerige, ritmische manier waarop in het klassiek Arabisch verhalen verteld worden. 'En die fans schreven haar vele brieven. Ze stelden haar vragen als "Hoe ben je een ster geworden?" en "Wat heb je gedaan om zo beroemd te worden?"'

Eén fan, vertelde de sjeik, kreeg een brief terug van Marlene. Op de envelop had de filmster de instructie geschreven dat die pas na haar dood geopend mocht worden.

Nadat ze zelfmoord had gepleegd, maakte de trouwe fan, die haar wens geëerbiedigd had, eindelijk de brief open. En dit is wat er volgens de sjeik in stond:

> Het is waar, ik ben een ster en beroemd over de hele wereld. Maar het enige wat ik altijd gewild heb, was een gezin. Ik heb geprobeerd een gezin te stichten, fatsoenlijk en met eer, maar ik heb gefaald. Dus vergeet dit niet: roem is het niet waard als je daardoor je eer verliest, en het paradijs.

Hij keek ons triomfantelijk aan. 'Deze vrouwencentra zijn erg goed voor vrouwen, maar het belangrijkste voor Iraakse vrouwen is om met eer een gezin te stichten,' besloot hij, voor het geval we de clou niet begrepen hadden. 'De Iraakse vrouw moet haar eer bewaren, ze moet niet het paradijs verliezen en haar hele leven vergooien voor iets wat ze "vrijheid" noemen.'

Beleefd bedankten we de sjeik voor zijn les. We schikten onze abaya's, stopten elke ongehoorzame haarlok weg en begonnen aan de terugweg naar Bagdad.

Hoofdstuk 14

De Vrije

In april vochten de Amerikaanse troepen in Irak inmiddels tegen twee op-standen: een van soennitische militanten in Falluja en de andere van de militie van Muqtada al-Sadr. Sadr noemde het zijn Mahdi-leger, naar de sjiitische imam uit de negende eeuw die op mysterieuze wijze verdween en van wie veel sjiieten geloven dat hij op de dag des oordeels zal terug-keren. Op 3 april arresteerde het Amerikaanse leger een van Sadrs hoogste luitenanten. De volgende dag, op zondag, stroomden de volgelin-gen van de geestelijke in steden in heel Irak de straat op. Acht Ameri-kaanse soldaten werden gedood tijdens botsingen in Sadr City, een sjiiti-sche wijk van Bagdad waar ongeveer de helft van de inwoners van de stad woonde. Op het Firdousplein, vlak bij het Andalus, begonnen zich honderden jongemannen te verzamelen.

We gingen naar buiten om te zien wat er aan de hand was. Een grote groep mannen kwam aanrennen vanuit de Saadounstraat en schreeuwde: 'Muqtada! Muqtada!' Er klonken schoten van de plek waar ze naartoe ren-den en de mannen draaiden zich om en holden terug, veel sneller nu en niet meer roepend. Een open vrachtwagen denderde langs in de richting van het geweervuur, met achterin tientallen schreeuwende mannen die van top tot teen in het zwart gekleed waren en met zwarte vlaggen zwaai-den. Ik had al wel eerder rellen gezien, thuis in Amerika, maar zoiets nog nooit. Niet mensen die recht op het geweervuur af reden.

Twee dagen later omsingelden Amerikaanse troepen de stad Falluja. Dezelfde dag kondigde de Voorlopige Autoriteit aan Sadr te zullen arres-teren vanwege zijn betrokkenheid bij de dood van een andere sjiitische geestelijke een jaar daarvoor, in april 2003. Drie leden van de Iraakse rege-ringsraad dreigden met opstappen. Een van hen was een vrouw, dr. Sala-ma al-Khafaji.

Op 9 april, precies een jaar na de val van Bagdad, reed in het kader van de psychologische oorlogsvoering een legerwagen de hele dag rondjes over het Firdousplein, die op enorme geluidssterkte een waarschuwing in het Arabisch schetterde: 'DIT IS MILITAIR GEBIED. DIT GEBIED IS GE-SLOTEN OP BEVEL VAN HET LEGER VAN DE COALITIE. IEDEREEN DIE DIT GEBIED BINNENTREEDT, ZAL WORDEN NEERGESCHO-TEN.'

Daarna voegde de stem van Amerika toe, voor het geval de eerste me-dedeling nog niet de hoofden en harten van het Iraakse volk had gewonnen: 'ALS JE VANDAAG BOOS BENT, MOET JE BOOS ZIJN OP HET MAHDI-LEGER, WANT DAT HEEFT NIET HET BESTE VOOR MET HET IRAAKSE VOLK.'

Die dag gingen Mohamad en ik naar Sadr City voor het vrijdaggebed. Mohamad en Abu Zeinab gingen naar de moskee. Ik liep door de wijk en interviewde mensen samen met Usama, een jonge student journalistiek die we hadden ingehuurd als vertaler. Iedereen had het over dr. Salama, zoals ze haar noemden. 'Ze is moediger dan veel mannen,' zeiden grijsaards vol bewondering. 'Haar schoen is meer waard dan de hele regeringsraad bij elkaar,' brulde een van Sadrs adjudanten tijdens het gebed in de moskee tegen duizenden volgelingen.

Volgens een opinieonderzoek was dr. Salama de populairste vrouwelijke politicus in Irak; hetzelfde onderzoek zette haar op de tiende plek van alle populaire figuren. Omdat ze grote steun genoot onder de volgelingen van Sadr, bemiddelde ze tussen hem en het Amerikaanse leger; een essentiële maar extreem gevaarlijke vorm van shuttlediplomatie. Niet lang daarna regelde sjeik Hussein Ali al-Shaalan voor Mohamad en mij een ontmoeting met haar.

We zaten in het kantoor van dr. Salama, samen met haar adviseur, een sjiitische geestelijke die sjeik Fatih Kashif al-Ghitta heette. De twee sjeiks waren bevriend, maar zodra we zaten, begonnen ze aan een verhitte discussie over vrouwenrechten.

Vrouwen eisten een quotum van veertig procent in het nieuwe parlement, het wetgevende orgaan dat de regeringsraad zou opvolgen. Het idee van vrouwen in politieke functies werd breed gedragen onder het volk, met name in sjiitische gebieden, maar sommige politici keerden zich uit naam van de traditie tegen het instellen van een quotum. Onze vriend sjeik Shaalan was helaas een van hen.

'Ik wil voor de vrouwen in Irak hetzelfde als wat er bestaat in andere landen, maar binnen islamitische grenzen,' betoogde sjeik Shaalan terwijl hij achteroverleunde in zijn stoel. Hij zag er zoals gewoonlijk schitterend uit, in een gewaad van diep donkerbruine wol. Hij wees er zeer terecht op dat de meeste landen in de door Amerika geleide 'Coalition of the Willing' slechts een handvol vrouwen in hun regering telden. 'Hoe kunnen we ooit die landen overtreffen, die hier komen met hun retoriek over vrijheid en democratie en mensenrechten,' vroeg hij met een glimlach, 'als de politieke deelname van vrouwen in die landen nauwelijks boven de twintig procent uit komt?'

Sluwe donder, schreef ik in mijn notitieblok. Mohamad vertaalde het grootste deel van het gesprek, ook al gingen dr. Salama en sjeik Fatih regelmatig over op het Engels, en ik maakte aantekeningen voor ons alle twee.

'Het systeem dat ik persoonlijk graag zou zien, zou er een zijn waarbij de meest geschikte personen – ongeacht sekse of religie – de regering zouden vormen,' zei sjeik Shaalan. 'Natuurlijk rekening houdend met het feit dat we een oosterse samenleving zijn. Ik pleit er niet voor om achter te blijven, of om te blijven steken in vroeger tijden. Maar ik ben ook geen voorstander van een zodanig grote openheid dat die zou kunnen leiden tot confrontatie en tot de vorming van niet een oosterse of westerse samenleving, maar een samenleving in verwarring.'

Sjeik Fatih keek naar dr. Salama. Ze glimlachte.

Sjeik Fatih droeg een lang gewaad en de witte tulband waaraan je kon zien dat hij een sjiitische geestelijke was. Het vlezige gezicht onder de tulband eindigde in een verzorgd, grijzend baardje. De diepe kringen onder zijn ogen gaven hem het vermoeide uiterlijk van iemand om wiens gezondheid je je zorgen maakt, maar als hij glimlachte of geestige woordspelingen maakte, wat hij regelmatig deed, zag hij eruit als een sympathieke professor.

De ogen van dr. Salama hadden meestal een geduldige uitdrukking, met een vleugje humor erin. Met haar ovale gezicht en abaya met hoofddoek zag ze eruit als een in het zwart geklede madonna. Ze was zesenveertig jaar oud.

'We vormen zo een mooie afspiegeling van Irak,' merkte sjeik Fatih op; hij bedoelde wat betreft religie, stammen, mannen en vrouwen. 'En de manier waarop we zitten, bevalt me wel.'

Dr. Salama zat achter een enorm bureau, op een zwarte bureaustoel die een stuk hoger was dan zij. Achter haar stond een groot plat beeldscherm en op het bureau stond een gouden koran in een cassette van groen fluweel. Er lagen een paar opengeslagen kranten die ze had zitten lezen. De twee sjeiks – één religieus, één tribaal – zaten voor haar als smekelingen.

Sjeik Shaalan lachte toegeeflijk. 'Daar zal ik niets over zeggen. Maar ik wil graag dat de dingen op een natuurlijke manier verlopen,' zei hij op een toon die aangaf dat de discussie gesloten was. 'Laten we zien wat er gebeurt. Laten we de deur niet dichtgooien, en misschien halen de vrouwen dan wel vijftig procent!'

(*Doortrapte leugenaar*, noteerde ik.)

Toch was sjeik Fatih nog niet bereid om het onderwerp te laten varen. 'De twintigste eeuw was de eeuw van de mannen, en in die eeuw hebben we vier of vijf oorlogen gehad,' hield hij vol. 'Laten we de eenentwintigste eeuw aan de vrouwen geven en zien wat er gebeurt.'

'Heel goed, maar hoeveel dr. Salama's bestaan er?' vroeg sjeik Shaalan met een diepe frons. 'Ik zou me zorgen maken over hoeveel er te vinden zijn en hoe goed zij zijn.'

'Het is waar dat veel van de vrouwen met wie ik werk geen politieke ervaring hebben,' reageerde dr. Salama. Tot dat moment had ze gezwegen, maar ze had de discussie voortdurend gevolgd.

Sjeik Fatih zuchtte en rolde met zijn ogen. 'Sjeik Hussein,' zei hij, sjeik Shaalans voornaam gebruikend, 'Nisrine Barwari, van het ministerie van Openbare Werken, is tien ministers waard. Ik heb ervaring met vrouwen uit heel Irak – Basra, Amara, Kut – en je hoeft je geen zorgen te maken:

overal in Irak zijn vrouwen die zelfs béter zijn dan dr. Salama. Als ik een extremist was, zou ik roepen dat we moesten gaan voor zestig procent!'

'Veertig procent zal een sociale schok teweegbrengen waar de maatschappij nog niet klaar voor is.' Inmiddels glimlachte sjeik Shaalan niet meer.

'Sjeik Hussein: wie verliest er, in de huidige crisis in Falluja en Najaf? De verliezers zijn de vrouwen.'

'Nee, de hele maatschappij is de verliezer.'

'Nee, laten we eerlijk zijn, dat zijn de vrouwen,' herhaalde sjeik Fatih, die zijn gebedskralen door zijn vingers liet glijden en er bijna mee in de richting van zijn vriend schudde. 'Wie vormt het sociale fundament dat het meest onder druk zal komen te staan? De vrouw. Zij moet een balans zien te vinden tussen haar kind, zichzelf en haar doel.'

'We zouden een bredere discussie moeten voeren.' Shaalan maakte een wegwerpgebaar en er verscheen een wellevende glimlach op zijn gezicht die leek te zeggen: genoeg van deze nonsens, laten we overgaan op de echt belangrijke zaken.

Nog steeds was sjeik Fatih niet bereid om het onderwerp te laten vallen. 'We hebben hier al vaak over gesproken!' zei hij en hij leunde naar voren voor een volgende ronde.

Ik keek naar dr. Salama. Om haar mond speelde een waakzaam, bijna onmerkbaar lachje.

Ze heeft hier ook zo het een en ander over te melden, dacht ik, maar ze laat die twee het eerst met zijn tweeën uitvechten en elkaar zo afmatten.

Haar zwijgzaamheid had iets analytisch en leek bijna te gonzen, alsof onder de oppervlakte allerlei radertjes draaiden. Het deed me aan Mohamad denken. En sjeik Fatih, die niet bereid was een onderwerp te laten vallen tot hij zijn tegenstander had overtuigd, of op zijn minst zozeer had geïntimideerd dat die het opgaf, deed me wel wat aan mezelf denken.

Onze eerste maaltijd met dr. Salama en sjeik Fatih was een werklunch. Ongeveer een week na onze eerste ontmoeting nodigde ze ons uit op haar kantoor voor masquf. Er werd een tafelkleed over een van haar werktafels gelegd, waarna we masquf aten en over de opstand van Sadr praatten.

Het was een hele uitdaging om de kleine graatjes uit de gerookte vis te halen en tegelijkertijd aantekeningen te maken, maar terwijl we discussieerden over de aanstaande 'machtsoverdracht' aan een Iraakse overgangsregering en de vreselijke leefomstandigheden in Sadr City, kreeg ik een aangenaam déjà vu. Dr. Salama sprak over dezelfde dingen als waarover de mensen in Buffalo of Chicago praatten, of in alle andere dorpen en steden waar ik gewoond had: giftige afvalstortplaatsen die te dicht bij de huizen van mensen lagen, de slechte riolering, de behoefte aan betere scholen en ziekenhuizen. Het deed me denken aan de maatschappelijk leiders die ik in de Verenigde Staten kende, aan achterafzaaltjes in kerken en gestencilde pamfletten en gemeenschapsbijeenkomsten; alleen was de gemeenschap in hun geval Sadr City.

Salama Hassoun al-Khafaji's vader was timmerman; een religieus man, maar autodidact, een lezer. Hij hield van logica en leerde zijn dochter hoe belangrijk het was om boeken te lezen en vragen te stellen. Toen ze vijftien was, begon ze een hijab te dragen, iets waar de seculiere Ba'ath-partij afkeurend tegenover stond. Ze deed het toch. 'Ik was geen rustige vrouw,' vertelde ze me eens. Ze sprak kalm, zoals ze meestal deed, maar met een vastberaden uitdrukking op haar gezicht die maakte dat ik haar direct geloofde.

Net als bijna elke Irakees die ik ontmoette, had ze graag kunstenaar willen worden. Als jonge vrouw wilde ze bovendien arts worden of olie-ingenieur. Toen het schoolsysteem van de Ba'ath die ambities onmogelijk had gemaakt, had ze in plaats daarvan tandheelkunde gestudeerd. 'Het leek een goede keuze,' zei ze, 'omdat ik van beeldhouwen hou en er voor tandheelkunde een soort beeldhouwkunst nodig is, en je ook foto's moet nemen.' Ze trouwde en kreeg vier kinderen.

Elke week echter glipte dr. Salama in haar zwarte abaya het huis uit zonder aan haar man te vertellen waar ze naartoe ging. Als hij ernaar vroeg, vertelde ze dat ze bij een vriendin langsging om te lunchen of thee te drinken. Uiteindelijk stond hij erop te weten waar ze mee bezig was. Ze sloeg haar ogen neer en gaf hem het volgende raadselachtige antwoord: 'Ik doe wat goed is.'

Ze studeerde in een illegale *hawza*, ofwel een sjiitische religieuze academie, voor vrouwen. Informele salons en studiegroepen zijn al eeuwenlang een traditie in Irak; tijdens het kalifaat van de Abbasiden ontmoetten filosofen elkaar in de moskeeën van Basra en Bagdad om thee te drinken, eten van elkaars bord te stelen en te debatteren over de meest recente vertaling van het werk van deze of gene Griekse filosoof. Maar onder Saddam verdween dit soort praktijken in de illegaliteit, en tegen de tijd dat dr. Salama naar haar academie begon te gaan, was het extreem riskant. Ze vertelde niet aan haar broers en zelfs niet aan haar man waar ze naartoe ging, 'omdat ik bang was dat iemand mijn kind er misschien naar zou vragen en we dan in groot gevaar zouden verkeren.'

De vrouwen die studeerden bij sjeik Fatih en zijn moeder, dr. Amal Kashif al-Ghitta, vertelden hun echtgenoten, broers en kinderen dat ze met andere dames gingen lunchen; onschuldige bijeenkomsten waar de vrouwen aten en roddelden en theedronken. In plaats daarvan studeerden ze economie, sociale wetenschappen, logica, retorica, geesteswetenschappen, vergelijking van rechtssystemen en islamitisch recht; een soort leesclub voor religieuze vrouwen.

'We deden niet geheimzinnig over het feit dat we bij elkaar kwamen en verborgen niet dat we studenten waren,' vertelde ze ons. 'Maar we zeiden wel dingen als: "Vandaag gaan we lunchen bij die en die," en de volgende dag beweerden we dat we theedronken bij iemand anders.'

Het was midden jaren negentig, het hoogtepunt van Saddams 'grote geloofscampagne'. Na de Eerste Golfoorlog begon Saddam islamitische hardliners het hof te maken in een poging meer steun te verwerven. De Ba'ath-partij was in naam nog altijd seculier, maar Saddam werd een meester in het gebruik van de islam als politiek repressiemiddel. Hij liet vrouwen onthoofden – in veel gevallen apolitieke vrouwen wier mannelijke familieleden ervan beschuldigd werden lid te zijn van verboden politieke partijen – onder het voorwendsel dat ze 'prostituees' waren. Veel mannen reageerden door hun echtgenotes, dochters en zussen naar de keuken te verbannen. Zulke vrouwen wendden zich vaak tot religie; dat was een identiteit waar hun mannen geen kritiek op konden hebben. (Ik vermoed dat ze ook in staat wilden zijn om hun echtgenoten en vaders om de oren te slaan met Korancitaten en de interpretaties daarvan, wanneer die tegen hen zeiden dat zus of zo door de islam werd voorgeschreven.)

Voor sjiitische vrouwen was het echter niet eenvoudig om over hun eigen religie te leren. Op openbare academies werd alleen de door de regering toegestane soennitische doctrine gedoceerd. Saddam kon de sjiitische religieuze academies, die al eeuwenlang een centrum van sjiitische studie waren, niet sluiten, maar die hawza's lieten geen vrouwen toe. En iedereen die op eigen terrein, dus ook thuis, sjiitische principes doceerde, riskeerde gevangenschap of de dood.

Ondanks het gevaar besloten sjeik Fatih en zijn moeder om vrouwen bij hen thuis te onderwijzen. Hun informele hawza was geworteld in de sjiitische traditie om tijdens de religieuze studie een breed scala aan onderwerpen te bestuderen. Ze volgden eenzelfde studieprogramma als de mannen die studeerden aan de Hawza al-Ilmiya in Najaf, waar de meeste grootayatollah's van de sjiitische islam hadden gestudeerd. Deze kennis – filosofie, retorica, logica, geschiedenis – was zo gevaarlijk dat sjeik Fatih de vrouwen onderwees van achter een scherm of via een microfoon vanuit een andere kamer, om zo hun identiteit te beschermen. Ze stelden hem allerlei vragen, 'omdat in onze hawza vragen belangrijker zijn dan de lessen', maar hij zag zijn studenten nooit en zij zagen nooit zijn gezicht. 'Ik wilde niet weten wie mijn leerlingen waren,' vertelde sjeik Fatih ons, 'want als ik gemarteld zou worden, zou ik gedwongen worden hun namen prijs te geven, en dat wilde ik nooit doen. Ze zouden al mijn leerlingen gevangen hebben genomen.'

Ondanks al deze voorzorgsmaatregelen werd sjeik Fatih opgepakt. In 1998 werd hij gearresteerd en naar de Abu Ghraib-gevangenis gestuurd. De aanklacht: het oproepen tot oppositie tegen het regime. Dr. Amal ging nog een tijdje door met de lessen, maar uiteindelijk moest ze daarmee stoppen. Haar leven was beperkt tot haar huis, dat onder voortdurende bewaking stond, en ze was bang dat de Ba'ath-partij haar zoon zou executeren als ze voor problemen zorgde. Ze besteedde haar tijd aan het schrijven van boeken.

Uiteindelijk werd sjeik Fatih ter dood veroordeeld. Dr. Amal en de studenten van de hawza legden al het geld en de sieraden die ze konden vinden bij elkaar, inclusief bijna een pond aan goud. Samen was het zo'n twintigduizend dollar, waarvan achtduizend dollar besteed werd aan het omkopen van de rechter; de rest ging naar andere functionarissen. Ze konden hem met het geld niet uit de gevangenis krijgen, maar het was wel genoeg om zijn leven te kopen.

'Hij is het waard!' riep dr. Salama uit toen de twee ons het verhaal vertelden. 'Zelfs veel meer dan dat. Eén college van hem is dat al waard.'

'Nou ja, iedereen is waardevol,' zei sjeik Fatih vriendelijk. 'Veel anderen zijn gestorven in Abu Ghraib en die waren het ook waard.'

In december 2002, toen de Amerikaanse invasie dreigde, verleende Saddam sommige politieke gevangenen amnestie (behalve degenen die hij liet executeren). Op de dag dat sjeik Fatih werd vrijgelaten, ging dr. Salama samen met dr. Amal en drie andere studenten naar de gevangenis. Toch vond hun eerste echte ontmoeting pas plaats na de val van Saddam; die dag van zijn vrijlating zag zij hem wel Abu Ghraib uit lopen, maar hij zag haar niet kijken vanuit de menigte.

Dr. Salama en dr. Amal gingen nog altijd door met de hawza's. Die waren niet langer illegaal en leken nu meer op leesclubs; gespreksgroepen waarin vrouwen discussiëren over ideeën, politiek en allerlei andere zaken. Begin mei bezochten Roaa en ik een van de bijeenkomsten.

Sjeik Fatih en zijn moeder woonden in Hay al-Jamia, de universiteitswijk, in een huis omgeven door een tuin vol palmbomen en bloeiende struiken. We zaten in de woonkamer terwijl acht vrouwen, variërend van twintigers tot de zestigjarige dr. Amal, met elkaar spraken over banen, politiek, verkiezingen en het feit dat ze zich niet veilig voelden op de universiteit of waar dan ook. Eén vrouw vertelde een verhaal zoals je dat steeds vaker hoorde. Haar broer was een Iraakse politieman. Hij had een dief die probeerde te ontsnappen doodgeschoten en nu eiste de familie van de dief bloedgeld volgens het tribale recht. 'We moeten een systeem hebben dat de politie beschermt,' zei een van de vrouwen gedecideerd. Een vrouw van achter in de dertig voerde een felle discussie met een jonge civiel ingenieur die vond dat het dragen van een hijab niet verplicht zou moeten worden. Ze waren het allemaal eens over de behoefte aan meer educatie, vooral voor vrouwen. Dr. Amal hield een kort college waarin ze de vrijheid van gedachten verdedigde; ze illustreerde het met een Iraaks klinkende versie van het Watergate-verhaal, waarin Nixon een onrechtvaardige bestuurder was, op het verkeerde pad gebracht door geslepen adviseurs.

Na afloop dromden alle vrouwen om dr. Amal heen, waarbij ze haar aanspraken als *sjeika*. Ik vroeg haar naar de boeken die ze had geschreven.

'Mijn favoriet is *Verscheurde lichamen*,' vertelde ze. 'Ik heb het geschreven toen mijn Fatih in de gevangenis zat. Ik was geïnspireerd door Franz

Kafka – ken je Kafka? – en Edgar Allan Poe. In dat boek wordt het verhaal verteld door de verschillende lichaamsdelen van een man: armen, benen en, excuseer me alsjeblieft' – hierbij trok ze een heel ernstig gezicht – 'de geslachtsdelen. Het is een metafoor voor de Iraakse maatschappij.'

Ze verdween en kwam terug met een exemplaar van een van haar boeken. Ze duwde het Roaa in de hand. 'De volgende keer dat ik je zie,' zei ze streng, 'wil ik er met je over praten.'

Roaa knikte met een benauwd gezicht.

We liepen naar buiten en maakten ons klaar om te vertrekken. Dr. Salama en ik stonden in de tuin onder een palmboom samen met haar dochter, een verlegen dertienjarige met hetzelfde ronde gezicht als haar moeder. Dr. Salama en ik spraken over de erfenis van angst die het oude regime had achtergelaten.

Haar dochter trok aan haar mouw. 'Mama,' fluisterde ze dringend.

'Wat is er?' vroeg dr. Salama terwijl ze zich omdraaide om naar haar te luisteren.

'Wat is dat voor regime? Kun je daarmee afvallen?'

Régime, een Frans woord dat in Irak veel gebruikt wordt, kan ook dieet betekenen.

Dr. Salama barstte in lachen uit. Ze sloeg haar armen om haar dochter heen en knuffelde haar, waarbij het meisje bijna verdween in de wapperende zwarte stof van haar abaya. 'Nee, lieverd,' zei ze met een glimlach, 'dat is niet het soort regime waar we het over hadden.'

Dr. Salama was voor mij één groot raadsel. Ze was intelligent, openhartig en onafhankelijk. Ze keerde zich tegen *wilayat al-faqih*, de doctrine van absolute heerschappij door geestelijken die in Iran geldt. Ze daagde de onder Iraanse invloed staande islamitische partijen uit om Ahmed Chalabi, een sjiitische secularist, te steunen als kandidaat voor het premierschap. (Hij verloor.) Zij en sjeik Fatih maakten zich voortdurend sterk voor een meer democratische machtsoverdracht, voor meer vrouwelijke ministers en voor een grotere politieke vertegenwoordiging van Sadr en zijn volgelingen (een tactiek die, als die op dat moment was gevolgd, wellicht de lont uit het kruitvat van zijn opstand had kunnen halen). En toch was ze een voorstander van resolutie 137, een voorstel om het Iraakse personen- en familierecht te vervangen door een gedecentraliseerd systeem dat het de religieuze autoriteiten mogelijk maakte zich te mengen in allerlei persoonlijke kwesties, inclusief zaken als scheiding, huwelijk, voogdij van kinderen en erfrecht.

De meeste westerlingen maakten de fout om dr. Salama in te delen bij de islamisten van de harde lijn. (Hillary Rodham Clinton noemde haar ooit afkeurend 'ultraconservatief'.) Maar de werkelijkheid was een stuk gecompliceerder.

De meerderheid van de Irakezen was sjiitisch. Dankzij jaren van oorlog en massamoorden op mannen was de meerderheid van de Irakezen bovendien vrouw; volgens sommige schattingen zelfs vijfenvijftig procent. Sjiitische vrouwen waren het gezicht van Irak, de grootste demografische groep in het land. De meeste Irakezen waren voorstander van een vorm van islamitisch recht; tegelijkertijd waren de meeste Irakezen ook voorstander van het recht van vrouwen op werk, educatie en politieke macht. In juli 2004 publiceerde het onderzoeksbureau Gallup resultaten waaruit bleek dat twee derde van de Iraakse bevolking vóór het recht van vrouwen op het bekleden van een politieke functie was (behalve in overwegend soennitische gebieden, waar de steun voor vrouwenrechten veel kleiner was). Net als veel Iraakse vrouwen geloofde dr. Salama dat de islam vrouwen toestaat om macht uit te oefenen zowel in de publieke als in de privésfeer.

In theorie is dit waar. Helaas is een van de oncomfortabele waarheden in Irak, net als in een groot deel van de moslimwereld, dat vrouwen niet de status bezitten die ze volgens de Koran zouden moeten hebben. Politieke en religieuze leiders beroepen zich op de islam – waarbij ze vaak vrouwonvriendelijke interpretaties van dubbelzinnige en heftig omstreden passages uit de Koran en de Hadith gebruiken – om pre-islamitische tribale praktijken zoals eerwraak en genitale verminkingen te rechtvaardigen. Ira Lapidus, de gerespecteerde islamwetenschapper, zei het het beste in zijn gezaghebbende boek *A History of Islamic Societies*: 'Het ideaal uit de Koran en Mohammeds voorbeeld waren waarschijnlijk veel vrouwvriendelijker dan de latere Arabische en islamitische praktijk.'

In 1959, toen in Irak een belangrijke nieuwe wet op het gebied van personen- en familierecht werd ingevoerd, kregen de Iraakse vrouwelijke burgers een bescherming die behoorde tot de beste in de Arabische wereld. In de jaren zestig perkte de Ba'ath-partij die rechten echter weer in en Saddam ondermijnde ze nog verder tijdens zijn geloofscampagne van de jaren negentig, toen er gesegregeerde scholen ontstonden en hij polygamie en eerwraak uit het strafrecht haalde. Voor veel Iraakse mannen bood de repressie van Saddam een handige rechtvaardiging voor de ongelijkheid tussen de status die vrouwen op papier hadden en die in de praktijk. Nu dat excuus verdwenen was, eisten sjiitische vrouwen hun plek in het openbare leven weer op. De islam zagen ze als de weg naar binnen.

Er bestond een precedent voor dit idee. In Marokko hadden feministen de regering onder druk gezet om samen met moslimgeleerden te werken aan een herziening van het restrictieve familierecht van dat land. Het resultaat was een nieuw islamitisch familierecht, dat vrouwen meer rechten beloofde dan eerdere interpretaties van de sharia. Toch was het in beide landen de vraag of vrouwen die rechten in de praktijk ook echt zouden krijgen.

Ik belde Amira Sonbol, een professor aan Georgetown University die een aantal boeken heeft geschreven over vrouwen en islamitisch recht, hun positie in de geschiedenis van de islam en die in de moslimmaatschappij. 'Ik ben een groot voorstander van een islamitische discussie over het veranderen van het recht,' vertelde ze me. 'Het is de enige hoop voor islamitische vrouwen in de toekomst. Alleen moet dat recht dan wel werken onder omstandigheden waarin vrouwen een eerlijke kans hebben. En op dit moment hebben vrouwen in Irak die kans gewoonweg niet, vanwege de politieke situatie in dat land.'

Sonbol voorspelde dat vrouwenrechten zouden eindigen als onbelangrijk wisselgeld in de onderhandelingen tussen door mannen gedomineerde politieke partijen. 'De golven trekken je naar een plek waar je niet naartoe getrokken wilt worden,' zei ze. 'De sjiitische vrouwen in Irak weten niet dat ze een pion zullen worden in de verdeling van Irak, en dat ze zomaar opzijgeschoven zullen worden.'

Rond die tijd kreeg Roaa een baan bij Al-Hurra, 'De Vrije', de in het Arabisch uitzendende satellietzender die was opgericht en betaald met Amerikaanse belastingdollars. Ze verdiende goed geld: achthonderd dollar per maand, een uitstekend salaris (zelfs bij de zesdaagse werkweek die in Irak gebruikelijk was). Ze schreef over autobommen en politieke bijeenkomsten en ging de straat op voor reportages over het dagelijks leven. Een paar weken nadat ze er begonnen was, werd onze vriend en dichter Ali, die van het inmiddels jaren geleden lijkende verjaarspartijtje van Laylak, aangesteld als chef nieuwsredactie; hij zou haar nieuwe baas worden. Dit was de carrière die ze altijd had gewild.

In die maanden spraken we vaak ergens af om koffie te drinken en dan hadden we het soort gesprekken over werk dat ik ook voerde met mijn vriendinnen thuis in New York; we klaagden over bazen en vriendjes, spraken over het huwelijk en relaties en vertrouwden elkaar onze ambities voor de toekomst toe.

Net als Layla verlangde Roaa naar een tijd waarin jonge mannen en vrouwen als gelijken met elkaar konden omgaan, zonder geroddel dat hun reputatie verpestte. Maar anders dan sommige van haar vrienden geloofde ze niet in seks voor het huwelijk of zelfs zoenen voor het huwelijk; vrijheid betekende voor haar de vrijheid om de wereld en andere manieren van denken te ontdekken. 'Het is heus niet dat ik zo geëmancipeerd ben,' zei ze ernstig (ik glimlachte), 'maar het kost me moeite om iemand te vinden die net zo denkt als ik. Ik heb mijn eigen ideeën. Ik heb mannen als vrienden.'

Het was eenzaam om een jonge moslimvrouw met onafhankelijke ideeen te zijn. Tel daarbij op alle gewone barrières die er voor jonge Irakezen bestonden om te kunnen trouwen: gebrek aan geld, instabiliteit en het feit dat het voor haar als Koerd moeilijk zou worden om met een Arabier te trouwen. 'Dat is het probleem,' zuchtte ze. 'Ik heb nooit liefde gekend!'

Toen we op een dag onze kopjes dikke Arabische koffie hadden leeggedronken, zette ze mijn lege kopje omgekeerd op het schoteltje. Na een paar minuten las ze mijn toekomst in de donkere, zoete koffieprut. Ik zou veel reizen, voorspelde ze: in mijn kopje zag ze rivieren, bomen en op de achtergrond een zwarte reus met een puur wit hart.

En haar toekomst? 'Je eigen koffiedrab kun je niet lezen,' zei ze. 'Dat brengt ongeluk.' Maar we wilden dezelfde dingen: reizen, een carrière, een goede opleiding. Feestjes waarbij mannen en vrouwen bij elkaar konden zitten en praten. De vrijheid om de wereld te kunnen zien. Tijdens die gesprekken moest ik vaak de drang weerstaan om haar alle reizen, opleiding en avonturen waarnaar ze zo verlangde te beloven; alle dingen waarvan ik wilde dat ze ze zou krijgen, als ik ze haar had kunnen geven.

Allemaal vechten we om deze twee kanten van onze persoonlijkheid met elkaar te verzoenen: de nomade en de huismus, de moeder en de filmster. Ik wilde dat Roaa beide kon hebben. In een ander Irak – het Irak dat 'wij' aan 'hen' hadden beloofd – was dat misschien mogelijk.

'Ik heb er altijd van gedroomd om mensen uit andere culturen te leren kennen,' vertelde ze. 'En ik hoop dat ook ooit te doen. Want we zijn zo lang afgesloten geweest van de rest van de wereld.'

'Wil je dat nog steeds? Zelfs als het gevaarlijk is?'

'Die droom heb ik nog altijd,' antwoordde ze. 'En het is heel moeilijk om hem uit te laten komen. Maar misschien zal het me ooit lukken, als het weer rustig wordt in Irak.'

We zaten in een restaurant aan Abu Nuwas dat uitkeek over de Tigris. Zelfs met overal tanks en prikkeldraad had de rivier een trage, glanzende grandeur. De dadelpalmen leunden naar voren en leken hun weerspiegeling in het glimmende oppervlak van de rivier te bewonderen. Binnen zaten wij op oude houten divans bedekt met kussens in Ottomaanse stijl. Het plafond van het restaurant was bedekt met rieten matten die in de droge hitte een geur van in de zon bakkend graan verspreidden. Naast de deuropening pruttelde een koperen pot met thee op een gaspitje. We waren de enige klanten.

Plotseling schudde ze haar hoofd, alsof ze wakker werd uit een droom of verrast werd door haar eigen gedachten. 'Weet je, Annia?' Ze keek me aan met een stille, intense verbazing. 'Ik had me nooit kunnen voorstellen, zelfs niet toen de oorlog was afgelopen, dat ik hier met een buitenlander over zulk soort dingen zou zitten praten.'

Op 13 mei vertrok Mohamad van Bagdad naar Beirut. Het was de bedoeling geweest dat ik met hem mee zou gaan, maar op het allerlaatste moment vroegen de redacteuren van *The Christian Science Monitor* me om te blijven en in te vallen voor een van hun vaste verslaggevers, die er nodig even tussenuit moest.

Die ochtend ruimden we ons kamertje in het Andalus leeg. Het kookplaatje, de plastic bakjes met appels en uien en de verschillende pakjes met soep en pasta gaven we aan Abu Zeinab. Alle andere spullen verhuisde ik naar de kamer van de *Monitor* in het Musafir Hotel. Later die middag bracht de chauffeur van de *Monitor*, Adnan, Mohamad en mij naar het vliegveld. We hielden op de achterbank elkaars hand vast terwijl we over de snelweg naar het vliegveld reden; op dat moment een van de gevaarlijkste wegen in Irak.

Mohamad stapte bij de eerste controlepost uit om daar te wachten op de bus die hem naar de vertrekhal zou brengen. Adnan stond naast de auto en schudde Mohamads hand. Hij kuste hem op beide wangen. 'Meneer Mohamad, maakt u zich geen zorgen,' zei hij in het Arabisch. 'Ik zal voor haar zorgen alsof ze mijn eigen zuster was.'

Zodra we wegreden, begon ik met snikkende uithalen te huilen.

Adnan keek me bezorgd aan. 'Mevrouw Annia,' zei hij, met moeite zoekend naar de goede woorden in de nieuwe taal die hij aan het leren was. 'Toen ik zat in het Iraakse leger, ik ging negen maanden weg. Mijn vrouw alleen, net als u.'

Negen maanden aan één stuk vechten in de Irak-Iranoorlog... Dan zou ik twaalf dagen alleen in Bagdad heus wel overleven.

'Ik probeerde zo te zijn...' – terwijl hij het zei, draaide hij zich om naar het stuur, greep het met gebalde vuisten en stijf uitgestrekte armen stevig beet, alsof hij het van zich af wilde duwen, en maakte zich in een parodie van mannelijkheid zo breed mogelijk – '... maar vanbinnen huilde ik.' Hij draaide zich naar me terug, liet het stuur los, balde zijn vuisten en legde ze op zijn hart. 'Het spijt me,' zei hij, 'maar als hij weg is, meer liefde.'

De volgende dag ging ik naar Shahbandar. Daar kwam ik Nassire tegen, een knappe jonge dichter die ik kende van Al-Najeen. Ooit had hij een perfect gevormde neus gehad, maar nu leek het of de hele voorkant ervan afgesneden was. Hij hield zijn hoofd ongemakkelijk opzij in een poging het gat waar zijn neus had gezeten te verbergen, maar een ontbrekende neus valt niet te verstoppen.

'Wat is er met jou gebeurd?' vroeg ik dom. Ik was zo geschokt dat ik mijn manieren vergat.

'Ze duwden me tegen de grond en sneden met een papiermesje mijn neus eraf,' mompelde hij, zijn blik strak op de vloer gericht.

Ik vroeg hem niet wie 'zij' waren. Dat was irrelevant. Iedereen die ik kende, had het gevoel geluk te hebben nog in leven te zijn. Abu Rifaat was zes keer beroofd en in elkaar geslagen; het feit dat hij christen was, maakte van hem een gemakkelijk doelwit. Hij voelde zich verraden door Amerika, door de cultuur waar hij van hield en vooral door de man die ooit zijn idool geweest was: de bevrijder George W. Bush.

'Hij zei dat hij van Irak een oase zou maken,' zei Abu Rifaat. Zijn stem klonk ruw van ontzetting en pijn. 'In de afgelopen maanden ben ik zes keer door dieven aangevallen. Een van hen sloeg me op mijn hoofd met een fles.' Hij leunde naar voren en trok zijn muts af, waardoor een diepe deuk in zijn zachte roze schedel zichtbaar werd. 'Dus dit is nu de situatie van het gelukkige volk? Waar is de veiligheid, waar is het geluk, waar is de oase van meneer Bush?' schreeuwde hij. 'Dit is een oase waarin ze flessen kapotslaan op je hoofd!'

Terwijl we zaten te praten kwam een dunne man met opgetrokken schouders naar ons toe. Midden op zijn wang zat een bruine moedervlek en zijn ogen glinsterden en dansten. Hij ging voor me staan, boog zijn gezicht naar het mijne toe en riep: 'Zeg tegen haar dat we die nieuwe Amerikaans-Israëlische vlag niet moeten!'

Aangezien alle andere dingen zo fantastisch liepen, had de regeringsraad zijn talenten aangewend om het dringendste probleem van het land aan te pakken: het ontwerpen van een nieuwe Iraakse vlag. De belangrijkste kleuren van de nieuwe vlag waren wit en lichtblauw, en deze gelijkenis met de Israëlische vlag viel niet erg goed bij de Iraakse bevolking. Ook ontbraken de woorden *Allahu Akbar*, God is groot, die Saddam tijdens zijn geloofscampagne aan de oude vlag had toegevoegd; woorden die altijd gemakkelijker toe te voegen dan te verwijderen zijn.

'Zeg tegen haar dat als ze in Falluja of in Ramadi een nieuwe Iraakse vlag proberen te hijsen, we hen zullen doden!' tierde de man. 'We zullen hun vlag neerhalen en in plaats daarvan hen zelf ophangen!'

'Maar ze is geen Amerikaanse!' loog Abu Rifaat. 'Ze is Libanees! Een Libanese journalist!'

'Ze is een spion!'

'Ze is een journalist,' smeekte Abu Rifaat. 'Een Franse journalist!'

Daarna werd het gesprek alleen nog maar erger.

Toen de man verdwenen was, kwam een dunne, vriendelijke oude man in een dishdasha en met een wit gebreid gebedsmutsje mijn kant op lopen en boog zich naar me toe. Hij was de manager. Namens het café en het volk van Irak bood hij zijn excuses aan voor de boze man. 'U bent te gast hier, u bent hier welkom,' zei hij. 'We kennen u, en u bent een vriendin van Abu Rifaat, die een goede bekende is. We weten dat u van Iraakse poëzie houdt en dat vinden we mooi, en het spijt me dat deze man zo onbeleefd tegen u gesproken heeft.'

Hij wilde me niet laten betalen voor mijn thee.

De volgende keer dat ik Abu Rifaat tegenkwam, bood hij nogmaals verontschuldigingen aan. 'Nadat je vertrokken was, hebben ikzelf en de eigenaar van het café heel ernstig met die man gesproken,' vertelde hij me. 'Hij schaamde zich diep en hij voelde zich heel slecht over wat hij gezegd had.'

Daar twijfelde ik aan. Ik wist dat Abu Rifaat en de manager me vriendelijk verwelkomd zouden hebben als ik zou zijn teruggekomen, maar gastvrijheid was een tweesnijdend zwaard. Ik wilde niet dat mijn liefde voor boeken en het gezelschap van dichters zou maken dat zij in verband werden gebracht met 'de vijand'; dat was ik immers inmiddels geworden. En dus bleef ik vanaf dat moment uit de buurt van de Mutanabbistraat en Shahbandar Café, ook al was dat mijn favoriete plek in Bagdad, misschien wel op de hele wereld. Elke vrijdag bleef ik thuis en dacht: zo moet het dus voelen voor Roaa, voor Laylak, voor alle Irakezen die niet op bezoek kunnen gaan bij hun beste vrienden of op hun lievelingsplek kunnen zitten, alleen is het voor hen nog veel erger, want ik kan vertrekken en zij niet.

Ik ging er nog één keer heen, om afscheid te nemen. Ik zat achterin, sprak zachtjes en vertrok na vijf minuten. Ik heb Shahbandar Café nooit teruggezien.

Een week later kwam Abu Rifaat me opzoeken op het kantoor van de *Monitor* in het Musafir Hotel. 'Boeken!' riep hij uit toen hij de boekenplank zag. Hij liep ernaartoe, ging voor de boeken staan, spreidde zijn armen uit alsof hij ze allemaal wilde omhelzen en schreeuwde: 'Ik heb een zwak voor boeken!' Hij ratelde maar door over het een of ander, graffiti of tijdschriften of poëzie, tot hij merkte dat ik niets terugzei. Hij stopte abrupt en tuurde me over zijn bril aan. 'Heb je zin om iets te gaan eten?' vroeg hij plotseling.

Eerder die week was de voorzitter van de regeringsraad vermoord, ik had gesproken met verschillende mannen die in Abu Ghraib gemarteld waren en ik legde de laatste hand aan een artikel over vrouwelijke gevangenen die psychologisch gemarteld waren. Een Irakees uit Falluja had me een diskette gebracht die onder de opstandelingen circuleerde, waarop foto's zouden staan van Amerikaanse soldaten die Iraakse vrouwen martelden en verkrachtten. De foto's waren nep – in werkelijkheid waren ze van een Hongaarse pornowebsite gehaald – maar ze vormden een aanschouwelijke herinnering aan het feit dat beide partijen vrouwenlichamen gebruikten in een gevaarlijk spel van politieke symboliek, en toen ik ze gezien had, was ik dagenlang mijn eetlust kwijt. Elke keer dat ik meer dan één of twee happen van iets at, werd ik overspoeld door paniek. Mijn maag gaf me de boodschap dat ik onder extreme stress stond en mijn lichaam wees alle voedsel af, en hoewel ik niet ziek was, voelde ik de aandrang om te braken. In tien dagen was ik ongeveer tien pond kwijtgeraakt.

'Misschien een sigaret,' zei ik.

Hij keek me fronsend aan en opeens herinnerde ik me dat Abu Rifaat, voordat zijn vrouw met zijn twee zonen naar Canada verhuisd was, vader geweest was.

'Je bent altijd aan het werk en je rookt te veel,' merkte hij op. 'Je werkt te hard, want je houdt te veel van de Irakezen, en je houdt meer van je werk dan van jezelf. En je eet altijd in restaurants, dat is niet goed. Het eten in restaurants is niet gezond. Ik kan je niet meenemen naar mijn huis, omdat dat niet veilig is' – hij woonde samen met een paar ongetrouwde tantes in een arbeidersbuurt – 'maar ik neem je mee om te gaan lunchen en ik zal je het echte eten van Irak laten zien.'

Een eindje verderop in de straat was een keetje waar ze kebab verkochten. Terwijl het met Irak steeds slechter ging, beleefde de kebabkeet blijkbaar juist goede tijden: van een kleine houten kar was het inmiddels uitgegroeid tot een glimmende schuur van golfplaat waar je daadwerkelijk naar binnen kon lopen. Op een plank aan de muur stond een tv te blèren. Abu Rifaat zette me ernaast aan een tafeltje en ging eten voor ons halen.

Bij de toonbank hield hij een indringend gesprek met de kok, een korte, dikke jongeman in een groezelige, grijze dishdasha. De kok lachte vol verbazing om het verzoek van Abu Rifaat. Toen hij zag dat de oude man het meende – de *ajnabieh* was écht van plan dat te eten – ging hij aan de slag.

In plaats van de gebruikelijke gegrilde kebab te maken, haalde hij het gehakt van de pen en liet het in een gebutst ijzeren pannetje boven hoog vuur braden. Tegelijkertijd sneed hij een dikke, sappige tomaat in stukken en gooide die in de pan met wat uien en hete peper. Hij bakte de groente in het vet van het gekruide vlees. Omgekeerd nam het vlees de smaak van de pittige, hete tomatensaus op. In Bagdad noemden ze dit *banadura shamee*, 'tomaten uit Damaskus' of soms 'gebakken chili'.

'Dit,' zei Abu Rifaat terwijl hij het bord meenam naar de tafel, 'dit is het echte eten van Irak!' Hij liet me zien hoe ik het druipende vlees met stukjes tanoor-brood moest opscheppen. Hij keek stralend toe terwijl ik alles opat. Het laatste beetje saus veegden we van het bord met nog meer brood.

Tijdens een kop thee hield Abu Rifaat een heel betoog over educatie, zijn favoriete onderwerp. Volgens hem had de Iraakse bevolking meer dan aan wat ook behoefte aan onderwijs, 'omdat dit volk vijfendertig jaar geleden werd afgesneden van de rest van de wereld. En door die afscheiding zijn veel van onze manieren, is veel van onze moraal gestorven.' En de Irakezen moesten reizen, voegde hij eraan toe: 'Reizen over de hele wereld, waardoor ze weer zullen voelen dat ze wereldburgers zijn, en niet alleen burgers van één land.'

Na het eten voelde ik dat de uitputting weer bezit nam van mijn lichaam, maar Abu Rifaat viel niet te stoppen. 'Ik hou van thee!' schreeuwde hij en hij bestelde nog een kop. Toen zijn bestelling arriveerde, demonstreerde hij de juiste manier om thee te roeren, zonder het lepeltje tegen het glas te laten rinkelen.

Ik kon het niet helpen en schoot in de lach. Ik moest terug naar kantoor om mijn verhaal af te maken, maar Abu Rifaat vrolijkte me altijd op.

Plotseling realiseerde hij zich dat ik op hem zat te wachten. 'Ik zal je de Iraakse manier laten zien om snel je thee op te drinken!' verklaarde hij. 'Je doet zo…' hij goot zijn thee op het glazen schoteltje en liet het vocht een paar keer ronddraaien om het af te laten koelen '… en dan drink je het zo op!' Hij hield het schoteltje tegen zijn lippen en slurpte in één lange teug alle thee op. Fraai zag het er niet uit, maar dit waren nou echt goede manieren.

Dankzij Abu Rifaat kwam mijn eetlust weer helemaal terug. De volgende dag ging ik naar het restaurant van het Sumer Land Hotel, dat nog steeds af en toe open was voor het publiek, voor mijn gebruikelijke bord shajar, jazar wa qarnabeet. Om de een of andere reden had de kok precies dat moment gekozen – eind mei 2004, tijdens de opstand van het Mahdi-leger, de eerste aanval van Amerikaanse mariniers op Falluja en de krijgsraad over Abu Ghraib – om een gevulde kiprollade met roomsaus te maken.

Het was een prachtig gerecht. Een gebaar dat sommigen nutteloos zouden hebben gevonden, net als de gemanicuurde nagels van Layla, maar dat voor anderen de hele beschaving in zich droeg, of in elk geval een herinnering aan het normale leven. Ik ging naar de keuken om de kok te bedanken.

Hij zat in elkaar gedoken in een stoel, zwetend en omringd door vieze potten en pannen. Gebruikte messen lagen op het werkblad naast hem, waaraan alleen de vliegen nog bezig waren. De airconditioning stond uit. De generator was zeker kapot, of misschien kon het ze gewoon niets meer schelen.

'Waarom?' vroeg ik. 'Waarom maak je zoiets heerlijks in een tijd als deze?'

Hij haalde zijn schouders op. Een uitdrukking van trots en wanhoop, iets tussen een glimlach en een zucht in, gleed over zijn gezicht. 'Dat is wat ik doe,' antwoordde hij.

Hoofdstuk 15

Zelfs een sterk persoon kan om vrede vragen

Nadat hij mens is geworden, gaat Enkidu direct naar Gilgamesj, die hem een verschrikkelijk pak slaag geeft. Daarna worden ze beste vrienden, net als in een goeie vechtfilm, en Gilgamesj besluit dat ze samen op reis gaan.

Gilgamesj wil een monster verslaan en al het kwaad uit de wereld verdrijven. Enkidu heeft er geen goed gevoel over en probeert het zijn vriend uit het hoofd te praten, maar Gilgamesj wil niet luisteren. Ze halen hun wapens. De oude mannen zuchten. De jonge mannen juichen. De twee vrienden lopen de hele weg naar wat tegenwoordig Libanon is en doden het monster Humbaba, die de ceders bewaakt.

Helaas is het een goed gebruik om eerst de goden te raadplegen voor je hun monsters doodt. Iemand zal moeten boeten voor deze daad van overmoed. De reis was Gilgamesj' idee, maar de goden doden Enkidu.

Gilgamesj kan niet geloven dat zijn vriend dood is. Hij houdt Enkidu zes dagen en zeven nachten in zijn armen en praat tegen hem alsof hij nog leeft. Op de zevende dag valt er een made uit de neus van Enkidu en Gilgamesj begrijpt eindelijk dat zijn vriend, de machtige wildeman, niet meer is dan rottend vlees. Hij dwaalt dagenlang door de wildernis, gehavend en uitgeput, gekleed in de huid van een leeuw. Uiteindelijk komt hij bij de oceaan, waarvan de kust tegelijkertijd het einde van de wereld is.

Tot zijn grote geluk is daar, op het uiterste puntje van de bewoonde wereld, op de plek waar een dolende ziel het het hardst nodig heeft, een bar waar hij een biertje kan krijgen.

De vrouw achter de bar ziet hem aankomen, doet de deur op slot en rent het dak op. 'Wie ben je?' schreeuwt ze naar beneden. 'Je ziet er niet uit.'

Gilgamesj bonkt op de deur van de taveerne. 'De vriend van wie ik hield, is weer teruggekeerd tot de klei,' roept hij uit. 'Ben ik niet precies zoals hij? Zal ook ik gaan liggen om nooit meer op te staan?'

Siduri, de bardame aan het einde van de wereld, kijkt hem vol medeleven aan. In haar baan lost ze wel vaker een existentiële crisis op. Je zult nooit onsterfelijkheid vinden, zegt ze tegen Gilgamesj, want die hebben de goden voor zichzelf gehouden. Dus stop met najagen wat je toch niet kunt hebben en geniet van de dingen die je wel kunt krijgen:

Dus, Gilgamesj, zorg dat je maag vol is!
Wees gelukkig, dag en nacht,

maak van elke dag een feest,
dans in de rondte, dag en nacht!

Mohamad en ik waren in Beirut, een vakantie van twee weken ter onderbreking van ons verblijf in Bagdad, toen we het nieuws hoorden: opstandelingen hadden geprobeerd om dr. Salama te vermoorden toen ze door de Driehoek des Doods reed. Ze had de aanslag overleefd, maar haar zeventienjarige zoon en een van haar lijfwachten waren gedood.

Zodra we terug waren in Bagdad, gingen we naar dr. Salama's kantoor om haar te condoleren. We hadden een officiële afspraak gemaakt, maar om de een of andere reden weigerden de Amerikaanse militaire bewakers ons binnen te laten. En dus bracht dr. Salama, nog in de rouw vanwege haar zoon, een clandestien bezoek aan het Andalus.

We ontvingen haar in de lobby en namen haar mee naar boven, begeleid door een aantal lijfwachten: serieus uitziende jongemannen die voor de deur van onze kamer bleven wachten. Ik zette thee, die we opdronken terwijl zij op de stoel in ons piepkleine voorkamertje zat en vertelde wat er gebeurd was.

Ze was naar Najaf gegaan om met een aantal mensen te praten, in het kader van haar bemiddeling tussen het Mahdi-leger en de Amerikaanse militairen. Die avond hadden Amerikaanse troepen de weg afgezet en dus was haar uit twee auto's bestaande konvooi gedwongen geweest om de smallere, levensgevaarlijke zijweggetjes te nemen. Een paar minuten later was een rode Opel hun achterop gereden en vervolgens omgekeerd en weggescheurd. Om een uur of acht 's avonds kwam de auto terug en degene die erin zat, opende het vuur. Haar chauffeur reed heel hard weg. Ze zag de auto waarin haar zoon zat van de weg af schuiven. Ze smeekte de chauffeur om te keren, maar het was te gevaarlijk.

Ze had nog hoop dat haar zoon het overleefd had, maar later die avond hoorde ze dat haar lijfwacht gestorven was. 'Die avond dacht ik aan zijn moeder, zijn vrouw, hun jonge kind,' vertelde ze. 'Ik was erg overstuur. En dus was het de volgende dag, toen ik het nieuws over mijn zoon kreeg, minder moeilijk om te accepteren.'

In Najaf had ze vele vrouwen ontmoet die hun zonen, echtgenoten en broers hadden verloren tijdens de gevechten tussen de Amerikaanse militairen en het Mahdi-leger. 'Ze wilden zulke simpele dingen: in vrede kunnen leven met hun familie,' zei ze. 'Ik denk dat de vrouwen het meest geleden hebben tijdens deze bezetting. En ik denk dat het daarom de vrouwen zijn die vrede willen. En dat schijnt me zo logisch toe, maar toch begrijpen de regeringen – de Amerikaanse regering – het niet.'

Ze sprak over het werk dat ze deed met de volgelingen van Sadr, hoe ze hen en het Amerikaanse leger ervan probeerde te overtuigen dat ze tot een soort staakt-het-vuren moesten komen. 'De mensen zeggen dat om vrede vragen betekent dat je zwak bent, dat je niet kunt vechten,' zei ze. 'Dus zei ik tegen ze: "Nee, zelfs een sterk persoon kan om vrede vragen."'

We waren doodsbang dat iemand haar gezien had; dat iemand een bericht zou sturen naar de verkeerde mensen, die haar vervolgens op de terugweg van het hotel zouden vermoorden, en dat het dan onze schuld zou zijn. Maar in het hotel herkende niemand haar. In haar abaya was ze veilig: gewoon een anonieme Iraakse vrouw.

Gedurende de zomer werd de situatie steeds slechter. 's Nachts lieten we de deur van onze kamer open om de hitte eruit te laten ontsnappen. Op een nacht kuierde er een rat door de gang, die voor onze deur stopte en hoopvol naar binnen keek, alsof we hem misschien zouden uitnodigen voor een kopje thee. Daarna hielden we onze deur dicht.

Mohamad en ik werkten beiden de hele tijd; we waren uitgeput en gestrest en maakten voortdurend ruzie. De ruzies laaiden op voor we er erg in hadden. De elektriciteit viel uit of er was geen stromend water en opeens maakten we ruzie over wie vergeten had de jerrycans te vullen. Als we in de winkel het geluk hadden om twee soorten pasta te vinden, ruzieden we over welke we zouden nemen. En dan waren die discussies nog niets vergeleken met de serieuze ruzies over of we naar een 'veiliger' hotel moesten verhuizen.

Op Vaderdag leende ik Mohamads satelliettelefoon en belde mijn grootvader. Hij was tweeënnegentig en stokdoof. Ik loog en vertelde hem dat ik in Beirut was, maar ik geloof niet dat hij erin trapte.

'Geen kogels tegenhouden, hoor!' zei hij grinnikend. Het was zijn favoriete zinnetje uit de Tweede Wereldoorlog, toen hij als radio-officier op een koopvaardijschip werkte. Zijn andere favoriete uitspraak was: 'Prijs de Heer en laat de munitie langs schieten.'

Mijn moeder kwam aan de telefoon. Opa's zuster Connie had zich in de Tweede Wereldoorlog aangemeld bij de WAVES (Women Accepted for Volunteer Emergency Service) en dus had mijn moeder haar gebeld voor advies over het leven in tijden van oorlog. 'Tante Connie zegt dat je veel calcium, magnesium en zink moet slikken,' zei ze. 'En vitamine B tegen stress, en ook vitamine C!'

Vitamines, in Bagdad: dat is mijn moeder. Als we als koningen hadden kunnen eten toen we blut waren, geen huis hadden en in onze auto woonden, waarom zou goede voeding tijdens een oorlog dan niet mogelijk zijn?

'Mam, dit is Bagdad. Je loopt hier niet zo even naar de drogist. Vitamines zijn niet te krijgen. Het grootste deel van de tijd zijn er nauwelijks medicijnen.'

'Vertelde je niet dat jouw chauffeur vitamines uit Duitsland haalt?'

Dat was waar: Abu Zeinabs broer woonde in Duitsland en hij had ons ooit wat kruidensupplementen aangeboden. Ik was het helemaal vergeten, maar mijn moeder wist het nog.

'En nog iets,' ging ze verder. 'Niet ruziemaken met Mohamad. Hij is een fantastische man en we houden van jou en hij houdt ook van jou. En trouwens, het is oorlog! Wat geeft er nou meer stress dan oorlog? Natuurlijk maken jullie ruzie. Ik maak me gewoon zorgen… Ik dacht laatst: o mijn hemel, die twee mensen maken de hele tijd ruzie en straks stappen ze op een bermbom en dan maken ze nog steeds ruzie!'

Dit was zo'n accurate beschrijving van ons tweeën, dat ik in de lach schoot.

'En zorg verder dat je genoeg sport,' besloot ze. 'Zorg dat je sport en dat je vitamines slikt, en dan hoef je geen ruzie te maken.'

Ik hoor het voortdurend van Libanese vrienden die de burgeroorlog hebben meegemaakt: in die tijd was de drank sterker. De muziek klonk luider, zodat je de granaten niet hoorde. De mannen waren gevoeliger, de vrouwen dapperder. Ze dansten de hele nacht door omdat het veiliger was dan naar huis rijden. 'Elk halfuur was een nieuw leven,' is hoe mijn vriendin Adessa het zei. 'In dat halve uur moest je jezelf opnieuw uitvinden. En als je het redde tot de volgende bom, vond je jezelf nog een keer uit.'

Een van de geheimen van het leven in tijden van oorlog is dat je zintuigen onnatuurlijk scherp worden, beter afgestemd op genot in al zijn verschijningsvormen. Kleuren zijn helderder, intenser. Geuren zijn sterker. Geluiden laten je opschrikken. Muziek maakt dat je huilt om niets. En eten? Je zult nooit vergeten hoe het smaakt.

In Bagdad bloeiden onze vriendschappen terwijl de openbare ruimte inkromp. Het werd gevaarlijk voor Irakezen en buitenlanders om elkaar in het openbaar te ontmoeten. En dus spraken we met onze vrienden niet meer in hotels en restaurants af, wat zowel voor hen als voor ons gevaarlijk was, maar aten in plaats daarvan bij hen thuis.

Bijna al het eten dat geserveerd werd in restaurants en hotels was sociaal eten: gegrild vlees, hummus, tabouleh, kebab. Maar er was een hele wereld aan gerechten – wat Abu Rifaat de 'echte' Iraakse keuken genoemd zou kunnen hebben – die je nooit proefde als je alleen buiten de deur at. Deze andere keuken maakte deel uit van een verborgen Bagdad, het leven dat mensen leidden achter gesloten deuren. De Irakezen vochten nog steeds om het openbare leven te verdedigen, maar ze waren aan de verliezende hand en dat wisten ze. En dus begonnen de mensen hun leven in de privésfeer te leven. Ze studeerden in woonkamers in plaats van op universiteiten, lieten thuis hun haar knippen in plaats van bij de kapper en in plaats van naar toneelstukken of concerten te gaan, keken ze naar de duizelingwekkende parade van Iraakse soaps en realityshows die voor velen het echte leven hadden vervangen.

De geschiedenis van een land staat geschreven in het voedsel. Bij Arabisch eten denken de meeste Amerikanen aan gerechten als hummus en tabouleh, de sociale borrelhapjes van de Méditerranée. Maar Irak had zijn eigen keuken, een mengeling van verschillende culinaire tradities die gedurende eeuwen van migratie en oorlog was ontstaan. De Soemeriërs maakten plaats voor de Akkadiërs, vervolgens de Assyriërs, wier rijk Irak, de Levant en delen van Turkije, Egypte en Iran omvatte. De Assyrische keizer Ashurnasirpal, een meester als het ging om voedselpropaganda, gaf ooit een banket voor 69.574 gasten. (Een latere Assyrische heerser dineerde onder een paal waarop het afgehakte hoofd van een Elamitische koning gespietst was.) Daarna kwam een hele serie veroveraars: Babyloniërs, Perzen, Grieken, Parthen, Romeinen. In de achtste eeuw stichtte kalief Al-Mansur Bagdad en maakte Irak tot het centrum van het rijk der Abbasiden, waarmee hij aan het begin stond van wat mensen nog altijd nostalgisch het Gouden Tijdperk van de islam noemen.

Voor de Abbasiden, wier schrijvers Griekse en Perzische teksten vertaalden, was kookkunst een wetenschap; een tak van de geneeskunde én een vorm van kunst. De Abbasiden veranderden het banket van een vorm van rauw machtsvertoon in een elitaire salon. De kalief pronkte met zijn kennis, niet alleen van de kookkunst maar ook van schilderkunst, poëzie, muziek en geschiedenis. Koken was een sociale kunstvorm; dichters reciteerden lange, bloemrijke beschrijvingen van banketten om in de smaak te vallen bij de kalief. Eén kalief organiseerde zelfs een kookwedstrijd tussen zijn hovelingen, als een middeleeuwse Iraakse versie van *Top Chef.*

Net als de heersers van elk rijk waren de Abbasiden wrede, repressieve klootzakken, maar ze waren wel klootzakken met stijl. Ze stonden aan de wieg van een explosieve groei van landbouw en handel die door historici beschreven wordt als een middeleeuwse groene revolutie, waarbij ze specerijen en fruit uit Azië naar Europa brachten en agrarische vernieuwingen doorvoerden in alle landen waarover ze heersten. Ze combineerden het inheemse woestijnvoedsel met de Perzische en Byzantijnse hofkeuken en creëerden zo een culinaire revolutie die de manier waarop de wereld at voor altijd zou veranderen.

Terwijl de islam zich vanaf het Arabische schiereiland over het Midden-Oosten uitbreidde, werd er van alles opgepikt uit de keukens van de bekeerlingen. Het klassieke eten van de bedoeïenen – geroosterd geiten- en schapenvlees, gegrilde kameel, brood gebakken in de as – werd gecombineerd met Indiase kruiden, Perzische pilavs, het koken met Turkse yoghurt en Byzantijnse groenten.

Arabische schrijvers produceerden verhandelingen waarin de vrouwelijke Perzische pilavs met zuidvruchten werden afgekeurd en de mannelijke bedoeïenenkost werd geprezen. Maar het was een verloren zaak: het traditionele dieet van de Arabieren uit de woestijn veranderde. Het pikte Perzische tintjes op, zoals de gekruide rijst met noten en rozijnen, de bouillon op smaak gebracht met noomi Basra, de kleine gedroogde limoenen, en de zoetzure sauzen die tot op de dag van vandaag kenmerkend zijn voor de Iraakse keuken. De Arabische moslims veroverden heidense zielen, maar de niet-Arabische bekeerlingen overheersten voortaan de islamitische smaak. Ibn Khalduns eindeloze strijd tussen de bedoeïenen en stedelingen leidde, zo bleek, tot een rijke en gevarieerde keuken.

In 1258 wachtte het rijk van de Abbasiden hetzelfde lot als alle andere rijken, toen de Mongoolse leider Hulagu, de kleinzoon van Dzjengis Khan, Bagdad plunderde. Middeleeuwse kroniekschrijvers vertellen hoe de Tigris op de eerste dag rood kleurde van het bloed en de volgende dag zwart van de inkt, toen de Mongolen de Abbasidische bibliotheken leeghaalden en de boeken in de rivier gooiden. Het eten konden de Mongolen echter niet vernietigen; de Abbasiden hadden hun kookkunst al naar Europa geëxporteerd. Zelfs nu nog is daarvan de invloed merkbaar, vooral in de Spaanse keuken. *Escabeche*, de gemarineerde vis of kip uit de Spaanse en Latijns-Amerikaanse keuken, is voortgekomen uit het pittige Perzische gerecht *sikbaj*. De Spaanse gehaktballetjes, *albóndigas*, begonnen hun bestaan als *al-bunduqieh*, van het Arabische *bunduq*, 'hazelnoot', een speelse naam voor de gehaktballetjes zo groot als hazelnoten die de Arabische koks in hun soepen deden. En wanneer je een *mint julep* drinkt, denk dan eens aan de over-over-overgrootouder daarvan, de siroopachtige *julab*, van het Perzische woord voor rozenwater.

Na de Mongoolse rooftochten bleef Bagdad achter als een vergeten gat waar eeuwenlang verscheidene stammen en dynastieën – Seljukken, Mamelukken, Perzen, Ottomanen – elkaar bevochten. Het irrigatiesysteem raakte in verval. De vruchtbare vlakten veranderden in woestijnen. Uiteindelijk namen de Ottomanen het bestuur over, om na de Tweede Wereldoorlog vervangen te worden door de Britten, die de fragmenten van al die verdwenen rijken aan elkaar breiden tot een natie.

Aan een landkaart van het moderne Irak zul je deze geschiedenis niet aflezen, maar aan het eten wel. Elk rijk liet zijn sporen na in de kookkunst van het land, wat de reden is dat gevulde groenten in Irak *dolma* genoemd worden, net als in Griekenland en Turkije, en niet *mehshi*, het Arabische woord voor 'gevuld'. Het is de reden dat Irakezen uit *glassat* drinken, het op de Arabische manier gevormde meervoud van het Engelse woord 'glass', en dat Iraaks tafelzuur soms met een woord uit het Farsi *turshi* genoemd wordt. Tot op de dag van vandaag zijn de grenzen die bepaald worden door voedsel en taal vaak een betere weerspiegeling van de verschillen tussen mensen dan de willekeurige lijnen die op landkaarten getrokken zijn.

In de Iraakse keuken proef je de positie van het land op een kruispunt van oneindig verschillende regio's: de Levantijnse wereld, het Arabische schiereiland, Turkije en Perzië. Bagdad was de tafel waaraan ze met zijn allen hebben gezeten. Fesenjoon, het zoetzure gerecht met granaatappel en walnoten, kwam uit Perzië. *Tashreeb*, een kom in bouillon geweekt brood met kip of lam, was een oude bedoeïenenmaaltijd van het Arabische schiereiland, nu gekruid met Indiase specerijen en noomi Basra. Straatverkopers in Karada frituurden hun meerval met een korstje van zonnebloemgeel kerriepoeder, met veel kurkuma erin, een vluchtige herinnering aan de historische gemeenschap van Iraakse joden die ooit op en neer reisden tussen Bagdad, Bombay en Calcutta. De oude Mesopotamiërs overleefden nog steeds op plekken als Khan Dajaj, de Kipkoning, een eenvoudig arbeidersrestaurant waar je een hele gegrilde kip kreeg, met een lap Iraaks brood eromheen geslagen die je openvouwde en waarvan je vervolgens at als een Soemerische koning.

Uiteindelijk realiseerde ik me dat de schoonheid van masquf lag in de ingewikkelde, elkaar kruisende afstammingslijnen van het gerecht; juist in het feit dat ik er niet precies de vinger op kon leggen. Waar de wortels van het gerecht lagen, was niet half zo belangrijk als waar mensen dachten dat ze lagen. Als elke Irakees die ik ernaar vroeg masquf aan een andere bevolkingsgroep toeschreef, was dat misschien juist waar het om ging: het was een nationaal gerecht, het voedsel van een plaats en tijd waarin identiteiten – etnische, religieuze, ideologische – oplosten, in elk geval gedurende het gouden uur waarin je wachtte tot je vis klaar was. Het maakte niet uit of masquf was uitgevonden door de Soemeriërs, of de Assyriërs, of de christenen, of de moslims, of de joden. Waar het om ging, was dat iedereen het beschouwde als andermans gerecht en tegelijkertijd als iets helemaal van henzelf.

Sami Zubaida is een emeritus professor politicologie en sociologie aan het Birckbeck College van de universiteit in Londen en een van de meest vooraanstaande geleerden op het gebied van de vergelijkende voedsel- en cultuurwetenschap. Hij groeide op in de jaren veertig in Bagdad, in de wijk Baitaween. In die tijd, vertelde Zubaida me, was hummus praktisch onbekend in Bagdad. Maar in zijn wijk, die nogal kosmopolitisch was, was het de gewoonte dat gezinnen met een ander geloof en verschillende achtergrond – en dus verschillende tradities rond eten – hun buren bordjes eten brachten. De Iraaks-joodse familie van Zubaida had Syrische vrienden die vaak hummus aten; de mannen deden samen zaken en de vrouwen wisselden gerechten uit. 'Dat was mijn eerste kennismaking met hummus,' vertelde hij me lachend. 'Dat brachten ze ons, net als tabouleh. Dat soort eten was nieuw voor ons.'

Ik vroeg aan dr. Salama of Irakezen van haar generatie opgegroeid waren met het eten van meze zoals hummus, tabouleh en fattoush. 'Brood roosteren en dat op een salade leggen?' vroeg ze lachend. 'Nee, dat deden we nooit. Al die salades: tabouleh, fattoush, zelfs deze, hoe noem je het,' – we zaten aan een tafel die vol stond met meze en ze wees naar een ronde schaal baba ghanouj, dat de meeste Libanezen *mtabal* noemen – 'deze mtabal, waren nieuw voor ons. Toen ik klein was, aten we dat niet. Wij hadden *jajik* en salades met tomaten en komkommer. Dat waren de beroemde Iraakse salades.'

Na 1948 maakten de Palestijnse vluchtelingen die naar Irak uitweken het Levantijnse eten bekender, maar het was pas tijdens de enorme groei van de oliehandel in de jaren zeventig, toen gezinnen uit de middenklasse zoals die van Roaa genoeg geld verdienden voor buitenlandse vakanties, dat mediterraan eten wijdverbreid raakte. Mensen reisden naar Turkije, Syrië of Libanon en kwamen terug met een liefde voor de mediterrane salades. 'Aan het einde van de jaren tachtig begonnen er winkeltjes te verschijnen die dat soort gerechten verkochten,' vertelde dr. Salama, 'en de mensen aten ze steeds vaker.'

Oppervlakkig gezien had mijn eerste afschuwelijke maaltijd in het Hamra Hotel het bewijs geleken van het ontbreken van iets als een Iraakse kookkunst, maar toen ik wat dieper groef, ontdekte ik een heel ander verhaal. De fattoush was een herinnering aan een mooie, voorbije tijd waarin gewone Iraakse gezinnen naar de landen aan de Middellandse Zee konden reizen. De hummus zonder olijfolie herinnerde je eraan dat plantaardige olie in Irak oorspronkelijk uit sesamzaad geperst werd, zoals Herodotus al schreef, en niet uit olijven. Zelfs in de kebabs vond je allerlei betekenislagen: kipkebab heet in Beirut en het grootste deel van de Levant shish taouk, maar in Bagdad *tikka dajaj*. Volgens Zubaida is 'tikka' een oud Perzisch woord (dat in Iran niet langer gebruikt wordt maar nog wel veel voorkomt in Zuid-Azië en Irak) voor één of meerdere stukjes vlees. Een simpele spies met vlees, maar in de verschillende namen klinkt een verhaal door over koninkrijken die vechten om een land waar de beschaving zoals wij die kennen begonnen is.

Toen ik met Zubaida en dr. Salama praatte, realiseerde ik me eindelijk waarom het eten in het Hamra Hotel zo slecht geweest was: het was niet Iraaks. Het eten dat buitenlanders in hotels en restaurants aten, kwam helemaal niet uit Irak, maar was een slordige vertaling van mediterrane gerechten. Iraaks eten beoordelen op grond van de meze – ongelukkige emigranten uit het rijk van olijf, vijg en wijnstok – die je at in de wat duurdere hotels en restaurants van Bagdad, was als het terzijde schuiven van de keuken van het Midden-Westen nadat je tjaptjoi had gegeten in het winkelcentrum van een buitenwijk van Indianapolis.

Tijdens de zomer van 2004 lunchten we vaak bij sjeik Fatih en dr. Salama. Soms serveerden ze masquf, soms kip en lam. Geroosterd vlees is iets ceremonieels, het eten dat je traditioneel serveert om een gast te eren. Tijdens ons laatste bezoek kregen we echter iets heel anders te eten.

Dr. Salama stuurde twee van haar jonge lijfwachten om ons op te halen. De ene was mager, met een smal, verweerd gezicht en een boze blik. De ander was nog maar een kind, met mollige wangen onder zijn pluizige baard. Ze begroetten ons door hun hand op hun hart te leggen. Zodra ze glimlachten, veranderden hun wanhopige gezichten totaal; opeens zagen ze er bijna hoopvol uit. Toen brachten ze ons naar een kogelvrije zwarte Mercedes.

In de auto schoof de jongere lijfwacht een bandje in de cassetterecorder. Het was *latmiyat*, de ritmische, dreunende liederen die het bloedbad in Karbala herdenken. Terwijl we door de straten reden, begon hij zachtjes met de muziek mee te zingen. Mohamad en ik keken elkaar aan en pakten zonder iets te zeggen elkaars hand vast.

Toen we bij het huis waren, reden de lijfwachten door het hek, dat ze zorgvuldig achter zich dichtdeden en op slot draaiden voor we uit de auto stapten. Op het gras voor het huis stonden nog meer veiligheidsmensen.

Sjeik Fatih begroette ons bij de deur en nam ons mee naar de zitkamer waar de vrouwenbijeenkomsten hadden plaatsgevonden. De Kashif al-Ghitta's stamden af van een hele reeks geestelijken; het was een oude religieuze familie waarvan de naam 'ontsluieren wat bedekt is' betekent. Dr. Amal liet ons portretten van familieleden uit Najaf zien en een prachtige geschilderde stamboom. We gingen zitten in de studeerkamer van sjeik Fatih, die vol stond met boeken, en praatten over politiek. Daarna gingen we naar beneden om te lunchen.

De tafel was beladen met eten: stomende schotels met donzig zachte, goudkleurige rijst. Gebakken riviervis in tomatensaus. Geroosterde kip met saffraan. *Tebsi baitinjan*, mijn favoriete stoofgerecht uit Irak: aubergine, tomaat, aardappel, paprika en specerijen, bedoeld om over de rijst te scheppen.

'Probeer dit eens,' zei sjeik Fatih terwijl hij ons de schaal met vis voorhield. 'Het is een specialiteit uit Najaf, iets wat we daar hebben leren kennen. Het is heerlijk.'

Net als veel eten uit Zuid-Irak was deze maaltijd zwaar beïnvloed door de Perzische keuken; de saffraan bij de kip, bijvoorbeeld. Als toetje aten we *sohan*, een soort knapperige toffee met pistachenoten en gebrande suiker uit de eeuwenoude heilige Iraanse stad Qom. Het eten en de religie van Iraakse sjiieten zijn zo met elkaar verbonden dat de schoonvader van Saddam hen ooit neerbuigend *ahl al-mutah wal fesenjoon* noemde: 'de mensen van het tijdelijk huwelijk en fesenjoon'. (Als hij het geluk gehad had om van beide te kunnen genieten, zou hij zich gerealiseerd hebben dat het eigenlijk een compliment was.) Dit soort eten vond je niet in de restaurants van Bagdad. De vrouw van sjeik Fatih had deze maaltijd speciaal bereid voor ons en onze vriend Moisés, een Spaanse fotograaf wiens nationaliteit bij sjeik Fatih een herinnering opriep.

'Ooit, vele jaren geleden, was ik in Spanje,' vertrouwde hij ons uitgelaten toe. 'Wat een prachtige plek.'

Net als zijn moeder had sjeik Fatih natuurwetenschappen en filosofie gestudeerd, en daarnaast islamitische jurisprudentie. Hij had in zijn jeugd gereisd: Spanje, Zwitserland, Italië en Libanon. In Rome had hij spaghetti gegeten. In 1978 had hij op een fototentoonstelling in Zwitserland een foto gezien van een man die voor de Joegoslavische dictator Tito knielde en zijn veters strikte. 'Het leerde me de schoonheid van lelijke dingen,' vertelde hij ons, 'iets wat heel ingewikkeld is, maar wat je wel helpt om te begrijpen.'

In Spanje had hij Spaans gegeten in een restaurant. 'Ik herinner me nog dat ik daar iets zeer smakelijks heb gedronken,' mijmerde hij. 'Het was

heerlijk. Ik geloof dat het een soort nationale drank is in Spanje.' Hij glimlachte en keek met gefronst voorhoofd naar Moisés. 'Hoe heet de nationale drank van Spanje?'

Niemand zei iets. Ik kon aan Mohamads gezicht zien dat hij hetzelfde
dacht als ik: sangria. Als de sjeik zonder het te weten wijn had gedronken,
wilden we daar liever niet de aandacht op vestigen. Zwijgend probeerden
we die belangrijke boodschap door te seinen naar Moisés: alsjeblieft, Moisés, niet sangria zeggen.

Moisés was stil, misschien had hij wel een kater, en zat voorovergebo-
gen boven zijn bord. 'De nationale drank van Spanje is wijn, man.'

Sjeik Fatih lachte toegeeflijk. 'Nee, nee, het was geen wijn!' bromde hij.
'Het was zoet! Heel zoet, heerlijk.'

Misschien was het toch geen sangria geweest. Misschien was het *hor-
chata*, of iets anders. Misschien bestaat er nog een andere nationale drank
van Spanje.

'Hoe smaakte het?' vroeg ik.

'Ah...' antwoordde hij, terwijl hij in de verte staarde en genoot van zijn
reisherinneringen. 'Ik kan me herinneren dat het rood was, en er zat fruit
in. Heerlijk, heel zoet.'

Om van onderwerp te veranderen zei ik snel dat de vis uit Najaf erg
lekker was. En omdat we onder vrienden waren, merkte ik op dat mijn
grootmoeder Grieks was en dat de manier waarop de vis was klaargemaakt erg Grieks aandeed: gestoofd in een saus van tomaat en ui.

'Grieks?' zei dr. Amal. 'Heb je Aristoteles gelezen? Ik vind de Grieken
erg inspirerend.'

'In onze hawza hebben we Aristoteles gelezen,' vertelde sjeik Fatih.

'En *Kikkers* van Aristophanes,' vulde dr. Amal aan. 'Dat is een uitstekende beschrijving van de politiek. Het zou kunnen gaan over de Iraakse
politiek van vandaag. Heb je dat gelezen?'

'Ja, en *Wolken*!' antwoordde ik. 'Aristophanes is mijn favoriete Griekse
toneelschrijver. Maar vergeet *Kikkers*... heeft u *Lysistrata* gelezen?'

Dr. Amal schudde haar hoofd. Ze fronste en keek om naar sjeik Fatih
en dr. Salama. Niemand had *Lysistrata* gelezen.

'Dat is mijn favoriete Griekse toneelstuk!' zei ik, me niet bewust van
het klif waar ik op afrende. 'Het gaat over een tijd waarin de Grieken al,
ik weet niet, jaren aan het oorlog voeren zijn, en de mannen houden maar
niet op met tegen elkaar vechten. En dus steken de vrouwen de koppen
bij elkaar en zeggen tegen de mannen dat tenzij ze stoppen met vechten...' Ik stopte abrupt toen ik me realiseerde wat ik op het punt stond te
gaan zeggen.

Ze keken me verwachtingsvol aan: dr. Salama in haar zwarte abaya,
sjeik Fatih met de tulband van de geestelijke, en dr. Amal, zijn al wat
oudere moeder. Dit waren diep religieuze mensen, hoeveel Griekse filosofie ze ook lazen. Hoe kon ik hun vertellen over *Lysistrata*, een toneelstuk
dat barstte van de rauwe seksuele grappen en dat oorspronkelijk werd op-

gevoerd door mannen die gigantische leren fallussen droegen? Een stuk waarvan de plot erom draait dat de vrouwen tegen de mannen zeggen dat ze de seks wel kunnen vergeten tenzij ze stoppen met oorlog voeren?

Ik keek wanhopig naar Mohamad. Hij had *Lysistrata* niet gelezen. Hij wachtte ook op mijn antwoord.

'De vrouwen steken de koppen bij elkaar en spreken met elkaar af dat ze totdat de mannen stoppen met vechten, eh... niets met hen te maken willen hebben,' besloot ik.

Dr. Amal en dr. Salama keken elkaar aan, hun ogen rond van verbazing. Toen keken ze weer naar mij.

'Dat is geweldig!' zei dr. Salama. 'Dat toneelstuk moet ik lezen. Dat is precies wat wij proberen te doen met de vrouwen van Sadr City!'

Eind juli 2004, een maand nadat L. Paul Bremer de macht had overgedragen aan de interim-regering van Irak, werden de broer en een neef van onze vriend Ali, de dichter, vermoord in een hinderlaag die voor hem bedoeld was. Iemand – militanten, criminelen, veel verschil was er niet – had geprobeerd de vrouw van sjeik Fatih te ontvoeren. De oom van een andere vriend was neergeschoten terwijl hij in de voortuin stond, om redenen die niemand kende. Abu Rifaat en de meeste andere Iraakse christenen probeerden wanhopig het land te ontvluchten. Zelfs Alan King vertrok. We ontmoetten hem in de Groene Zone voor een troosteloos afscheidsetentje, vlak voordat zijn dienst erop zat. 'Ik heb het gevoel dat ik deze mensen in de steek laat,' zei hij. Zijn roze gezicht leek bijna in tranen. 'Alsof dit een zinkend schip is en ik in een reddingboot stap en hen achterlaat. We laten deze plek slechter achter dan hij was toen we kwamen.'

Wat Roaa betreft: zij was gestopt met haar baan bij Al-Hurra. De levensverwachting van Iraakse journalisten was zeer laag. Op een dag had een oude man die op de rand van de stoep zat tegen een van haar collega's gezegd dat hij het weliswaar niet eens was met de opstand, maar dat hij de opstandelingen toch wilde helpen om 'jullie die voor de Amerikanen werken' allemaal te ontvoeren. Niet lang daarna zegde Roaa haar baan op. Voor ons vertrek – we zouden over een paar maanden terugkomen; dat dachten we op dat moment tenminste – nodigde ze ons bij haar thuis uit voor de lunch.

Zodra we de oprit op waren gereden, wierp Roaa een snelle blik op straat en sloot toen het metalen hek. Tijdens de korte wandeling van de oprit naar haar voordeur zorgden Mohamad en ik ervoor dat we geen Engels met elkaar spraken. Als de buren vroegen wie het bezoek was, wat ze zeker zouden doen, zou Roaa hun vertellen dat we Koerdische familie uit Sulaimania waren. Ik droeg de zwart met grijze polyester hijab van Umm Hassane – ik ging tegenwoordig het huis niet meer uit zonder hoofddoek – en Abu Zeinab had ons hierheen gebracht in zijn nieuwe auto met het stuur aan de rechterkant, een auto waarvan niemand zou denken dat hij Amerikaans was. Al deze poppenkast was nodig geweest om opstandelingen te kunnen interviewen, of vrouwelijke activisten die onder constante bedreiging van de opstandelingen stonden, of universiteitsprofessoren, die een voor een vermoord werden. Maar in de zomer van 2004 waren dit soort intriges zelfs nodig voor zulke onschuldige missies als lunchen bij een Iraakse vriendin.

Ik had gedacht dat het een informele lunch zou zijn, maar toen we het huis in liepen, zagen we dat het iets anders was: een *sufrah*, een feestmaal. *'Beitik aamra, sufrah aamra'* is een Iraakse uitdrukking die zoiets betekent als: 'Moge je huis altijd openstaan voor anderen, moge je tafel altijd vol staan met eten.'

Roaa had een afscheidsmaal gemaakt met al mijn favoriete plaatselijke gerechten. Ze was de avond ervoor begonnen en had een enorme dolma gemaakt, de karakteristieke Iraakse mix van gevulde groenten. Er zaten niet alleen wijnbladeren en courgettes in, maar ook tomaten, groene paprika's, aubergines en zelfs uien en snijbiet, allemaal gevuld met geurige rijst en vlees, die ze urenlang had laten stoven in een pan met op de bodem een laag lamskoteletten. Het gerecht domineerde de tafel, een stomende berg van paars, donkergroen en rood, de kleuren broeierig en intens zoals in een schilderij van Braque. Ze had een Iraaks gerecht uit het noorden gemaakt, dat *kubbet hamudh* heette, een soort langwerpige 'hamburgers' van gemalen tarwe en gekruid gehakt, die vervolgens worden gestoofd in een scherpe tomatensaus. Ze had ook tebsi baitinjan gemaakt, omdat ze wist dat ik daar gek op was. (Ze had me uitgelachen toen ik haar verteld had hoeveel ik daarvan hield: 'Weet je, Annia, dat is echt heel gemakkelijk te maken.') En met een knipoog naar Mohamads nationaliteit serveerde ze tabouleh, luchtig en vers, de bulgur nog een beetje knapperig, zoals ze het in Beirut maken.

'Ik had geen idee dat jij zo lekker kon koken,' zei ik toen we aan tafel gingen. Roaa wilde diplomaat worden, ambassadeur. Geen huisvrouw.

Ze keek opzij naar haar moeder en glimlachte. 'Wij hebben een spreekwoord: wie les krijgt van een goede leraar, wordt uiteindelijk zelfs beter dan zijn leraar.'

Haar moeder glimlachte terug, trots ondanks het plagerige compliment. Ze had haar dochter misschien leren koken, maar ze had haar ook geleerd om altijd te zeggen wat ze dacht.

We gingen aan tafel zitten. Roaas stille, beschermende oudere broer Schwan was er ook. Eindelijk ontmoette ik bovendien Roaas jongere broer Shko, 'een genie met computers' over wie ik al maandenlang hoorde. Hij was verlegen en mollig en glimlachte in plaats van te praten. 'Ik zeg steeds dat hij zich bij goede universiteiten moet inschrijven,' zei ze, 'want nu zijn er geen extra punten meer, geen vriendjes van de president.'

Alleen Roaas vader was afwezig. Op zijn zevenenzestigste was hij in Jordanië, op zoek naar werk. 'Wij vinden het maar niets, omdat hij al oud is,' vertelde Roaa. 'Maar het is moeilijk voor hem om te niksen.'

Ik bedacht dat het voor haar ook moeilijk moest zijn, maar dat zei ik niet.

Toen we zoveel van de berg dolma hadden weten te verorberen als we konden en er geen tebsi meer over was, keken Mohamad en ik elkaar aan en zeiden iets over vertrekken.

'Waar wilden jullie naartoe?' vroeg Roaa. 'We hebben nog geen dessert gehad!'

Ze verdween in de keuken en kwam terug met een bakplaat met een doek erover. We verhuisden naar de woonkamer om koffie en thee te drinken op houten stoelen en banken bij het raam. Ze onthulde haar meesterstuk: een bananenroomtaart, bedekt met een laag heldere, kersenrode Jell-O. Feestelijke schijfjes banaan hingen als kleine maantjes in de glasachtige rode gelei.

'Waar heb je geleerd om dat te maken?' vroeg ik stomverbaasd, vergetend dat recepten, anders dan mensen, landsgrenzen kunnen oversteken zoveel ze maar willen.

Ze bracht haar kin naar haar borst en trok een wenkbrauw op, en even zag ze er precies zo uit als Umm Hassane. 'Weet je, Annia,' zei ze lachend, 'we weten heus wel hoe we dat soort dingen moeten maken. Het is zelfs een specialiteit van ons.'

In het eten dat Roaa die dag voor ons had klaargemaakt, lag een kosmopolitisch idee besloten, het vormde een samenkomst van culturen die in het DNA van de ingrediënten verankerd waren. De kubbet hamudh bevatte de oude, inheemse granen, maar ze had die verfijnd en gemengd met vlees. Het gerecht had de tomaat, de raap en andere indringers uit Azië en Noord- en Zuid-Amerika geabsorbeerd. Onder de Ottomanen, de Byzantijnen voor hen en de Parthen en de Sassaniden voor hen, waren de gevulde groenten over bergen en langs rivieren gereisd, van het Middellandse Zeegebied naar Mosul, Aleppo en Anatolië, waar ze bekendstonden als dolma; ze bezochten de keukens van moslims, christenen en joden; van Koerden en Armeniërs, soefi's en salafisten, sprekers van het Arabisch en het Aramees, koningen en gewone mensen, Ottomaanse pasja's en Britse sahibs, tot ze aankwamen bij de tafel waaraan we samen met Roaa zaten, in Bagdad aan het einde van de zomer van 2004.

Voor Roaa betekenden de uren die ze thuis aan het koken was een twijfelachtige verlossing; ze vormden een gevangenis maar ook een toevluchtsoord. Ooit had ze ervan gedroomd om naar andere landen te reizen. Nu kon ze niet eens door de stad rijden. Opgesloten in hun keukens verlangden Irakezen zoals zij er nog steeds naar om de wereld te ontdekken. Allemaal verrichtten ze dezelfde handelingen: ze kookten rijst en sloten de pan af met aluminiumfolie – of, voor de generatie van na de sancties, met een plastic zak – zoals de mensen van lang geleden de hunne afsloten met brooddeeg. Ze strooiden zout over de aubergines en zetten die vervolgens onder water met een bord erop. Ze wasten de kip en het vlees, misschien 'God zij dank' fluisterend terwijl ze hun mes oppakten om het vlees te snijden. Ze holden courgettes, tomaten en paprika's uit; miljoenen handen rolden wijnbladeren in Basra, Mosul, Bagdad, Sulaimania, Erbil en duizenden dorpen door heel Irak. Via de universele handeling van het doorgeven van recepten, gaven ze ook de herinnering aan andere plaatsen, andere werelden door. Zolang die herinnering in wat voor vorm dan ook bestond – kookboeken, recepten, en bananenroomtaart – zou die overleven.

Deel III

Beirut

In Beirut borrelt het als in een kookpan!
– Tawfiq Yusuf Awwad, *Death in Beirut*

Hoofdstuk 16

De republiek van *foul*

Na een maand in New York en nog een maand van vruchteloos zoeken naar een appartement in Beirut, miste ik Bagdad. Ik miste de dadelpalmen, de droge, gele hitte en de harde medeklinkers van het Iraakse Arabisch. Ik miste Roaa, dr. Salama en Abu Rifaat. Begin oktober 2004 had *The Christian Science Monitor* me gevraagd om me later die maand bij de reguliere roulerende poule van correspondenten in Irak te voegen, en ik keek ernaar uit om terug te gaan.

Er was maar één probleem. In de tweeënhalve maand dat we weg geweest waren, waren er negen buitenlandse journalisten ontvoerd, de meesten van hen freelancers zoals ik. Een groep die zichzelf 'het Islamitische Leger in Irak' noemde, had een Italiaanse freelancer geëxecuteerd en een videoband met beelden van zijn lichaam naar Al Jazeera gestuurd. Militanten hielden nog steeds twee Franse verslaggevers vast, van wie we er een kenden. Een Australische journalist werd opgepakt vlak nadat hij het Hamra Hotel verliet en het leek erop dat iemand in het hotel of vlak erbuiten de ontvoerders getipt had. Ze richtten zich vooral op freelancers en kleine nieuwsorganisaties zonder beveiliging, zoals de *Monitor*.

Twee avonden voor mijn vlucht naar Amman keek ik naar een korrelige video op Al Jazeera. Gemaskerde figuren met kappen op stonden voor een zwarte vlag met witte Arabische letters. Hun monden gingen geluidloos open en dicht terwijl ze van alles schreeuwden. Een gevangene knielde voor hen. Zonder emotie, alleen met een glimp nieuwsgierigheid, zag ik dat ik het zelf was. Een van de gemaskerde mannen greep het hoofd van de gevangene en duwde het naar achteren, en op dat moment werd ik wakker. Ik was niet bang, maar ik wist dat de droom me vertelde dat ik dat wel zou moeten zijn.

'Luister Annia, ik weet dat je het geweldig vindt om voor de *Monitor* te werken,' zei Mohamad. 'En als je echt wilt gaan, zal ik je niet tegenhouden. Maar vergeet niet dat je niemand iets hoeft te bewijzen. Ik weet dat je een goede journalist bent.'

'Ik probeer helemaal niets te bewijzen.' Ik was boos; iedereen leek te denken dat dit een emotionele kwestie was, maar wat mij betreft had het niets met gevoelens te maken.

'Ik weet dat je het gevoel hebt dat je het verhaal in de steek laat als je niet teruggaat,' zei hij. 'Ik weet hoe dat is. Ik weet dat het niks met ego te maken heeft. Maar bedenk alsjeblieft dat geen enkel verhaal – niet één onderwerp waarover je zou kunnen schrijven – belangrijk genoeg is om ervoor te sterven. En je helpt er niemand mee, je krijgt niemands aandacht voor het verhaal door daar te zijn en ontvoerd te worden.'

De dag dat ik naar Amman zou vertrekken, werd ik gebeld door de vaste verslaggever van de *Monitor*, Scott Peterson. 'Luister Annia, het gaat echt niet goed hier,' zei hij. Hij sprak heel snel en klonk afgeleid. 'Vanochtend is Margaret Hassan ontvoerd.'

Margaret Hassan was een Ierse vrouw die getrouwd was met een Irakees, zich bekeerd had tot de islam en al sinds 1972 in Bagdad woonde. Ze werkte voor een internationale liefdadigheidsinstelling en spande zich al decennialang in voor een goede gezondheidszorg en schoon water voor de Irakezen.

'We weten niet wat er gebeurd is. Misschien is ze niet ontvoerd. Het is niet duidelijk. Maar het is niet goed. Helemaal niet goed. Weet je zeker dat je wilt komen?'

'Nee,' antwoordde ik.

Mohamads ouders nodigden ons uit om bij hen te blijven logeren tot we zelf een woning zouden vinden, maar we hadden liever een meer centraal gelegen locatie om serieus op huizenjacht te kunnen gaan. Onze vriend Hazem, die voor de krant *Al-Hayat* schreef en met wie we de ramadan in Bagdad hadden doorgebracht, hielp ons om met korting een kamer te krijgen. Het was in het Berkeley, een klein hotel aan de Jeanne d'Arcstraat in een buurt die Hamra heette. We verwachtten er niet lang te zullen blijven.

Beirut steekt vanaf de oostelijke kust de Middellandse Zee in als de kop van een gigantische geit. De noordwestelijke hoek van de stad steekt zelfs nog verder uit, een koppig bultje dat Ras Beirut heet, 'de kaap van Beirut', en daar vind je Hamra, de beroemde straat die de buurt zijn naam heeft gegeven.

Hamra was van oudsher een gemengde buurt, met moslims, maronieten, Armeniërs, Grieks-orthodoxe christenen en zelfs Amerikaanse protestante zendelingen. Het was van meet af aan een opstandige, kosmopolitische wijk; een van die plekken waar feit en fictie in elkaar overlopen, wat waarschijnlijk de reden is waarom de buurt altijd schrijvers heeft aangetrokken. Een onevenredig aantal romans speelt zich af in Ras Beirut, vooral veel boeken die gaan over de burgeroorlog en de periode daarvoor, toen de Hamrastraat de chicste winkelstraat van de stad was. Hier zat de winkel waar onze vriendin Leena tijdens de burgeroorlog haar panty's kwam kopen, zelfs toen leden van de milities de straten onveilig maakten. Hier zat het beroemde Wimpy-restaurant, in 1975 het hoogtepunt van het modieuze vooroorlogse Beirut. Nu was het een stoffige plek waar de tijd had stilgestaan en waar rokende oude mannen op gebarsten oranje plastic stoelen de hele dag deden over één kopje koffie, als geduldige grijze hagedissen.

Mansour, een vriend van ons en ook journalist, zat op een dag met een vriend van hem in een van de beroemde cafés van Hamra. Ze begonnen te speculeren over wat er zou gebeuren als er weer een burgeroorlog zou uitbreken. Elk café zou zijn eigen militie hebben, grapten ze. De strijders van Café Younes zouden zij aan zij vechten met de Baromètre Brigade! De vaste klanten van Regusto zouden het opnemen tegen die van Starbucks! Ze lachten om het idee dat de eeuwige koffiedrinkers van Hamra in opstand zouden komen.

Een oude man die kettingrokend aan het tafeltje naast hen zat, hoorde ze praten. Hij draaide zich om en staarde Mansour doordringend aan. 'Ik was hier tijdens de burgeroorlog,' zei hij. 'Ik heb gevochten in Hamra. En je kunt nu wel lachen, maar ik kan je vertellen dat het precies was zoals je zegt.'

Onze kleine suite in het Berkeley Hotel was sjofel maar schoon. Door de deur kwam je meteen in een smalle woonkamer met een bruine kunststof tweezitsbank, een televisie en één stoel. (Boven de bank hing een gravure met het onderschrift *L'Arrivée des Mariés*, van een negentiende-eeuws paartje dat uit een door paarden getrokken koets stapte, wat erop leek te wijzen dat het de bruidssuite was.) Rechts van de deur was een nis van ruim een meter diep met daarin een piepklein aanrechtje en een minikoelkast. Links, achter de televisie, was een deur die naar een kleine slaapkamer leidde, met een bed, een badkamer en een kaptafeltje dat we als bureau gebruikten. Het was absoluut niet luxueus, meer een piepklein appartementje zonder echte keuken. Maar het mooie van het Berkeley Hotel was het balkon, dat groter was dan de twee kamers samen.

Beirut is een stad van balkons. De anderhalf miljoen inwoners van Groot-Beirut beschikten slechts over een handvol piepkleine openbare parkjes, geen ervan bijzonder groen. En dus maakten de mensen hangende tuinen, net als Nebukadnezar. Balkons en daken stroomden over van het groen: geraniums, bougainvilles, rozemarijn en frangipane. Een stad van tuinen midden in de lucht.

Vanaf het dak van het Berkeley Hotel kon ik een heel chique daktuin zien, met teakhouten tuinmeubilair en palmbomen in potten van Exotica, de dure winkel met tropische planten, die een vermogen gekost moesten hebben. Aan de overkant van de straat stonden roestige olijfolieblikken met tomatenplanten en basilicum, en oude mannen in door de motten aangevreten truien zaten 's avonds op oude kratten een sigaretje te roken. Een haan paradeerde rond met het air van een landheer en keek met zijn kraaloogjes van de ene naar de andere kant alsof hij toezicht hield op zijn lijfeigenen.

Inwoners van Beirut hielden duiven op hun daken, een eeuwenoude praktijk van de Arabieren tijdens de kruistochten om berichten uit bezette steden te kunnen versturen (en ooit, tijdens de tiende eeuw, om verse kersen uit Libanon naar de kalief van de Fatimiden in Egypte te sturen). Eén duivenhouder in Hamra had de leider van zijn vogels diep fuchsiaroze geverfd, dezelfde fluorescerende kleur als de rapen ingemaakt in bietensap die de restaurants in Beirut serveerden. Elke keer dat ik de witte vogels langs de blauwe hemel zag vliegen, achter hun borsjtkleurige leider aan, moest ik denken aan de militie uit Beirut die oorlog en mode had samengebracht door knalroze uniformen te dragen. Misschien had een of andere naoorlogse halfgod de strijders toen de gevechten voorbij waren veranderd in duiven. Vanaf het balkon leek alles mogelijk.

Onze kamer was zeven verdiepingen boven de straat; van die hoogte klonken de claxons van de auto's als het verre geblaat van schapen. We konden de hectiek in de Hamrastraat zien, met de taxistandplaatsen en de mannen die zaten te ruziën voor de goktent Royal Flush en het Barbarella Amusement Center. We konden de bergen zien, met hun besneeuwde toppen in de winterzon of gehuld in mist tijdens de herfstregens. We konden de schreeuwerige flamingo- en abrikooskleurige zonsondergangen van de stad zien. Wanneer boven Hamra de schemering inviel, konden we de danseressen uit Marokko en de voormalige Sovjet-republieken in hun superstrakke paarse korte broekjes uit het Pavillon Hotel zien komen en in de minibusjes zien stappen die hen naar de neonverlichte kuststrook met al zijn nachtclubs brachten.

Ik kromp nog steeds in elkaar als ik langs geparkeerde auto's liep. Elke keer dat ik een hard geluid hoorde, sprong ik op. Ik stak de straat over om vuilnisbakken te vermijden omdat daar zelfgemaakte bommen in zouden kunnen zitten, en in cafés ging ik zo ver mogelijk bij de espressoapparaten vandaan zitten. Wanneer ik langs onze vredige buurtmoskee liep, verwachtte ik half en half duizenden mannen naar buiten te zien stromen, zwaaiend met hun armen en 'Muqtada! Muqtada!' schreeuwend. Begin oktober had een kleine bom de auto van een politicus opgeblazen toen die door Ras Beirut reed. Hij overleefde het, maar zijn chauffeur niet, en de explosie versterkte mijn geloof dat alles – een slaande deur, de knalpot van een vrachtwagen, kinderen die rotjes afstaken – een bom was.

Maar hoe langer ik door de straten van Hamra sloop, hoe verder deze angsten weggleden in het boze verleden. Op de een of andere manier was Beirut tijdens al ons heen-en-weer reizen, het rijden en vliegen van Irak naar Libanon en terug, veranderd in thuis.

Een paar weken nadat we waren teruggekomen, bood een makelaar aan om ons een appartement te laten zien in een wijk aan de andere kant van het centrum. We liepen door Hamra naar de Amerikaanse Universiteit van Beirut, langs de banyanboom bij de Medical Gate, en vervolgens langs de John Kennedystraat. Langs het bleke spookschip van het Holiday Inn Hotel, dat nog altijd leegstond en dat sinds de 'Oorlog van de Hotels', een van de vele kleine maar bloederige conflicten die samen de vijftienjarige burgeroorlog vormden, vol kogelgaten zat. De Fakhreddinestraat oversteken en dan Bab Idriss in – de poort van Idriss – een buurt waarvan de naam dateert van eeuwen geleden, toen de stad nog ommuurd was om indringers tegen te houden. We liepen door Wadi Abu Jamil, de oude joodse wijk, langs de paar Ottomaanse villa's die ten dode waren opgeschreven en binnenkort gesloopt zouden worden, en de gelikte kopieën die daartussen uit de grond gestampt werden. De oude gebouwen roken naar wilde rozemarijn en kamille. Vleermuizen schoten langs de glasblauwe vroege avondhemel. We staken de Bankstraat over, langs het parlementsgebouw het oude centrum van Beirut in.

Het oude centrum lag rond Sahat al-Nijmeh, het Ster-plein, dat eigenlijk rond was, de plek waar vele klinkerstraatjes als de spaken van een wiel bij elkaar kwamen op een open plek met in het midden een hoge klokkentoren in art-decostijl. (Libanon stond vanaf het einde van de Eerste Wereldoorlog tot 1943 onder Frans bestuur, en het plein werd tijdens die jaren van het Franse mandaat ontworpen als een miniatuurversie van het Place d'Étoile, de as van Haussmanns radiale ontwerp van Parijs.) In de grote open cirkel rond de klokkentoren slenterden jongens en meisjes die deden alsof ze niet naar elkaar gluurden. Kinderen reden op driewielers en gooiden met rubberballetjes. Kindermeisjes uit Sri Lanka en de Filippijnen renden achter ze aan, terwijl ouders in de openluchtcafés zaten en waterpijp rookten. Overal op straat stonden stoelen en tafeltjes, vol met mensen die zaten te eten en te praten en te lachen. Behalve de Corniche, de boulevard die langs de rand van Ras Beirut en de zee liep, was er in Beirut weinig openbare ruimte. Het was een genot om omringd te zijn door zoveel mensen.

Vóór de burgeroorlog was het stadscentrum één grote souk. Mensen kwamen er uit heel Libanon naartoe om van alles te kopen, van meubels tot etenswaren: kleren, koffie, kranten, specerijen, boeken. Net zoals ooit in de Romeinse kolonie Berytus de karavanen de verbinding hadden gevormd met de regionale handelsroutes, was het vooroorlogse stadscentrum een verzamelplaats waar alle Libanezen konden proeven van de geneugten van het kosmopolitische leven. Ze konden films bezoeken, op zoek gaan naar prostituees, meedoen aan demonstraties, hun tomaten verkopen, tweedehands boeken kopen of luisteren naar een *hakawati*, een traditionele verhalenverteller. Er waren zelfs onofficiële koffieplekken, waar dorpelingen uit dezelfde streek konden samenkomen om koffie te drinken terwijl ze wachtten op taxi's die hen met zijn allen terug zouden brengen naar hun eigen woonplaats.

Tijdens de oorlog liep de Groene Lijn dwars door het centrum. Sluipschutters richtten op elkaar en op alle burgers die zich toevallig tussen hen in bevonden. De prachtige oude gebouwen met hun Parijse arcades werden kapot geschoten en gesloopt. De straten lagen vol puin en barricades. Twee jaar nadat de oorlog was afgelopen stelde de premier van Libanon, Rafik Hariri, een dramatische renovatie van het oude centrum voor.

Hariri was een miljonair en bouwtycoon die zijn vermogen in Saoedi-Arabië verdiend had, waar hij voor de koninklijke familie werkte. Hij droomde ervan om Beirut terug te brengen in zijn vooroorlogse staat: een glanzende wereldstad vol winkels en banken, een Dubai aan de Middellandse Zee. Hij schopte kleine winkeleigenaars, koffiekraampjes, kruideniers, boekverkopers, restauranthouders en een groot deel van de inwoners van de wijk eruit en bood de meesten van hen compensatie aan in de vorm van aandelen in een gloednieuw bedrijf dat Solidère heette. Veel huurders en huizenbezitters beweerden dat het bedrijf hun eigendom expres te laag getaxeerd had, maar er was niets wat ze daaraan konden doen; de overname van het centrum door Solidère was afgesproken tussen het bedrijf van Hariri, de regering van Hariri en een van Hariri's voormalige werknemers, die aan het hoofd stond van de overheidsorganisatie die moest zorgen voor de wederopbouw van Libanon.

Hariri maakte van het verwoeste stadscentrum een luxueus voetgangersgebied en winkelcentrum, waar rijken uit de hele wereld uit Azië overgevlogen sushi konden eten, bij La Perla met veren afgezette strings konden passen of bij Bang & Olufsen voor duizend dollar een telefoon in de vorm van een banaan konden kopen. Solidère en zijn grootaandeelhouders verdienden miljoenen terwijl de staatsschuld van Libanon omhoogschoot; in 2005 was de ratio overheidstekort-bruto binnenlands product in Libanon de op een na hoogste ter wereld (achter Malawi), en Hariri, die tegen die tijd netto 4,3 miljard waard was, stond in het tijdschrift *Forbes* op de 108e plaats van de lijst met rijkste mensen ter wereld.

Maar Hariri bouwde op wat anderen hadden verwoest en daarom waren mensen bereid hem een boel corruptie te vergeven. Hij was de zoon van een soennitische fruitplukker uit Sidon, een selfmade man – charismatisch en bot, geneigd tot het gulle gebaar – en weinig andere Libanese leiders vóór hem hadden een visie getoond die religie en afkomst oversteeg. Hij was nooit krijgsheer geweest, had nooit aan het hoofd van een militie gestaan. De mensen mopperden over hoe hij het centrum had overgenomen, maar toch hielden velen van hem, zelfs sommige mensen die hun huis of bedrijf waren kwijtgeraakt. Het appartement dat we zouden bekijken lag in een buurt die door zijn bedrijf was herbouwd, een wijk die Saifi Village heette.

Beirut had nog steeds buurten waar elke ochtend oude mannen binnenfietsten, hun rijwielen volgehangen met de hoepelvormige sesambroden die *kaak* heetten, en die vervolgens luid 'Kaaaaa-EEEK!' riepen. Dan kwamen de vrouwen naar buiten hun balkons op, lieten een mandje met geld naar beneden zakken en haalden dat vervolgens gevuld met brood weer op. Oude mannen duwden wagens met fruit en groenten door de straten. Winkeleigenaars voerden de zwerfkatten op hun stoep. Lotenverkopers liepen heen en weer en schreeuwden: 'Dit is de dag! Dit is de dag!' Oude dametjes op hoge hakken trippelden elke dag over stoepen vol gaten naar de kruidenier. Leeglopers gebruikten de trottoirs als hun huiskamer, maar deden een stap opzij zodra er een vrouw langszeilde, en soms neurieden ze een paar maten van een liefdesliedje, waardoor het op sommige dagen als je door de straten liep, leek alsof de hele stad één lange serenade aan het zingen was.

Saifi Village was niet zo'n soort buurt. Tijdens de oorlog had dit gebied in de frontlinie gelegen. Nu was het een fantasieland van lichtroze en lichtgeel gepleisterde villa's met opengewerkte luiken. De wijk werd aan alle kanten omgeven door snelwegen en parkeerplaatsen, waardoor je er te voet nauwelijks kon komen. De lege straten gaven je het gevoel opgesloten te zitten in de gipsen maquette van een architect. Kleine tuinen werden afgesloten door hekken en waren ontoegankelijk voor het publiek. Boetiekjes verkochten handgemaakte leren tasjes die drie of vier keer het Libanese minimummaandloon – in die tijd tweehonderd dollar – kostten. We zouden het ons nooit kunnen veroorloven om hier te wonen, en dat vond ik prima.

De makelaar was een sombere, verslagen uitziende man met afhangende schouders, die stuurs met ons door het veel te dure appartement schuifelde, waarvan we alle drie wisten dat we het niet zouden huren. Toen we weer buiten voor de exclusieve boetiekjes stonden, liet Mohamad vallen dat we in Bagdad geweest waren.

'Bagdad?' De makelaar ging plotseling rechtop staan. 'Daar hebben ze autobommen! Voortdurend, net als hier tijdens de oorlog!' Hij wees langs een paar keurig geknipte heggen naar het parkeerterrein. 'Je kijkt naar een auto en *BOEM!* Hij ontploft!' Hij hield zijn armen wijd om de explosie te illustreren. 'Deze auto hier, die auto daar! Je wist nooit welke auto. Het kon elke auto zijn. Twee, drie autobommen per dag!' Hij liet zijn armen weer langs zijn lichaam vallen, zuchtte tevreden en keek ons stralend aan. Hij miste de autobommen.

Ik begreep hoe hij zich voelde. Het was niet dat ik de oorlog prettig vond. De hele tijd dat we in Bagdad waren, had ik verlangd naar een normaal leven. Maar toen dat inderdaad kwam, bleef ik zitten met een onwerkelijk gevoel. We hebben dat alles ondergaan, we hebben dat allemaal overleefd... en waarvoor? Zodat mensen handgemaakte handtasjes van zevenhonderd dollar kunnen kopen? Geen van beide werelden – noch die van de autobommen, noch die van de pastelkleurige villa's – leek werkelijk.

In Irak ging het steeds slechter. Roaa had een andere baan, maar ze kreeg anonieme mailtjes die haar opriepen tot de 'jihad' en insinueerden dat vrouwen die werkten voor 'de bezetters', ... waren; ze noemde het woord niet, maar ik kon me wel voorstellen wat het was. Ik wilde iedereen beetpakken en in het gezicht schreeuwen dat het nog steeds oorlog was. Ik wilde een normaal leven hebben, maar ik wilde niet dat de Irakezen, die worstelden om überhaupt een leven te kunnen hebben, vergeten zouden worden.

Beirut leek een soort oplossing te bieden. De economie was een puinhoop, het politieke systeem lag op zijn gat. Nadat de burgeroorlog was afgelopen, bestuurde het Syrische regime Libanon als een soort satellietstaat. De familie Assad en haar vriendjes sluisden geld en goederen het land uit, persten Libanese bedrijfseigenaren af en sloegen Libanezen die tegen hun beleid protesteerden in elkaar of stopten ze in de gevangenis. De Libanese politiek werd opgeschrikt door een hele serie onopgeloste moorden, die begon tijdens de oorlogsjaren en doorliep tot aan de jaren nul van de nieuwe eeuw. Niemand wist hoeveel geld er was verdwenen uit de Libanese economie – ook vóór de oorlog al een niet te doorgronden aangelegenheid – alleen dat het veel was.

Toch kon je vijftien jaar na het einde van de oorlog over straat lopen en een brood kopen zonder gedood te worden. Mensen spraken nauwelijks over de oorlog. Het was surrealistisch om te zien hoe de mensen hun oude haat achter het behang hadden geplakt, maar het gaf me ook hoop dat het leven na een oorlog verderging. Mensen hoefden niet van elkaar te houden, ze hoefden elkaar zelfs niet aardig te vinden, om de boel te laten werken. En als je keek naar het ritme van het dagelijks leven in Beiroet, dan werkte het.

Als Libanon de burgeroorlog achter zich kon laten, zou ik tegen Roaa en Oday en Salama en Usama zeggen, dan kon Irak dat ook. Het zou misschien een tijd duren, maar we konden wachten. In de tussentijd zou ik me hier thuis voelen, op Arabische les gaan, en we zouden een appartement vinden.

In veel kleine zaakjes in Beiroet hangt achter de toonbank een verbleekte zwart-witfoto. Op de foto staat vaak een oude winkelpui, in een straat met keurig geklede mannen met hoed, ouderwetse trams en elegante oude gebouwen. Misschien staat een trotse eigenaar met een slagersschort voor de winkel, of hij staat binnen achter de kassa. De familiezaak vóór de oorlog, toen die nog in het centrum zat.

Toen het centrum van Beiroet uit elkaar viel, waaierden de winkeltjes die het commerciële hart ervan vormden uit naar alle hoeken van de stad. Elke buurt kreeg een stukje van het centrum: Hamra had de beroemde dessertmaker Intabli, Café Younes, dat onze hele wijk vulde met het aroma van geroosterde koffiebonen, en nog vele andere winkeltjes.

Met het ineenstorten van het centrum verdween ook de collectieve mentale plattegrond van de stad. Door de gevechten was de bewegingsruimte van mensen beperkt geweest tot bepaalde buurten of stadswijken. Toen de strijd voorbij was, ontstond er een soort bewust gat in het oorlogsgeheugen van de hele stad. Mensen wezen je de weg door een stad van het verleden: loop langs het 'Al-Nahar-gebouw', waar de krant met die naam allang niet meer gemaakt wordt, sla de hoek om waar vroeger Modca Café zat, of rij over Nazlet al-Picadilly, genoemd naar een bioscoop die al tientallen jaren dicht is. De sluipschutters waren al tijden verdwenen, maar de mensen vermeden nog steeds bepaalde buurten of straten zonder precies te weten waarom.

Buitenlanders die naar Libanon kwamen, leerden namen – de geschreven straatnamen – die waardeloos waren. Beiroet had nauwelijks straatnaambordjes. De paar die er wel waren, hingen verlegen aan de zijkanten van gebouwen, zoals overal in Europa, en werden ronduit genegeerd. De straat die op plattegronden en straatnaambordjes 'Baalbekstraat' genoemd werd, was bekender onder de naam 'Commodorestraat', naar het Commodore Hotel (in de burgeroorlog een zenuwcentrum, nu gewoon een van de vele hotels in Hamra). Mijn vriendin Paula groeide op aan de Sidanistraat. Ze wist niet wat de naam was van de Makdisistraat, een paar blokken verderop; voor haar was het 'de straat vóór Hamra' of 'de straat waar de co-op zit'.

Ooit had ik een afspraak met een makelaar verderop bij ons in de straat. Ze had haar hele leven in Hamra gewoond, maar toen ik haar vertelde dat ik was komen lopen vanaf de Jeanne d'Arcstraat, zei ze dat ik me zeker vergiste; dat was 'hier heel ver vandaan,' beweerde ze, veel te ver om te lopen. Ik liep met haar mee naar de Jeanne d'Arcstraat, precies twee blokken verderop, en liet haar het weggestopte straatnaambordje zien, waar ze waarschijnlijk duizenden keren langs was gelopen. Er bestond een ándere Jeanne d'Arcstraat, bleef ze volhouden, een die ik natuurlijk niet kende omdat ik een buitenlander was. Ze had gelijk: er bestond een andere Jeanne d'Arcstraat, een Jeanne d'Arc in haar verbeelding, en in Beirut zijn zulke straten net zo echt als de straten die geplaveid zijn met asfalt.

Iedereen die ik tegenkwam, leek een alternatieve plattegrond van Beirut in zijn of haar hoofd te hebben, een spookplattegrond die over het fysieke stratenplan heen lag. Elk van deze imaginaire Beiruts was anders dan de andere, en iedereen was er heilig van overtuigd dat zijn persoonlijke Beirut het echte was. Mensen verdwaalden voortdurend, niemand kon je de weg wijzen en het lukte je nooit om een taxichauffeur precies te vertellen waar je heen moest, omdat hij door een ander Beirut reed dan de stad waarin jij je bevond. Na een paar weken begon ik te geloven dat steden niets anders zijn dan groepshallucinaties.

Gelukkig was er één soort aanwijzingen waarover iedereen het eens was. In de afwezigheid van straatnaambordjes, een functionerende overheid of iets wat ook maar in de verte op een sociaal contract leek, leerde ik mijn weg in de stad te vinden via eten. Vraag aan een taxichauffeur om je naar de Sirdanistraat te brengen en hij weet waarschijnlijk niet waar je het over hebt; misschien ontkent hij zelfs dat een dergelijke straat bestaat. Zeg hem dat hij je naar *sandwichat* Marrouche moet brengen, beroemd om zijn broodjes kip met knoflooksaus, en hij weet precies waar je heen wilt. De eetbare plattegrond was de betrouwbaarste.

Er waren toeristen uit de Golfstaten die maar één plek kenden: Barbar, het beroemde restaurantimperium in Hamra dat een heel blok besloeg. Bij Barbar kon je alles krijgen, van een broodje gefrituurde hersenen tot fruitcocktails die naar Hitler, Castro, Noriega en Nelson Mandela genoemd waren, maar de plek stond vooral bekend om zijn *shawarma* en falafel. 'Zodra ze uit het vliegtuig stappen, zeggen ze: "Breng me naar Barbar,"' vertelde Abu Hussein, een taxichauffeur die we uit de buurt kenden.

Het systeem beviel me prima. Ik zou nooit, nooit meer vergeten hoe ik bij Salim Hassan moest komen, de specerijenwinkel op de hoek van Jeanne d'Arc en Maksidi, omdat ze er voor een dollar zwarte mosterdzaadjes, fenegriek en zakjes met noomi Basra verkochten. 'Eten is het enige wat werkt in Beirut,' zei onze vriend Bassem ooit, en hij had gelijk.

Ik begon in mijn hoofd een plattegrond van Hamra te vormen. Een goede dag in Beirut begint met *foul* (spreek uit: foel), dus dat was ook waar mijn plattegrond mee begon. Foul betekent 'tuinbonen', maar het is ook de afkorting van *foul mdamas*, het soepachtige ontbijt van gestoofde gedroogde tuinbonen gemengd met knoflook, citroensap, olijfolie en – afhankelijk van smaak en locatie – kikkererwten en specerijen. (In de Levant zijn tuinbonen en kikkererwten ook de hoofdingrediënten van falafel; iets aan de combinatie lijkt magie op te roepen, in welke vorm het ook geserveerd wordt.) Er is een oud spreekwoord dat varieert van land tot land en dat ongeveer zo gaat: 'Foul in de ochtend, ontbijt van koningen; foul bij de lunch, eten voor de armen; foul in de avond, voer voor ezels.' (In het Arabisch rijmt het.) Een ander spreekwoord beveelt duister: *'Ma t'oul foul hatta yaseer bil makyoul!'*; 'Noem het geen foul tot het in je kom zit,' het Arabische equivalent van 'Men moet de dag niet prijzen voor het avond is.' Hetgeen allemaal onderstreept hoe ongelooflijk belangrijk foul is.

In Beirut had elke buurt die die naam waard was zijn eigen *fawal*: een bonenman, een foul-maker. Bepaalde fawals waren beroemd: die in Zarif, achter het gebouw van Future TV, had zo ongeveer zijn eigen cultus. Klanten stonden voor hem in de rij, sommige met hun eigen kom in hun hand, als hoopvolle bedelaars. Als je gezicht hem niet aanstond, bediende hij iemand anders eerst en dan had je geluk als je überhaupt je kom bonen kreeg. (Mijn vrienden noemden hem de Hummus Nazi, naar de Soup Nazi uit de televisieserie *Seinfeld*.) Maar ik gaf de voorkeur aan mijn eigen fawal in Hamra, Abu Hadi. Verstopt in de wirwar van zijstraatjes tussen Hamra en Bliss, tegenover slagerij Moderne, was het smalle winkeltje van Bassam Badran, beter bekend als Abu Hadi; als je het mij vraagt de beste fawal in Hamra, mogelijk zelfs in heel Beirut. Hij noemde zichzelf *Malik al-Foul*: de Foul-koning.

Abu Hadi had een smal, spits gezicht, een blauwige schaduw over zijn kaken en grote bruine ogen met daarin de bezorgde moederlijke uitdrukking die goede koks altijd hebben; voortdurend in beslag genomen door een pan die op het punt staat te gaan koken of een klant die op zijn eten staat te wachten. Hij was in 1969 in Damaskus geboren en had gewerkt als kapper totdat een armblessure hem ertoe bracht van zijn liefde voor eten zijn beroep te maken. 'Thuis laat ik mijn moeder nooit koken,' vertelde hij me ooit. 'In mijn familie wacht iedereen totdat ik thuiskom, omdat ze het fijn vinden om met mij te eten en te proeven wat ik klaarmaak.'

En toen gebruikte hij een van de onvertaalbaren: *'ana bshaheeyun'*, 'ik maak hun eetlust wakker', of in zijn geval iets als: 'Ik heb zoveel plezier in eten dat het water mensen in de mond loopt alleen al als ze me zien.'

Inderdaad kreeg ik een dergelijk gevoel als ik Abu Hadi zag koken. Zijn smalle winkeltje stond meestal propvol mensen, vooral mannen, die ofwel verlangend op hun bonen wachtten, of ervan zaten te genieten aan de twee tafeltjes of de lange richel tegenover de toonbank waarachter hij resideerde. Hij was voortdurend bezig: met omeletten bakken in een gebutst koekenpannetje, hummus mixen in zijn antieke Moulinex, zijn hulpkok naar slagerij Moderne aan de overkant sturen om vlees te halen, en ieders bonen inpakken met een bordje munt, tomaten, lente-uitjes, groene peper, zuur, olijven en brood. Hij maakte alle gerechten die je kunt verwachten van een goede fawal: foul, hummus en hummus met vlees; *msabbaha* ('de zwemmende'), hele kikkererwten in een tahinsaus met veel knoflook en citroen; *balila* ('de natte'), hele kikkererwten gemengd met knoflook, zout en komijn. Maar mijn favoriet was *fattet hummus*, een van de vele exquise Arabische gerechten die gemaakt worden met brood van de vorige dag. Daarvoor stampte hij een knoflookteentje met wat zout fijn in een vijzel, roerde er een flinke schep zachte, gestoofde kikkererwten door uit de grote koperen pan die op zijn tweepitsgasstel stond te pruttelen, en deed het mengsel in een aluminium meeneembakje, en dat allemaal in één vloeiende beweging. Op de een of andere manier wist hij tegelijkertijd, als een veelarmige hindoegodin, tahin en yoghurt door elkaar te roeren en over de bonen heen te gieten. Vervolgens gooide hij een gebutste en geblakerde aluminium pan op de andere gaspit, sneed een flink stuk boter af en deed het in de pan, reikte onder de toonbank voor een handje pijnboompitten en een greep uit de bak met gedroogde stukjes pitabrood en liet die in de sissende boter bakken. Zodra ze de kleur van karamel hadden gekregen, mikte hij ze boven op de yoghurt, waar ze een boterig kuiltje vormden, en bestrooide het geheel met gedroogde munt, komijn en paprikapoeder: een miniatuurbergketen, scherpe kliffen van knapperig, goudkleurig brood, valleien vol dampende boter, besneeuwd met witte yoghurt en besprenkeld met groen, bruin en donkerrood.

'Ik gebruik alleen de allerbeste ingrediënten in mijn *fatteh*,' zei Abu Hadi tegen me en om het te bewijzen hield hij een wit plastic tonnetje Taanayel-yoghurt en een pakje Lurpak-boter omhoog. Maar hij hoefde niets te bewijzen. Ik kon het proeven in zijn fatteh.

Na een ontbijt van fatteh of foul voelde ik me overal klaar voor, zelfs voor Abu Ibrahim. Ik liep terug door Makdisi, langs de Book Sale met zijn posters van Stalin, Marx, Che Guevara en Hugo Chávez. Ik stopte even bij Smith's, de beroemde supermarkt die tijdens de burgeroorlog open was gebleven, om een zakje sla en wat andere boodschappen te halen. Nog een blok verder over Makdisi, dan naar rechts door de Ghandistraat, de Hamrastraat oversteken, en dan was ik bij Abu Ibrahim, de *khadarji* of groenteman, die de beste verse groenten en fruit verkocht.

Abu Ibrahim was in 1953 geboren als Mohamad Ali Sadi Gul, in Mardin, Turkije: 'het allermooiste land, de beste bergen, de beste gebouwen, de beste straten'. Zijn ouders stierven toen hij pas negen jaar oud was en hij bleef als wees achter. En dus verhuisde hij naar Libanon om bij zijn grootvader te gaan wonen, een van de ongeveer honderdduizend Koerden die in de twintigste eeuw naar Libanon gemigreerd waren. Nu was hij eigenaar van een bloeiende zaak: een kleine, koele grot aan de zijkant van een gebouw, volgepakt met courgettes, aubergines, sla, tomaten en het fruit van het seizoen. Hij stapelde dozen met peterselie, munt, Romeinse sla en koriander op het trottoir, waardoor er een groene golf over de stoep leek te spoelen. Klanten dromden om hem heen, afdingend en vragen stellend en elkaar wegduwend om zijn aandacht te krijgen. Hij woog hun aankopen op een verbogen metalen weegschaal door op een van de schalen achthoekige ijzeren gewichtjes op te stapelen. Hij liep wijdbeens over de stoep en schreeuwde met een rauwe stem naar zijn kinderen, die hem hielpen de groenten te verkopen. Hij had er zesentwintig, vertelde hij me eens; 'Ja, zesentwintig,' zei hij en hij stak zijn stoppelige kin uit, 'van dezelfde vrouw!'

Een bleke, kalende man die met een krop sla in zijn hand achter hem stond, rolde met zijn ogen en snoof ongelovig. Maar ik geloofde Abu Ibrahim: hij was taai als een oude eik en ik kon me voorstellen dat hij een vrouw had die nog sterker was dan hij.

Ik zette mijn boodschappentassen neer. Het was avocadotijd en hij had een doos vol op de stoep staan. Ik streek over hun glanzende reptielenhuidjes en droomde van een avocadokwarktaart.

In de tussentijd rommelde Abu Ibrahim tussen mijn boodschappen. 'Wat is dit?' brulde hij.

Ik keek op en zag dat een van Abu Ibrahims zoons mijn tasjes van Smith's leegmaakte. Abu Ibrahim zelf hield een plastic zakje met sla omhoog. Er stond 1250 Libanese lira op, iets minder dan een dollar.

'Sla voor één duizend, tweehonderd en vijftig!' riep hij uit, alsof hij degene was die bestolen werd. 'Ik verkoop het voor vijfhonderd! Tomaten voor drieduizend! Ik verkoop ze voor vijftienhonderd!'

Een oude vrouw keek op van de aubergines, fronste en staarde me over de rand van haar bril scherp aan. De mannen die aan de overkant van de Mahatma Gandhistraat rondhingen voor het gebouw waarvan gezegd werd dat er Marokkaanse prostituees woonden, keken geïnteresseerd toe.

'Dat is speciale sla, speciale tomaten,' protesteerde ik in armzalig Arabisch. 'Zonder slechte dingen erin.' Ik kende de Arabische woorden voor 'biologisch' of 'zonder bestrijdingsmiddelen' niet. En ik wist al helemaal niet hoe je in het Arabisch moest zeggen: 'een door de gemeenschap gesponsord landbouwproject waarvan kleine boeren profiteren'.

'Waarom betaal je dat soort prijzen?' brulde hij. 'Waarom koop je groenten van die dieven? Je zou ze bij mij moeten kopen!'

Ik kon het Abu Ibrahim niet kwalijk nemen; hij probeerde alleen maar zijn monopolie te beschermen. Libanon was een natie van monopolies, een land opgericht door bankiers en handelaars, waar wetten het exclusieve recht om bepaalde buitenlandse goederen te verkopen aan één handelaar verleenden. Wanneer je Lipton-thee, kaas van Kraft of chocolaatjes van Lindt kocht, kocht je ze van dezelfde familie omdat niemand anders het recht had om die producten te importeren. (Hariri had geprobeerd deze wet op exclusiviteit af te schaffen, maar zelfs hij kon niet op tegen de oligopolies die het land al vanaf het allereerste begin bestuurden.)

Mijn andere plaatselijke khadarji legde het zo uit: 'Als ik aardappelen wil kopen, moet ik naar iemand van de familie X, omdat hij over alle aardappelen gaat. Hij reist naar de Bekavallei, waar aardappelen verbouwd worden, en zegt tegen de boeren: "Hier is wat geld, verbouw je aardappelen en als ze geoogst kunnen worden, verkoop je ze aan mij." En de arme man staat bij hem in het krijt, dus wat kan hij doen?' Hij zuchtte diep. 'Zo gaat het in het hele Midden-Oosten. In de hele wereld!'

In januari 2005 ging Mohamad naar Irak om verslag te doen van de historische parlementsverkiezingen. Ik bleef in Beirut en maakte afspraken met makelaars en *simsars*, de buurtritselaars die als informele makelaar en tussenpersoon optreden. Ik maakte zelfs een afspraak met een verhuuragent van Solidère, die me maar al te duidelijk maakte dat hij liever verhuurde aan miljonairs uit de Golfstaten dan aan een Libanese expat en zijn buitenlandse echtgenote. Toch gaf hij met tegenzin toe dat hij wel wat appartementen had. Als we de volgende maandag terugkwamen, zouden ze ons er misschien een paar kunnen laten zien.

Op zondag vloog Mohamad terug uit Irak, uitgeput maar opgetogen over de blijdschap van de Irakezen over hun eerste echte verkiezing in decennia. Op maandag sliep hij uit. Ik liep het balkon op en keek naar de middagzon die over de wirwar van satellietschotels en roestige antennes speelde. Ik stelde me voor hoe het zou zijn om ons eigen appartement te hebben, hoe het zou voelen om ons na anderhalf jaar zwerven in Beirut te vestigen. Misschien zouden we kanaries kunnen houden in een kooi op het balkon, zoals veel mensen hier deden, en potten met hibiscus en bougainvilles neerzetten, onze bijdrage aan het netwerk van luchttuinen. En ik kon tomaten planten in grote emmers.

Plotseling donderde er een enorme klap door de stad. Geschrokken duiven fladderden de lucht in.

'Mohamad!' Ik rende de donkere slaapkamer in en schudde aan zijn schouder. 'Lieverd, hoor je dat? Er was een grote explosie! Ik denk dat het een autobom was!'

Hij mompelde iets, zoals mannen doen wanneer je ze wakker maakt. Als hij al iets gehoord had, had hij het opgenomen in zijn droom. Ik schudde opnieuw.

'Waarom maak je me wakker?' kreunde hij.

'Dat was een autobom!'

'Annia, volgens jou is alles een autobom,' zei hij. 'Dat was gewoon een vrachtwagen met een kapotte uitlaat. Ik ga weer slapen.'

Ik liep opnieuw het balkon op. Zeven verdiepingen lager reed een eenzame auto stil door de Hamrastraat. De Jeanne d'Arcstraat, die 's middags normaal gesproken vol stond met toeterende auto's, was leeg. Op de stoep rende een man die hees iets schreeuwde.

Ik liep naar de andere kant van het balkon, vanwaar je de bergen en de Middellandse Zee kon zien. Boven de daken in de verte, tussen ons balkon en de gerimpelde ruwe zijde van de zee, steeg een zwarte rookwolk op.

Hoofdstuk 17

De groene revolutie

Op 14 februari 2005 scheurde een vrachtwagenbom gevuld met een ton TNT door de colonne gepantserde auto's van Rafik Hariri terwijl die over de Corniche reed. Soldaten en politieagenten verzamelden zich rond de enorme krater die de bom in de weg had geslagen. Hulpverleners trokken verkoolde lichamen uit brandende auto's. Op Future TV huilde de nieuwslezeres toen ze aankondigde dat Hariri, de miljonair en voormalig premier, die eigenaar was van het tv-station, dood was. Een woedende menigte verzamelde zich bij Hariri's villa, niet ver bij het Berkeley Hotel vandaan, en scandeerde anti-Syrische leuzen. Buiten het ziekenhuis waar de slachtoffers naartoe gebracht werden, stonden vrouwen heen en weer te wiegen, te snikken en elkaar te troosten. Slechts een paar uur na de moord verzamelden politici van de oppositie zich in het huis van Hariri en stelden een verklaring op waarin ze het Syrische regime en de Libanese pro-Syrische regering beschuldigden van deze moord.

Die avond nam ik een *servees* naar het centrum. Straten die anders wemelden van de auto's waren nu leeg, op af en toe een langsrazende taxi na. Nu en dan reed er een kleine optocht jongemannen op scooters door de donkere stad, zwaaiend met foto's van de vermoorde tycoon. In Zuqaq al-Blatt, een historische buurt met Ottomaanse villa's en huizen uit de Franse tijd, waren de ramen van de paar winkels die open waren gebleven ingegooid. Glas glinsterde op de stoepen. De restaurants in het centrum waren donker, de speciale valentijnsmenu's vergeten. Binnen een paar uur was het sprookje waarin we zo graag wilden geloven – dat Libanon zich hersteld had, dat het gewone leven weer was begonnen, dat de oorlog voorbij was – door de bomaanslag wreed verstoord.

Net als veel oorlogen was 'de Libanese burgeroorlog' niet zozeer één enkel conflict als wel een tijdperk, een lange schemering van strijd waarin gevechten oplaaiden en weer stopten, precies onvoorspelbaar genoeg om iedereen onrustig te houden. Andermans oorlogen – tussen Syrië, Israël, Iran en andere landen – werden uitgevochten als een reeks bendeoorlogen tussen zwaarbewapende milities: de 'Oorlog van de Bergen', de 'Oorlog van de Vlaggen', de 'Oorlog van de Kampen'. De meeste Libanese mensen die ik kende, verwezen naar de oorlog toen die nog woedde met een bitter eufemisme dat deed denken aan Noord-Ierland en zijn eindeloze 'troubles'. Ze noemden het 'de gebeurtenissen'.

Voor de meeste Amerikanen kwam het bepalende moment in het Libanese conflict in oktober 1983, toen een zelfmoordterrorist bij het vliegveld van Beirut met een vrachtwagenbom de barakken van Amerikaanse mariniers in reed en 241 werknemers van het Amerikaanse leger doodde. Een Amerikaans militair onderzoek kwam tot de conclusie dat sjiitische militanten de bomaanslag hadden gepleegd. De militanten zouden zich later verenigen in Hezbollah, wat 'Partij van God' betekent.

In 1989 had Hariri meegeholpen met het organiseren van een top in de Saoedische vakantieplaats Taif, waar hij een luxueus hotel had gebouwd voor zijn koninklijke werkgevers. De politieke leiders van Libanon en leiders van de milities tekenden een door Saoedische onderhandelingen tot stand gekomen vredesovereenkomst, waarin de macht verdeeld werd tussen de belangrijkste religieuze groeperingen en waarin het Syrische regime (met de zegen van Amerika) werd aangewezen als bewaarder van de vrede in Libanon. Het einde van de gevechten en de vredesovereenkomst maakten iedereen hoopvol. Regeringsbaantjes zouden niet meer verdeeld worden op grond van religie maar naar kunde. Er zou een tweekamerstelsel worden gevormd. Syrische troepen, die sinds 1976 bijna onafgebroken in Libanon aanwezig waren geweest, zouden zich terugtrekken en uiteindelijk het land verlaten. Begin 2005 was echter geen van deze dingen gebeurd, de Syrische troepen waren er nog steeds en de kleine anti-Syrische oppositie begon te groeien. Hariri had zich nooit officieel bij de oppositie aangesloten, maar hij was van plan om met een onafhankelijke kandidatenlijst mee te doen aan de komende parlementsverkiezingen en politici van de oppositie waren ervan overtuigd dat het Syrische bewind hem gedood had, om te voorkomen dat hij zich tegen het Syrische bestuur over Libanon zou keren.

Hariri's familie besloot om hem in het centrum van Beirut te begraven. Ze zetten de tent voor zijn begrafenis neer tussen de Virgin Megastore en een megamoskee die hij aan de rand van het Martelarenplein had gebouwd, het grote open gebied dat een klein stukje lopen ten oosten van Sahat al-Nijmeh ligt. Tijdens de Eerste Wereldoorlog, toen het land geteisterd werd door een hongersnood, liet de Ottomaanse militaire gouverneur Djemal Pasha (in Libanon bekend als 'de slager') Libanese nationalisten op dat plein executeren. Later werd het een plein met bioscopen en cafés waar mensen met elkaar afspraken, vervolgens een frontlinie in de burgeroorlog en daarna een grote, lege ruimte waar demonstranten zich verzamelden. In de jaren negentig hadden de door Syrië geleide veiligheidstroepen van Libanon betogers op het plein in elkaar geslagen en gearresteerd, maar nu het de plek van een begrafenis was, konden ze mensen er niet van weerhouden daar bij elkaar te komen. De begrafenisoptocht trok duizenden mensen aan en het Martelarenplein werd een magneet voor de rouwende menigte.

Een week na de moord riep de oppositie op tot een enorme demonstratie. Geen partijvlaggen, zeiden de partijleiders, alleen de Libanese vlag. Werknemers van wereldwijde reclamebureaus onthulden een nieuw 'merk': een rood met wit kleurschema met het woord 'onafhankelijkheid' in het Engels, Arabisch en Frans. Duizenden demonstranten marcheerden naar het centrum met spandoeken waarop stond: STOP SYRIË. WEG MET SYRIË. WAARHEID, VRIJHEID, ONAFHANKELIJKHEID. Op één gigantisch bord stond simpelweg in enorme blokletters: HELP. Zodra de menigte op het Martelarenplein aankwam, werd er een hele stad van tenten opgezet, en de betogers bezwoeren dat ze zouden blijven tot de regering gevallen was en de Syrische troepen uit Libanon zouden vertrekken.

Wat er de volgende paar maanden in het centrum van Beirut plaatsvond, was iets tussen een wake en een openluchtfeest in. Geld, posters, vlaggen en eten stroomden binnen, geschonken door politieke partijen. Jongens en meisjes sloegen tentharingen in de grond. Mannen van middelbare leeftijd, gekleed in maatpakken en met tasjes van Patchi, de dure chocolatier, in hun hand, liepen rond en deelden vlaggenstokken uit. 's Avonds riepen zangers en rappers slogans vanaf een enorm podium. Honderden mensen liepen heen en weer over het plein, vooral jonge meisjes en jongens in hun mooiste kleren, die vrolijk rond paradeerden als revolutionaire stappers in een uitgaanscentrum. De Libanezen noemden deze vreedzame opstand de intifada voor onafhankelijkheid. De regering Bush doopte het de 'cederrevolutie'. Amerikaanse experts verklaarden dat dit het bewijs was dat de oorlog in Irak nut had gehad: de Iraakse verkiezingen hadden een 'Arabische lente' veroorzaakt, een golf van democratie die zich over de regio zou uitbreiden, te beginnen bij Beirut.

Dat voorjaar brachten Mohamad en ik onze avonden meestal in het centrum door. Eten in de stad werd een ritueel; we aten eerst bij Al-Balad, een restaurant in een zijstraat van Sahat al-Nijmeh waar ze gerechten van het Libanese platteland serveerden, en mengden ons dan tussen de jonge mensen op het plein om met ze te praten. Ze vonden het geweldig om deel uit te maken van zo'n massale beweging; ze spraken gretig over het afwerpen van de al jaren durende, vernederende Syrische overheersing. De meesten van hen waren ervan overtuigd dat als de Syriërs zouden vertrekken, met hen tegelijk alle economische en politieke problemen van Libanon zouden verdwijnen.

Inmiddels begon ik oog te krijgen voor de diepe onderstroom van depressie die door heel Beirut sijpelde, zelfs onder hen die jong genoeg waren om het grootste deel van de burgeroorlog gemist te hebben. Libanon was vooral wreed voor zijn jonge inwoners; ongeveer een derde van de universitair geschoolde Libanezen moest naar het buitenland vertrekken om een salaris te kunnen verdienen dat paste bij hun kwalificaties en de hoge kosten van het levensonderhoud in hun eigen land. Zuhair al-Jezairy, de Iraakse journalist die tijdens zijn verbanning een tijdlang in Libanon gewoond had, beschreef het land zo: 'Voor zijn kinderen niet zozeer een land als wel een halteplaats waar ze wachten op hun toekomstige verbanning.'

Het inkomen van Libanezen die in andere landen werkten, vormde bijna een kwart van het Libanese bruto binnenlands product. Maar de jonge mensen die gedwongen waren om hun eigen land te verlaten om zo de economie draaiende te houden, mochten vanuit het buitenland niet eens stemmen. Dit was deels een gevolg van het feodale politieke systeem van Libanon: het parlement zat nog steeds vol met *zaeems*, clanhoofden die hun zetel geërfd hadden en hem weer doorgaven aan hun zonen en neven. Het resultaat was een wetgevende macht waarvan veel leden, zoals een Libanese groep die zich sterk maakte voor een betere regering het ooit droog stelde, 'de ervaring misten om wetten te kunnen opstellen'. Tijdens de burgeroorlog was een nieuwe klasse van krijgsheren opgestaan, militieleiders of militairen van eenvoudige afkomst, en die waren zo mogelijk nog corrupter dan de zaeems die hun zetel geërfd hadden.

Toen de intifada een paar maanden oud was, kwam onze vriendin Rebecca op bezoek. Haar broer Rudy had het grootste deel van het voorjaar gekampeerd op het Martelarenplein, maar zij had de revolutie gemist. Zij was een van de vele jonge Libanezen in het buitenland en werkte nog steeds in Bagdad, waar ze meer geld verdiende dan ze ooit in haar eigen land zou kunnen krijgen. We aten in het centrum en praatten over de parlementsverkiezingen die in mei en juni zouden plaatsvinden.

Rebecca kwam uit Bikfaya, de stad van de christelijke krijgsheer Bashir Gemayel, die in 1982 vermoord werd. Haar familie was altijd loyaal geweest aan de Gemayel-dynastie, maar dat voorjaar, toen Libanon zich klaarmaakte voor de eerste naoorlogse verkiezingen zonder Syrische overheersing, begon ze vraagtekens te zetten bij de logica van erfelijk leiderschap. 'Waarom moet het altijd een zaeem of de zoon van een zaeem zijn die in het parlement gekozen wordt?' vroeg Rebecca ons terwijl we bij Balad kibbeh en tabouleh aten. 'Waarom ik niet?'

Dineren deed je in het centrum, lunchen in *dahiyeh*, vijftien minuten rijden (op een goede dag) bij het Martelarenplein vandaan en een compleet andere wereld. Elk weekend gingen Mohamad en ik naar Umm en Abu Hassane om bij ze te eten.

Als je naar dahiyeh ging, was het alsof je terugreisde in de tijd. We namen een servees, een van de gammele oude taxi's die door Beirut scheurden, keihard naar onoplettende voetgangers toeterden en meerdere passagiers tegelijk meenamen voor een dollar per persoon. Zodra we de Bishara al-Khourystraat op reden, langs de oude Groene Lijn, lieten we het centrum met zijn nachtclubs achter ons. Voor ons doemden de door motten aangevreten gebouwen van de burgeroorlog op, het Beirut van sluipschutters en militieleden. Aan het einde van de rit, voorbij het omheinde park Horch al-Sanawbar met daarin het ommuurde Hippodrome, reden we onder een enorm, met de hand geschilderd billboard van Musa al-Sadr door, een sjiitische leider die in de jaren zeventig verdwenen was, en gingen dahiyeh binnen.

Letterlijk betekent dahiyeh 'de buitenwijk'. In de loop van de tijd was het woord in Beirut echter uitgegroeid tot een aanduiding voor het hele stelsel van wijken vlak buiten de stadsgrenzen, inclusief Haret Hreik, Tayouneh en Chiyah. In de jaren veertig had een Franse stadsplanner de buitenwijken van Beirut ontworpen als een chic, ruim opgezet gebied, waar gezinnen uit de middenklasse hun kinderen konden grootbrengen te midden van bomen, tuinen en groene parkjes. Helaas had de goed bedoelende Fransman geen rekening gehouden met de demografische aardverschuivingen die na de Tweede Wereldoorlog zouden plaatsvinden. De economie van zuidelijk Libanon leunde zwaar op de handel met Palestijnse steden als Haifa en Acre. In 1948 brak na de oprichting van de staat Israël oorlog uit, dorpelingen uit Zuid-Libanon raakten afgesneden van hun primaire afzetmarkten en de economie van het zuiden stortte zo goed als in. Om deze en andere redenen trokken in de tweede helft van de twintigste eeuw veel dorpsbewoners naar Beirut en de omliggende gebieden; onder hen ook, aan het eind van de jaren vijftig, de ouders van Mohamad.

In maart 1978 viel het Israëlische leger, na een serie aanvallen op Noord-Israël door Palestijnse guerrilla's, het zuiden van Libanon binnen en richtte daar een bufferzone in, voornamelijk bemand door christelijke Libanese militieleden. Nog meer Libanese sjiieten trokken naar de buitenwijken van Beirut, waar ze zich voegden bij de duizenden zuiderlingen die er al woonden. Aan het begin van de eenentwintigste eeuw was daardoor de demografie van het land dat in 1950 voor achtentachtig procent ruraal geweest was, compleet omgekeerd; zevenentachtig procent van de bevolking woonde nu in de steden. Aan het einde van de jaren negentig woonden in dahiyeh ongeveer een half miljoen mensen, veel van hen sjiieten uit het zuiden. Het gebied stond voor het grootste gedeelte onder controle van Hezbollah, de door Iran gesteunde sjiitische militie die ontstaan was in de oorlog en een van de machtigste politieke partijen in Libanon was geworden. Hezbollah was bovendien een bondgenoot van Syrië.

Vijftien jaar nadat de oorlog was afgelopen, had de regering nauwelijks iets gedaan aan de wederopbouw van de buitenwijken van Beirut. Er was nog steeds acht of zelfs tien uur per dag geen stroom, omdat het elektriciteitsbedrijf van Libanon niet kon voldoen aan de vraag van de bevolking. Kranen stonden in de heetste maanden van de zomer dagenlang droog. Dit soort tekorten was niet uniek voor dahiyeh – vrienden die in andere buitenwijken woonden, hadden hetzelfde probleem – maar hier waren ze wel erger.

Ik was nieuwsgierig of de intifada de mensen in dahiyeh zou inspireren tot het wegstemmen van hun corrupte leiders; of Libanon, nu het de Syrische overheersers van zich af had geschud, eindelijk politici zou kiezen die konden zorgen voor basisbehoeften zoals water en elektriciteit.

'Umm Hassane, gaat u stemmen?' vroeg ik tijdens een van onze lunches.

'Waarom zou ik moeten stemmen?' vroeg ze terwijl ze een bord gevulde courgettes en wijnbladeren neerzette. 'Niemand verdient het!'

In Bint Jbeil, de plaats waar Umm Hassane was opgegroeid, deelden politici een paar dagen voor de verkiezingen altijd brood, vlees, groenten en olijfolie uit. Vervolgens waren de vrouwen twee of drie dagen druk bezig met het maken van elk gerecht uit hun repertoire: kibbeh, kusa, wijnbladeren, *maqlubeh* en nog veel meer. Op de dag van de verkiezingen verzamelde iedereen zich op het plein in het centrum, at zijn buik rond en stemde vervolgens voor de zaeem die het eten had uitgedeeld. Umm Hassane had een nogal cynische kijk op verkiezingen.

Maar hier in Beirut dan, vroeg ik haar. Hier was het toch zeker anders? Voor wie zou ze stemmen?

Ze keek me aan alsof ik gek was. Umm Hassane had bijna een halve eeuw in dahiyeh gewoond, maar dankzij de mysterieuze kieswet van Libanon kon ze hier niet stemmen. Omdat haar officiële woonplaats nog steeds Bint Jbeil was, waar ze was geboren, kon ze kiezen: ze kon urenlang in een hete bus vol dieseldampen zitten en naar de stad rijden die ze decennia geleden achter zich had gelaten, en dat allemaal vanwege het dubieuze genot om haar stem uit te brengen op een politicus die haar niet vertegenwoordigde; of ze kon thuisblijven, haar tijd besteden aan het uithollen van courgettes en het vullen van wijnbladeren en aan het einde van de dag ook werkelijk resultaat zien van haar inspanningen.

Deze non-keuze was een gevolg van het 'confessionele' regeringssysteem van Libanon. Toen de Fransen in 1943 vertrokken, stelde de Libanese elite een ongeschreven regel in dat de president altijd een maronitische christen zou zijn, de premier een soennitische moslim en de parlementsvoorzitter een sjiitische moslim. Parlementszetels werden verdeeld onder achttien officieel erkende religieuze groeperingen (waarbij de kleintjes samengevoegd werden tot één 'minderheidszetel'). Aanvankelijk was de zetelverdeling zes christenen tegenover vijf moslims, gebaseerd op de volkstelling van 1932, die liet zien dat maronieten in Libanon de meerderheid vormden. In de jaren zestig begonnen de moslims de christenen in aantal te overtreffen, maar de regering weigerde een nieuwe volkstelling te houden en de wens van de moslims om een evenredig deel van de macht te krijgen werd een van de gevoelige strijdpunten in de burgeroorlog.

Het idee achter het systeem was dat een evenwicht tussen de religies de grotere groeperingen ervan zou weerhouden de kleinere te domineren. Maar door van religie het basiselement van burgerschap te maken en een systeem te hanteren waarbij de winst van de ene groepering het verlies van de andere betekende, maakte het confessionele systeem het de mensen praktisch onmogelijk om géén religieus conflict te hebben: elke zetel die de moslims wonnen, moesten de christenen verliezen.

Na de burgeroorlog werden de parlementszetels herverdeeld en kregen de christenen en de moslims er evenveel (een verhouding die nog steeds in het voordeel is van de christenen, die nu een derde van de bevolking vormen). Het was de bedoeling dat het parlement een kieswet zou goed-

keuren die 'vrij van sektarische beperkingen' was, maar dat was nooit gebeurd en in 2005 was er nog steeds geen volkstelling geweest; de laatste
dateerde uit 1932, toevallig het jaar waarin Umm Hassane geboren werd.
Als het volk van Libanon zou mogen stemmen zonder dit soort beperkingen, liep de huidige kliek van krijgsheren en zaeems (inclusief de twee belangrijkste sjiitische partijen, die veel te winnen hadden bij het handhaven
van de status-quo) het risico zijn monopolie op de macht te verliezen. Tot
die dag zouden Umm Hassane en honderdduizenden zoals zij niet in
staat zijn om te stemmen in de hoofdstad waar ze woonden, werkten,
naar school gingen, sliepen, boodschappen deden en belasting betaalden.

'Zou u wel gaan als u in Beirut kon stemmen?' vroeg ik aan Umm Hassane.

Ze draaide zich om van het aanrecht en keek ons vernietigend aan.
'Waar denk je dat we hier zijn?' vroeg ze terwijl ze een vuist op haar heup
zette en met haar andere hand gebaarde naar de kleine, schemerige keuken, de tafel met het zeiltje erover, het woud van beton buiten het raam.
'Amerika?'

Op 8 maart 2005 hield de leider van Hezbollah, Sayyid Hassan Nasrallah,
een enorme tegendemonstratie in het centrum van Beirut om 'Syrië te bedanken' voor wat het land voor Libanon gedaan had. Nasrallah had erop
gezinspeeld dat de anti-Syrische oppositie van plan was een vredesovereenkomst met Israël te sluiten; een gruwel voor sjiieten die banden hadden met het zuiden, waar de herinneringen aan de in mei 2000 geëindigde
Israëlische bezetting nog vers waren. Honderdduizenden volgelingen van
Hezbollah en Amal, de twee belangrijkste sjiitische partijen, plus die van
een aantal kleinere christelijke en seculiere partijen, verzamelden zich op
het Riad al-Solh-plein, vanaf het Martelarenplein gezien aan de andere
kant van het oude centrum.

Op 14 maart, één maand na de moord op Hariri, reageerde de anti-Syrische coalitie door haar eigen massademonstratie te houden. Honderdduizenden verzamelden zich op het Martelarenplein, en daarmee was er
in Libanon een nieuwe politieke breuklijn ontstaan. Beide zijden – zij die
het vertrek van Syrië eisten en zij die zich achter Nasrallah en de zijnen
hadden geschaard – claimden dat ze een meerderheid vertegenwoordig-
den. Elk van de partijen omschreef de politieke overtuigingen van de ander in de zwartst mogelijke termen. Als je vraagtekens plaatste bij de anti-
Syrische beweging of haar leiders, was je een sympathisant van terroristen. Als je kritiek had op Nasrallah en zijn bondgenoten was je een mario-
net van het westerse imperialisme. Als je vond dat beide zijden kritiek
verdienden, sympathiseerde je duidelijk met de verkeerde kant, afhankelijk van met wie je op dat moment sprak, en verborg je je loyaliteit uit een
of ander verachtelijk motief. Je móést partij kiezen.

Ongeveer een week na 14 maart begon de *khamsin* te waaien.

Elk voorjaar steekt er boven de Egyptische en Libische woestijn een wind op die met zijn hete adem Beirut verschroeit. Van de ene dag op de andere verandert het weer als de khamsin komt, ook wel 'de vijftig' genoemd, naar het aantal dagen dat hij kan duren. Sommige wetenschappers en Bijbelgeleerden denken dat de negende van de plagen van Egypte uit het boek Exodus – de 'duisternis zo dicht dat ze tastbaar is' – een khamsin was. Het is een 'kwade wind die niemand in het Midden-Oosten ooit iets goeds brengt,' schreef *Time Magazine* in 1971, eraan toevoegend dat de khamsin mensen 'gek maakt', auto-ongelukken veroorzaakt en de misdaadcijfers met wel twintig procent kan doen toenemen. Een professor aan de Hebreeuwse Universiteit van Jeruzalem schreef deze mysterieuze malaise toe aan een overdaad aan positieve ionen. De ionen maakten oude mensen somber en lethargisch, maar hadden juist het tegenovergestelde effect op jonge mensen, die letterlijk geladen raakten met positieve elektrische energie. Deze fysiologische effecten, schreef *Time*, correspondeerden met de kwade winden op andere continenten – de Franse mistral, de Oostenrijkse föhn en de beroemde Californische Santa Ana, waaraan schrijvers van Raymond Chandler tot Joan Didion bosbranden, moord en zelfmoord hebben toegeschreven (en die niet te vergeten zorgt voor een weelde aan oververhitte metaforen).

Ik was juist gek op de khamsin. De wind maakte dat ik me roekeloos voelde; hij beloofde onverwachte pleziertjes en gevaren. Van de ene dag op de andere veranderde de koude regen van de Libanese winter in een onaardse hitte. De lucht rook naar zand. De hemel werd oranje. Plotseling was het tijd om je schoenen om te ruilen voor sandalen, om 's avonds naar buiten te gaan. Mensen schudden hun hoofd en zeiden: 'Het is de khamsin, de khamsin!' met die alwetende trots die mensen altijd tentoonspreiden bij gebeurtenissen die hen elk jaar weer verrassen. Dat voorjaar, een paar dagen nadat de khamsin was begonnen, belde Hanans vriend Hassan ons op om te vertellen dat hij verse knoflook had.

Libanon kende een hele wereld aan wilde eetbare groenten, waaraan je betrouwbaarder dan op een kalender de seizoenen kon aflezen. Op het platteland zochten mensen ernaar in de velden, op berghellingen en op braakliggende terreintjes. Kruidenierswinkels en khadarji's verkochten deze groenten normaal gesproken niet; ze waren te ongecultiveerd, te zeer tijdgebonden. Je kon ze echter wel krijgen bij bedoeïenenvrouwen die hun producten op straat verkochten. Ik kocht mijn wilde groenten bij Umm Adnan, die tegenover Café Younes zat; Hassan had me aan haar voorgesteld toen we net in de buurt waren komen wonen. Umm Adnan was in de zestig – ze wist zelf niet precies hoe oud – en ze voorzag al vijfentwintig jaar op deze manier in haar levensonderhoud. Ze stond elke ochtend om vier uur op, was al voor achten op haar plekje en richtte op de stoep haar winkeltje in met grote zwarte vuilniszakken vol groenten en kruiden: verse munt, oregano, peterselie, Romeinse sla, rucola, postelein en, als je geluk had en het er het seizoen voor was, verse knoflook.

De komst van de verse knoflook was altijd een onverwacht seizoenscadeautje. Mensen hielden ongeplande etentjes. Vrienden brachten elkaar armenvol van de slanke, groene speren en bakten ze kort met potlooddunne asperges en wilde venkel. Of ze aten de verse knoflook met *sleeqa*, de mix van wilde kruiden die buitenmensen in de lente plukten. Hassans knoflook kwam van de boerderij van zijn familie in Khiam, een flink stuk naar het zuiden, waar de groente eerder opkwam dan in Beirut. Op een warme, winderige avond aan het einde van maart gingen we naar Hassans huis voor een feestelijk etentje met allerlei vroege voorjaarsgroenten.

Er was een aantal vrienden van Hanan, onder anderen de lijvige schrijver die ik eerder in 2003 in de Baromètre ontmoet had: de man die zo op Hemingway leek. Hassans vijfjarige dochter rende lachend door het appartement. De bleekgroene knoflookscheuten waren onderaan rozerood gekleurd. Hassan sneed ze fijn en fruitte ze in een koekenpan. Hij had ook een hele berg *khubaizeh*, een plant met harige blaadjes die groeit op braakliggende terreintjes, bij verlaten gebouwen en op hopen bouwpuin. Hij hakte de khubaizeh fijn en stoofde de kruiden in hun eigen vocht met wat wilde venkel en gekarameliseerde uien. De verse knoflook bakte hij met roerei, een traditioneel mediterrane manier om groenten en verse kruiden klaar te maken, en vervolgens strooide hij er gemalen koriander over. Hij maakte een schaal op met radijsjes, lente-uitjes, groene pepers en geitenyoghurt. Hij zette de knoflook en de khubaizeh op tafel in grote schalen, twee enorme bergen groen, en deelde stukken plat brood uit. We vielen eerst aan op de khubaizeh, waarvan de blaadjes nog dik en vochtig waren van het donkergroene sap. Achter de camouflage van de venkel smaakten ze kruidig, boomachtig; blaadjes waarvan je je kon voorstellen dat giraffes of buffels erop kauwden. En toen probeerde ik de eieren, met hun vleugje groen van de verse knoflook. De smaak van volwassen knoflook domineert alles, maar dit was anders; verborgen onder de zweterige, dierlijke geur van knoflook proefde ik iets grassigs en bijna zoets.

'Die "cederrevolutie"...' begon Hassan; hij praatte Arabisch, maar voor het neologisme van de Bush-regering ging hij over op Engels, dat hij uitsprak met een sarcastisch Amerikaans accent, '... dat is allemaal propaganda. Uiteindelijk zal er niets veranderen. Tot nu toe is er nooit iets veranderd.'

Vreemd genoeg was het de dikke schrijver, die ik me herinnerde als de meest cynische van Hanans vrienden, die antwoordde. *'Non, ça bouge, ça bouge,'* zei hij terwijl hij met zijn enorme hoofd schudde. 'Het beweegt. Eindelijk veranderen er dingen.'

Hoofdstuk 18

Dood in Beirut

Het moest vroeg of laat een keer gebeuren, neem ik aan. We vermeden het niet met opzet; het was gewoon een van die dingen die we steeds maar weer uitstelden. In maart moesten we verslag doen van de opstand voor onafhankelijkheid. In april kwam de historische terugtrekking van de Syrische troepen uit Libanon. Mei en juni brachten de parlementsverkiezingen. En toen, op een zweterige julidag waarop we bij Mohamads ouders gingen lunchen, haalden veertien eeuwen van traditie ons eindelijk in.

'*Maal asaf*, ik kan je niet op de wang kussen,' zei Abu Hassane terwijl hij trillend in de deuropening stond. 'Het is *haraam* om je op de wangen te kussen.'

Niemand weet wat er precies gebeurd was: of hij dit zelf besloten had, wat me onwaarschijnlijk lijkt, of dat een familielid hem ertoe had aangezet (ik verdenk Hadj Naji). Hoe dan ook, Abu Hassane had zich ervan laten overtuigen dat omdat Mohamad en ik geen katab al-kitaab hadden gedaan, we 'niet echt getrouwd' waren. En dus maakte ik officieel geen deel uit van de familie, en dus was het hem niet toegestaan om me ter begroeting op mijn wang te kussen wanneer ik voor onze wekelijkse lunch bij hen thuis kwam. 'Ik wil het wel,' zei hij gekweld, 'maar ik kan het niet. Het mag niet.'

Abu Hassane was niet altijd zo godsdienstig geweest, maar naarmate hij ouder werd, raakte hij verslaafd aan piekeren. Hij piekerde over zijn gezondheid, hij piekerde over de politieke situatie, hij piekerde, niet zo vreemd, over Mohamad die naar Irak ging. Hij piekerde over de dood en of hij naar de hel zou gaan.

Libanon was een land van piekeraars. Tijdens de burgeroorlog maakte het voortdurende onregelmatige dieet van explosies, moordaanslagen en ontvoeringen dat mensen hun heil zochten bij kalmeringsmiddelen, antidepressiva, hasj uit de Bekavallei; alles wat de stress maar kon verlichten. Vijftien jaar later slikten mensen nog steeds Xanax en valium alsof het aspirientjes waren. De meeste inwoners van Beirut die ik kende, gaven toe *mdepress* te zijn, de Arabische versie van een woord dat iedereen kent. Artsen schreven van alles te veel en te gemakkelijk voor, en zelfs als ze dat niet deden, slikten hun patiënten toch wel te veel.

Aan één kant van de eettafel had Abu Hassane een altaartje ingericht voor de goden van moskee en apotheek. Een kleine groen met gouden koran; een fluwelen gebedsmatje om aan tafel te bidden nu hij te stijf was om op de vloer te knielen; een *qurus*, een kleine amulet gemaakt van klei uit Karbala die sjiieten gebruiken bij het bidden; en tupperwarebakjes met zorgvuldig uitgetelde pillen voor alle fysieke en spirituele kwalen die horen bij de ouderdom: gastritis, slapeloosheid, infecties. Lang nadat de ziekte zelf verdwenen was, slikte hij nog steeds de medicijnen in de hoop het onvermijdelijke op een afstand te kunnen houden.

Zijn ogen lagen tegenwoordig dieper in hun kassen, hij liep moeilijker. Zijn huid was bleek en wasachtig roze en spande strak over zijn jukbeenderen. Zijn stem klonk piepend en hijgend, als een auto die midden in de winter probeert te starten. Naarmate zijn lichaam zwakker werd, stelde hij steeds meer geloof in spirituele beschermende middelen, zoals een tweede hadj om de zonden uit te wissen die hij had begaan sinds de eerste. (Omdat hij te zwak was om zelf de menigten het hoofd te bieden, zou zijn hadj tegen een vergoeding van vijfduizend dollar gedaan worden door een plaatsvervanger, het hulpje van een of andere geestelijke die dit soort zaken regelde, maar uiteindelijk zag hij er toch van af.) Ervoor zorgen dat wij 'echt getrouwd' waren, was een zoveelste kalmeringsmiddel voor zijn ziel, een laatste wanhoopspoging om zich te beschermen tegen ziekte, dood en eeuwige verdoemenis.

Een paar dagen later verscheen Mohamad in de deuropening van onze slaapkamer. Ik zat aan het bureau en legde de laatste hand aan een artikel over hoe slecht het Libanese sektarische politieke systeem was.

'Mijn vader heeft me dit gegeven,' zei hij fronsend. In zijn hand had hij een papiertje.

'Ja? En wat is het?'

'Het is van Hadj Naji. Hij wil dat we het lezen.'

'Waarom?'

'Zodat we dan echt getrouwd zijn.'

'O.'

Ik moest denken aan de wijze rechter die ons in New York getrouwd had. 'Weet je, Mohamad en Annia, in zekere zin is het gewoon een contract dat jullie afsluiten,' had ze gezegd. 'Maar als het alléén een wettelijk contract zou zijn, was het niet zo'n ongelooflijk belangrijke kwestie in onze ervaring als mens; dan was het niet zo betekenisvol, zo gewijd.' Slaven zouden er in de negentiende eeuw niet voor hebben gevochten; homo's en lesbische vrouwen zouden er op dit moment niet voor vechten. Dus wat is het, vroeg ze, dat van deze plechtigheid iets gewijds maakt?

Ik stak mijn hand uit naar het stukje papier. 'Laten we het doen,' zei ik.

'Denk je echt dat we het moeten doen?' Hij gaf me het papiertje alsof hij blij was ervanaf te zijn.

'Waarom niet?'

Mohamad keek over mijn schouder mee en samen bestudeerden we het document. Het was een wit vierkant papiertje, formaat Post-it. Bovenaan stond het opschrift ANIS COMMERCIAL PRINTING. Eronder had Abu Hassane – waarschijnlijk volgens de instructies van Hadj Naji – met potlood geschreven:

Ik geef mezelf aan jou ten huwelijk voor een bruidsschat ten bedrage van $ 50.000 Amerikaanse dollars, te betalen voor het huwelijk.

Eronder stond, tussen haakjes:

(Vul het bedrag in dat jullie willen.)

'Laten we er vijfduizend van maken,' zei Mohamad.

'Leuk geprobeerd,' reageerde ik, 'maar volgens mij ben ik op zijn minst honderdduizend waard.'

Hij glimlachte. Ik glimlachte terug en sloeg mijn armen over elkaar.

Toen we naar Beirut verhuisd waren, had Mohamad me lesgegeven in de kunst van het afdingen. Accepteer nooit de prijs die ze noemen, zei hij tegen me; zorg altijd dat je er op zijn minst vijfentwintig procent vanaf krijgt, of liever nog vijftig. Hij was degene die me leerde om mijn hoofd schuin te houden, met een kokette, verwijtende blik tussen mijn wimpers door omhoog te kijken en vervolgens *'ana zbuni indak'* te koeren, 'ik ben een klant van u', een magisch zinnetje dat een bijna erotisch web van verplichtingen tussen koper en verkoper opriep. Als je de regels van het afdingen op de juiste manier toepaste, konden ze de aankoop van een pond aubergines transformeren tot een flirterige tango, een choreografie van wederzijdse compromissen die wel wat weg had van het huwelijk zelf. Toch geloof ik niet dat Mohamad me zulke precieze instructies zou hebben gegeven als hij geweten had dat ik ze op een dag tegen hem zou gebruiken.

Hij kneep zijn ogen samen en om zijn lippen verscheen een zwak glimlachje. 'Het is toch niet bindend volgens de wet,' merkte hij op. Hij probeerde tijd te winnen.

'Prima,' zei ik onbewogen. Ik haalde mijn schouders op. 'Dan kunnen we er net zo goed honderdvijftigduizend van maken.'

In Irak had ik ooit een dag op de huwelijksrechtbank van Bagdad doorgebracht. Daar zag ik bruiden die zichzelf aan hun bruidegom beloofden voor x gram goud, y Amerikaanse dollars of zoveel Iraakse dinars; bedragen die allemaal direct in het huwelijkscontract werden genoteerd. Sommige bruiden zagen echter af van een bruidsschat en gaven zichzelf weg voor alleen een exemplaar van de Koran; een vorm van protest, vertelde een vriend me later, tegen het gebruik als een zak aardappelen verkocht te worden.

Ik was enigszins geschokt door de nuchtere zakelijkheid van de islamitische huwelijksceremonie: de geldtransactie wás het huwelijkscontract. Toch moest ik toegeven dat het ook iets eerlijks had; zij erkenden tenminste de smoezelige waarheid, een die we allemaal proberen te negeren, namelijk dat het huwelijk een van de gebieden is waar liefde en economie hard met elkaar in aanraking komen. Het was precies deze contractuele aard van het huwelijk die vrouwen als dr. Salama zo waardeerden. Je kunt in het contract alles opnemen wat je wilt, vertelde ze me ooit: voogdijschap, eigendomsrechten, scheiding. Dat gaf vrouwen een zekere macht; in elk geval in theorie, want net als bij het opstellen van huwelijkse voorwaarden hangt wat er in het contract terechtkomt af van wie de machtigste positie heeft.

Het toeval wilde dat ik juist het nieuwe nummer van Kanye West gehoord had, 'Gold Digger', en het was in mijn hoofd blijven hangen. *'Holla' "we want pre-nup!",'* plaagde ik Mohamad. *"Cause when she leave yo' ass, she gon' leave with half!'*

Hij lachte, aarzelde.

Ik buitte mijn voordeel uit. 'Ik doe het niet voor minder dan vijfenzeventigduizend en dat is mijn laatste bod.' Ik deponeerde het papiertje op het bureau, leunde naar achteren in mijn stoel, legde mijn voeten op tafel en sloeg opnieuw mijn armen over elkaar. 'Wil je nog dat ik het voorlees of niet?'

Dit was de allerbelangrijkste les van allemaal, de les die hij er bij me in had gehamerd: altijd weglopen. Als je wegloopt – het beste kun je woedend naar buiten stormen na een tirade over afzetterij – zullen ze je achternaroepen en wanhopig lagere prijzen noemen. Het werkt altijd. In de handel gaat het net zoals in de liefde: ze realiseren zich niet hoezeer ze je nodig hebben tot je laat zien dat jij hén niet nodig hebt.

'Oké, prima, vijfenzeventigduizend,' zei hij lachend. 'Je bent het waard. Maar het is niet bindend volgens de wet.'

En ik, lezer die ik ben, las het voor. 'Ik geef mezelf ten huwelijk aan jou,' zei ik zo dreigend mogelijk terwijl ik mijn best deed om niet te lachen, 'voor het bedrag van vijfenzeventigduizend.'

'Ik accepteer,' zei hij.

En zo waren we getrouwd. We hadden niet eens een getuige nodig; ze maken het je zo gemakkelijk mogelijk. Ons sjiitische gedwongen huwelijk betekende dat we nu 'echt' getrouwd waren in de ogen van God. Of we het werkelijk meenden of niet, en of dat eigenlijk enig verschil maakt, laat ik over aan de goden en de advocaten.

De volgende dag gingen we naar Mohamads ouders om mlukhieh te eten.

Abu Hassane schuifelde op zijn sloffen naar de deur. Hij keek ons aan over Umm Hassanes schouder; zijn bleke, bezorgde gezicht leek te zweven in de duistere gang. 'Hebben jullie het gelezen?' vroeg hij.

'Ja,' zei Mohamad.

'O, ik ben zo gelukkig!' Er verscheen een tandeloze grijns op het gezicht van Abu Hassane. Hij rechtte zijn rug en legde een hand op zijn hart. 'Ik ben heel blij dat ik je nu kan zoenen,' zei hij nog steeds stralend. Hij kuste me drie keer op de wangen en daarna gingen we aan tafel zitten, omringd door gewijde voorwerpen en voorgeschreven medicijnen, om mlukhieh te eten.

De volgende dag was het heet en vochtig. Ondanks dringende bezwaren van zijn vrouw liep Abu Hassane naar de buurtapotheek om medicijnen te halen. Voor de apotheek zakte hij in elkaar en viel met zijn hoofd tegen de stoep. De apotheker belde een ambulance, die hem naar het ziekenhuis bracht, maar hoewel hij bij bewustzijn was, kon hij niet spreken. Een paar dagen later raakte hij in een coma.

De volgende weken brachten Mohamad en ik in het ziekenhuis door, samen met een voortdurend wisselende bezetting van ooms en tantes, neven en nichten, vrienden en verre familie. Eén avond kwam Mohamad zo kwaad thuis dat hij nauwelijks kon praten. Hij was de hele dag bezig geweest om zich een weg te zoeken door de bureaucratie van de Libanese gezondheidszorg; Abu Hassane was verzekerd bij het door de staat gerunde ziekenfonds, en aangezien de Libanese regering haar rekeningen niet betaalde, accepteerden de topziekenhuizen mensen met een dergelijke verzekering niet. Toen hij eindelijk in het ziekenhuis was gekomen, was een verre neef bij hem komen staan en had gezegd: 'Ik was de hele ochtend in het ziekenhuis en jij niet. Waar was je?' In de ogen van de hypocriete neef bewees Mohamads kortdurende afwezigheid dat hij een slechte zoon was. De neef smulde van de roddel die hij zomaar cadeau had gekregen; precies het soort giftige familieroddel dat ons briefjeshuwelijk nodig had gemaakt.

'Nu weet ik waarom alles in dit land zo slecht functioneert,' tierde Mohamad. 'Omdat we de hele tijd bezig zijn om stomme, nutteloze dingen te doen, alleen maar om ervoor te zorgen dat mensen geen kritiek op ons zullen hebben. Waarom moeten we al die belachelijke dingen doen?'

Ik klopte op het bed en hield de dekens omhoog zodat hij erbij kon. 'Het grootste deel van je familie is aardig, toch,' zei ik.

'En dit is precies waarom Libanese mensen die naar het buitenland gaan zoveel meer gedaan krijgen.' Hij stapte in bed, nog steeds woedend. 'Omdat ze bevrijd zijn van het juk van hun familie!'

Al onze jonge Libanese vrienden hadden hetzelfde probleem. Iedereen was gek op zijn familie, op de tradities, maar in de handen van sommige familieleden werd 'traditie' een boosaardige vorm van emotionele chantage. Tantes en ooms belden met hun broer of zus en insinueerden dat ze een slechte ouder waren als een dochter of zoon ongetrouwd bleef. Competitieve neven en nichten besmeurden elkaar met gemene verdachtmakingen. En een schokkend aantal families – in mijn ervaring zowel christelijke als islamitische – stootte zonen of dochters uit die verliefd durfden te worden op iemand met een ander dan het eigen geloof. Er was geen ontsnappen aan het kwaadaardige leedvermaak van de familie.

Ik sloeg een arm om hem heen. Sinds zijn vader in elkaar gezakt was, was hij elke avond woedend thuisgekomen: op bemoeizuchtige familieleden, op het door de overheid geregelde medische systeem, op Libanon. Het was allemaal compleet terecht, maar tegelijkertijd absoluut niet waar het om ging, namelijk dat zijn vader doodging.

Drie weken nadat hij was gevallen, stierf Abu Hassane. Het appartement in Tayouneh werd ingericht voor de condoleance, de traditionele rouwperiode waarin mensen langskomen om hun medeleven te betuigen. De banken en stoelen verdwenen uit de woonkamer, die vervolgens gevuld werd met tientallen metalen klapstoeltjes om plek te bieden aan de stroom familieleden, vrienden van familieleden en familieleden van vrienden. Een kleine, peervormige vrouw werd ingehuurd om een eindeloze stroom koffie en thee in kopjes te schenken, die ze vervolgens op dienbladen rondbracht. Verre neven en nichten zaten urenlang in de woonkamer. Sommigen huilden, terwijl anderen hun condoleances mompelden en triest naar de vloer staarden. Ooms en tantes wisselden roddels uit over wie er verder nog ziek was. Niemand nam schalen eten mee, wat ik moeilijk te begrijpen vond. Waarom gaf niemand deze mensen te eten? Er verscheen een oude man in een verschoten zwart pak die verzen uit de Koran begon voor te dragen. Niemand wist wie hij was. Ten slotte betaalde iemand hem vijfduizend lira om te vertrekken. Later kwamen we erachter dat er een hele klasse van freelance rouwsprekers bestond: oude mannen die de overlijdensadvertenties uitpluisden, op rouwbezoek gingen bij mensen die ze totaal niet kenden en daar bleven tot ze betaald werden, een beetje zoals de jongens die bij stoplichten ongevraagd je ruiten wassen.

Hadj Naji regelde een zanger voor de *majlis taziyeh*, het rouwritueel gebaseerd op het festival dat de dood van imam Hussein herdenkt, een traditioneel onderdeel van sjiitische condoleances. De zanger was een lange, serieuze jongeman met roze wangen onder een onregelmatige zwarte baard. Hij droeg een lange witte dishdasha en had een karaokeapparaat bij zich. Ernstig stopte hij de stekker in het stopcontact, plugde de microfoon in en begon te zingen. Hij stopte, zette de galm aan en begon opnieuw. Het verhaal over Karbala echode in lange karaokeuithalen tegen de muren van de woonkamer en stroomde de ramen uit. Hij lardeerde de melodie met lange, beverige snikken die klonken alsof een machtige kracht de noten ergens diep uit zijn lichaam vandaan trok. Ik voelde dat mijn borst zich samentrok, maar ik huilde niet, net zomin als Mohamad; het was te publiek, te theatraal. Het verdriet verdween naar binnen en vormde een reservoir van tranen voor later.

Eindelijk trokken de rouwenden zich terug. Mohamad en ik bleven achter in het lege appartement, samen met Umm Hassane, Hanan, Hassan en tientallen lege klapstoeltjes. Iemand kocht een gegrilde kip; we trokken het vlees eraf met onze vingers, doopten het in knoflooksaus en aten het met zuur en stukjes *marquq*, papierdun boerenbrood. De koffiedame liet zichzelf op een klapstoel zakken en viel in een luidruchtige slaap; ze snurkte lawaaierig, haar hoofd achterover hangend en haar tandeloze mond opengesperd. We ruimden de tafel af, zetten thee, haalden nog een koffie voor elkaar en Hassan sprak tegen me in onze gebruikelijke mengeling van Arabisch, Engels en Frans.

'Ga je mee naar Bint Jbeil?' vroeg hij met een bemoedigend knikje. De volgende dag zou er een herdenkingsdienst zijn in het stadje waar de familie vandaan kwam en iedereen ging erheen.

'Ik weet het niet,' antwoordde ik. 'Ik weet niet zeker of Mohamad wil dat ik ga.'

Dit was een understatement. 'Ik vind niet dat je moet gaan,' had Mohamad de avond daarvoor tegen me gezegd. 'Ik denk dat je je er niet op je gemak zult voelen.'

Daarmee beschreef hij eerder zijn eigen gevoelens dan die van mij, maar dat zei ik niet. Hij had het zo al moeilijk genoeg.

'Ik geloof dat hij bang is dat hij voor me moet vertalen,' zei ik tegen Hassan, overgaand op het Frans. 'Ik denk dat deze familiebijeenkomsten moeilijk voor hem zijn, dat het moeilijk voor hem is om voortdurend te moeten switchen tussen twee werelden, twee talen. Hij wordt er moe van. Dus ik wil wel mee, maar ik wil hem ook niet belasten.'

Hassan knikte. Nadat zijn vader was gestorven, had hij erop gestaan om volgens de islamitische traditie geld uit te delen aan de armen. Maar een paar maanden eerder had hij ook een fles Saint-Émilion voor ons uit Frankrijk meegenomen. Als die zaken tegenstrijdig waren, wist hij ze met elkaar te verzoenen met een gratie die ik bewonderde juist omdát die niet moeiteloos was. Het voortdurend heen en weer schakelen tussen talen en werelden was zwaar werk en ik kon zien dat het hem moeite kostte, maar hij deed het toch.

'Ik begrijp wat je bedoelt,' antwoordde hij. 'Voor mij was het ook moeilijk toen ik net met Annemarie getrouwd was. Toch zul je er wel aan wennen. Hij zal eraan wennen. Ik zal met hem praten. Je moet met ons meekomen.'

We verlieten Beirut onder de serene blik van Nabih Berri, die ons aankeek vanaf een billboard aan het einde van de wijk Raousheh dat tot voor kort gesierd werd door de Syrische president. Berri vergezelde ons de hele weg naar het zuiden, in verscheidene heroïsche poses: Berri die zijn kin op zijn hand liet rusten en nadenkend in de verte staarde, Berri in een mannelijke politieke omhelzing met Hezbollah-leider Hassan Nasrallah, Berri die één vinger in de lucht stak, Berri met gebalde vuist en maffiosozonnebril. Berri was leider van Amal en een van de machtigste en meest corrupte politici van Libanon; de godfather van de sjiieten.

Amal ontstond in de jaren zeventig als gewapende tak van de 'Beweging van de Onterfden', een burgerrechtengroep opgericht door de visionaire, in Iran geboren geestelijke Musa al-Sadr. Aan het einde van de jaren zestig begonnen de sjiieten te ontsnappen aan hun feodale omstandigheden als *fallaheen*, kleine boeren en pachters, en de beweging van Sadr probeerden hun ongenoegen om te zetten in politieke macht. Maar in 1978 verdween de geestelijke tijdens een bezoek aan Libië (zijn familie denkt dat hij vermoord is door de Libische dictator Moammar Qadhafi). Na de verdwijning van Sadr viel zijn beweging uit elkaar; de meer godsdienstige leden zouden later de ruggengraat vormen van de nieuwe, door Iran gesteunde militie Hezbollah. Technisch gesproken waren Amal en Hezbollah rivalen, maar in de loop der jaren hadden ze een perfecte, symbiotische verdeling van de buit weten te regelen: Hezbollah kreeg de ziel van de sjiieten en Amal kreeg hun land en hun geld.

Tijdens de burgeroorlog werd er een keer ingebroken in het appartement van Umm Hassane: al haar meubilair werd meegenomen. De meeste mensen zouden niet veel meer doen dan hun schouders ophalen, hun handen in de lucht gooien en roepen: 'Wat valt eraan te doen? Dit is Libanon.' Umm Hassane niet. Zij stapte, samen met een of ander familielid dat ze gedwongen had om mee te komen, naar het Amal-kantoor in de buurt om zich te beklagen. 'Tantetje, ze wisten niet dat het úw huis was,' legde de plaatselijke baas uit. Hij stelde heel galant een oplossing voor: haar eigen bezittingen waren natuurlijk allang verdwenen, maar ze zouden bij iemand anders inbreken, iemand zonder connecties, en haar het meubilair van het nieuwe slachtoffer geven. Ze sloeg het aanbod af.

Toen we dichter bij Bint Jbeil kwamen, maakte Berri plaats voor de geairbrushte foto's van martelaren: sjiitische guerrilla's die gestorven waren in de gevechten met het Israëlische leger vanaf 1978, toen dat land een groot deel van het zuiden bezette, inclusief Bint Jbeil. Nadat de Israëli's zich in 2000 eindelijk hadden teruggetrokken, richtte Hezbollah overal in de stad triomfantelijke herinneringen aan zijn overwinning op. Boven het waterreservoir van Bint Jbeil hingen gigantische posters van Nasrallah en Berri, en Hezbollah had er fluorescerend gele beeldhouwwerken van raketten en handgranaten neergezet.

Tijdens de tweede, grotere Israëlische invasie, in 1982, vluchtte Mohammads familie naar Bint Jbeil. Tijdens het optrekken van het Israëlische leger naar Beirut was het veiliger om in een deel van het land te zijn dat al onder Israëlische bezetting stond. Ze logeerden samen met Umm Hassanes zuster Nahla in het ouderlijk huis, een prachtig stenen gebouw van meer dan honderd jaar oud.

Nu, drieëntwintig jaar later, brak er tijdens de rit naar Bint Jbeil een discussie uit in de auto; Hanan wilde meteen doorrijden naar de herdenkingsdienst, maar Hassan stond erop om eerst bij tante Nahla langs te gaan. Ik had het huis nog niet gezien, merkte hij op – 'Mais non, ze moet het huis zien!' – maar eigenlijk vermoed ik dat hij het vooral zelf wilde bezoeken.

We stapten een voor een uit de tweedeurshuurauto en liepen door de smalle stenen straatjes van de oude stad. Langs hemelsblauwe houten deuren met Arabische kalligrafie, door een lange stenen gang waar je boven de muren de toppen van de bomen langs de hemel kon zien strijken, en toen door een gietijzeren hek met achtpuntige sterren.

Binnen de muren bleek tante Nahla's tuin vol te staan met kleurige hibiscusstruiken, bougainvilles, oleanders en citroengeraniums. In roestige tonnen en olijfolieblikken groeide oregano. Kerstomaatjes bungelden boven de tegels. De binnenplaats stond vol bomen, hun takken gebogen onder het gewicht van groene sinaasappels en knobbelige groene granaatappels, die bij de steeltjes al zalmroze begonnen te kleuren. Tegen de witgekalkte muur die de tuin omringde, was een gootsteentje gebouwd, met erboven een stukje spiegel, om rituele wassingen te kunnen uitvoeren of buiten eten klaar te maken.

Alles behalve de bougainvilles en de oleander was eetbaar. Tante Nahla deed hibiscusblaadjes in de *zuhurat*, de thee van kruiden en bloemen die mensen dronken tegen verkoudheid. Ze kookte blaadjes van de citroengeranium in tot een fijne siroop om over gebak te schenken en van de bittere sinaasappelbloesem destilleerde ze een geurwater om in toetjes te doen. Van de rode granaatappelzaadjes kookte ze een zoetzure stroop die haar fattoush zijn smaak gaf. Van achter de muur staken de stekelige rode vruchten van een groep prikkende vijgcactussen omhoog; die schilde ze, ontdeed ze van hun stekels, en dan kookte ze er jam van.

Tante Nahla hobbelde naar buiten om ons te begroeten: een klein oud vrouwtje gekleed in een zwarte polyester rok en orthopedische schoenen. Ze begreep er niets van dat wij het oude huis wilden zien; het was gewoon haar huis, niets speciaals. Maar toen Hassan kamer in, kamer uit rende en ons over elke ruimte van alles vertelde, leek ze een stukje te groeien en tegen de tijd dat ik vroeg of ik een foto van haar mocht maken, wilde ze eerst haar hoofddoek netjes doen en mopperde ze dat we niet hadden laten weten dat we kwamen; dan had ze tenminste kunnen opruimen.

Door de voordeur kwam je direct in tante Nahla's koele, blauwgroene keuken, die lang en smal was als de kombuis van een schip. Geverfde planken lagen op steunen versierd met krullend houtsnijwerk. Aan de muur hing een houten bord vol metalen haakjes waaraan tante Nahla plastic yoghurtbekers had opgehangen, die ze hergebruikte als voorraadpotjes. In de volgende kamer was van de vloer tot aan het plafond een grote *namlieh*, een houten kast met gazen deurtjes om eten buiten het bereik van rovende mieren te houden. Aan de hoge plafonds, naast de raampjes die zo gemaakt waren dat er een beetje tocht ontstond, waren haken om kleinere namliehs met het formaat van een poppenhuis aan op te hangen.

'*Regarde*, Annia!' Hassan pakte een aardewerken kan van het aanrecht. De kan had een bolle buik en een dunne, hoge hals, met aan de zijkant een smalle tuit. Gehaakte kleedjes bedekten de openingen. Het was een ouderwetse *ibriq*, met dezelfde vorm als de Spaanse *porrón*; water bleef er koel in, zelfs in de zomer, en de mensen gebruikten ibriqs nog steeds om water te delen zonder de kan met hun lippen aan te raken. Hassan tilde de kan hoog boven zijn hoofd en hield hem schuin, zodat het water direct uit de tuit in zijn open mond stroomde, als wijn uit een middeleeuwse geitenleren drinkzak. Ik probeerde hetzelfde te doen en morste al het water over de voorkant van mijn blouse.

De oude Libanese huizen waren gebouwd rond eten. (Soms letterlijk: tijdens de Ottomaanse overheersing bouwden Libanese dorpelingen valse muren in hun huizen om hun graan voor de belastinginners van het rijk te verstoppen.) Het huis van tante Nahla had een kamer voor de *saaj*, een komvormige metalen plaat om brood op te bakken; een steen om granen te malen en een speciale ruimte voor het klaarmaken en bewaren van *mouneh*. Het woord 'mouneh' komt van *mana*, 'bewaren' of 'voorraden inslaan'. In Libanon kan het verwijzen naar elk soort eten dat wordt bewaard of ingemaakt voor de winter of magere tijden: tafelzuur, jam, gedroogde kaas, makdous in olijfolie, puree van zongedroogde tomaten, fruit ingemaakt in honing en zelfs in eigen vet geconserveerd vlees. Het kan echter ook slaan op de traditie van het bereiden van dergelijk eten. Het is een van die woorden die een hele manier van leven omvatten.

Elke zomer, zelfs tot in de herfst, kwamen tante Nahla en haar buren bij elkaar om mouneh te maken. Ze haalden de stekels van de cactusvruchten en schilden ze om er jam van te maken. Ze kookten granaatappels in tot de siroop waarmee de fattoush en de *lahmajin* op smaak werden gebracht, en soms – afhankelijk van wie er aan het koken was – het gekruide vlees in de kibbeh qras. Ze waren een hele dag bezig met het maken van *tahweeshet kamuneh*, het kruidenmengsel met komijn voor door de kibbeh nayeh. Die van tante Nahla zat zo vol chilivlokken dat ik meteen moest niezen toen ik eraan rook. En de vrouwen besteedden twee dagen aan het maken van za'atar, het scherpe, groenbruine poeder met zout, sumak, sesamzaadjes en de gedroogde blaadjes van wilde Syrische oregano (die verwarrend genoeg ook za'atar genoemd wordt en bijna altijd verkeerd vertaald wordt als 'tijm').

Tante Nahla maakte elk jaar elf pond za'atar. Eén pond hield ze voor zichzelf en de andere tien nam ze mee naar Beirut om aan de rest van de familie te geven, samen met de zelfgemaakte katoenen zakjes bulgur en glazen potten met mouneh. Terwijl ze de blaadjes voor de za'atar fijnmaalden en de sesamzaadjes roosterden, dronken de dorpsvrouwen vele koppen koffie en thee en wisselden allerlei belangrijke roddels uit; een deel ervan, daar twijfelde ik niet aan, over Nahla's neef Mohamad en zijn Amerikaanse echtgenote.

De herdenkingsdienst voor Abu Hassane was in de *husseinieh* van Bint Jbeil, een sjiitische ontmoetingsruimte die fungeert als iets tussen een moskee en een buurthuis in. Dit exemplaar was een laag, grijs gebouw dat eruitzag als een lagere school uit de jaren zestig, ergens in een buitenwijk. Zodra we in het gebouw waren, scheidden de wegen van de mannen en vrouwen zich. Ik volgde de vrouwen een grote ruimte in, die als een kerk vol stond met rijen en rijen houten banken, bedekt met schuimrubberkussens met kunststoffen hoezen. Rondom langs de muren stonden stoelen en banken. Er zaten op zijn minst honderd vrouwen, sommige jong, maar de meeste oud. Dikke pilaren ondersteunden het lage plafond, waardoor het net was alsof je je diep in het ruim van een schip bevond. Slingers van rode, roze en gele plastic bloemen sierden de pilaren en de muren. Voor in de ruimte stond een podium met daarop een houten lessenaar, die ook versierd was met bloemen. Achter het podium, vlak onder het plafond en boven nog meer aan de muur bevestigde bloemen, hingen foto's van sjiitische geestelijken, inclusief een ge-airbrusht portret van een beminnelijke, bebaarde jonge ayatollah Ruhollah Khomeini, de leider van de islamitische revolutie van 1979 in Iran, met eenzelfde vrome blik als de gebruinde blonde Jezussen die ik me kon herinneren van de kerken in het Midden-Westen.

Een oude vrouw met een vlezig gezicht liep naar de lessenaar en ging erachter staan. Zonder iets te zeggen schikte ze haar zwarte gewaad en begon te zingen. De microfoon kraakte en vervormde het geluid een beetje, maar haar vloeibare stem klonk er toch doorheen. De klanken golfden over ons heen, omhoog rijzend en dan weer dalend in een waterval van noten totdat ze helemaal onderaan kwam, met een snik diep ademhaalde en opnieuw begon. Het waren die huilerige ademteugen die je raakten, die door je zelfbeheersing heen scheurden, op de manier waarop een huilende baby paniek kan oproepen: een onwillekeurige reactie op het geluid van een ander mens dat lijdt. Het ritme van het lied dreunde op ons in, meedogenloos als de oceaan. Een voor een werden de gezichten van de vrouwen om me heen rood, hun trekken vervormden en ze begonnen te slikken. Statige jonge vrouwen in zwarte gewaden liepen met dozen tissues langs de rijen, zoals katholieken tijdens de mis de collecteschaal doorgeven. Nu begreep ik waarom overal tussen de rijen plastic vuilnisbakjes stonden. Huilende vrouwen gooiden hun natte tissues erin, zoveel dat ze overstroomden. Tranen begonnen in me op te wellen, een vloedgolf van zo diep dat ik niet wist dat hij er zat, en plotseling dacht ik aan mijn grootmoeder, om wie ik nooit echt gehuild had – ik was altijd van plan het later te doen, als alles rustiger geworden was – en ik voelde hoe mijn houding afbrokkelde.

Juist op dat moment stopte de oude vrouw met zingen en begon ze de *fatiha* te reciteren, het openingshoofdstuk van de Koran. Er klonk geritsel en geschuif en de vrouwen raapten zichzelf bij elkaar. Ze begon opnieuw te zingen, een melodieus volkswijsje deze keer. Ik verstond soms een regel: iets over water halen, een bron en iemand die verdwenen was. Er bestond een eeuwenoude traditie van rouwliederen, teruggaand tot pre-islamitische tijden en meestal gezongen door vrouwen; liederen die vertelden over lange voetreizen, over koffie die koud wordt omdat de geliefde er niet is om hem op te drinken, over water dat uit je ogen stroomt als het water uit een bron. Het ritme klonk als het slaan van een mensenhart, maar ook als de cadans van stappen. Het klopte maar door, regel na regel, en langzaam begonnen de vrouwen zichzelf op de maat van de muziek te slaan. Ze stompten op hun borst en dijen; het regelmatige gebonk klonk als het kloppen van een enorm hart. Ik voelde dat ik verdween in het langzame ritme van het lied, en dat gevoel van anonimiteit was op een vreemde manier troostend na al die weken van ziekenhuizen en familieleden. Een oude vrouw met een wijs, leerachtig gezicht zat naast me op haar borst te slaan; telkens na een slag hield ze haar hand als een kommetje op naar de hemel, als het standaardgebaar van een apostel op een middeleeuws Italiaans schilderij.

Zodra het lied was afgelopen, haalde de zangeres een pakje Marlboro's tevoorschijn. De helft van de vrouwen in de husseinieh stak een sigaret op, vooral de ouderen, en wendde zich tot een buurvrouw voor een vuurtje. Een jong meisje verderop in mijn rij vouwde haar tissue tot een net vierkantje en stopte het ergens in haar zwarte gewaad. De familieleden stonden voor in de ruimte, hun gezichten getekend door het verdriet. Tussen de stoelen en banken begon zich langzaam een lange rij te vormen. Mensen schuifelden langs hen om hen te kussen of hun handen vast te grijpen. Ik ging ook in de rij staan, onzeker of ik bij de familie of bij de vrienden hoorde, of ik condoleances moest uitspreken of ontvangen, maar toen ik bij Hanan aankwam, stak ze haar armen naar me uit en omhelsde me met tranen in haar ogen.

Tante Khadija had voor haar huis een tafel neergezet, naast een laag stenen muurtje en een jonge vijgenboom. Een hoge pijnboom wierp een groene schaduw over het banket dat ze had klaargemaakt; er was mlukhieh, de mosgroene stoofschotel waar Mohamad en ik gek op waren, kibbeh nayeh en grote ronde schalen met *kafta bi saynieh*, laagjes gekruid gehakt afgewisseld met tomaten en aardappelen en vervolgens gebakken, zodat de aardappels de tomatensaus en de smaak van het vlees hadden opgenomen. Ze had enorme plastic schalen gevuld met tabouleh en fattoush, en munt, Romeinse sla en komkommers op borden gelegd. We dronken water uit een heldere glazen ibriq, en deze keer wist ik het vocht direct in mijn open mond te gieten.

Voor Mohamad, de jongste, had Khadija *shawrabet sharieh* gemaakt, een traditionele soep met dunne pastasliertjes en kruidige gehaktballetjes. Het was zijn lievelingsgerecht. 'Ik heb dit speciaal voor jou gemaakt, Mohamad Ali,' zei tante Khadija met haar hese stem als donkerbruine suiker, 'omdat je moeder zegt dat je het lekker vindt.'

Iedereen lachte; hij was misschien bijna dertig, had voor de krant oorlogen en revoluties verslagen en bezat een dikke baan en een Amerikaanse vrouw, maar hier in Bint Jbeil was hij nog steeds de benjamin van de familie en stond hij bekend om zijn kieskeurigheid met eten.

'Dat doet me denken aan een verhaal,' zei de man van tante Khadija. 'Weet je nog toen we naar Aley gingen?'

Aan het begin van de jaren tachtig waren Umm Hassane en Abu Hassane en al hun kinderen tijdens een bijzonder gevaarlijk bombardement met zijn allen in een auto gestapt en naar familie in de bergen buiten Beirut gereden. De reis was lang en gevaarlijk, met veel vijandige controleposten, en toen ze er uren later eindelijk waren, trilde iedereen van opluchting.

Mohamad, die toen nog maar klein was, klaagde dat hij honger had. Umm Hassane bood aan om gekookte eieren en met olijfolie gestampte aardappelen voor hem te maken; een ander favoriet gerecht van hem. Maar toen ze het water begon te koken, stampte hij woedend op de grond. Ze kookte het water in de verkeerde pan! De enige pan waaruit hij zou eten, zei hij tegen haar, was de pan die thuis op de plank stond. Alle volwassenen probeerden hun lachen in te houden terwijl hij eiste dat Abu Hassane zou terugrijden naar Chiyah, de pan zou halen en die mee terug zou nemen zodat zijn ei erin gekookt kon worden. Anders, had hij geschreeuwd, ga ik het niet eten!

Terug in de eenentwintigste eeuw bloosde Mohamad toen tante Khadija's man het verhaal vertelde waar iedereen bij was. De hele familie was er, voor het eerst herenigd sinds 1994. Hassan was uit Parijs gekomen. Ahmad uit New York. Hassane, die nooit stopte met praten, uit Barcelona. Mohamad Ali, die 'buiten' was opgegroeid en nu de enige zoon was die in Libanon woonde. Hanan, die nooit weg was geweest. En ik.

We zaten buiten en luisterden naar de krekels en de auto's en de andere geluiden van het platteland terwijl om ons heen de avond viel. Terwijl we de laatste restjes van tante Khadija's begrafenismaal opaten, herinnerden mensen zich andere verhalen uit het leven van Abu Hassane. Het eten maakte herinneringen los, die de familie verbond met andere plaatsen en mensen die niet langer bij ons waren, met de doden. Het steeds weer eten van bekende gerechten creëerde, net zoals traditie dat doet, de illusie dat het verleden nog altijd doorleefde; we eten dit omdat we het vroeger ook aten, toen Abu Hassane nog bij ons was. We trouwen zoals onze voorouders getrouwd zijn omdat de mensen van wie we houden – vaders, moeders, misschien zelfs wijzelf – troost vinden in herhaling, in het uitvoeren van handelingen die allang niet meer noodzakelijk zijn, of die het misschien zelfs nooit geweest zijn. Sommige tradities besluiten we te verwerpen, zoals de ongelijkheid tussen mannen en vrouwen of het kopen van een bruid als een zak aardappelen. Andere, zoals het koken voor een rouwende familie of het in het bijzijn van de mensen van wie we houden, beloven van elkaar te houden en elkaar te steunen, behouden we.

Hoofdstuk 19

Oorlog in de keuken

Na de moord op Hariri stopten Mohamad en ik met het zoeken naar een appartement; tijdelijk, zeiden we tegen elkaar, tot de politieke situatie weer rustiger zou worden. Maar het land werd niet rustiger, en wij ook niet.

Op 2 juni werd de krantencolumnist Samir Kassir gedood door een onder zijn auto geplaatste bom. Op 21 juni werd de voormalige leider van de communistische partij George Hawi gedood door een autobom. Op 25 september kostte een autobom nog net niet het leven aan de televisiejournalist May Chidiac, die wel een been en haar onderarm kwijtraakte. In overwegend christelijke wijken ging een reeks kleine maar strategisch geplaatste bommen af, waarbij een handvol mensen omkwam, en toen de bomaanslagen en moorden dat jaar bleven doorgaan, kon je de haat als stoom boven de straten van Beirut voelen opstijgen. De spanningen tussen sjiieten en andere religieuze groeperingen in Libanon waren sinds de moord op Hariri opgelopen. De polarisatie had vele oorzaken: de expansiedrift van Iran, de steun van Hezbollah voor Syrië. Maar één reden stak dreigend boven alle andere uit: Irak.

In oktober 2005 kreeg ik een msn-berichtje van mijn vriend Abdullah, een literatuurprofessor die ik kende uit Bagdad. Hij hield van Hemingway, George Orwell en George Bernard Shaw, hij had een passie voor schrijvers met een Ierse achtergrond zoals Eugene O'Neill en ik was zeer gecharmeerd van de manier waarop zijn donkere ogen oplichtten wanneer hij sprak over boeken en ideeën.

Abdullah was in het midden van september op bezoek bij zijn oom, toen een van de regeringsmilities van Irak de buurt schoonveegde en alle mannen arresteerde. De nieuwe, door sjiieten gedomineerde Iraakse regering pakte soennieten op die ervan beschuldigd werden opstandelingen te zijn (vaak door 'informanten', die van alles konden zijn, van gebrouilleerde schoonfamilie tot buurtcrimineel) en martelden ze. 'Ze martelden ons vreselijk,' schreef hij me, 'en daarna lieten ze me vrij en zeiden "Sorry, we hadden het mis."' Nuchter voegde hij eraan toe: 'Het leven in Irak is erg gevaarlijk, niemand kan zichzelf redden.'

Ik belde Abdullah en vroeg hem wat er gebeurd was. Zeventien dagen lang, vertelde hij, hadden ze hem en ongeveer vijfentwintig anderen opgesloten in een koude, donkere ruimte die zo klein was dat ze niet konden gaan liggen. Elke paar minuten sloegen de bewakers met de deuren om te zorgen dat de gevangenen niet konden slapen. Ze mochten zich niet wassen, zelfs niet hun handen afspoelen als onderdeel van de rituele wassingen die belijdende moslims voor hun gebeden moeten uitvoeren. Ze ondervroegen hem drie keer, waarbij ze elektrische schokken gebruikten 'op alle delen van mijn lichaam,' vertelde hij, met de nadruk op 'alle'. Ze dwongen hem om Omar ibn al-Khuttab en Otman ibn Affan te vervloeken, de tweede en derde kalief van de islam, die door sommige sjiieten als usurpators worden beschouwd. En ze zeiden tegen zijn oom dat hij Bagdad uit moest; dat de stad nu aan de sjiieten toebehoorde en niet aan de soennieten.

In november sloten de Amerikanen een van de 'geheime' gevangenissen (waarvan de Irakezen al maanden wisten dat ze bestonden) die door het Iraakse ministerie van Binnenlandse Zaken geleid werden. Het ministerie stond onder controle van de 'Hoogste Raad voor de Islamitische Revolutie in Irak', een sjiitische partij die nauwe banden had met Iran. De ontdekking droeg bij aan een aardverschuiving in de Amerikaanse publieke opinie; steeds luider klonk de eis om onze troepen zo snel mogelijk terug te trekken en het hele rottige land weg te stoppen in het vakje 'Niet Meer Ons Probleem'.

Ik vroeg Abdullah wat hij ervan vond. 'Goed beschouwd weten de Irakezen het nu ook niet meer,' schreef hij terug, 'maar ze willen niet dat Amerika op dit moment vertrekt.'

Zijn gezichtspunt kwam niet overeen met wat de meerderheid dacht: opinieonderzoeken lieten zien dat de meeste Irakezen wilden dat de Amerikanen vertrokken. Maar de meerderheid van de Irakezen bestond uit sjiieten. Hoe zouden zij de minderheden behandelen zodra ze aan de macht waren?

De soennieten van Libanon keken naar Irak en zagen daar hun ergste nachtmerrie: een door sjiieten gedomineerde regering, gesteund door Iran, die de soennieten uit het openbare leven verdrong. Je hoorde mensen steeds vaker de onheilspellende woorden zeggen dat de sektarische spanningen op het moment hoger opliepen dan in 1975, vlak voor de burgeroorlog.

De vijftienjarige burgeroorlog van Libanon was begonnen als een samenloop van allerlei conflicten – onder andere over economische ongelijkheid, migratie van het platteland naar de stad en ideologische strijdpunten – waar religie er slechts één van was. Maar op de een of andere manier vlakte religie alle andere verschillen uit, des te meer omdat godsdienst verbonden was met de politieke structuur. En hetzelfde gebeurde nu. De scheidslijn tussen soennieten en sjiieten begon alle andere tegenstellingen te overschaduwen: voor en tegen Syrië, moslim en christen, links en rechts. De meeste Libanese sjiieten die ik kende, hadden niet veel op met het Syrische regime, maar dat maakte niet uit; hun politieke partijen stonden er wel mee op één lijn. (De zaak werd er niet veel beter op door het feit dat Syrië een land met een soennitische meerderheid was, geregeerd door een familie van Alawieten, een sjiitische tak van de islam.)

Op 12 december 2005 zou een speciale onderzoeker van de Verenigde Naties een rapport uitbrengen over de moord op Hariri. Een paar uur voordat het rapport openbaar werd, doodde een van op afstand bediende autobom Gibran Tueni, lid van het parlement en uitgever van de krant *An-Nahar*, tegelijk met zijn chauffeur en lijfwacht. Die avond vroeg het Libanese kabinet formeel aan de Verenigde Naties om een internationaal tribunaal in te stellen om de moord op Hariri en alle andere moorden te onderzoeken. Vijf sjiitische ministers verlieten onder protest het kabinet, waardoor de regering wekenlang verlamd was.

Twee dagen later ging ik samen met Chibli Mallat, een bekende rechtswetenschapper en mensenrechtenactivist, naar de begrafenis van Tueni. Duizenden mensen liepen in een optocht achter de kist met de dode man. Enorme luidsprekers op vrachtwagens lieten steeds opnieuw een opname horen van een belofte die Tueni acht maanden daarvoor gemaakt had, tijdens de demonstratie tegen Syrië van 14 maart: 'We zweren bij de almachtige God,' klonk de stem van de dode man keer op keer, 'moslims en christenen, om altijd verenigd te blijven en samen ons grote Libanon te verdedigen.'

Tueni had gesproken over de vorige oorlog; in Beirut maakte men zich klaar voor de volgende.

'We hebben hier in Libanon mensen die dezelfde droom hebben als de terroristen,' zei Ahmed al-Masri, een drieëntwintigjarige met een puppyachtig gezicht, tegen me terwijl we meeliepen in de begrafenisoptocht. Hij moest schreeuwen om zich boven de luidsprekers verstaanbaar te maken. 'En zolang zij er zijn, kunnen we niets doen.'

Al-Masri was een volgeling van Saad Hariri, de zoon en opvolger van de vermoorde tycoon. Hij bood aan me voor te stellen aan een aantal hooggeplaatste mensen binnen de Toekomstbeweging van Hariri. Ik zei dat ik liever met hem praatte. Zijn oplossing voor het sjiitische probleem was simpel, zei hij: een religieuze zuivering. 'We zouden ze allemaal terug moeten sturen naar Iran,' schreeuwde hij.

Terúg naar Iran: ze werden beschouwd als buitenstaanders, indringers in hun eigen land. We liepen door met op de achtergrond het gegalm van Tueni's stem, die eindeloos opriep tot eenheid tussen moslims en christenen, terwijl moslims spraken over het zuiveren van het land van andere moslims.

Iedereen die dacht dat met het einde van de burgeroorlog ook de haat verdwenen was, had nog nooit geprobeerd om samen met een sjiiet een appartement in Beirut te zoeken. Meer nog dan geld was haat de factor die bepaalde waar je woonde.

'Godzijdank raken we die mensen eindelijk kwijt,' zei een hospita die we ontmoetten met een blik op de makelaar. Die knikte vol sympathie terug.

'Die mensen' waren illegale kolonisten die naar Beirut verhuisd waren tijdens de Israëlische bezetting van het zuiden. 'Die mensen' waren in andere woorden sjiieten, van wie veel niet-sjiieten het gevoel hadden dat ze niet in de stad 'thuishoorden'.

Dit was deels fabel, deels waarheid. Veel van de sjiieten die het zuiden ontvlucht waren, kwamen als een soort krakers terecht in de huizen van gezinnen die 'religieus gezuiverd' waren; christenen die door de soennitische milities West-Beiroet uit gejaagd waren bijvoorbeeld. Sjiitische milities zoals Amal plaatsten de ontheemde gezinnen in de leegstaande flats en gebruikten hen later als menselijk wisselgeld om geld af te persen van de verhuurders en de regering. In Wadu Abu Jamil (de Vallei van Abu Jamil) bleek dit zo'n winstgevend spelletje dat de mensen de buurt de Vallei van Goud gingen noemen.

Toen de oorlog voorbij was, hoopten sommige inwoners van Beiroet dat de sjiieten gewoon zouden vertrekken; ze zagen hen liever in het zuiden, waar ze een menselijk schild zouden vormen tussen Beiroet en Israël. Te zien dat een jonge sjiiet terugkeerde uit de Verenigde Staten met een Amerikaanse vrouw, een Amerikaanse baan en een dikke Amerikaanse onkostenvergoeding, klaar om een van de appartementen te huren waar ze nog maar net zijn verwanten uit hadden geschopt, dat moest pijn doen.

Deze hospita wist haar sektarisme te verzoenen met haar inhaligheid door op onbeschofte toon zo'n belachelijk hoge huur te vragen dat Mohamad en ik eenvoudigweg opstonden en wegliepen uit de onderhandelingen. Als ze zich nu al zo schofterig opstelde, hoe zou ze zich dan gedragen nadat we de gebruikelijke zes maanden huur vooruitbetaald hadden?

Dan had je ook nog het tegenovergestelde: sjiitische huisbazen die graag aan een aardige sjiitische jongen wilden verhuren. 'Ik heb ook andere geïnteresseerden,' zei een verhuurder, die waarschijnlijk loog, 'maar ik wil dit appartement graag aan jou verhuren omdat je *Metawali* bent.' 'Metawali' is een van de Ottomaanse tijd daterende denigrerende term voor sjiieten, die sjiieten zich hebben toegeëigend als een soort geuzennaam. Mohamad fronste; hij kreeg een nare smaak in zijn mond bij deze vettige, sektarische samenzweerderstoon. Het was een prachtige flat en bovendien goedkoop, maar van deze huisbaas wilden we niet huren.

Een ander flatgebouw hing vol met foto's van Bashir Gemayel, de vermoorde christelijke krijgsheer. WIE IS JE VIJAND? wilde een graffitiopschrift in het Arabisch weten, en het gaf ook meteen antwoord: JE VIJAND IS DE SYRIËR.

Een van onze beste vrienden was een Syrische Amerikaanse die in Damaskus woonde en vaak bij ons op bezoek kwam. Natuurlijk wilde ik dat ze zich bij ons welkom zou voelen, maar het appartement was ook goedkoop en mooi, en bovendien wilde ik een huis. Toch wees Mohamad het af: 'Als er gevochten gaat worden, zitten we hier klem,' zei hij. Ik vond dat hij melodramatisch deed; de gevechten waren toch al vijftien jaar geleden afgelopen?

Uiteindelijk vonden we een huurbaas die anders leek. Hij was een Libanese Irakees wiens moeder een exclusieve kostschool geleid had in het Bagdad van voor de Ba'ath-partij. Hij had een schildpad als huisdier en hij had klasse. Hij maakte ons het hof met vele kopjes koffie, lange gesprekken over Iraakse kunst en herinneringen aan het kosmopolitische leven in het Bagdad van voor Saddam.

Tijdens onze derde afspraak, na het tweede kopje koffie, richtte hij zich tot Mohamad. 'Dus… jij bent een Bazzi,' zei hij voorzichtig. 'Ben je voor Hezbollah of Amal?'

De grote Libanese vraag. Mohamads tak van de familie stond erom bekend koppige, opstandige Arabische nationalisten voort te brengen, verplicht noch aan Amal noch aan Hezbollah; een nalatenschap van dezelfde mythische, reeds lang verloren gegane Arabische renaissance als de huisbaas zelf. Maar religie vlakte deze onderscheidingen uit. Als je een druus was, nam men aan dat je volgeling was van Jumblatt of Arslan, voor soennieten was het Hariri en als je sjiitisch was, lag je loyaliteit natuurlijk bij Hezbollah of Amal. Als je dat ontkende, zeiden mensen: nou ja, iedereen weet dat die sjiieten liegen. Ze hadden er zelfs een woord voor: *taqiyah*, een religieuze doctrine die sjiieten toestaat om in een vijandige omgeving hun werkelijke geloof te verbergen. De vraag naar je religieuze loyaliteit was het Libanese equivalent van: 'Wanneer ben je gestopt met het slaan van je vrouw?' Een ontkenning bevestigde slechts je schuld.

Mohamad legde uit dat hij als Amerikaan en journalist geen enkele eed van trouw hoefde af te leggen tegenover welke van de Libanese politieke partijen dan ook. De huisbaas fronste en leek niet erg overtuigd. Uiteindelijk bood hij ons toch het appartement aan, maar zijn religieuze screening had ons alle twee ongemakkelijk gemaakt en we trokken ons terug uit de onderhandelingen.

Maanden later huurden vrienden van ons een appartement van deze zelfde huisbaas. Het was een gemengde groep: Libanees, Amerikaans, Canadees. De huisbaas had de Noord-Amerikanen apart genomen en een advies gegeven: ze moesten hun Libanese huisgenoot, een student medicijnen, zien kwijt te raken; hij was een sjiiet en dat soort mensen kon je niet vertrouwen.

Beirut kon zijn deuren voor ons sluiten omdat we niet genoeg geld hadden, omdat we bij de verkeerde groep hoorden of omdat we te koppig waren om de belachelijke prijzen te betalen die huisbazen teruggekeerde Libanezen en buitenlanders berekenden, maar er was één plek waar ze ons niet konden wegsturen: in Beiruts geografie van de haat waren cafés en restaurants neutraal terrein.

Op een dag nam Hanan ons mee naar een restaurant, waar haar beste vriend Munir achter de bar stond. De zaak heette Walimah, een woord dat 'banket' betekent: een gigantisch feestmaal dat dagenlang kon duren. Het restaurant zat op de begane grond van een elegant gebouw uit de Franse tijd, een van de weinige die nog overeind stonden in Hamra, aan de Makdisistraat. Er was een grote centrale salon, nu de eetzaal, met aan weerszijden kleinere vertrekken. Ramen en doorgangen tussen de ruimtes maakten dat je van het ene vertrek in het andere kon kijken, waardoor je het gevoel had tegelijkertijd binnen en buiten te zijn; een huis als een miniatuurdorpje, waarin de centrale ruimte het marktplein vormde.

Een donkere houten bar liep in een bocht door het kleine ontvangstvertrek; tegen de muur erachter glinsterden de flessen wodka, whisky, absint en andere sterke drank. Aan het einde van de bar zaten twee ramen in de muur, waardoor je in de eerste eetzaal keek. Daarvandaan leidde een open doorgang naar de grote salon in het midden, nu de centrale eetzaal, met twee grote tafels en voor de obers een ronde houten balie met een marmeren bovenblad. Twee grote dubbele deuren met glas leidden naar het balkon. Achterin was een derde eetzaal, het spiegelbeeld van de eerste. Langs beide muren stonden verleidelijk zachte bankjes, vol brokaten kussens in alle kleuren van de regenboog. Alle ruimtes hadden hoge plafonds en grote ramen met houten luiken. Het deed me denken aan de Runcible Spoon, mijn lievelingscafé in Bloomington, dat in een omgebouwd oud houten huis zat en naar koffie en kaneel rook, met een veranda en een achtertuin en zonnige ramen. Het voelde als thuis.

'Hier zouden we altijd naartoe moeten gaan,' fluisterde ik tegen Mohamad.

'Vooral aangezien we de eigenaars kennen,' zei hij praktisch.

Munir was heel anders dan ik verwacht had. Hij was lang en had een slaperige blik, een slordige zilvergrijze snor, een Frans accent en de luie, warme gratie van een vriendelijke, vaderlijke tijger. Hij had de gewoonte om al zijn zinnen te besluiten met 'weet je', vooral wanneer hij iets zei waar je het totaal niet mee eens was, en hij hield nog meer van discussiëren dan ik. Hij kon iedereen verslaan met scrabble. Hij zal het ontkennen wanneer hij dit leest, omdat hij ervan houdt om alles wat mensen zeggen tegen te spreken, maar feit is dat Munir een *ghanouj* was: iemand die schaamteloos met iedereen flirt, ongeacht leeftijd of sekse, niet zozeer op een seksuele manier maar uit pure koketterie. ('Baba ghanouj' betekent zoiets als 'vader is een flirt'.) Als je mooi was vergaf hij je nog wel eens iets, maar verder was hij genadeloos, en hij weigerde simpelweg om over politiek te discussiëren.

'Nee, nee,' zei hij dan en hij wapperde met een despotisch gebaar de smerige wereld van sekten en ideologie weg. 'Met dat soort dingen verdoe ik mijn tijd niet.'

Munirs moeder, Wardeh Logmaji, was eigenaresse van Walimah. Ze was een geduchte zuiderling uit Tibneen. Op haar veertiende al was ze met een jongen uit haar dorp getrouwd en vervolgens naar Beirut verhuisd, waar ze voor de eerste keer in haar leven een film zag; iets wat ze zo geweldig vond dat ze tientallen jaren later haar handen nog steeds verrukt tegen haar gezicht sloeg als ze eraan dacht. Haar echtgenoot stierf jong, ze hertrouwde en verhuisde naar Hamra. Toen de oorlog ondraaglijk werd, in het midden van de jaren tachtig, verhuisden zij en haar echtgenoot Ali naar Ivoorkust en later naar Kinshasa, dat in die tijd de hoofdstad van Zaïre was.

In Afrika begon ze een cateringbedrijf voor Libanese expats die heimwee hadden naar het eten van thuis. Ze had haar roeping gevonden, maar in 1991 braken er in Kinshasa rellen uit. Soldaten die geen soldij hadden gekregen plunderden Libanese bedrijfjes, Ali werd op een haar na neergeschoten en ze verloren alles, op het beetje geld na dat Wardeh rond haar middel gebonden onder haar kleren droeg. Het vliegveld van Kinshasa was gesloten en dus vluchtten ze per boot naar Brazzaville, waar de Libanese regering een vliegtuig regelde om ze terug te brengen naar Beirut.

Toen ze terugkwamen, verkeerde Hamra in een ongemakkelijk niemandsland tussen de bloeitijd van de jaren zeventig en de onromantische, katerige puinhoop van na de oorlog. De oorlog had meer verwoest dan alleen gebouwen; families waren uit elkaar gerukt, huwelijken waren afgezegd of uitgesteld en lang niet iedereen had thuis iemand om voor hem of haar te koken. Wardehs eigen omzwervingen hadden haar de kracht van het eten van thuis geleerd en in 1994 opende ze met twee vrienden Walimah, om Ras Beirut 'het gevoel van een huiselijke maaltijd' terug te geven.

Ik begon zo langzamerhand begrip te krijgen voor het door rook vergeelde oude bordje dat ik op die avond zo lang geleden bij Chez André had zien hangen: 'Geen politiek!' Walimah was het soort plek waar een aanhanger van Hariri een bord *hindbeh* kon delen met een volgeling van Hezbollah. Er bestond de stilzwijgende overeenkomst dat je bij het voeten vegen bij de ingang je dogma's achterliet.

Ik hoop dat Wardeh het me wil vergeven als ik erop wijs dat haar niet-Libanese gerechten – de soufflés, de lasagne – op zijn vriendelijkst met 'middelmatig' omschreven kunnen worden. Een verstandige gast bestelde niets met een Europese naam en ook niet de creatie die ze 'Chinese kip' noemde. Als je wist wat je deed, bestudeerde je de tweewekelijkse menu's die Wardeh liet drukken en plande je je leven rond de dagen dat zij haar yakhnes maakte.

Als ik dacht aan Libanees eten stelde ik me meestal meze voor: hummus, gevulde wijnbladeren, baba ghanouj. Maar de yakhnes hoorden bij een ander culinair dialect, een waarvan de meeste Amerikanen nooit geproefd hebben. De apotheose ervan werd gevormd door *tabeekh*, van de uit drie letters bestaande wortel die 'koken' betekent. Dit waren de maaltijden die traditioneel thuis klaargemaakt werden, meestal in een *tabkha*, een met de hand gemaakte pot van klei (tegenwoordig meestal een snelkookpan). Net als het Franse *casserole* kon het woord 'tabkha' zowel de maaltijd als de pan waarin die bereid werd betekenen. Tabeekh waren verschillende soorten jus en stoofpotten, pilavs en sauzen gemaakt van eenvoudiger ingrediënten dan meze: tarwe, rijst, aardappelen, groenten, bonen, linzen. Het was het soort eten dat Umm Hassane klaarmaakte als wij langskwamen: 'slow food', boereneten, de kookkunst van mensen die seizoensproducten gebruikten en het weinige vlees dat ze hadden aanvulden met groenten en granen. Yakhnes en tabeekh waren het Libanese voedsel voor de ziel: *akil nafis*, 'voedsel met ziel' (of, letterlijk: 'voedsel is ziel').

Jarenlang vonden de restaurants van Beiroet dit soort eten te volks om het te serveren. Meze en *mashawi* waren het soort gerechten waarvoor mensen geld wilden betalen; tabeekh waren wat je moeder en je oma thuis maakten. Toen Mohamad en ik naar Beiroet verhuisden, kon je dit eenvoudige eten maar in een handvol restaurants krijgen. Walimah was daar een van. Wardeh maakte traditionele boerengerechten zoals mjadara hamra, bulgur met courgette en tomaten en bulgur met vlees; ze maakte frikeh, gebroken jonge tarwe, nog zo'n traditioneel graan dat de meeste restaurants in Beiroet verwaarloosden. Ze maakte de vegetarische 'olijfoliegerechten', zoals hindbeh: paardenbloemen of cichorei gesauteerd in olijfolie en bestrooid met knapperige gekarameliseerde uien; gestoofde aubergine met tomaten, paprika en uien; sperziebonen, limabonen of okra gesmoord in olijfolie; en mijn favoriet, de glorieuze *foul akhdar*, zachte jonge tuinbonen die met gekarameliseerde uien, knoflook en koriander gesmoord werden tot ze uit elkaar vielen. Mensen op het platteland maakten kibbeh met pompoen, tomaat en aardappel in plaats van vlees, en dat serveerde Wardeh ook, naast ingewikkelde gerechten zoals gevulde courgette gestoofd in yoghurt; *sayadieh*, vis met gekruide rijst en saus met sesamzaadjes; de gevulde ingewanden die maar weinig restaurants durfden te serveren. Ze maakte zelfs khubaizeh.

Omdat ze afkomstig waren uit naburige dorpen smaakten de yakhnes van Wardeh net als die van Umm Hassane. Het basisrecept was in de loop der eeuwen niet veranderd: een bouillon getrokken van kip, lam of rundvlees, met daarbij een armvol groenten – spinazie, courgette, sperziebonen, bloemkool – afgemaakt met de scherpe smaak van de korianderknoflookpesto die je op het laatst toevoegde, wat me altijd herinnerde aan de oude Soemeriërs en het laatste zinnetje op de kleitabletten over het op smaak brengen met knoflook en prei.

Die eerste keer dat we bij Walimah waren, zaten Mohamad en ik buiten op het balkon. We aten *bamieh*, een stoofpot met okra, tomaten, rundvlees, knoflook en koriander.

'Dit smaakt precies zoals bij mijn moeder!' riep hij met een verbaasde blik uit, alsof het een tovertruc was. Wanneer hij iets at wat hij herkende, slaakte hij altijd zo'n uitroep van genot en verrassing. Zijn goedkeurende toon leek te impliceren dat ik op de een of andere manier verantwoordelijk was, alsof ik het zelf gemaakt had, zelfs als ik alleen maar een blik spaghettisaus had opengemaakt of niets anders deed dan naast hem zitten eten. Het delen van zijn opwinding over deze ontdekking, die dag op het balkon van Walimah, voelde net zo goed als een viergangendiner voor hem koken: we hadden nog geen huis gevonden, maar wel het eten van thuis, en voor dit moment was dat genoeg.

Onze eindeloze huizenjacht begon een vaste grap onder onze vrienden te worden. Wanneer mensen hoorden dat we in een hotel woonden, stelden ze zich voor dat we daar lagen te luieren op satijnen lakens terwijl bedienden allerlei heerlijkheden naast ons bed neerzetten. 'Een hotel, dat is vast geweldig,' zeiden ze jaloers. 'Roomservice: je hoeft niet eens zelf te koken!'

Zelfs als ik het zou willen, was roomservice niet aan de orde. Het Berkeley Hotel was verre van luxueus. Het leek meer een verzameling van het soort krappe, gemeubileerde flatjes waarin studenten wonen dan het voorname toeristenhotel dat het ooit had willen zijn. Het eerde deze verloren ambities met een roomservicemenu van vier pagina's lang, geschreven in elegant schuinschrift op crèmekleurig papier, met gerechten als 'Koninklijke kippenpastei' en 'Florentijnse biefstuk met aardappelpuree'. Als je een van deze dingen bestelde, kwam het personeel je spijtig melden dat, helaas, dat gerecht net op was.

Wat de keuken van het Berkeley Hotel in werkelijkheid had, was: brood, *labneh*, olijven en eieren. En het was goedkoper om daarvoor naar de winkel om de hoek te gaan, wat we dus ook deden. Maar ik wilde koken. Hoe meer de Iraakse oorlog Libanon binnensijpelde en onze levens vergiftigde, hoe meer onze hoop om ons ergens te vestigen tussen onze vingers door glipte en hoe groter mijn gevoel werd dat eten het enige was waar ik zeker van kon zijn. Het was de enige betrouwbare substantie die het ene deel van mijn leven met het andere verbond, de enige tastbare connectie tussen wie ik was en waar ik woonde.

Ik raakte geobsedeerd door eten. Ik bestelde oude nummers van obscure Britse tijdschriften over eten, waarin artikelen stonden met titels als 'Aantekeningen bij een studie van de sektarische Libanese keuken'. Ik belaagde voedingsdeskundigen. Ik ging naar lezingen over de ontwikkeling van de agrarische sector van Libanon en maakte bergen aantekeningen. Ik kwam een stichting op het spoor die zich bezighield met traditioneel Libanees eten: een groepje kunstenaars, universitair docenten en restauranteigenaars (Wardeh was ook lid) die recepten van het Libanese platteland verzamelden. Tijdens feestjes nam ik mensen apart en joeg ze schrik aan met ondervragingen over de hongerjaren, de grote hongersnood tijdens de Eerste Wereldoorlog, die in verhouding tot de bevolking aan net zoveel Libanezen het leven had gekost als de Ierse Hongersnood aan het einde van de negentiende eeuw.

Ik sloot me aan bij de 'slow food'-beweging van Libanon en toen een aantal leden daarvan in Beirut een boerenmarkt begon, ging ik er elke week heen. Souk el Tayeb ('De smakelijke markt' of 'De goede markt') begon met een handjevol boeren en kleine producenten die fruit, groenten en mouneh verkochten op de parkeerplaats tegenover de supermarkt van Smith's. Later verhuisde de markt naar Saifi Village, waar die uitgroeide tot een van de meest trendy bestemmingen in Beirut. De elite van Libanon reed in zijn landrovers naar de souk en stond vervolgens in de rij om broodjes te kopen met *kishk al-fuqara*: 'de kishk van de armen', een kaas gemaakt van tarwe door mensen die te arm zijn om zich melk te kunnen veroorloven.

Veel van mijn Libanese vrienden hadden gemengde gevoelens over de souk, maar ik hield van de boeren en de producenten, ik hield van het eten en ik vond dat de rijken van Libanon hun geld slechter konden uitgeven dan als subsidie aan kleine boeren. De nostalgische kishk stilde hun honger om ergens bij te horen, zich verbonden te voelen met een verloren agrarisch verleden, en dat kon ik ze niet kwalijk nemen; ik zocht ongeveer hetzelfde. En trouwens, het grootste deel van de tijd besteedde ik aan het praten met de boeren en producenten, en dat is hoe ik Ali Fahs ontmoette.

Ali was een pezige, kreupel lopende boer met een mond vol gaten en een leerachtige glimlach. Hij maakte allerlei soorten mouneh: vijgenjam met sesamzaadjes, specerijen gemengd met rozenblaadjes, zachte balletjes labneh in olijfolie zo dik en zoet als donkergroene honing. Ali besloot dat ik oké was toen ik hem als grap vertelde dat mijn echtgenoot Metawali was. Toen hij hoorde dat Mohamad een Bazzi was, zei hij meteen: 'De familie Bazzi, die is heel rijk.' Dat was niet waar, protesteerde ik, maar Ali had al besloten dat we samen in zaken zouden gaan; de schatkist van de familie Bazzi zou voor het kapitaal zorgen en hij regelde de mouneh.

'Deze markt heeft een grote geest nodig,' zei Ali tegen me toen hij me op een zaterdagochtend apart nam. 'En dan kun je groot geld verdienen.'

'Hoe?'

Hij spiedde naar links en rechts, keek mogelijke luistervinken met een boze blik weg en overwoog of hij zijn geheime handelskennis zou prijsgeven. 'Je zorgt dat je hebt wat niemand heeft. En dan reken je een hoge prijs,' zei hij met zijn wijsvinger in de lucht. 'Bijvoorbeeld: planten uit de zee. Die heeft niemand hier.' Er verscheen een triomfantelijke glimlach op zijn gezicht. Hij leunde naar voren, klopte op zijn magere borst en onthulde: 'Maar ik wel.' Hij hield een pot met donkergroene ingemaakte zeekraal omhoog, *hashishet al-bahar*, de hasj van de zee.

Ali sprak een gebroken, geïmproviseerd Engels en Frans; beide talen had hij zichzelf geleerd tijdens zijn jaren van zwoegen in grote, industriële keukens in Saoedi-Arabië. Het was zijn droom om genoeg mouneh te verkopen om naar Californië te kunnen verhuizen en een benzinestation te openen.

'Gisteren, ik had een droom,' vertelde hij me op een andere zaterdagmorgen. 'Ik was in Californië. Ik had een benzinestation. Het was helemaal van mij. Het was zo mooi.'

Waarom Californië?

'Omdat het de mand van Amerika is,' zuchtte hij. 'Net zoals Libanon de mand is van het Midden-Oosten.'

Ali Fahs had gelijk: Libanon was een tuin en de souk was mijn ondergang. In het minikoelkastje in het Berkeley Hotel paste ongeveer het equivalent van twee sixpacks aan eten, maar als ik een bleekgroen bosje za'a-tar zag, met die mysterieuze rozengeur en de tere zilveren glans, rea-geerde ik als een junkie en begon direct te rationaliseren. Ik zou het met-een gebruiken. Ik zou *fatayer* gevuld met za'atar maken. Ik zou het drogen zodat het niet in de koelkast bewaard hoefde te worden. Of de vrouw van een boer gaf me haar recept voor een soufflé van venkelgroen en ik ging naar huis met een hele verenbos van de groene, naar drop ruikende groente. Pas wanneer ik in het hotel was, herinnerde ik me dat we hele-maal geen oven hadden.

Hoe meer ontworteld ik me voelde, hoe vaker ik kookte. Ik bracht uren door in de keuken van poppenhuisformaat, gebogen over de twee elektri-sche kookplaatjes, en stelde pathologisch uitgebreide maaltijden samen. Eendenborst met gestoofde tuinbonen en frikeh, mijn eigen variatie op een recept van Paula Wolfert: de geroosterde jonge tarwe absorbeerde de rijke saus, met daarin de zachte, pistachegroene boontjes die me een uur gekost hadden om te doppen. Omeletten met knoflook, venkel, spinazie en feta. Zalm met een korstje van geroosterde venkel en korianderzaadjes, gepocheerd in het gereduceerde vocht van gekookte wortels en venkel, ge-serveerd op een ragout van babysperzieboontjes en courgette. Kippen-borst gevuld met gemalen pistachenoten en koriander, gesmoord in avo-cadosaus. Gegrilde kersen met geroosterde verse amandelen.

Deze ingewikkelde creaties waren een vervanging voor iets anders, iets wat net buiten mijn bereik lag. Umm Hassane zou gezegd hebben dat ik een kind wilde, maar waar ik naar verlangde, was iets veel eenvoudigers: ik wilde eten met vrienden, en niet in een restaurant. Ik wilde vrienden bij me thuis uitnodigen en ze te eten geven; míjn eten, gemaakt met míjn handen. Ik verlangde naar een tijd en een plek waar mensen die van el-kaar hielden rond de tafel zaten en met elkaar praatten. En het oudste en beste excuus om dat te kunnen doen was het breken van brood. Dat was de manier om je eigen stam te creëren, een microkosmos van de wereld waarin je wilde leven.

Alleen kun je mensen niet te eten vragen in een hotelkamer. We hadden niet eens een tafel, laat staan genoeg stoelen voor gasten. De enige stoel lag permanent vol met papieren en communicatieapparatuur. En Moha-mad weigerde om wat hij mijn 'liflafjes' noemde te eten. Hij proefde nooit iets wat ik maakte en als ik probeerde hem toch over te halen, trok hij vol afschuw zijn neus op en deinsde achteruit.

Het duurde maanden voordat ik me realiseerde dat het niet mijn eten was waar hij zo'n hekel aan had. Het was het onverwachte, alles wat on-voorspelbaar en nieuw was. Terwijl Libanon veranderde, had hij goede re-denen om te willen vasthouden aan wat hij kende; net als in het verhaal dat ik in het huis van tante Khadija gehoord had, over die keer tijdens de burgeroorlog dat hij zijn eieren alleen in een bepaalde pan gekookt wilde hebben. Dit was zijn manier om met stress om te gaan. Fanatiek en dwangmatig koken de mijne.

En dus at ik in het Berkeley Hotel alleen en stelde me gasten voor die nooit zouden komen. Ik sneed de eendenborst, legde die in een waaier, goot de saus erover en arrangeerde alles op het bord alsof ik nog steeds in de bediening van een restaurant werkte, zoals ik vroeger veel had gedaan. Ik schonk voor mezelf een glas wijn in, ging zitten en keek tv, aangezien Mohamad zich allang daarvoor in de slaapkamer had teruggetrokken, in een storm van protest over de kookgeuren waar hij zo'n hekel aan had.

Aan het einde van de herfst van 2005 kwamen sjeik Fatih en dr. Salama naar Beirut voor een conferentie. Het was hun eerste trip naar Libanon sinds jaren en ze waren net opgewonden toeristen. Ze namen alles op met een kleine camcorder. Ze verbaasden zich over bordjes met reclame voor laserontharing, over mensen die over de Corniche wandelden en sowieso over mensen die over straat liepen. Het was voor het eerst sinds lange tijd dat ze buiten Irak waren en toen ik ze meenam door Beirut moest ik steeds weer denken aan de scène in *The Wizard of Oz* waarin Dorothy de deur van haar zwart-witte boerenhuis in Kansas openmaakt en plotseling de snoepjeskleuren van Oz voor zich ziet.

Dr. Salama had een nachtjapon nodig en dus gingen we naar het winkelcentrum in Ashrafieh. Op de een of andere manier kwamen we uiteindelijk bij women'secret terecht, een Europese lingeriewinkel die vol stond met halfnaakte etalagepoppen in panty's en push-upbeha's waar de eigenaar van Frederick's of Hollywood van zou gaan blozen. In plaats daarvan leek iedereen in dat oerwoud van strings en jarretelles te staren naar de Iraakse vrouw in de zwarte abaya die haar hele lichaam bedekte.

We liepen door de winkel, gevolgd door een stomverbaasde verkoopster, totdat dr. Salama stopte voor een donkerroze satijnen brassière. Ze stak een van haar sterke, vaardige handen uit – in Irak stond ze erom bekend dat ze zelf tanden en kiezen trok, zonder mannelijke assistent, en de religieuze vrouwen kwamen speciaal daarvoor bij haar – en streek over de roze zijde. 'Het is mooi,' zei ze met stille eerbied, alsof we in het Louvre stonden en ze over een renaissanceschilderij sprak. De geblondeerde verkoopster stond achter haar, klaar om haar te helpen, en knipperde beleefd maar geschokt met haar nepwimpers.

Na het winkelen gingen we naar de patisserie van het Bristol Hotel om een ijsje te eten. Ik nam chocolade. Zij bestelde één bolletje citroenijs. Voor ze begon te eten, keek ze omlaag naar de bleke, romige bol citroenijs. Haar gezicht zag er moe uit, maar ze glimlachte. 'Dit ijs,' zei ze zacht, 'is zo mooi.'

Alles was mooi; eerder die dag, toen ze zag dat ik mijn haar in een staart droeg, had ze uitgeroepen: 'Annia, je draagt je haar zo mooi!'

In de anderhalf jaar sinds we dr. Salama voor het laatst gezien hadden, had ze verscheidene moordaanslagen overleefd. Bij één aanslag hadden de aanvallers haar man in zijn been, hand en buik geschoten. Hij had haar bevolen haar politieke carrière op te geven; zij weigerde en nu stonden ze op het punt te gaan scheiden. Ze was meermalen gebotst met de regerende sjiitische politieke partijen. Zij en haar kinderen leefden onder huisarrest.

'Ik heb geleerd dingen die mooi zijn te waarderen,' zei ze zo zacht dat ik me naar voren moest buigen om haar te kunnen verstaan. 'Ik heb een plant in mijn tuin en op een dag bloeide die. Ik zei tegen mijn dochter: "Kijk eens naar deze bloem. Zo klein en teer. We zouden moeten leren om dit soort dingen te waarderen wanneer we ze hebben."'

Terwijl dr. Salama en ik een ijsje aten, zaten Mohamad en sjeik Fatih in de lobby van het hotel. Of ze misschien trek hadden, vroeg Mohamad. We konden hen meenemen naar een restaurant, café, wat ze maar wilden: sushi, meze, Frans, Italiaans; Beirut had het allemaal. Er was zelfs een Spaans restaurant.

De sjeik wilde iets anders. 'Nu we hier zijn, willen we maar één ding,' zei hij. 'Het zou een eer voor ons zijn om een maaltijd te eten die Annia heeft klaargemaakt.'

Het was net een fabel uit Duizend-en-een-nacht: de heilige man, reizend door een vreemd land, die ons net die ene gunst vraagt die we hem niet kunnen verlenen.

'Tja,' zei Mohamad (enigszins schaapachtig, bekende hij later), 'het probleem is dat het ons nog niet gelukt is om een appartement te vinden. En dus wonen we in een hotel.'

'Een hotel?' vroeg sjeik Fatih met beleefde verbazing.

'Maar binnenkort zullen we echt naar een appartement verhuizen,' voegde Mohamad haastig toe.

'Natuurlijk, ik maakte maar een grapje,' zei sjeik Fatih. 'Ik bedoelde alleen dat we het geweldig zouden vinden om Annia's eten te eten. Dat hoeft niet nu te zijn. We doen het wanneer het kan.'

We hadden zo vaak bij sjeik Fatih thuis in Bagdad gegeten. Wanneer zouden we de kans krijgen om iets terug te doen voor zijn gastvrijheid?

'De volgende keer dat u in Beirut bent, als God het wil,' zei Mohamad in het bloemrijke formele Arabisch dat hij anders haast nooit gebruikte, 'zal Annia een feestmaal voor u klaarmaken.'

In februari 2006 bombardeerden soennitische extremisten het heiligdom Askari, de graftombe van twee sjiitische imams, in de noordelijke Iraakse stad Samarra. De bomaanslag en de represailles die erop volgden, wakkerden het sektarische conflict aan, dat alleen in naam nog geen burgeroorlog was. Op 23 februari hield de Hezbollah-leider Hassan Nasrallah een demonstratie in dahiyeh, zogenaamd om te protesteren tegen de bomaanslag in Samarra. Hij gaf de Verenigde Staten de schuld van de onrust in Irak en daagde de Amerikanen uit om Hezbollah te ontwapenen. Soennieten en sjiieten zouden elkaar niet de schuld moeten geven, merkte hij op. Maar de spanning in Beirut was nog groter dan daarvoor.

De week daarop had Mohamad eindelijk genoeg van al mijn kokerij. Hij wist de klusjesman van het Berkeley Hotel zover te krijgen dat hij een ventilator installeerde in de muur boven het barretje dat de keuken afscheidde van de rest van de kleine woonkamer, waar we onze artikelen schreven, naar het nieuws keken en ongeveer alles deden behalve slapen.

De volgende dag, het was inmiddels maart, deed ik mijn rubberhandschoenen aan om de afwas te gaan doen en ontdekte dat ze vol zaten met brokjes pleisterwerk. Stukjes afgebrokkelde muur en gruis bedekten de hele keuken en alles wat erin stond: kookboeken, gedroogde rozenblaadjes, zakken pasta, potten *kamuneh*, flessen rode wijnazijn, olijfolie, zorgvuldig schoongepoetste wijnglazen, gedroogde kikkererwten, bulgur, kamille, kaneelstokjes; alles zorgvuldig op elkaar gestapeld alsof ik mijn minikeukentje wilde afschermen van de rest van de wereld.

Ik keek naar de chaotische opeenstapeling van stoffige etenswaren, deze fragiele schatkamer van mijn huisgoden, berekende dat we nu precies tweeënhalf jaar in het Midden-Oosten woonden, en plotseling borrelde het allemaal omhoog: alle jaren van zwerven, van verbannen zijn uit mijn grootmoeders keuken, van het wonen in auto's en op andermans bank, en mijn schedel barstte bijna.

'Je bent verdomme zo'n klootzak,' schreeuwde ik tegen mijn man en ik smeet een van de hotelglazen tegen de hotelmuur. Het glas brak en de scherven vlogen in het rond, onder andere in mijn schoenen, die netjes op een rijtje tegen de muur naast de deur stonden. 'Realiseer je je dat we hier nu tweeënhalf jaar zijn en dat we verdomme nog steeds in een hotel wonen?'

'Nou ja, dat is niet helemaal waar,' merkte Mohamad nogal onverstandig op, 'want eigenlijk wonen we hier pas echt sinds januari 2005.'

Deze ruzie hadden we al zo vaak gehad: ik hield vol dat we in oktober 2003 naar Beirut verhuisd waren, toen we uit New York vertrokken; hij beweerde dat we pas sinds januari 2005 in Beirut woonden, vanaf het moment dat we Irak definitief verlieten. Het was net zoiets als de christelijke kalender die begint met de geboorte van Jezus en de moslimkalender die start in 622, het jaar dat de profeet Mohammed zijn *hijrah* maakte, zijn reis van Mekka naar Medina. Ik plaagde Mohamad wel eens met zijn '*hijri*-kalender' als hij het weer over januari 2005 had. Dit was niet een van die keren.

'Dat kan me niet schelen!' schreeuwde ik. 'Ik wil een echt huis! Ik wil ergens wonen! Ik wil verdomme een keuken!'

Technisch gesproken hadden we een keuken: de minikoelkast, het aanrechtje, de twee elektrische kookplaatjes die we van het hotel absoluut niet mochten gebruiken. (Ik gebruikte ze wel en het personeel, dat ons graag mocht, keek de andere kant op.) Ik had de keuken ooit eens gemeten door op de grond te gaan liggen: hij was precies zo lang als ik en niet veel breder, als een doodskist. Het zou zelfs overdreven zijn om het een kitchenette te noemen.

Ik liet me op de grond zakken, leunde tegen de muur en begon te huilen van woede.

Mohamad kroop naar me toe – aarzelend, voor het geval ik opnieuw met dingen zou gaan gooien – en legde zijn hand op mijn schouder. 'Ik beloof het je, oké?' zei hij. 'Ik beloof je dat we een appartement zullen vinden.'

Ik moest dat benauwde kamertje uit. Ik belde mijn vriendin Leena en we besloten om iets te gaan drinken bij Walimah. Het was donderdagavond; een gewone avond, dacht ik, maar toen ik bij het restaurant kwam, zag alles er compleet anders uit. 's Avonds lieten de hoge ramen met de houten luiken een briesje binnen vanuit de tuin. Aan het plafond hingen lantaarns, en glazen bollen van abrikooskleurig melkglas gaven licht als stralend fruit. Uit de middelste eetzaal waren de tafels verdwenen en de ruimte was vol dansende paren, met zwaaiende armen en zwierende haren. Een hese stem zong een zich steeds herhalend lied met een opzwepend ritme dat klonk als een kat die een vogel besluipt. In de lucht hing de zware geur van zweet en wijn en nog iets: mlukhieh.

Dit was tangoavond, de *milonga* op donderdagavond die Munir had ingesteld. Ik was gek op het woord 'milonga', dat zowel een soort muziek, een dansstijl als een regelmatig terugkerend evenement aanduidt; een avond waarop mensen samen de tango dansen. Een milonga is een samenkomst die niet zozeer huist op een bepaalde fysieke plaats, of in een bepaalde tijd, maar die bestaat uit een verzameling van verwante zielen.

Ik zat in het voorste vertrek, dronk wodka en absint met Leena en Munir en keek hoe de dansers als zeewezens over de tegelvloer deinden. 'In de afgelopen maand heb ik sektarische opvattingen horen verkondigen die ik nooit eerder gehoord heb,' zei Munir zonder een vleugje van zijn gebruikelijke flirttoon. 'En ik heb ze gehoord uit de mond van mensen van wie ik dat nooit gedacht had.'

Er viel een ongemakkelijke stilte. Munir had geregeld dat de film *Tango* van Carlos Saura (over de vuile oorlog in Argentinië, al ontkende Munir dat) zonder geluid op de muur geprojecteerd werd. Je zag het gezicht van een oude man die woordeloos een klaaglijk lied zong; een zwijgende, alwetende maan boven de dansers die over de vloer zwierden. Een van de *tangueras* droeg rode, hooggehakte schoenen met glittertjes die perfect pasten bij haar kersenrode krullen. Een lange vrouw van achter in de veertig zat aan de kant op een stoel en strekte haar benen uit, gehuld in tot over de knie reikende leren laarzen met naaldhakken.

Een van de dansers plofte neer op een stoel naast ons. Hij was slank, met naar achteren gekamd zwart haar boven het gladde, gulle, sexy gezicht van een jonge Valentino. Hij had urenlang gedanst en zijn zwarte overhemd, dat precies ver genoeg openstond, was nat van het zweet. Dit was Georges, de tangoleraar. Zodra we begonnen te praten, wist ik dat we vrienden zouden worden.

De volgende tangoavond sleepte ik Mohamad mee. Leena had het voorste vertrek gevuld met journalisten uit het buitenland. In het midden cirkelden tangodansers over de vloer. In de achterste ruimte zat een aantal politici rokend om een tafel, mannen in zwarte pakken met scherpe gezichten en donkere kringen onder hun ogen. Af en toe rees er een hees, intiem gelach op van hun tafel, die vol stond met flessen Johnny Walker, de amberkleurige drank glanzend in het kaarslicht.

'Volgens mij wordt er op dit moment in de achterkamer een pro-Syrisch complot gesmeed,' fluisterde Leena toen we binnenkwamen. Ze bezat de zeldzame vaardigheid om zich in totaal verschillende werelden te kunnen bewegen en tangoavond leek daarvoor gemaakt: in de ene kamer kon een tafel vol pro-Syrische politici zitten, terwijl de voorkamer krioelde van de Amerikaanse diplomaten wier beveiligingsbeambten naast de deur stonden, met hun stierennekken en een microfoontje in hun oor, en tussen dat alles in zwierden de dansende mensen.

Een van de journalisten van Leena bestelde mlukhieh. Hij was al drie jaar in Beirut en had nog nooit mlukhieh gegeten, maar nu hij het voor het eerst proefde, smaakte het hem niet erg. Hij legde zijn lepel neer en trok een vies gezicht naar de witte kom met donkergroene oersoep. 'Wat is dit voor spul?' vroeg hij.

'Het is spinazie,' antwoordde een verslaggever van een Amerikaanse krant.

'Het is okra,' verbeterde een Britse reisschrijver.

'Het is mlukhieh,' zei Leena geamuseerd.

Mlukhieh wordt gemaakt van de blaadjes van de juteplant, *Corchorus olitorius*, en net als bij okra zijn mensen er gek op of ze haten het. Als het om mlukhieh gaat, bestaat er geen neutraliteit. Zompige, donkergroene mlukhieh smaakt als een donkere, stille vijver in het midden van een diep woud. Het heeft de leemachtige, vruchtbare, ongewone smaak van natte blaadjes die uit elkaar vallen tot aarde. Deze gestoofde groente is al eeuwenlang een beroemd Noord-Afrikaans gerecht; in het Tunis van de negentiende eeuw vond men het zo kostbaar dat loyale stadsbewakers elk jaar vijf koeien en een zak mlukhieh kregen. In Japan wordt het aangeprezen omdat het zo gezond zou zijn; op de Filippijnen maken ze er een gerecht van dat *saluyot* heet.

Wardeh maakte haar mlukhieh op twee manieren klaar. De eerste was de Egyptische manier: fijngehakte blaadjes, opgediend met gesnipperde uitjes en azijn. De tweede was de manier van Zuid-Libanon: de hele, geaderde, theegroene blaadjes werden met kip, koriander en rode peper tot een knoflookachtig moeras gestoofd. Ze serveerde het met brood en citroensap en goot het als een saus over een bord rijst; het vocht drong in de rijstkorrels als een zomerregen in de droge aarde.

In het Engels wordt mlukhieh *'Jew's Mallow'*, joodse malva genoemd (op de diepvriespakjes van één bedrijf heerlijk verkeerd gespeld als *'Jew's Mellow'* ['mellow' betekent 'relaxed, ontspannen', vert.]) Niemand leek te weten waarom. Toen ik Sami Zubaida, de Iraakse wetenschapper, ernaar vroeg, gokte hij dat Engelssprekenden de groente voor het eerst waren tegengekomen bij joodse emigranten, wat aannemelijk leek. Clifford Wright speculeert in zijn encyclopedische geschiedeniswerk en kookboek *A Mediterranean Feast* dat de joodse voedselvoorschriften het bittere blad bijzonder geliefd maakten bij de joden van Alexandria; en ook dat vind ik aannemelijk, omdat het eten van mlukhieh voor mij een van de kleine sacramenten vormt. Toch heeft mlukhieh niet alleen de smaak van het heilige, maar ook van het verbodene. De gekke kalief Al-Hakim, van de sjiitische Fatimidische dynastie uit Egypte, verbood mlukhieh (waarschijnlijk omdat de soennitische kalief Muawiya er erg gek op was) en misschien verklaart dit waarom Egyptenaren er tot op de dag van vandaag zo dol op zijn. Volgens de legende is mlukhieh een taboe onder de druzen omdat het lustopwekkend zou zijn, maar net zoals veel moslims alcohol drinken, eten vele druzen mlukhieh. Om de een of andere reden – misschien vanwege een diep in het onbewuste verankerde traditie – serveerden de weinige restaurants in Beirut waar je mlukhieh kon krijgen het allemaal op donderdag. Toen ik aan Wardeh vroeg waarom, haalde ze op een indrukwekkende manier haar schouders op en ontkende elke betekenis. Dit droeg alleen maar bij aan het zeegroene mysterie dat mlukhieh was.

Ik at de kom mlukhieh van de journalist leeg, aangezien hij het niet meer hoefde, en liep toen naar de bar om met Munir te praten.

Georges kwam naar ons toe, bezweet en elegant als een jonge faun. 'Je moet uitkijken voor die jongen,' zei hij terwijl hij naar Munir wees. 'Hij houdt ervan om je je dromen af te pakken en ze aan scherven te gooien!'

'Ik ben *benessniss*,' zei Munir in het Arabisch, glimlachend. Al weer een onvertaalbare: roddelen, stoken tussen mensen. 'Net als Iago!' voegde hij eraan toe en hij lachte over zijn schouder terwijl hij wegliep om iemand anders te gaan kwellen.

'Dromenverstoorder!' schreeuwde Georges tegen Munirs rug. Hij draaide zich om naar mij. 'Weet je, Annia, dat ik nog nooit verliefd geweest ben?'

'Hoe oud ben je?'

'Ik ben vijfentwintig,' zei hij op tragische toon. 'Wat als het te laat is? Wat als het met mij nooit gebeurt?'

Georges sprak vloeiend Frans, Engels en Arabisch en heel respectabel Italiaans. Hij danste en schreef poëzie. En wanneer hij zich niet bezighield met deze dingen, die hij allemaal met gratie en kundigheid uitvoerde, was hij een neuropsychiater. Hij behoorde tot die bijzondere groep mensen die wist te switchen tussen werelden, net als Leena en Munir. Zijn enige minpunt was de akelige ziekte van het vijfentwintig zijn.

'Hou het nog een paar jaartjes vol,' antwoordde ik. Ik voelde me plotseling zeer volwassen en gelukkig met mijn vijfendertig jaren. 'Ik denk dat je heel binnenkort voor iemand zult vallen.'

'Geloof mij, dat is waarnaar ik op zoek ben,' zuchtte hij. 'Ik wil dat mijn hart gebroken wordt. Ik kan niet wachten!'

Georges zwierde de dansvloer weer op. De milongamuziek gromde en klaagde. Munir kwam terug naar de bar. Ik nam nog een absint en vertrouwde hem toe dat ik niet wist wat ik met die man van mij aan moest. Hij wilde mijn eten niet eten, hij wees elk appartement dat we bekeken af. Hij hield niet van de tango, had een hekel aan politiek en begon ook aan Libanon een hekel te krijgen. 'Soms denk ik dat ik het enige ter wereld ben waar hij wel van houdt,' verzuchtte ik.

'Luister, Annia,' zei Munir. 'Mohamad vindt het niet prettig om toe te geven dat hij een thuis wil. Dat zal hij nooit toegeven, weet je. Maar als je een plek vindt en je maakt het er mooi, je zet er meubels in en je maakt alles klaar voor hem, dan zal hij heel gelukkig zijn.'

Hoofdstuk 20

De Operatie

Na twee jaar en acht maanden (volgens mijn kalender) en met de heroïsche hulp van Leena, tekende Mohamad eindelijk de huurovereenkomst voor een appartement in een buurt tussen Hamra en de zee. In mei 2006 haalden we onze boeken, kleren en meubels uit de opslag. Ons nieuwe thuis stond aan de Najib Ardatistraat, een paar blokken van de Middellandse Zee, vlak naast de oude, zwart met wit gestreepte vuurtoren die de buurt zijn naam gaf: Manara. Het huis had een groot balkon en een echte keuken, met een echte koelkast en een echt fornuis. Vanuit het keukenraam kon ik een trapeziumvormig stukje Middellandse Zee-water zien, dat elke dag een andere kleur had, een gigantische *mood ring* voor de stad.

Ik begon met een cursus Arabisch in de Blissstraat. Mijn lerares Arabisch, Hayat, woonde naast ons en de infrastructuur van de buurtroddels was zo ongelooflijk dat ze zelfs nog voor we onze spullen hadden uitgepakt precies wist hoeveel huur we betaalden. Ik adopteerde een half verhongerd, rood zwerfkatje, dat we Shaitan doopten. Zodra we verhuisd waren, kwam Umm Hassane langs en bleef. Ze installeerde zich op onze bank en confisqueerde de afstandsbediening.

Na de maanden waarin ze in gezelschap van familieleden gerouwd had om haar echtgenoot, zat Umm Hassane nu alleen in het lege appartement in Tayouneh. Ze begon geheimzinnige pijnscheuten te voelen die door haar been en rug vlamden. Ze liep ongemakkelijk, grimassen trekkend bij elke stap, en kwam bijna niet van de bank in de woonkamer af. De huisarts constateerde een hernia en zei dat ze geopereerd moest worden.

Umm Hassane, die vierenzeventig was, had nog nooit in haar leven een operatie ondergaan en alleen het woord al joeg haar angst aan. (Zoals veel anderen van haar generatie weigerde Umm Hassane om de naam van ziekten zoals kanker hardop uit te spreken; in plaats daarvan fluisterde ze 'die ziekte'.) In het Arabisch kan een 'operatie', net als in het Engels, zowel op iets militairs als op iets medisch slaan; een gevecht, een inval, een aanval. Naarmate de aanval op haar ruggengraat naderde, sprak ze over De Operatie alsof ze ten strijde zou trekken en misschien nooit meer terug zou komen.

Ondanks haar vrees verliep De Operatie prima. Ze keerde terug, vol met synthetische opiaten, en nam opnieuw bezit van de bank en de afstandsbediening. Ze kon nog steeds niet lopen zonder hulp, maar haar gezicht had meer kleur en zelfs haar litanie van klachten had aan levenskracht gewonnen. Maar als we vroegen hoe ze zich voelde, trok ze een moeilijk gezicht en verkondigde: 'De Operatie is mislukt.'

Na een tijdje was ze zodanig hersteld dat ik haar kon meenemen op kleine excursies. Ze klaagde bitter – 'Hoe kan ik lopen met al die pijn?' – maar ze zei nooit nee tegen een wandelingetje. Terwijl ze over straat strompelde, greep ze mijn arm beet en keek om zich heen naar de onbekende straten, de onbekende slagers en bakkers, de onbekende kruideniers: een hele nieuwe buurt vol slachtoffers. Umm Hassane hervond haar kracht door plaatselijke handelaars en iedereen die haar verder voor de voeten kwam te terroriseren.

Op een dag liepen we over de Makdisistraat toen een bedelende vrouw met uitgestrekte hand naar ons toe kwam. Het wemelde in Hamra van de bedelaars: mannen, vrouwen, kleine kinderen. De meeste mensen liepen netjes om hen heen en keken de andere kant op, alsof ze onzichtbaar waren.

Umm Hassane vloog op deze vrouw af als een op wraak beluste haan. 'Weg! Ga weg!' siste ze en ze wapperde met haar handen voor het gezicht van de vrouw.

De theatrale smekende blik op het gezicht van de bedelares veranderde in doodsangst en ze scharrelde snel weg, de straat door.

'Umm Hassane, haraam,' zei ik. 'Wat als ze het geld nodig heeft?'

'Het geld nodig heeft?' zei ze spottend. 'Laat haar aan het werk gaan!'

'Misschien is ze Palestijnse of bedoeïen,' merkte ik op. 'Misschien krijgt ze de papieren niet om legaal te kunnen werken.'

Umm Hassane snoof. 'Ze is jong! Ze kan vloeren vegen! Ze kan dweilen!'

Net als ik had Umm Hassane ooit huizen schoongemaakt om geld te verdienen, maar anders dan ik beschouwde ze poetswerk als dé oplossing voor elke klacht over sociale onrechtvaardigheid, van armoede tot gedwongen migratie. 'Laat ze huizen gaan schoonmaken!' verordonneerde ze met een koninklijk armgebaar, als een praktische versie van Marie Antoinette.

Aan het einde van elke wandeling moest ik mijn mentale plattegrond van de buurt aanpassen. Van nu af aan zou ik één blok verder langs de Sidanistraat lopen, om zo de slager te vermijden die ze beledigd had. En het zou wel een maand of twee duren voor ik het weer aandurfde om terug te gaan naar de groenteman in de Adonisstraat.

Ze was vooral genadeloos tegen de jonge studenten bij Healthy Basket. Dit was een door de gemeenschap ondersteund landbouwproject, gestart door de Amerikaanse universiteit van Beiroet, dat de producten van kleine biologische boerderijen verkocht in een winkeltje zonder franje. De etenswaren waren er iets duurder dan de geïmporteerde producten bij de supermarkt, maar het was nog altijd goedkoop, smaakte beter, bleef veel langer goed, en je steunde er de plaatselijke boeren mee. (Dat laatste punt hield ik voor me, aangezien ik vermoedde dat Umm Hassanes sympathie voor *fallaheen* ongeveer net zo groot was als die voor bedelaars.)

Toen ze met me mee de trap naar de Healthy Basket op hobbelde, glimlachten de landbouwstudenten vriendelijk. Wie was die schattige oude *hadji*?

Umm Hassane keek om zich heen naar de ruwe houten planken, waarop uien en aubergines onromantisch stonden uitgestald in grote houten kratten, en fronste haar voorhoofd. De khadarji's stapelden hun producten op tot regenboogkleurige bergen en besproeiden die met water om hun waren te laten glanzen. Ze sneden de mooiste bloedsinaasappel in tweeën zodat je het paarse vruchtvlees binnenin kon zien, en legden hem boven op de andere. Deze mensen dumpten hun fruit en groente zomaar ergens.

'Wat is dit voor winkel?' wilde ze weten.

'De spullen die wij verkopen, kosten iets meer omdat ze worden verbouwd zonder bestrijdingsmiddelen,' legde Eliane, een van de landbouwstudenten, uit. 'Dat is gezonder en zo kunnen plaatselijke boeren genoeg geld verdienen.'

Op het gezicht van Umm Hassane was duidelijk te lezen wat ze dacht: dit hele verhaal over boeren en bestrijdingsmiddelen was een schandalige truc om domme buitenlanders zoals ik een oor aan te naaien.

Woedend pakte ze een appel en inspecteerde hem. De vrucht was enigszins misvormd en had allerlei bobbels en deukjes, zoals biologische appels wel vaker hebben, en er zat een dun laagje aarde op. De appels waren twee keer zo duur als het geïmporteerde fruit dat ze in dahiyeh kocht. Ze protesteerde luid toen ik twee dollar betaalde voor een kilo appels.

Mijn aankoop was een tactische nederlaag, één-nul voor de kant van eerlijkheid en spilzucht, en dus wees Umm Hassane op weg naar buiten, gewoon om te laten zien wie hier de baas was, naar een lavendelplant in het bloembed voor de winkel en beval een van de studenten om hem op te graven en aan mij te geven. Hij was te verbaasd om niet te gehoorzamen. Hij trok de plant uit de grond en gaf hem ons met een zenuwachtig lachje.

'Ze belazeren Annia, die dieven hier!' siste ze tegen Mohamad toen we thuiskwamen. *'Byidahaku alaiha,'* brieste ze: ze lachen haar achter haar rug uit en houden haar voor de gek.

Ik kon het haar niet kwalijk nemen. Veel zaken in Libanon waren één grote zwendel. De economie was een en al zwendelarij, de huizenmarkt was zwendelarij, de politieke partijen waren de allergrootste zwendelarij die erbij zat. Zelfs met eten werd gezwendeld: handelaars zonder scrupules stoomden de etiketten van producten die over de datum waren, verkochten bedorven olijfolie en lengden de melk aan met water. Na een leven lang wantrouwen was het voor haar moeilijk om te geloven dat iemand iets goeds voor anderen zou doen – vooral mensen zonder *wasta*, zoals fallaheen – tenzij dat deel uitmaakte van een gedurfder en nog duisterder zwendel.

Wat haar nog het meeste ergerde, was dat deze schurken niet eens de moeite namen om een goede leugen te verzinnen. 'Zonder bestrijdingsmiddelen?' Ze rolde met haar ogen, hief haar handen en riep vertoornd de hemel aan: 'Hoe kun je appels verbouwen zonder bestrijdingsmiddelen?'

Ze legde beslag op onze woonkamer. Ze zat de hele dag op de bank en als ze 's avonds naar bed ging, liet ze hem achter vol propjes gebruikte tissues. Ze vorderde de gastenbadkamer, pakte het pompflesje met handzeep en vernielde het bij haar eerste poging om er zeep uit te krijgen. Wanneer we thuiskwamen, troffen we haar aan als een pasja, omringd door familieleden uit Bint Jbeil, oude hadji's met hoofddoek en oude mannetjes die stijfjes op rechte stoelen om haar heen zaten en luisterden naar haar verhalen over De Operatie. Ze kreeg meer telefoontjes dan wij tweeen bij elkaar. Wanneer ik 's ochtends de woonkamer in schuifelde, trof ik haar meestal met de telefoon aan haar oor aan, haar medeleven uitsprekend tegenover een of ander familielid.

Aan het begin van juli vroeg een krant me een verhaal te schrijven over de 'complot-playboy', de verwende telg uit een 'goede' Libanese familie die via internet contact gezocht had met aan Al-Qaida gelieerde groepen en daarbij de wens had uitgesproken om bomaanslagen te plegen in New York. Toen ik de moeder van de jongen belde, nam ze meteen op, alsof ze had zitten wachten op een telefoontje. Ik vroeg haar of ze enig idee had waarom haar zoon een islamitische militant geworden was. *'Shu yaani?'* riep ze verbaasd uit. Ik herhaalde mijn vraag in het Arabisch, al had ik begrepen dat ze Engels sprak, maar ze leek er nog steeds niets van te begrijpen. Uiteindelijk kwam ik erachter dat ze helemaal niet de moeder van de complot-playboy was, maar een bejaard tantetje uit Bint Jbeil, dat al aan de lijn was toen ik het nummer draaide en dat Umm Hassane wilde spreken. Zelfs onze telefoons waren nauwelijks nog van ons.

Maar het echte strijdperk werd gevormd door eten, en hierin was Umm Hassanes machtigste wapen de retorische vraag. Zelfs op onze simpelste vragen reageerde ze met een retorisch salvo dat ons, haar belagers, onthand achterliet.

'Umm Hassane, heeft u trek?'

'Hoe kan ik nu trek hebben?'

'Umm Hassane, wat wilt u eten?'

'Hoe kan ik eten met al die pijn?'

'Umm Hassane' – we realiseerden ons dat we ons moesten beperken tot specifieke vragen, als we tenminste enige hoop wilden hebben op een antwoord – 'wilt u salade en aardappels?'

'Als je dat gaat maken, misschien.' En vervolgens, in een smeekbede haar handen omhoog heffend: 'Maar niet als je het speciaal voor mij doet!'

Als we haar *'Biddik shi?'* vroegen, 'Wilt u iets?', reageerde ze wanhopig met: *'Shu biddi? Shu biddi akel?'* – 'Wat wil ik? Wat kan ik eten?' Mohamad noemde dit 'haar niet al te subtiele pogingen om ons te vertellen dat we niets eetbaars in huis hebben.'

Meestal zei ze alleen: *'Shu baarifni?'* Letterlijk betekent dat: 'Wat weet ik?' Maar net als het 'boeien' van een puber of het 'lamaarzitten' van een verongelijkte partner bevatte het zinnetje een veelheid aan betekenissen. Uit haar mond betekende het: laat me met rust/laat me niet met rust/ik weet niet wat ik wil/ik wil dat jij weet wat ik wil zonder dat ik het hoef te vragen en zonder dat ik zelf weet wat ik wil.

Haar andere favoriete uitdrukking was *'ma btifru maai'* – 'het maakt mij niet uit'. Dit betekende dat ze met bovenmenselijke inspanning een diepgevoelde, stellige mening onderdrukte. Al deze uitdrukkingen lieten zien dat ze een meester was in het gebruiken van passieve agressiviteit. Dat imponeerde me danig, hoe frustrerend het ook was, en steeds vaker betrapte ik me erop dat ik dacht dat Umm Hassane miljoenen zou kunnen verdienen met het geven van seminars bedrijfscommunicatie.

Uiteindelijk betekenden de meeste van haar retorische trucs gewoon ja. Maar niet alleen ja. Ze betekenden: waarom eet jij niet, waarom eet jij niet wat ik eet, waarom eten we niet allemaal samen, hetzelfde eten op dezelfde tijd?

De voedseloorlog bereikte een hoogtepunt toen ik haar op een vrijdag vroeg of ze een sandwich met komkommer en labneh wilde. Blijkbaar was het één ding om een *arous* als snack te serveren, maar iets heel anders om het als lunch aan te bieden.

'Ik eet niets anders meer dan labneh,' klaagde ze. 'Ik at het gisteren, ik heb het vanochtend gegeten. *Azit nafsi.*' Mijn ziel, mijn eetlust protesteert.

'Ze was beledigd dat je haar dat aanbood,' fluisterde Mohamad me in de keuken toe. 'Labneh is voor kinderen.'

'Maar wat wil ze dan?'

Mohamad liep de woonkamer in om daarachter te komen. Na de gebruikelijke formaliteiten van 'Wat, ik, eten?' somde ze een hele lijst klachten op: we hadden geen salade, geen vlees, geen brood. En het allerergste was dat we niet eens de olie in huis hadden die in de Libanese keuken onmisbaar was: Mazola-olie. Ze klaagde over hoe belachelijk het was om in olijfolie te bakken; olijfolie was niet om in te bakken, zoals iedereen wist. Hoe konden we zo leven?

Mohamad drentelde heen en weer als een onwillige ambassadeur, terwijl ik in de keuken wachtte tot ik wist wat ze wilde. Ten slotte stemde ze, na enig onderhandelen, in met een broodje shish taouk.

Ik vroeg hem om haar te vragen of ze knoflook, hummus en zuur wilde, de gebruikelijke extra's bij zo'n broodje. Hij kwam terug met Umm Hassanes antwoord: 'Waarom zou ik hummus willen?'

'Ze is schaamteloos,' mompelde hij toen hij weer in de keuken stond, waar we alle twee dekking zochten voor haar toorn. 'Het zijn allemaal pseudomartelaren, die hele familie van mij.'

We vonden het geweldig dat ze er was. We zouden alles voor haar gekocht hebben als ze erom vroeg, maar ze weigerde ook maar ergens om te vragen. Op de een of andere manier kon deze vrouw, de gesel van kruideniers en landbouwstudenten, in de privacy van ons huis niet zeggen wat ze wilde. Ze deed zo haar best om ons niet in de weg te lopen, om ons niet tot last te zijn, dat ze er uiteindelijk in slaagde om ons bijna gek te maken.

Ik zat met mijn handen in het haar. Ik vond het heerlijk om eten te maken voor anderen, maar ik kon niet koken voor Mohamad, omdat de meeste gerechten die ik kon klaarmaken, bestonden uit ingrediënten die hij niet lustte. En ik kon ook niet koken voor Umm Hassane, omdat ze ons weigerde te vertellen wat ze wilde. Eindelijk had ik de keuken waar ik zo naar verlangd had, met een echt fornuis en een echte koelkast en een echt aanrecht, maar ik had geen idee wat ik moest koken.

'Ik heb een idee,' zei ik op een dag tegen Mohamad toen we in de keuken stonden.

Wat ze werkelijk wilde, was dat we haar aandacht gaven, ons om haar bekommerden, voor haar zorgden. Maar Umm Hassane was van de generatie van mijn grootmoeder: opgegroeid met het idee dat je anderen op de eerste plek moet zetten, dat je nooit je eigen verlangens moet uitspreken, behalve om ze te ontkennen. Zij lieten hun liefde zien door te koken en te klagen. Voor deze vrouwen was de keuken een van de weinige plekken waar ze de onbetwiste koningin konden zijn.

Ik bedacht een plan. Ik zou aan Umm Hassane vragen om mij traditioneel Libanees eten te leren klaarmaken, onder het voorwendsel dat ik moest leren voor Mohamad te koken, als een plichtsgetrouwe echtgenote. In plaats van de hippe fusiongerechten die ik alleen voor mezelf maakte, zou ze me leren om Libanees boereneten klaar te maken: mlukhieh, *sayyadiyeh, burghul wa banadura,* kibbeh nayeh. Ik zou iets nieuws leren en zij zou iets te doen hebben, iets waardoor ze zich gewaardeerd kon voelen. En als ik daardoor een brave huisvrouw leek, was dat een prijs die ik er graag voor betaalde.

De dag dat we mlukhieh zouden gaan maken, slofte ik veel te laat de keuken in. Umm Hassane was al vanaf zeven uur die ochtend wakker en had alle voorbereidingen die nodig waren uitentreuren herhaald. Op het aanrecht naast de gootsteen lag een hele ongekookte kip beschuldigend op mij te wachten.

'Was haar!' beval ze terwijl ze de keuken in hobbelde en naar de kip wees.

'Koffie maken,' mompelde ik en ik liep al naar de ketel. Voor ik koffiegedronken had, kon ik nauwelijks in het Engels communiceren, laat staan in het Arabisch.

Ik had het duidelijk niet begrepen. Umm Hassane ging rechtop staan, wees naar het aanrecht en herhaalde haar bevel: 'De kip! Was haar!'

We waren nog niet eens begonnen met koken of we vlogen al in vliegende vaart af op een van die botsingen van culturen waarin mensen steeds opnieuw Arabische woorden naar me schreeuwden – 'Water! Water!' – denkend dat ik niet alleen doof maar ook dom was, maar vergetend uit te leggen wat ik met dat stomme water moest doen. In de tussentijd stond ik daar, me verslikkend in de gemakkelijkste werkwoorden, en dacht: dus dit is hoe het moet voelen om een taxichauffeur, een liftjongen, een kamermeisje te zijn, al die beroepen die verse immigranten in Amerika uitoefenen als ze nog Engels aan het leren zijn. Confrontaties als deze liepen meestal uit op zoiets als dit:

'Koffie maken!'

'Was de kip!'

'Koffie!'

'Kip!'

'KOFFIE!'

'KIP!'

Toen herinnerde ik me een oude gewoonte van mijn grootmoeder. Altijd als zij ergens zin in had – een hamburger, een sigaret, een biertje – zei ze: 'Je wilt vast wel een biertje, toch? Lust jij geen hamburger? Zal ik een sigaret voor je rollen?'

Ik werd er vroeger gek van. 'Nee oma, jíj wilt een hamburger,' zei ik dan. Waarom kon ze niet gewoon toegeven dat ze zelf een biertje wilde? Zij was de baas in de keuken, waarom kon ze niet gewoon pakken waar ze zin in had? Dat het leven van mijn grootmoeder draaide om de verlangens van anderen – dat ze haar eigen verlangens moest rechtvaardigen, zelfs tegenover zichzelf – was iets waar ik pas achter kwam toen ze er allang niet meer was.

'Umm Hassane,' zei ik. 'Lust u geen kopje koffie? U houdt toch van koffie?'

En zo werd ons ochtendritueel van koffie met cake geboren. Die ochtend, voor we begonnen met het maken van de mlukhieh, zaten Umm Hassane en ik buiten op het balkon, waar we chocoladecake aten en koffiedronken. Vanaf dat moment deden we dat elke ochtend. We hielden onhandige conversaties en keken naar de ochtendrituelen van de stad: duiven die door de lucht zweefden, het verkeer dat de Corniche verstopte, dienstmeisjes die matten klopten op de balkons. Dan stak ze haar benen uit en koesterde zich in de zon. Normaal gesproken zou ze dergelijke luiheid afkeuren; een mens zou eruit moeten gaan om huizen schoon te maken. Maar het feit dat dit onderdeel was van mijn kooklessen, maakte dat het mocht. Echt, ze deed het voor mijn bestwil.

Toen we op een dag naar het glimpje Middellandse Zee zaten te kijken, zwaaide ze haar benen omlaag en schoof haar stoel dichter bij de mijne. Ze leunde naar voren, keek me met een intense blik aan en beval: 'Geef me een kind!'

'Maar we hebben al een kat,' zei ik. 'Wat moeten we met een kind?'

'Een kat! Wat is een kat!' Boos wuifde ze mijn opmerking weg. 'Geef me een kind!'

Hoe kon ik haar uitleggen dat onze levens nog te onzeker, te onstabiel waren? Dat oorlogscorrespondenten niet vrolijk in het Midden-Oosten baby's gaan krijgen, of dat Mohamad en ik zelfs nu, nu we ons heel voorzichtig aan het settelen waren, niet wisten waar we het liefste wilden zijn? Ik beheerste het Arabisch onvoldoende – of zelf het Engels, zo vroeg op de ochtend – om uitdrukking te geven aan het scala aan emoties dat deze eis bij me opriep.

'Ik wil wel een kind,' zei ik tegen haar terwijl ik onschuldig mijn schouders ophaalde, 'maar Mohamad niet.'

Dit was een andere truc die ik had geleerd in Umm Hassanes school van culinaire en retorische kunsten; als ze wilde dat iets precies volgens haar wens verliep, beweerde ze heel vroom: Mohamad Ali vindt het prettig op deze manier, of Mohamad Ali wil het zo. Maar ik had beter moeten weten dan haar eigen zwaard tegen haar te gebruiken.

'Mohamad wil geen kind?' gromde ze en ze schoof zijn mening met een beweging van haar kin terzijde. 'Wat maakt het uit wat hij zegt? Geef me een kind!'

Deel IV

Eten, bidden, oorlog

Eten is iets kleins en goeds in een tijd als deze.
– Raymond Carver, 'A Small, Good Thing'

Hoofdstuk 21

Winkelen in doodsangst

Op een warme juliochtend zat ik bij Arabische les toen Leena belde. 'Hezbollah heeft vanochtend twee Israëlische soldaten ontvoerd; ik ga zo naar de pedicure,' kondigde ze aan, alsof het ene een logisch gevolg was van het andere. 'Het zou wel eens een tijdje kunnen duren voordat ik weer naar de schoonheidssalon kan,' legde ze uit, en dat was het moment waarop ik begon te vermoeden dat er deze keer meer stond te gebeuren dan alleen een gevangenenruil.

'Oké, mensen,' zei mijn Arabische lerares zuchtend. Hayat, die in haar jonge jaren een schoonheid geweest moest zijn, droeg een bril aan een lange gouden ketting en kleedde zich in wollen twinsets. Haar wenkbrauwen waren altijd in een keurige boog getekend, haar chocoladebruine haar geruststellend netjes gekapt. Ik dacht dat ze ons naar huis zou sturen, maar Hayat reageerde op rampen, repressie en oorlog als een echte Beiruti: 'Vandaag gaan we maar eens wat nieuwe woorden leren,' zei ze. 'Wie kent het woord voor ontvoeren?'

Ze draaide zich om naar het bord en schreef de Arabische woorden voor ontvoeren, explosie en moordaanslag op. Al snel begonnen alle studenten van alles te roepen: hoe zeg je gevangenenruil? Onderhandeling? Autobom?

Een paar minuten later ging Hayats telefoon en ze nam op. Terwijl ze luisterde, veranderde haar uitdrukking. 'Maal asaf,' zei ze en ze zuchtte opnieuw, 'ik denk dat we allemaal het beste naar huis kunnen gaan.'

Ik liep over de Blissstraat naar huis. Af en toe kwam er een auto of een taxi langs, op weg naar een plek waarvan de bestuurder dacht dat die veilig was. Soldaten en gepantserde voertuigen rolden door de straten, op weg naar de Corniche en de weg naar het vliegveld. Winkels en scholen waren nog open, maar op die eerste dag van de Israëlische bombardementen op Zuid-Libanon bleven de meeste mensen in Beirut thuis.

'Tijdens de burgeroorlog renden de mensen wanneer ze dachten dat er een aanval kwam, meestal meteen naar de winkels om hun mandjes vol te proppen,' vertelde Hayat toen ik haar die middag belde. 'Vandaag was het in de supermarkten net als anders, alleen waren er misschien iets minder mensen.' De hele stad wachtte.

De volgende dag bombardeerden Israëlische gevechtsvliegtuigen het vliegveld van Beirut en de olietanks van de elektriciteitscentrale in Jiyeh. Zonder dat er iets gezegd werd, hoorde iedereen in de hele stad tegelijkertijd dezelfde oproep om in actie te komen, en alle inwoners van Beirut reageerden met dezelfde oude Libanese traditie ter voorbereiding op een oorlog: winkelen.

Bij Smith's waren de schappen al leeg. In het koelvak met zuivel stond helemaal niets meer: geen yoghurt, geen labneh, geen melk. Terwijl ik nog treuzelde en wachtte om te zien wat er zou gebeuren, waren mijn buren al de supermarkt door gestruind en hadden als door de strijd geharde commando's – wat ze in een bepaald opzicht ook waren – de planken leeggehaald. In oorlogstijd wordt winkelen een darwinistische exercitie, waarbij je zo veel mogelijk calorieën moet verzamelen in zo min mogelijk tijd. De inwoners van Beirut waren zo geoefend in deze door adrenaline aangedreven boodschappenstrijd dat het hun zelfs lukte om er daarbij cool te blijven uitzien.

Ik keek ongelukkig toe terwijl een hippe jongeman met zorgvuldig in de war gemaakte haren en Diesel-jeans door de zuivelafdeling slenterde, gevolgd door een Sri Lankaans dienstmeisje in een kraakhelder wit uniform. Oneindig verveeld wees hij naar spullen op de schappen: een doos pasta, een pot artisjokharten. Zij pakte de gewenste artikelen en legde ze voorzichtig in zijn mandje. Hij wandelde verder en keek naar links en rechts door slaperige, halfgesloten ogen, alsof de winkel een nachtclub was en geen van de meisjes knap genoeg was naar zijn smaak. Hij was zo cool dat hij nauwelijks een calorie verbrandde. Alleen al als ik naar hem keek, brak het zweet me uit.

Ik dwaalde door de gangpaden en pakte de nutteloze producten die waren overgebleven: een blikje zoete maïspap. Driekleurige pasta. Vacuumverpakte bacon. Gedroogde tortellini, die Mohamad en ik gedurende de hele oorlog zouden eten en die we later met een rilling van afschuw 'oorlogspasta' zouden noemen.

Mensen kochten eten om een belegering mee te kunnen doorstaan, dus alles wat je niet in de koelkast hoefde te bewaren: poedermelk, blikjes hummus, bonen, gebroken tarwe. Maar ze gaven ook toe aan minder rationele behoeften zoals yoghurt, die zuur zou worden zodra de elektriciteit uitviel. Toen ik mijn vriendin Nahlah belde om te vragen of zij nog iets wilde, vroeg ze om Rice Krispies. Ik kocht zes dozen voor haar en voor mezelf mix voor chocoladecake. En iedereen stond in de rij om brood te kopen.

In het Midden-Oosten is eten zonder brood zoiets als soep zonder kom. De meeste Arabische gerechten zijn gemaakt met brood, of ze zijn bedoeld om met brood te eten, of het is brood. In moeilijke jaren zorgde brood ervoor dat kleine porties een heel gezin konden voeden. Het leven draaide om brood. Als een stuk brood op de grond viel, kuste Umm Hassane het en drukte het tegen haar voorhoofd voordat ze het weer op het aanrecht legde.

De meeste buurten in Beirut hebben een *furn*, een gemeenschappelijke broodoven waar de mensen zich 's ochtends en in de vroege middag verzamelen om versgebakken *manaeesh* te halen: knapperige kleine pizza's belegd met za'atar, kaas, runder- of lamsgehakt of pittige Armeense worst, om maar een paar variaties te noemen. De furn zorgt verder voor nieuws, roddels, gesprekken; gemeenschap in haar meest gulle vorm.

Tijdens de Libanese burgeroorlog werd de rol van de buurtbakkerij nog belangrijker. Toen gas om op te koken schaars werd, vielen de mensen terug op de eeuwenoude gewoonte om hun deeg mee te nemen naar de buurtoven, een gebruik dat ook is overgeleverd in het oude spreekwoord: 'Laat de bakker je deeg bakken, zelfs als hij de helft ervan steelt.' Vrouwen en kinderen gingen eropuit om eten te halen – zij liepen minder gevaar om te worden aangezien voor strijders – en de vrouwen die zich verzamelden bij de buurtbakkerij raakten bekend als *niswan al furn*, 'de dames van de oven'.

In de buurt in Oost-Beirut waar mijn vriendin Barbara woonde, waren de bakkerijen tijdens de burgeroorlog neutraal terrein. Terwijl ze in de rij stonden, gaven de mensen één gedeelde krant door en bespraken de inhoud. 'Vaak had je broers uit hetzelfde gezin die in verschillende milities zaten en tegen elkaar vochten,' vertelde ze, 'maar wanneer ze in de furn waren, waren ze neutraal. Daar werd niet gevochten.'

Toch hadden anderen zwartere herinneringen. Mijn vriendin Samar stond uren in de rij om brood te kopen en zag vervolgens strijders van Amal en andere milities naar de voorkant van de rij lopen en zonder te betalen het rantsoen van de hele buurt meenemen. 'Ik stond in de rij voor brood, maar vervolgens namen volwassenen het mee en dan moest ik huilen,' herinnerde mijn vriend Malek zich (die uiteindelijk professor in de voedingsleer werd). Soms namen milities een hele bakkerij over; wanneer ze de distributie van brood onder controle hadden, hadden ze de hele buurt in hun macht.

Tijdens de oorlog begon het onzichtbare netwerk van verplichtingen dat het sociale contract genoemd wordt uit elkaar te vallen. Toen de ineenstorting de buurtbakkerij bereikte, was dat de doodklap. Als je brood had, kon je jezelf ervan overtuigen dat je had wat het vertegenwoordigde: een stabiel, geciviliseerd leven.

Ik kocht vijf broden. Het zou met een dag of twee gaan schimmelen, maar wie voelt zich niet beter als hij versgebakken brood ruikt? Zoveel inwoners van Beirut kochten die dag brood dat de vereniging van bakkers op de lokale radiostations een verklaring liet uitzenden dat mensen moesten stoppen met hamsteren. 'Als u doorgaat met het hamsteren van brood,' waarschuwden de bakkers onheilspellend, 'zal dat juist bijdragen aan de crisis.'

Ik moest lachen. De bakkers lieten het klinken alsof een leger huisvrouwen en Sri Lankaanse dienstmeisjes de oorlog had veroorzaakt. Ik stelde me voor wat Umm Hassane zou zeggen: 'Als wij stoppen met brood kopen, houden Israël en Hezbollah dan op elkaar te bombarderen?'

Nadat ik brood had ingeslagen, reed ik met mijn vriend Jackson, een radioverslaggever, naar Haret Hreik. Eerder die dag had de Israëlische luitenant-generaal Dan Halutz gewaarschuwd dat als Hezbollah niet zou stoppen met het afvuren van raketten op Israël, het Israëlische leger gebieden van Hezbollah als doelwit zou kiezen, zelfs die in Beirut, en dat de inwoners van dahiyeh hun eigen conclusies moesten trekken. We wilden aan gewone sjiieten vragen wat ze vonden van deze gloednieuwe oorlog.

De straten waren leeg, op een paar *shabab*, jongemannen, na die op scooters voorbij scheurden met wapperende gele Hezbollah-vlaggen achter zich aan. Een paar oudere mannen haastten zich naar huis met nog wat snel gekochte boodschappen, zich voorbereidend op een langdurig beleg. Bij één flatgebouw zagen we hele families met weekendtassen uit de lift komen, vooral oudere echtparen die de buurt ontvluchtten. Alle mensen met wie we praatten, zeiden dat ze vóór 'het verzet' waren, maar terwijl ze het zeiden, keken ze nerveus om zich heen. Hezbollah kijkt altijd mee, luistert altijd mee, en dit was wat ze hoorden te zeggen. Ze leken allemaal doodsbang.

Die avond en nacht was het doodstil in de stad. Om halfvier in de ochtend begon het: een gebrom, een scheurend geluid in de lucht dat van alle kanten kwam, alsof het oprees uit de zee. Juist op dat moment klonk vanaf de moskee de oproep tot het gebed. De zwakke, opgenomen stem van de muezzin werd overstemd door het steeds luidere gedreun van de gevechtsvliegtuigen.

Ik ging naar buiten en stond op het balkon, met overal om me heen de stille gebouwen. Niet ver weg schoot als een rode komeet een lichtkogel de lucht in, die vervolgens in een boog over de stille stad vloog, in de richting van de zee. Toen klonk het gedreun van luchtafweergeschut. Daarna de eerste bommen. Ik ging terug naar binnen en lag wakker te luisteren totdat het ochtendgloren de duisternis uit de hemel verdrong.

Een paar uur later werd ik wakker door het gepiep van mijn mobieltje: een sms'je. Het kwam van Usama in Bagdad. Hij schreef: 'Ik hoop dat alles oké is met jullie. Wij in Irak zijn allemaal bezorgd om jullie.' Ik was blij om van hem te horen, maar zijn berichtje was niet erg geruststellend.

Mohamad en ik reden naar de Ghobeireh-kruising, een belangrijke toegangsweg naar dahiyeh. Een groot stuk van het viaduct was ingestort en lag op de weg eronder, alsof het er met een gigantisch mes uit was gesneden. Met één karateslag waren de weg naar dahiyeh en die naar het vliegveld geblokkeerd. Van achter de verwoeste brug keek een gigantisch betonnen beeld van ayatollah Khomeini misprijzend toe. Het beeld was nauwelijks geraakt; Khomeini had een paar littekens, maar of die van deze oorlog waren of van de vorige kon ik niet zeggen.

Bij het vliegveld rees een enorme zwarte olierookpluim op uit de oranje vlammenzee van de gebombardeerde brandstoftanks. Op het parkeerterrein stond een achtergelaten kersenrode Ferrari. Reclameborden met van die verticale latjes draaiden rond en toonden afwisselend advertenties voor een schoonheidssalon voor mannen, halskettingen met diamanten en elektrische generatoren. De struiken voor de glanzende, moderne terminal waren gesnoeid zodat je de nieuwe naam van het vliegveld goed kon lezen: Rafik Hariri International Airport.

Toen we naar binnen liepen, bleek de terminal leeg op een handvol soldaten na. Op beeldschermen flitsten vertrek- en aankomsttijden langs van vluchten die nooit zouden plaatsvinden. Van achter een raam dat uitkeek over de terminal wenkte een grijsharige man ons om naar boven te komen.

In een krap kantoortje beantwoordde een achtergebleven groepje van drie werknemers van Middle East Airlines paniekerige telefoontjes van toeristen die in Libanon vast waren komen te zitten. Shehadeh Zaiter, de grijsharige manager, had ook tijdens de burgeroorlog het kantoor opengehouden. 'Maak je geen zorgen, we zitten hier veilig,' zei hij trots. 'Tijdens de oorlog liepen we tussen de bommen door zelfs gewoon over straat.'

Terwijl hij sprak, landde er vlakbij een raket. De terminal schudde. Toen weer een, nog dichterbij. Een soldaat rende naar de deur van het kantoor en schreeuwde dat we naar beneden moesten komen. We renden struikelend de stilstaande roltrap af, als een parodie op reizigers die zich haasten om hun vlucht te halen.

Toen we beneden stonden, omringd door zenuwachtige, gretige soldaten, nam Zaiter ons apart. Dachten we dat de oorlog lang zou duren?

We wisten niet wat we tegen hem moesten zeggen. We antwoordden: misschien.

'Moge God ons bijstaan,' zei hij zacht.

Mijn vriend Salaam, de communist, belde uit Bagdad. 'Het spijt me om te zien dat dit nu in Libanon gebeurt,' zei hij. Toen begon hij te lachen en zei fel: 'Ik wil het zien gebeuren in Saoedi-Arabië en andere Arabische landen.'

Inmiddels was het duidelijk dat Hezbollah een misrekening gemaakt had wat betreft de Israëlische reactie op hun ontvoering van de twee soldaten. Israël had het vliegveld en een aantal bruggen gebombardeerd, de havens afgesloten en tientallen mensen gedood, de meesten van hen burgers. Na een uitdagende persconferentie op de dag van de ontvoering was Hassan Nasrallah uit het zicht verdwenen. Er gingen geruchten dat hij geraakt was door een Israëlische raket. Mensen begonnen zich af te vragen of hij misschien dood was.

Die avond, vrijdag 14 juli om ongeveer halfnegen, belde Nasrallah met het tv-station van Hezbollah, Al-Manar, om een verklaring door te geven. Zijn stem klonk mat en vermoeid, maar op de foto die tijdens de toespraak getoond werd, had hij, heel surrealistisch, zijn gebruikelijke blozende glimlach. Hij sprak zijn medeleven uit met de familieleden van de martelaren die hun leven hadden gegeven 'in de nobelste confrontatie en strijd die deze moderne tijd gekend heeft, of liever gezegd: die de hele geschiedenis gekend heeft'. Hij herinnerde de Libanezen aan de overwinning van 25 mei 2000, toen de Israëlische troepen zich terugtrokken uit het zuiden van Libanon.

Toen deed hij iets wat niemand verwacht had. Hij herinnerde de kijkers eraan dat hij hun 'verrassingen' beloofd had en kondigde aan dat ze daar meteen mee zouden beginnen. 'Op dit moment, midden op zee, ligt met zijn steven naar Beiroet gericht het Israëlische oorlogsschip dat onze infrastructuur, onze huizen en onze burgers heeft aangevallen; kijk hoe het brandt,' zei hij rustig.

Het was een warme avond en iedereen had zijn ramen open. Manara was een gemengde buurt – er woonden hier niet alleen sjiieten, of zelfs alleen moslims – maar toen Nasrallah deze dramatische aankondiging deed, hoorden we gedempte juichkreten en applaus uit de naburige appartementen.

Mohamad en ik renden het dak op. We zagen een oranje gloed die vanaf de zee de lucht in schoot, als vuurwerk. Ver weg op zee had een C-802-raket van Iraanse makelij het oorlogsschip geraakt. Beneden ons trok een optocht van auto's toeterend door de straten, alsof de dood en verwoesting die achter ons lagen en ongetwijfeld nog zouden volgen iets waren om te vieren, zoals een bruiloft of een WK-overwinning.

'Dit is een echte oorlog, geen burgeroorlog.' Ik kreeg plotseling een visioen van naties die boven ons in de lucht op elkaar zouden botsen en in brand zouden vliegen als de Hindenburg. 'Dit lijkt totaal niet op Bagdad.'

'Nee, inderdaad,' reageerde Mohamad. 'Dat is wat ik je al een tijd probeer duidelijk te maken.'

Beneden was Umm Hassane niet onder de indruk van Nasrallahs dramatische gebaar. 'Waarom doet Hezbollah dit nou? Wat denken ze wel?' klaagde ze. 'Kijk naar Egypte en Jordanië en alle andere Arabische landen: zij vallen Israël ook niet aan. Alleen in Libanon moeten we het altijd anders doen.'

Op zaterdagochtend beval het Israëlische defensieleger de inwoners van het zuidelijke plaatsje Marwaheen om hun dorp te verlaten. Toen ze dat deden, beschoot het IDF het konvooi met vluchtende dorpelingen en doodde minstens zestien mensen.

In Beiroet richtte iedereen zich op details, op kleine taken die irrelevant leken maar die het voordeel hadden dat je er controle over had. Umm Hassane hield me tegen toen ik eropuit wilde gaan om verslag te doen en vroeg me dringend of ik nog van plan was de vloer te dweilen. Onze hele buurt deed de was. Alle gebouwen wapperden en golfden ineens feestelijk, alsof de zeilen gehesen waren. Lakens, handdoeken en slopen schitterden in de zon. Een stad vol witte vlaggen. Mohamad begreep de klapperende witte lakens op een manier die ik niet kon bevatten en vond het plotseling ontzettend belangrijk om de was te doen. Hij wilde dat ik het deed terwijl hij aan het werk was.

'Waarom zou ik verdomme de was moeten doen?' schreeuwde ik.

'Omdat ik verdomme een baan heb en jij niet,' snauwde hij.

Ik werkte net zo hard als hij; ik moest vier artikelen inleveren en had net een vijfde opdracht afgewezen. Maar als freelancer verdiende ik slechts een fractie van zijn salaris.

'Wou je soms scheiden?!' schreeuwde ik.

Hij bood zijn excuses aan. Ik bood mijn excuses aan. We deden samen de was.

Ik belde Hania, een dierenrechtenactivist die me had geholpen toen ik Shaitan geadopteerd had. Ze doorkruiste de hele stad om zwerfkatten en -honden te voeren. 'Ha, dus je bent er nog,' zei ze. 'Ik vroeg me al af of jij een van die mensen was die nu vertrekken of dat je blijft omdat je getrouwd bent met een Libanees.'

Ik ging naar Smith's om te zien of ze melk hadden (dat hadden ze niet). Op de vleesafdeling stond een jonge slager die me altijd vreselijke moppen vertelde om zijn Engels te oefenen. Ook nu probeerde hij er een, iets over een kip die een ei om haar nek droeg. Het sloeg echt nergens op, maar ik lachte toch, omdat hij eruitzag als iemand die heel hard zijn best doet om niet in tranen uit te barsten.

'Gaat u nu vertrekken?' vroeg hij terwijl hij me mijn kip aangaf.

'Nee,' antwoordde ik. 'Ik woon hier.'

Toen ik weer thuis was, stond ik bij het aanrecht een broodje te eten en keek door het raam boven de gootsteen naar de zwart met wit gestreepte vuurtoren. De elektriciteit was uitgevallen, ik moest eigenlijk meteen de kip klaarmaken en daarna moest ik mijn artikelen afmaken en dan...

Er klonk een luide, metalige klap die van alle kanten leek te komen, alsof de zee een enorme ijzeren kom was waar iemand met een hamer tegenaan sloeg. De ramen werden naar binnen gezogen en bolden vervolgens naar buiten, het glas even soepel als plasticfolie. Shaitan rende de keukenkast in en kroop onder een plank. De Israëli's hadden de nieuwe vuurtoren gebombardeerd, een hoge zilverkleurige toren een eindje verderop aan de Corniche. Ze hadden perfect gemikt: de toren was intact behalve bovenaan, waar het metaal erbij hing.

Ik had een paar minuten nodig om te begrijpen wat nu voor de hand lag: de oude vuurtoren stond vlak naast onze keuken en woonkamer. Als die het volgende doelwit was, zou het glas overal door het voorste gedeelte van het appartement vliegen, hoe precies ze ook zouden mikken.

'Umm Hassane, we moeten hier weg,' zei ik. Ik had geen idee waar we heen moesten, maar we moesten het appartement uit.

'Ik ga niet.' Ze stak haar kin omhoog en leunde naar achteren tegen de rugleuning van de bank, haar armen over elkaar geslagen. 'Ik ga nergens heen. Laat ze me maar doden, ma btifru maai: mij maakt het niets uit.'

Het huis van tante Khadija was gebombardeerd. Het huis van tante Nahla in Bint Jbeil was gebombardeerd. Het huis van Batoul en Hadj Naji was gebombardeerd. Er verscheen een stoet familieleden in ons appartement, met koffers en bezorgde gezichten, en iedereen ging in de woonkamer bij Umm Hassane zitten terwijl ze probeerden te bedenken waar ze nu heen moesten. Hadj Naji kon bij zijn neven logeren. Tante Nahla ging naar haar broer. De zoon van tante Khadija kon bij ons blijven tot hij ergens anders terecht kon. Het leek wel een spelletje, een stoelendans, en het werd overal in Libanon gespeeld.

Elke dag stroomden mensen Beirut in, met versleten plunjezakken vol kleren en plastic zakken met brood. Chauffeurs vroegen vierhonderd of vijfhonderd dollar om mensen uit het zuiden naar de stad te brengen, ongeveer veertig keer zoveel als in vredestijd. De prijs van benzine was op sommige plekken met vijfhonderd procent gestegen. Scholen, ziekenhuizen en andere openbare plekken zaten vol vluchtelingen. Tegen de tijd dat de bombardementen een maand later ophielden, zouden er bijna een miljoen binnenlandse vluchtelingen zijn; bijna een kwart van de Libanese bevolking.

Samen met Jackson en onze vriend Abdulrahman, die Ras Beirut afstruinde om met zijn eigen geld eten en medicijnen voor de vluchtelingen te kopen, ging ik naar een openbaar parkje dat Sanayeh Garden heette. Op de paden en onder de bomen sliepen een paar honderd mensen die gevlucht waren voor de bombardementen in Zuid-Libanon. Eén gezin had zich onder een boom geïnstalleerd: ze hadden een kooitje met een kanarie aan een tak gehangen en een kleine gasbrander neergezet. Rond deze openluchtkeuken dribbelde een peuter die op een biscuitje sabbelde en een jongetje van vier gaf me verlegen een koekje.

We liepen een uur lang rond en praatten met de vluchtelingen. Er was niemand van de Libanese regering, geen enkele ambtenaar of vertegenwoordiger: geen spoortje bewijs van wat president George W. Bush eerder die dag, toen hij een vaatje zure haring in ontvangst had genomen van de Duitse bondskanselier Angela Merkel, nerveus de 'fragiele democratie' van Libanon genoemd had. De enige mensen die zich bekommerden om de vluchtelingen in Sanayeh Garden waren een handvol studenten van rond de twintig, van wie er eentje een verband om haar gezicht droeg vanwege een recente neuscorrectie. De meesten van hen waren lid van de Syrische Socialistische Nationalistische Partij, een seculiere groep die aan de kant van Hezbollah stond.

'Er zijn milities die voor de vluchtelingen zorgen,' zei Abdulrahman vol afschuw terwijl we het park uit liepen. '*Mish maaoul* – ongelooflijk.'

In de hele stad hoorden we hetzelfde verhaal. De meeste vluchtelingencentra die we bezochten, in scholen en andere lege gebouwen, stonden onder leiding van Amal. In Tayouneh, een paar blokken bij het appartement van Umm Hassane vandaan, was een winkelcentrum in aanbouw. Diep onder de grond zaten een paar duizend vluchtelingen op elkaar gepakt in de ondergrondse parkeergarage. Op elke verdieping van de stenen catacomben bevonden zich honderden vluchtelingen en hoe lager je kwam, hoe slechter ze eraan toe waren, alsof je afdaalde in de kringen van de hel. Een overweldigende stank drong je neusgaten in: stront en pis en rottend eten, spugende baby's en hoestende oude mensen, het zweet en de steeds weer in- en uitgeademde lucht van honderden mensen. Enorme brommende generatoren hielden de flakkerende tl-buizen maar net in leven.

Om naar binnen en naar buiten te gaan, of om van de ene verdieping op de andere te komen, persten rijen mensen zich langs een trap die net breed genoeg was voor één persoon. Elk gezin had zijn eigen tijdelijke woonkamer ingericht tussen de geschilderde lijnen die de parkeerplaatsen aangaven. Ze zaten met zijn allen op dekens en rieten matten, met overal om zich heen luiers en verkreukelde kleren.

Vier niveaus onder de straat raakten Jackson en ik aan de praat met een drieëntwintigjarige student politicologie in een roze katoenen shirtje, een knap blond meisje met roodomrande ogen. Ze heette Rowina. 'Jullie zijn de derde al die hier komen kijken,' zei ze. De eerste die naar de vluchtelingen was afgedaald was van Hezbollah. De tweede kwam van Amal.

Ze had drie dagen eerder haar huis in Haret Hreik verlaten, nadat Halutz zijn waarschuwing had gegeven, en vanaf het moment dat de gevechtsvliegtuigen haar flat gebombardeerd hadden, verbleef ze al hier onder de grond. 'We zitten hier maar te zitten,' zei ze terwijl ze de hand van haar zevenjarige zusje Fatima vasthield. 'En als er iemand van buiten komt, vragen we of er nog nieuws is.'

Ik vroeg Rowina waarom ze niet naar boven ging, waarom zoveel gezinnen hier in het donker bleven zitten. Was de lucht bovengronds niet een stuk beter? 'Ja,' antwoordde ze, 'maar als we naar boven gaan, komen er misschien bommen.'

Als het winkelcentrum gebombardeerd werd, zouden ze allemaal levend begraven worden, maar dat zei ik niet. In de flakkerende schemering van de parkeergarage rezen de spanningen. Mannen begonnen zomaar te schreeuwen en tegen elkaar aan te duwen. Wanneer mensen dagenlang als ratten op elkaar gepakt onder de grond zitten, hoeft er niet veel te gebeuren om een gevecht te veroorzaken. Ik vertrok.

Toen we door de uitgang naar buiten liepen, de stinkende ondergrondse stad uit, kwamen we een aantal mensen van Hezbollah tegen die juist naar beneden gingen. Ze duwden vijf winkelwagentjes vol boodschappen langs de lange, gebogen inrit omlaag. De mensen schuifelden langzaam en geduldig naar voren en bleven zwijgend voor de winkelwagentjes staan, wachtend tot ze eten zouden krijgen. Terwijl de mannen van Hezbollah het eten uitdeelden, klonk via de luidsprekers: '*Allah Karim* – God is vrijgevig.'

Toen ik Umm Hassane vertelde over de mensen die in het park sliepen en over de honderden gezinnen in de ondergrondse parkeergarage werd ze woedend.

'Mensen slapen onder de grond en het kan de Sayyid niets schelen,' zei ze, doelend op Nasrallah.

In een toespraak had Nasrallah beloofd om de gedecimeerde dorpen en buurten weer op te bouwen met behulp van 'vrienden', waarmee hij klaarblijkelijk Iran bedoelde. De gebombardeerde wijken zouden als nieuw worden, zei hij, nee, beter dan nieuw: vol licht en ruimte.

'Hij zei dat hij zou zorgen dat Libanon net zo wordt als vroeger,' zei ze, een opmerking herhalend die tante Khadija eerder gemaakt had. 'Gaat hij soms ook de doden weer tot leven wekken?'

Ik ging op bezoek bij mijn vriendin Paula. Ze was een vriendin van mij en Munir, een sociologe met een hese lach, intelligente ogen en gek haar. Ze woonde met haar moeder in een piepklein flatje een paar blokken bij ons vandaan. We zaten in de keuken, rookten achter elkaar haar Davidoffs op en knepen citroenen uit boven onze wodka. Eigenlijk zou ze op dit moment de laatste hand moeten leggen aan haar dissertatie over 'Vrouwelijke ondernemers in het naoorlogse Libanon'.

Paula's moeder zat aan een oude houten tafel in de keuken en 'corrigeerde' een pakje pitabroodjes. Dat deed ze door de twee helften van elk broodje van elkaar los te trekken en ze met de binnenkant naar voren in het pakje terug te leggen. Het is een oude truc van Libanese huisvrouwen: door een groter oppervlak van het brood bloot te stellen aan de lucht stel je de onvermijdelijke invasie van schimmels uit en verleng je de houdbaarheid; een nuttige gewoonte in vredestijd, maar nog veel belangrijker tijdens de oorlog. Voorlopig hadden we nog meel, maar Israël had wegen en bruggen gebombardeerd en daardoor de stad zowel via het land, de zee als de lucht onbereikbaar gemaakt. Wie wist hoe lang we nog met de voorraden moesten doen? En dus corrigeerde Umm Paula het brood.

In Libanon worden ouders meestal met de naam van hun eerstgeboren zoon aangesproken, niet hun dochter, dus haar echte bijnaam was Umm Pierre. Maar ik noemde haar altijd Umm Paula en elke keer moest ze daarom lachen. Umm Paula had een vierkant gezicht en een sarcastische manier om dingen te zeggen. Ze waggelde een beetje wanneer ze liep, als een oude bokser, omdat haar ene been beter was dan het andere. In 1963 hadden zij en haar man Paula's oudere zus Golda genoemd, naar de Israëlische minister-president Golda Meïr; niet de populairste persoon in Libanon als je naging dat de twee landen al sinds 1948 in oorlog met elkaar waren. Toen ik Paula vroeg waarom, balde ze haar vuist, sloeg ermee in haar handpalm, ontblootte haar tanden in een wilde grijns en zei: 'Omdat ze wilden dat ze taai zou zijn.'

Ik stelde Umm Paula een vraag die al langer door mijn hoofd spookte: wat hield de mensen tijdens die lange vijftienjarige burgeroorlog op de been? Hoe overleefden ze? Wat aten ze?

Ze was een tijdje stil. Ze pakte een pitabroodje op, trok de twee helften van elkaar af en legde ze neer. Dat deed ze ook met het volgende broodje. En toen begon ze te praten.

Op een dag, vertelde Umm Paula, verzamelde een vrouw zes stenen. Ze maakte een vuur in de lage kleioven in haar achtertuin. Ze knielde voor de oven en legde de stenen er in keurige rijtjes bovenop. Vervolgens strooide ze er zout over en begon ze te koken.

Er kwam een man langs, die zijn hoofd over het muurtje stak. 'Wat doet u, stenen koken?' vroeg hij met een plagerig lachje.

'Die zijn voor mijn kinderen,' antwoordde ze. 'We hebben niets te eten. Maar ik wil niet dat ze dat weten. Als ze de stenen zien, denken ze dat ik voor ze aan het koken ben en dan hebben ze geen honger meer.'

Hoofdstuk 22

Mighli

'De hemel heeft verdriet om Libanon,' zei Abu Hussein. Zijn vermoeide oude taxi reed met veel herrie de Bishara al-Khourystraat in en bracht Mohamad en mij door de grauwe ochtend naar dahiyeh. Maar het was geen regen. Het was niet de hemel. De zware, grijze donderwolk die in de lucht hing, was een deel van de stad zelf: de verpulverde overblijfselen van een paar honderd gebouwen, duizenden appartementen en winkeltjes en alles wat daarin had gestaan, kapot geschoten en als een fijn poeder de hemel in geschoten, als confetti. De door de bommen veroorzaakte wolken die boven Beirut hingen, leken het klimaat zelf te veranderen en zorgden voor vreemd, geel, duister weer dat mensen inmiddels al 'de oorlogswind' noemden.

Het conflict duurde nu negen dagen en Israëlische gevechtsvliegtuigen hadden vijfenvijftig bruggen en tientallen wegen gebombardeerd en daarbij 330 mensen in Libanon gedood, de meesten van hen burgers. Iedereen met een buitenlands paspoort probeerde het land uit te komen. Amerikaanse mariniers waren voor het eerst in tweeëntwintig jaar terug in Libanon om met een transportschip van de marine Amerikaanse burgers te evacueren. Nasrallah bezwoer dat hij Ehud Goldwasser en Eldad Regev, de twee Israëlische soldaten die door Hezbollah ontvoerd waren, nooit zomaar zou opgeven, zelfs niet als 'het hele universum' ze kwam halen. Hezbollah vuurde bijna elke dag raketten af op het noorden van Israël. En bijna elke dag raasden Israëlische straaljagers boven Beirut om zware bommen op Haret Hreik te gooien, de buurt waar we op dit moment heen reden omdat Hezbollah er, zo had een bevriende fotograaf ons verteld, een 'rondleiding' zou geven.

Ik herkende de geur onmiddellijk: natte as, smeulend vuur. Verbrand plastic. En iets anders, minder uitgesproken: de verwoeste en door elkaar gegooide onbekende organische en chemische ingrediënten die met elkaar de bouwstenen vormen van ons alledaagse leven. Acht vierkante huizenblokken waren platgebombardeerd en vormden één grote massa beton en puin. Een laagje steengruis bedekte de puinhopen; het stof moffelde de scherpe randen weg en dempte alle geluiden in de sombere schemering. De kapot geschoten flatgebouwen zagen er compleet verlaten uit.

Om elf uur precies verscheen de woordvoerder van Hezbollah, Hussein Naboulsi. Drie strijders in zwarte jacks en donkere, slobberige broeken liepen vlak naast hem en keken voortdurend alle kanten op, hun kalasjnikovs nonchalant als handtassen over hun schouder gegooid. Verslaggevers renden op hem af en schreeuwden hem vragen toe die net zo retorisch leken als die van Umm Hassane:

'Hoe rechtvaardigt u de bombardementen op Israëlische burgers?'

'Waar is Hassan Nasrallah? Is hij dood?'

'Gebruikt u burgers als menselijk schild?'

Naboulsi negeerde alle vragen. 'Ik zal u van alles vertellen; volg mij!' schreeuwde hij met zijn eigenaardige, monotone falsetstem. 'Als ik zeg dat u moet vertrekken, vertrekt u! Cameramensen, niet zomaar overal heen lopen, gewoon mij volgen. U zult gebouwen zien, wegen, alles! We nemen u mee naar het hart van Haret Hreik, waar het hoofdkantoor was...'

Hij beende weg door de puinhopen en wij klauterden achter hem aan. De straten waren één zee van beton. Half lopend, half klimmend bewogen we ons door de levens van mensen: een rood plastic hobbelpaard, een radiator, een halve bank. Stapels en stapels cd's. Plastic stoelen, pyjama's, betonblokken. Een studieboek over diabetes. Naboulsi ratelde aan één stuk door, steeds opgewondener. 'Dit is de democratie van Israël!' gilde hij. 'Dit is tegenwoordig de rechtvaardigheid in deze wereld! Als er nog iemand in deze wereld is met een geweten: word wakker! Word wakker! Word wakker voordat het te laat is!'

Binnen een paar minuten was de georganiseerde rondleiding van Hezbollah uit elkaar gevallen. Iedereen liep alle kanten op en verdween in de doolhof van kapot geschoten beton, foto's nemend of in opschrijfboekjes krabbelend, terwijl Naboulsi achterbleef als een wanhopige leraar die tijdens een excursie zijn groepje leerlingen is kwijtgeraakt.

Mohamad en ik liepen met zijn tweeën rond en kwamen onze vriend Nadim tegen. Hij stond in het midden van een kloof waar vroeger een kruising geweest was en keek omhoog naar een groot flatgebouw. Het dak was kapot gebombardeerd maar niet gevallen, waardoor het vervaarlijk schuin over de rand van het gebouw hing, als een absurde scheve hoed. 'Dit is echt ongelooflijk,' mompelde hij. 'Ik heb nog nooit zoiets gezien.'

Als we in vredestijd metaforen nodig hebben, putten we vaak uit de taal van de oorlog. Maar het idioom van de oorlog is dat van eten: kanonnenvoer, slachting, je tegenstander rauw lusten. Soldaten worden in de pan gehakt of staan voor hete vuren. Misschien komt dat doordat al die verwoesting ons herinnert aan iets wat we ons hele leven proberen te verdringen: het besef dat we allemaal uiteindelijk niet meer zijn dan vlees. De gigantische schots en scheve ruïnes van de flatgebouwen leken net een monsterlijke eettafel met daarop de resten van een groot banket: dit gebouw hier ziet eruit als een clubsandwich die door een enorme vuist is fijngeknepen, met bedden en gordijnen en televisies die er aan de zijkant uitpuilen als mayonaise. Dat gebouw daar is een reusachtige bruiloftstaart, elke verdieping een geglazuurde laag, de zijkant ervan afgesneden met een bot mes.

De Partij van God had een aantal inwoners van Haret Hreik tussen de ruïnes geplant. Af en toe dook er een op om voor de camera een tirade af te steken. 'Mijn huis is hier; het is verwoest, net als dat van iedereen,' schreeuwde een bouwvakker die Muhammad heette. Vervolgens sprak hij het standaardzinnetje uit dat we nog vele keren zouden horen voordat de oorlog voorbij was: 'Ik zal mijn huis herbouwen, één, twee, drie, vijf, zelfs tien keer, als God het wil. Ik, mijn vrouw en mijn kinderen staan achter Sayyid Hassan tot aan de dood!'

Eén of twee blokken verderop kwamen we een groepje Libanese journalisten tegen die we kenden. Ze hadden zich verzameld voor een kruidenierswinkel. Patricia van *L'Orient-Le Jour* had het opgegeven om van alles in haar opschrijfboekje te noteren en stond daar maar, perplex en doelloos. Rym van *The Daily Star* keek om zich heen, haar armen om haar lichaam geslagen alsof ze het koud had. De metalen rolluiken van de winkel lagen verwrongen op de stoep, die glinsterde door al het gebroken glas. Vlakbij stond onbeschadigd op zijn paal een bus om donaties in te doen voor de islamitische scholen, goede doelen en ziekenhuizen van Hezbollah. Het gele, Arabische opschrift beloofde: LIEFDADIGHEID HOUDT LEED OP EEN AFSTAND.

'Hier woonde ik vroeger,' zei een *Daily Star*-verslaggever van middelbare leeftijd. 'Het is gewoon onherkenbaar.'

Maar toen we omhoogkeken naar de versplinterde daken herkenden we toch waar we waren. Deze hoop puin was het huis van tante Khadija, waar we afgelopen kerst geweest waren om *mighli* te eten.

De avond voor kerst, 2005. Hanan nam ons allemaal – mij, Mohamad en hun moeder – mee naar tante Khadija om de baby te zien. Khadija's zoon Hussein was getrouwd en het jonge echtpaar had net een dochter gekregen. Umm Hassane en ik waren alle twee opgewonden, maar niet vanwege de baby; als we een beetje geluk hadden, zouden we mighli te eten krijgen.

Er bestaat een rijk dat het hele Midden-Oosten, de Balkan en Oost-Europa omspant; een rijk dat niet bestaat uit mensen, of hun goden, maar uit toetjes. De bewoners van deze Toetjesgordel – of ze nu moslims, christenen, joden, Armeniërs, Turken, Grieken, Russen, Serviërs of Polen zijn – produceren een eindeloze reeks feestelijke desserts. Sommige zijn zoet, andere hartig, en veel zijn beide. Al deze toetjes hebben twee dingen gemeen. Ten eerste worden ze bereid van zaden, de oeroude symbolen van dood en hergeboorte: granen, bonen, noten of alle drie. En ten tweede zijn ze allemaal bedoeld om te delen met mensen buiten de kring van de familie, als offer aan de goden, als aalmoes voor de armen, of als gerecht dat wordt gemaakt uit dank voor een gelukkige gebeurtenis en uitgedeeld wordt aan veertig buren; tien in elk van de vier windrichtingen.

Deze desserts maken deel uit van een diepere traditie, een die veel ouder is dan de religies en naties die haar hebben opgeslokt. Sommigen geloven dat ze afstammen van het gerecht dat Noach maakte van de zaden die hij meenam in de ark; anderen beschrijven ze als recepten die bij de familie van de profeet vandaan komen. Maar het ironische en tegelijkertijd prachtige is dat elke nationaliteit of religieuze groepering ze even heilig vindt. Turkse soennieten maken *ashura* en geven het aan hun buren om hun geluk te vieren. Poolse katholieken eten op kerstavond *kutia* om de aanstaande geboorte van de Messias te vieren. Grieks-orthodoxe christenen maken *kolyva* en delen het met toevallige voorbijgangers om de overledenen te herdenken. En Libanezen van alle religies maken mighli om het leven te vieren: de geboorte van een kind.

Wanneer in een Libanees gezin een baby wordt geboren, stromen wekenlang de bezoekers toe, als de wijzen uit het Oosten, met cadeaus en enveloppen met geld. Op haar beurt deelt de familie – ongeacht klasse, geografische afkomst of religie – mighli uit, rijstpudding met kaneel, bestrooid met noten. Mensen geloven dat de specerijen in mighli goed zijn voor de melkproductie van de nieuwe moeder. Maar mighli overstijgt die fysieke functie en beweegt zich in het rijk van symbolen; toen een achterneef van Leena in New York een kind kreeg, maakte Leena's moeder ver weg in Beirut mighli en serveerde het tijdens een familie-etentje, waarbij ze niet vergat te melden dat het ter ere van de geboorte in New York was.

Ik had allerlei verhalen over dit dessert gehoord, dus toen ik hoorde dat we het jonge echtpaar bij tante Khadija zouden gaan bezoeken, vroeg ik aan Umm Hassane of er ook mighli zou zijn.

Ze keek me met een doordringende blik aan. 'Wil je mighli?' vroeg ze.

Ik kon de radertjes in haar hoofd zien draaien: Mohamad en ik waren tot nu toe koppig gebleven wat betreft baby's, maar misschien verraadde deze interesse in mighli een diepere honger. Als ik mijn buik wilde vullen met mighli, zou ik er dan misschien ook niet naar verlangen om die te vullen met een kind van mijzelf? En, als God het wilde, binnenkort met mijn eigen handen mighli serveren? Ze trok haar lange zwarte overjas aan en deed haar beste hoofddoek om, en toen we het huis verlieten, zag ik het verlangen naar een kleinkind glanzen in haar ogen.

Ik had verwacht dat de kerstversieringen – de kerstrozen in rode folie, de verlichte slagerijen en snoepwinkels – zouden verdwijnen zodra we het reusachtige schilderij van Musa al-Sadr gepasseerd waren dat een van de toegangswegen naar dahiyeh bewaakte.

Maar het eerste wat ik zag toen we voorbij de Verdwenen Imam waren gereden, was een rij opblaasbare kerstmannen. Langs de weg zag ik Syrische dagloners, hongerig uitziende mannen met een zongebruinde huid, die allemaal een rood met witte kerstmuts droegen. De winkels die goedkope aluminium theeketels, Chinese schriftjes en plastic bloemen verkochten, puilden uit van de rode strikken van glansfolie en potten met bloeiende kerstrozen. Op de buitenmuur van één winkel stormde een peloton van kerstmannen op je af. Bij een andere stond naast de ingang een twee meter hoge mechanische kerstman die op gezette tijden tot leven kwam, als een buikdanser met zijn heupen zwaaide en *'Ho ho ho, Merry Christ-mas!'* brulde. De oorlog tegen kerst, de term waarmee Amerikaanse chris-tenen dat jaar ageerden tegen alle seculiere toeters en bellen waarmee Kerstmis vaak gevierd wordt, had het sjiitische hart van dahiyeh duidelijk nog niet bereikt.

In de woonkamer van tante Khadija zaten we naast Hussein en zijn vermoeid uitziende vrouw Lina, die als onderwijzeres werkte. We praat-ten een tijdje over de baby en begonnen toen over de nationale obsessie, iets waar op het moment meer over werd gepraat dan over sport of het weer, laat staan religie of politiek: vrije dagen.

Eerder dat jaar, toen Hariri vermoord werd, had de regering onmiddel-lijk haar beproefde crisismanagementplan in werking gesteld: alles sluiten. Toen het december werd, bepaalde de minister-president dat iedereen een paar vakantiedagen moest opgeven om de verloren werkdagen te com-penseren.

'Waarom zouden wij onze vakantie moeten opgeven vanwege de acties van de Syriërs?' wilde tante Khadija weten.

'Maar Kerstmis is niet onze feestdag,' merkte Hussein op. 'Dus waarom zouden wij nu vakantie moeten hebben?'

'Kerstmis is een nationale feestdag,' zei tante Khadija streng. 'Het is voor iedereen.'

Een kreetje van de baby maakte een einde aan de discussie over vrije dagen. Hussein, Lina en tante Khadija haastten zich alle drie naar de kin-derkamer.

Terwijl zij de gang in verdwenen, greep Umm Hassane haar kans. 'Zul-len we naar de mighli vragen?' Ze leunde naar voren en wierp een blik op de keuken, alsof dit onze kans was om naar binnen te sluipen en stie-kem wat te pakken.

'Nee, nee!' riep Hanan, die doodsbang was dat haar moeder iedereen in verlegenheid zou brengen door om eten te vragen.

Umm Hassane bond in, maar het was slechts een strategische terug-trekking. Haar ogen bleven naar de keuken glijden, waar de mighli stond te wachten. Misschien had ze een of ander geheim oudevrouwensignaal uitgezonden, of wellicht had er eerder al een clandestien bejaardedameste-lefoontje plaatsgevonden, want niet lang daarna kwam tante Khadija uit de keuken met kleine zilveren schaaltjes, vol met het dessert van vrucht-baarheid en leven.

Mighli is stijf als *crème caramel*, maar dikker. Er zitten geen eieren in; de stevigheid van de pudding komt door het rijstmeel. Meestal is het toetje warm bruin met spikkels, van de specerijen: kaneel, karwij, soms anijs en in sommige streken ook nog andere kruiden. Ouderwetse moeders staan wel een uur in de mighli te roeren tot het dik wordt. Modernere mama's maken het in een snelkookpan, zodat het in een paar minuten klaar is. Je zet het in de koelkast om het te laten opstijven en daarna komt het mooiste gedeelte. Je gaat naar de notenverkoper in de buurt en vraagt hem om 'mighli-mix'. Je krijgt dan waarschijnlijk ongeveer het volgende: walnoten, gepelde amandelen, pijnboompitten, gepelde pistachenoten, kokosvlokken en rozijnen. Sommige mensen gebruiken ook cashewnoten, andere alleen walnoten en kokos. Strooi de noten over de mighli en je bent klaar om alle bezoekers te zegenen met je gift. Het enige wat je nog nodig hebt, is een baby.

'Je kunt ook gewoon een kant-en-klare mix kopen,' merkte Husseins vrouw Lina op. De jonge en praktische onderwijzeres straalde de vermoeide tevredenheid van een gloednieuwe moeder uit. 'Dat hoef je alleen in kokend water te strooien en dan is het klaar.'

Umm Hassane zei niets, maar ze zette als een kip haar veren op en straalde een en al afkeuring uit.

'En is het ook lekker?' Husseins blik schoot voorzichtig heen en weer tussen zijn moeder, zijn tante en zijn vrouw.

'Ja, het is lekker, heel lekker,' hield de jonge moeder vol.

Iedereen trok zijn wenkbrauwen op en zei 'Hm!' op die sceptische, nieuwerwetse-onzin-voor-luie-huisvrouwen-manier.

Tante Khadija had duidelijk een tip van iemand gekregen. Toen we vertrokken, hield ze me bij de deur tegen, keek even naar Mohamad en toen naar Umm Hassane, en duwde vervolgens drie enorme plastic dozen vol mighli in mijn handen.

Ik sloeg de laatste hoek om, langs het ingestorte flatgebouw van tante Khadija, en was weer terug op de plek waar de rondleiding was begonnen. Een bebaard en bewapend Hezbollah-lid in een zwart jack stond tegen een muur te wachten. 'Yallah, yallah,' schreeuwde hij en hij gebaarde met zijn hoofd dat we moesten opschieten.

'Kun jij geloven dat dit Libanon is?' vroeg Rym terwijl we naar onze auto liepen. 'De plek waar we twee weken geleden nog *argileh* zaten te roken?'

Op Ryms verjaardag hadden we met haar vrienden, een gemengde groep van Saoedi's, Libanezen, Canadezen, Amerikanen en zelfs een Poolse dame die ze ergens had opgeduikeld, in het oude centrum van Beirut gezeten, voor haar lievelingsrestaurant T.G.I. Friday's. Op dit moment leek dat langer geleden dan de kerst van zeven maanden terug.

Ik schudde mijn hoofd. Nee, ik kon niet geloven dat deze rokende puinhoop hetzelfde Libanon was.

We stonden naast de auto van Abu Hussein, bang om hier te blijven maar op de een of andere manier ook onwillig om te vertrekken.

Ten slotte verscheen de soldaat met de baard weer. 'Vliegtuig, een vliegtuig!' schreeuwde hij in het Arabisch en hij sloeg met zijn armen als een kind dat een vogel nadoet.

We zagen geen gevechtsvliegtuigen, maar niemand wilde het risico nemen. Iedereen rende naar zijn auto en reed weg.

Hoofdstuk 23

Koken met Umm Hassane

Ik had mjadara hamra meegenomen. Ik had hummus en tabouleh. Ik had shish taouk, sappig en oranje, toegedekt onder een dekentje van warm brood doordrenkt met tomatensaus, gegrild met uien en bloedrode, zwartgeblakerde tomaten. Ik was naar Abu Hassan gegaan, ons favoriete buurtrestaurant dat gedurende de hele oorlog openbleef, en was teruggekomen met een feestmaal. Maar niets, zelfs niet de mjadara hamra, kon de goedkeuring van Umm Hassane wegdragen. Ze keek fronsend naar het eten, alsof het haar verraden had.

'Umm Hassane, eet iets,' smeekte ik en ik zette het bord voor haar op de koffietafel neer. 'U moet iets eten.'

'Ik heb geen honger,' zei ze. 'Hoe zou ik eetlust moeten hebben? Waar heb ik eten voor nodig?'

Naarmate de afschuwelijke maand juli vorderde, werd Umm Hassane meer en meer mdepressa. Ze stopte met eten. Ze lag uren op haar rug op de bank, zappend van Al Jazeera naar de Libanese satellietzenders en dan weer terug, en keek naar de eindeloze stroom beelden van bombardementen en toespraken van Nasrallah die nooit leek op te houden. Ze sprak nauwelijks. Op een avond ging ze rechtop zitten, keek boos om zich heen, schudde met haar wijsvinger en kondigde aan: 'Deze zomer zouden er 1,6 miljoen toeristen naar Libanon gekomen zijn.' Toen ging ze weer liggen en was de rest van de avond stil. Tijdens de afgelopen dagen, waarin de stroom voortdurend uitviel, elke nacht in de donkere uren voor zonsopgang de bommen dreunden en het bebaarde gezicht van Nasrallah voortdurend over het beeldscherm flitste, was ze helemaal gestopt met eten.

Umm Hassanes appartement was vlak bij de wijk Chiyah, die ook gebombardeerd werd, dus ze kon niet naar huis. Een tijdschrift had me gevraagd om naar het zuiden te gaan, maar we konden Beirut niet uit omdat we voor haar moesten zorgen en ik begon er genoeg van te krijgen. Ik wilde geen kind, ik wilde niet koken, schoonmaken, huishouden. Ik wilde in het zuiden zijn, aan de frontlinie, en het echte verhaal vertellen: burgers die tussen de bommen door probeerden weg te komen of die tijdens de bombardementen gevangenzaten in hun huizen. Ik wist dat mijn motivatie puur egoïstisch was – dat ik het afschuwelijke schuldgevoel en de vreselijke hulpeloosheid van de oorlog wilde ontlopen door te doen alsof ik iets nuttigs deed – maar ik was een journalist, geen huisvrouw, en op dit moment was verslaggever zijn het enige nuttige waarvan ik wist hoe je het moest doen. De laatste plek waar ik vast wilde zitten, was in mijn eigen appartement, zorgend voor een koppige oude vrouw die eerst had geprobeerd mij zwanger te krijgen en nu zichzelf dood leek te willen hongeren.

De volgende dag vertrok Mohamad om te gaan werken. 'Mijn moeder is zo vreselijk koppig,' klaagde hij voor hij de deur uit ging. 'Ik heb haar gezegd dat ze niet moet slapen met de airconditioning aan, maar ze wil niet luisteren. Gisternacht werd ze zo koud dat ze lag te rillen.'

Later die middag zat ik aan de telefoon met mijn redacteur toen ik zag dat Umm Hassane beefde. Ze zat in elkaar gedoken op de bank en trilde over haar hele lichaam.

We hadden geen airconditioning in de woonkamer. Het was minstens dertig graden, dus ze kon het onmogelijk koud hebben. En toch beefde ze. Ik legde de rug van mijn hand op haar voorhoofd, dat aanvoelde als een hete lamp. Haar gezicht was wit en strak. Ze was veel afgevallen. Wij hadden het niet gemerkt. Wij waren druk geweest met het verslaan van de oorlog.

Mijn redacteur was nog steeds aan de telefoon en praatte over Nasrallah.

Ik legde mijn hand over de hoorn en wisselde van taal. 'Umm Hassane, u bent veel te ziek,' zei ik in nauwelijks begrijpelijk Arabisch. 'U moet naar het ziekenhuis.'

'Nee, nee,' zei ze. Zelfs haar stem trilde. 'Met mij is het prima. Ik wil niet naar het ziekenhuis.'

Het was niet prima met haar. Ze was te zwak om rechtop te blijven zitten. Ik moest meteen met haar naar het ziekenhuis. Ik moest mijn redacteur, die telefonisch bijna niet te bereiken was, later terugbellen en ik moest mijn artikel afmaken.

Op dat moment belde iemand via de andere lijn. Het was Hassan, die uit Parijs telefoneerde om te vragen of alles goed met ons was.

'Hassan, je moet... praten met je moeder.' Ik moest mijn best doen om mijn Arabisch en mijn Frans in hun aparte hoekjes te houden. 'Ik geloof ze is *vraiment, vraiment malade*... Ze moet naar ziekenhuis. Praat met haar. Ze moet gaan.'

Ook naar Hassan wilde ze niet luisteren. '*Shu baarafni*, alles is prima,' hield ze vol. 'Wat moet ik in het ziekenhuis? Dat kost alleen maar geld!'

Ik smeekte, ik overdonderde, ik dreigde. Ik gebruikte woorden waarvan ik niet wist dat ik ze kende. Ze wilde niet gaan. De oorlog had in haar een of ander overlevingsinstinct wakker gemaakt; het maakte dat ze alleen nog maar kon weigeren en ze werd compleet passief. 'Dat kost geld,' bleef ze maar zeggen.

'Vergeet dat stomme geld!' schreeuwde ik uiteindelijk in het Engels, in de wetenschap dat ze me toch niet kon verstaan.

Vergeet de koorts, vergeet de oorlog. Vergeet het hele Israëlische leger, met zijn tanks en clusterbommen en nachtkijkers. Vergeet Hezbollah en zijn raketten en zijn 'verzet' en zijn in het zwart geklede commando's. Als ze een martelaar wilde zijn, zou ik haar zelf wel vermoorden.

In de vijfenhalf uur dat Mohamad met zijn moeder bij de Eerste Hulp zat, zag hij een hele stoet mensen met symptomen van stress en shock langskomen: benauwdheid, een hoge hartslag, paniekaanvallen, hartaanvallen. Posttraumatische stressstoornis. Mensen die leden aan chronische oorlog. Toen de doktoren Umm Hassane onderzochten, ontdekten ze dat ze een zware nierinfectie had. Ze sloten haar aan op een infuus en hielden haar daar. Als we haar niet naar het ziekenhuis hadden gebracht – als we naar haar geluisterd hadden en thuisgebleven waren – was ze waarschijnlijk gestorven.

De volgende paar weken gleden voorbij in een aantal losse momenten, splinters tijd die in mijn geheugen gegrift staan, helder en scherp als glasscherven. Ik herinner me dat ik de buurtkinderen zag spelen op een braakliggend terreintje. Voor de oorlog hadden in heel Beirut de vlaggen gewapperd van Brazilië, Iran, Duitsland en andere landen die meededen aan de wereldkampioenschappen en alle kinderen voetbalden. Nu stonden ze boven op hopen puin van de burgeroorlog, zwaaiden met hun plastic geweren in de lucht en schreeuwden: 'Ik ben Hezbollah! Nee, jij niet, ík ben Hezbollah!' Ik herinner me dat ik 's nachts *The Satanic Verses* las, tot vroeg in de ochtend, omdat de bommen het moeilijk en misschien onwenselijk maakten om te slapen. De verre ontploffingen lieten het gebouw zachtjes schudden en herinnerden me eraan dat er misschien mensen stierven terwijl ik veilig in bed lag. Ik herinner me dat Munir belde en zei: 'Het is net *Waiting for Godot*, vind je niet?' Dat Paula belde en zei: 'Hij zit in de ontkenningsfase, hè? Gevoelige mensen doen soms alsof ze heel sterk zijn. Heel nuttig, ontkenning. Dat heb ik tot nu toe nooit begrepen, maar inmiddels snap ik het wel.'

Ik herinner me dat ik een kennis van een kennis tegenkwam bij de Baromètre, een boze, bebrilde jongeman, die zei: 'Je land wordt aangevallen en dus betrap je jezelf erop dat je Hezbollah verdedigt. Terwijl dat een fundamentalistische organisatie is! Ze zijn tegen alles waar ik voor sta! Maar als je ze niet verdedigt, zeg je eigenlijk dat je het eens bent met Israël, met wat Israël dit land aandoet. Wie zal Libanon anders verdedigen? Wil ik dat de Syrische Ba'ath Partij Israël verslaat? Zodat die partij mij vervolgens kan belazeren, zoals ze eerder gedaan hebben?'

Ik herinner me dat ik in een ander café zat om de leider van een anticorruptieorganisatie te interviewen, die zei: 'We bevinden ons midden in een oorlog, en toch zitten we hier, in het hart van Beirut, in een café vol goed geklede mensen. Je denkt misschien: wat oppervlakkig, maar dit is wat Libanon anders maakt. Dit is wat ervoor gezorgd heeft dat we de burgeroorlog overleefd hebben. Dit is de manier om je te verweren tegen elke oorlog.'

Telefoontjes van vrienden buiten Libanon klonken als echo's uit een ver verleden. Mijn vriendin Cara had ooit in Israël gewoond, net ten noorden van Kirjat Sjemona in een van de gebieden waar Hezbollah nu zijn raketten op afvuurde. Ze kon zich het geluid van de 's nachts vallende bommen nog precies herinneren. Ze belde me bijna elke dag. Op een keer belde ze om te vertellen dat het huis van haar ex-zwager door een raket geraakt was. Een andere keer belde ze om te horen of alles goed met me was en ik zei: 'Ik denk het. Ik kan nu niet praten. Ik heb geen wijn. Ik moet wijn halen om mee te kunnen koken.' Het feit dat ik verder absoluut geen herinneringen aan dit gesprek heb, zegt me iets over de werking van het geheugen, over oorlog en over mijn gemoedstoestand op dat moment.

Ik belde Ali Fahs, de boer die ik kende van de Souk el Tayeb, om te horen of alles goed met hem was. Hij zat vast in Jibsheet, het zuidelijke dorpje waar hij woonde. De bombardementen waren er hevig en hij was al in geen vijftien dagen het huis uit geweest. Hij doodde de tijd met het schrijven van een manifest, een open brief aan de Israëlische premier Ehud Olmert, de Amerikaanse president George W. Bush en de minister van Buitenlandse Zaken Condoleezza Rice. Wilde ik horen wat hij geschreven had?

'Olmert, Bush en Condi Rice, er is geen verschil,' las hij voor. Ik hoorde het papier ritselen terwijl hij sprak. 'In de naam van de democratie doden jullie kinderen en onschuldige mensen. Jullie vernietigen alle middelen van bestaan en de menselijkheid. In plaats van de oorlog te stoppen, gooien jullie olie op het vuur. Jullie sturen geld en leveren bommen om nog meer onschuldige mensen te doden. Jullie weten en wij weten dat die zogenaamde democratie van jullie niet de belangrijkste reden voor deze oorlog is; dat is het nieuwe vredesplan voor het Midden-Oosten.'

Tijdens de eerste negen dagen hoopten de mensen in Libanon dat de Verenigde Staten de Israëlische regering onder druk zouden zetten om in te stemmen met een staakt-het-vuren. En toen, op 21 juli, kondigde de regering Bush aan dat er een versnelde levering van precisiebommen aan Israël zou plaatsvinden. Op dezelfde dag zei Condoleezza Rice dat een staakt-het-vuren een 'valse belofte' zou zijn wanneer dat zou gebeuren voordat Hezbollah verslagen was. 'Ik ben niet geïnteresseerd in diplomatie die erop gericht is om Libanon en Israël terug te brengen tot de eerdere status-quo,' zei Rice. 'Wat we hier zien, zijn in zekere zin de groeipijnen, de barensweeën van een nieuw Midden-Oosten. Wat we ook doen, we moeten in elk geval zeker weten dat onze inspanningen gericht zijn op een nieuw Midden-Oosten en dat we het niet laten terugvallen naar de oude situatie.'

Haar beschrijving van de dood van Libanese burgers als 'de barensweeën van een nieuw Midden-Oosten' voedde de grootste angst die de Libanezen hadden met betrekking tot Amerika: dat het land geheime imperialistische bedoelingen had met de regio, dat het bezig was met de voorbereiding van een of ander apocalyptisch masterplan en dat het Libanese levens lang niet zo belangrijk vond als Israëlische.

'Al dat oorlog voeren, alleen maar daarvoor!' riep Ali uit. 'Ze willen een nieuw Midden-Oosten maken dat in handen is van Israël en Amerika.' Hij had het nu niet meer over Californië of benzinestations. Hij las de rest van zijn manifest voor.

'Kun je dat in jouw krant zetten?' vroeg hij. 'Je moet natuurlijk wel mijn Engels corrigeren. Het is nog niet helemaal af, maar ik wil nog meer schrijven. Ik wil iets maken; ik ben al vijftien dagen thuis, ik kan niet eens werken.'

Ik vertelde hem niet dat er geen 'mijn krant' bestond, of dat Amerikaanse redacteuren allang genoeg hadden van deze kleine oorlog die in zijn ogen zo groot leek. Ik vroeg hem of hij genoeg eten en water had en of het goed zou komen met hem en zijn gezin.

'Eten, dat is mijn beroep,' zei hij waardig. 'Ik heb labneh, ik heb *laban*, ik heb alles. Dat kun je heel lang bewaren.'

Natuurlijk! Een belegering betekende niets voor iemand die mouneh maakte. Zolang de oorlog duurde, zouden Ali en zijn gezin leven van zijn mouneh, eten dat ervoor bedoeld was om een winter of een oorlog lang goed te blijven. Ze zouden zijn hele voorraad opeten, waarvan hij ooit gehoopt had dat die hem naar Californië zou brengen. Hij voorzag zelfs zijn buren van eten, die niets meer hadden.

'In de bergen hebben we eten genoeg voor twee maanden,' vertelde hij. 'We hebben za'atar, we hebben burghul; we houden het zeker twee maanden vol.'

Alle oorlogen lijken op elkaar, maar iedereen ervaart ze anders; een van de dingen die oorlog zo akelig maken, is hoe die verschillen uitvergroot. Je leest mijn verhaal over één bepaalde oorlog: mijn onvolledige herinneringen aan wat ik zag en voelde en deed. Anderen hadden hun eigen ervaringen en hun eigen realiteit. Toch zei iedereen hetzelfde, zelfs de vluchtelingen wier huizen gebombardeerd waren: 'We haten niet de Amerikaanse bevolking. Alleen de Amerikaanse regering.' Een vluchteling uit Haret Hreik zei het tegen ons nadat hij was teruggegaan naar zijn ingestorte appartement om zijn huisdier, een vogeltje, terug te vinden. Iemand die gevlucht was uit het zuiden zei het tegen ons in het Berkeley Hotel. Een praatgrage, korte, dikke servees-chauffeur zei het tegen me terwijl hij kettingrokend over het Fouad Chehab-viaduct reed en zich tegelijkertijd probeerde om te draaien om met mij te praten. 'Wij haten de Amerikanen niet,' bleef hij maar zeggen. 'We houden van Amerika! Mijn auto: Amerikaans. Toyota Corona! Mijn sigaretten: Amerikaans. Marlboro!'

Ik legde hem niet uit dat de auto een Corolla was, geen Corona, of dat Toyota eigenlijk een Japans merk was. Hij had al genoeg aan zijn hoofd. In het gesproken Libanees Arabisch 'drink' je sigaretten in plaats van ze te roken; ik had het vermoeden dat hij al een paar Corona's ophad – en dan bedoel ik niet Toyota's – want hij bleef maar schreeuwen: 'Ik drink Marlboro's! Ik rij Toyota! Ik hou van Amerika!'

En vervolgens draaide hij zich om zodat hij me aan kon kijken, haalde zijn hand van het stuur om met zijn sigaret zijn woorden kracht bij te zetten, waardoor zijn auto over de rijbanen heen en weer zwalkte, en riep uit: 'We haten Amerika niet! We houden van Amerika, we houden veel te veel van Amerika! Waarom. Houdt. Amerika. Niet. Van. Ons?'

Na een week in het ziekenhuis keerde Umm Hassane terug en het klagen ging als vanouds. Voor de oorlog had ze onze eetgewoonten ook al afgekeurd, maar nu was het nog veel erger. We hadden niet veel eten in huis omdat de elektriciteit soms acht, tien, twaalf uur uitviel en alles wat in de koelkast stond bedierf.

Ik begon waardering te krijgen voor de hardnekkigheid van mouneh. Libanons geschiedenis van oorlog en hongersnood had de oude tradities zo dicht onder de oppervlakte gehouden dat ze bijna een tweede natuur geworden waren. Mijn vriendin Adessa zat vast in Bsharri, de stad van haar voorouders in het noorden van Libanon, en omdat ze geen citroenen hadden, was haar familie overgegaan op het eeuwenoude gebruik om verjus over de tabouleh te doen, het zure sap van onrijpe druiven. ('Dat maakte dat we niet gek werden,' vertelde ze me later, 'dat de tabouleh ook echt naar tabouleh smaakte.') De oudere vrouwen haalden hun molentjes tevoorschijn en begonnen met de hand maïs- en tarwemeel te malen. Mijn lerares Arabisch Hayat vulde wijnbladeren met overgebleven tabouleh, ook een oude gewoonte die in stand was gebleven vanwege tijden zoals deze. In ons huis deden we het met moderne mouneh: Picon-smeerkaas, kant-enklare hummus van Smith's (op het blikje stond 'Homos') en blikjes tonijn.

Voor Umm Hassane was het eten van dit soort bij elkaar geraapte spullen de druppel die de emmer deed overlopen. Alles ging verkeerd: Hanan was gevlucht en logeerde nu bij vrienden in de bergen, bijna ieders huis was verwoest, de Libanese regering deed een perfecte imitatie van een mislukte staat. Zelfs Nasrallah leek het even niet meer te weten; van de ene op de andere dag was zijn baard uitgegroeid tot een wilde, grijze warboel. Toen we op een dag aan tafel gingen zitten voor een avondmaaltijd van Homos en tonijn van Smith's, zei ze: 'Het doet pijn aan mijn hart als ik dit eet.'

We onderwierpen haar aan een kruisverhoor om erachter te komen wat ze bedoelde. Wilde ze zeggen dat ze fysieke pijn had? Of deed het haar pijn dat ze niet kon koken? Uiteindelijk ontdekten we, na een boel vragen en nadat Mohamad haar cryptische uitspraken vertaald had, dat ze tabeekh wilde maken.

'Maar hoe zou ik dat moeten doen?' klaagde ze.

Mohamad en ik keken elkaar met een schuldige blik aan.

'Als de oorlog voorbij is en wanneer we het niet meer zo druk hebben, zullen we een keer echt koken,' beloofde ik haar.

Een dag of twee later had ik een vrije ochtend en nam ik Umm Hassane apart. Er was een gerecht dat je maar in een paar restaurants kon krijgen: een romig, luchtig mengsel van aardappelen, uien en roerei. Het was een klassiek recept voor thuis, het perfecte troosteten; het Libanese equivalent van macaroni met kaas. Mohamad en ik waren er alle twee gek op.

'Umm Hassane,' begon ik, 'ik weet dat u ziek bent, maar wilt u me alstublieft laten zien hoe je *batata wa bayd* moet maken?'

Ze begon met het inspecteren van mijn uien. Voor de oorlog had ik bij Ali Fahs een reusachtige bundel kleine Spaanse uien gekocht; het waren er tientallen, aan elkaar gevlochten met hun eigen gedroogde stengels. Ze waren nog steeds stevig, hun parelmoeren schil dooraderd met streepjes mintgroen.

Ze hield de bundel op een armlengte afstand, alsof het een dode kat was. Ze trok er een ui af en probeerde die in één keer te pellen. Hij was te vers en de schil bleef stevig aan de ui vastzitten. Vol afschuw gooide ze hem weg. 'Wat zijn dit voor uien?' vroeg ze op hoge toon en ze maakte een beschuldigend gebaar in de richting van de groente. 'Waarom heb je er zoveel gekocht?'

Ik ontfermde me over de uien; ik halveerde en pelde ze, sneed ze woest als een wraakzuchtige god in plakjes en daarna stukjes, tot we de benodigde hoeveelheid gesnipperde uien hadden.

Nu nog een pan. Ik haalde mijn roestvrijstalen potten en pannen tevoorschijn, een huwelijkscadeau van een goede vriendin, en zette een paar ervan voor haar neer zodat ze er een kon uitkiezen.

'Deze pannen zijn niet goed,' zei ze. 'Tefal is beter.'

'Umm Hassane, dit zijn heel dure pannen,' zei ik verontwaardigd en vervolgens, met grof geschut: 'Uit Amerika!'

'Uit Amerika?' snoof ze. Ze trok sceptisch een wenkbrauw op. Dat deze inferieure pannen, zonder teflonlaagje, uit Amerika zouden kunnen komen – het land van Mazola-olie en Tylenol-pijnstillers – was een belachelijke bewering. Het lag meer voor de hand dat Annia weer eens belazerd was.

'Doe ze daarin.' Ze wees streng naar mijn middelgrote Tefal-pan. Ze goot er wat maïsolie in, deed vervolgens de uien erbij, legde een deksel op de pan en zette het vuur zo laag mogelijk.

'Hoe lang moeten ze bakken?' Ik schreef alle tijden en hoeveelheden keurig op in mijn notitieblokje, als een leerling-verslaggever die bezig is met haar eerste grote artikel.

Ze schonk me zo'n wat-kom-jij-hier-eigenlijk-doen-blik, de blik die ik me nog goed herinner van mijn eerste bezoekjes aan restaurantkeukens. 'Tot ze klaar zijn!'

Terwijl de uien zichzelf klaarmaakten, sneed Umm Hassane met de efficiënte snijtechniek van een chef-kok de aardappels in kleine blokjes. Ik schoof de berg aardappelblokjes van de plank in mijn grote glazen maatbeker.

Ze keek woedend toe; nu was het genoeg. 'Waarom?' riep ze uit.

'Waarom moet je alles afmeten? Er moeten vijf aardappels en twee uien in, klaar!'

Mijn Arabisch was veel te mager om haar het concept van gestandaardiseerde recepten uit te leggen, laat staan om haar te vertellen hoe onduidelijk haar aanwijzing was in een wereld waarin je uien en aardappelen van alle formaten had. Ik mompelde iets over dat ik het wilde onthouden voor de volgende keer.

'Neem gewoon twee uien en een paar aardappels en dan komt alles goed!' Er klonk iets van medelijden in haar stem. Ze gooide de aardappels bij de uien, voegde wat zout toe en deed het deksel weer op de pan. 'Dit laten we bakken,' zei ze langzaam en duidelijk, alsof ze het uitlegde aan een niet al te snugger kind, 'tot het klaar is.'

Ik had er uren aan besteed en heel wat aardappels mee verknoeid om uit te vinden hoe je batata wa bayd moest maken. Ik had de aardappels eerst gekookt en vervolgens in stukjes gesneden, om ze vervolgens in de pan uit elkaar te zien vallen tot een kleffe, olieachtige massa. Ik had geprobeerd de aardappels als voorgebakken patat te frituren en later pas de uien toe te voegen, maar dat resulteerde in vette, leerachtige aardappels vol aangekoekte, zwarte uien. Ik frituurde de aardappelen en de uien apart en deed ze daarna pas bij elkaar, maar ook dat was niet goed: de smaken vermengden zich niet. Tijdens al mijn experimenten was het nooit in me opgekomen om de uien eerst te laten karameliseren en de aardappels daarna in een dichte pan langzaam gaar te laten worden, of dat de uien en de aardappels zich op zo'n lyrische manier met elkaar konden vermengen.

'Ik leer een heel nieuwe manier om batata wa bayd te maken!' riep ik uit, verrukt dat ik eindelijk het geheim van dit bedrieglijk simpele gerecht had leren kennen.

Ze fronste. Had ik het dan vroeger anders gemaakt?

'Annia maakt het meestal niet zo,' legde Mohamad uit, die net de keuken binnen kwam lopen.

'Ze maakt het zeker zoals jouw broer in Spanje het doet,' zei Umm Hassane geschrokken.

'Nee, nee, Annia maakt ook batata wa bayd, maar niet op deze manier.'

Umm Hassane beende wanhopig de keuken uit en gooide zich theatraal op de bank. 'Als je het zo wilde doen,' riep ze, 'waarom vroeg je dan aan mij om het voor jou te maken?'

Mohamad realiseerde zich zijn fout en volgde haar de woonkamer in. 'Nee, nee, we wilden het juist zo leren,' zei hij smekend. 'Dit is de goede manier.'

'Ik weet niet hoe hij het maakt!' klaagde ze, ontroostbaar. 'Ze noemen het tortilla. Je bakt de aardappelen en dan voeg je de eieren toe...'

'Nee, we willen het juist zo,' zei hij snel. 'Wanneer Annia het maakt, kookt ze de aardappels en bakt dan alles samen...'

'Ze kóókt de aardappels!' Umm Hassane was ontzet. Dit was het bewijs dat we het niet op haar manier wilden. 'Nou ja, als jullie het liever zo hebben, waarom liet je het mij dan doen?'

'Nee, we willen het niet zo. We willen het op jouw manier,' smeekte hij.

'O, goed. Ik dacht dat jullie het anders wilden.' Ze strekte zich uit op de bank en liet haar gebedskralen door haar hand glijden.

Wij stonden bij elkaar in de keuken en keken haar vanuit de deurope- ning behoedzaam aan.

'Waarom wilde ze het zo ingewikkeld doen?' Umm Hassane richtte haar klacht tot de donkere, stille televisie. 'Het zou een stuk gemakkelijker geweest zijn om tortilla te maken!'

Na ongeveer tien minuten reageerde ze op een of andere innerlijke culi- naire klok die haar precies vertelde wanneer de aardappels klaar waren. Ze zuchtte, hees zichzelf overeind van de bank en schuifelde terug naar de keuken. Daar haalde ze het deksel van de pan, hield een lepel aardap- pels omhoog en beval mij: 'Proef, proef!'

Proef! Als ik één slechte eigenschap heb, is het dat ik niet genoeg proef wanneer ik aan het koken ben. Ik heb de neiging om veel te veel te ver- trouwen op maten en gewichten, op precieze aanwijzingen – woorden op papier – en niet af te gaan op mijn eigen zintuigen. Ook dit is in de keu- ken van Umm Hassane onmogelijk. Ze dwong me voortdurend om te proeven, aan te passen, op smaak te brengen: om op mijn tong te vertrou- wen in plaats van op woorden. Ze hield de lepel aardappels voor mijn ge- zicht en beval me om ze te proeven 'zodat we weten of het klaar is'.

Ze smolten op mijn tong en waren heerlijk: een soort aardappelrisotto, zacht als macaroni met kaas. De aardappels waren romig, zijdezacht door de olie en doordrenkt met de smaak van de kleverige, gekarameliseerde uien, die bijna onzichtbaar in ze waren opgelost.

'Dit is veel lekkerder dan tortilla!' zei ik.

'Hoe weet je dat het lekkerder is?'

'Ik heb het net geproefd!'

Haar blik werd zachter. Heel even zag ze er gelukkig uit. Toen her- stelde ze zich. 'Je hebt het geproefd voordat de eieren erin zaten,' bromde ze en ze draaide zich weer om naar het fornuis.

Hoofdstuk 24

Een maaltijd van stenen

In slechts drieëndertig dagen vernietigde de oorlog in Libanon de infrastructuur van het land, verwoestte de economie en draaide zestien jaar naoorlogse wederopbouw terug. Ongeveer twaalfhonderd mensen waren gedood, de meesten van hen burgers, en er vielen nog steeds burgerslachtoffers; Israël had vier miljoen clusterbommen gebruikt, die honderdduizenden onontplofte bommetjes hadden achtergelaten en zodra de mensen begonnen terug te keren naar hun huizen vielen er opnieuw doden. Hezbollah had ongeveer vierduizend raketten op Israël afgevuurd, waardoor drieënveertig Israëlische burgers waren omgekomen, en had tijdens de gevechten honderdtwintig Israëlische soldaten gedood.

Een paar weken na het begin van het staakt-het-vuren reden Mohamad en ik samen met tante Nahla naar Bint Jbeil. We haalden haar op bij het flatgebouw in Ras al-Nabaa waar haar broer woonde. Toen we aan kwamen rijden, stonden ze buiten al op ons te wachten, alle twee op hun best gekleed: zij in een zwarte tuniek met kraaltjes, de oude man in een keurig overhemd en pantalon, ook al zou hij zelf niet meegaan. Hij schudde ons de hand en we gingen op weg.

Hezbollah had overal langs de weg naar het vliegveld reclameborden neergezet. De kleuren ervan waren zorgvuldig uitgezocht, net als die van de spandoeken tijdens de opstand voor onafhankelijkheid, en de teksten op de borden volgden elkaar op. Ze verkondigden trots DE GODDELIJKE OVERWINNING, en NASR MIN ALLAH, letterlijk: 'overwinning door God' maar bovendien een woordspeling op Nasrallahs naam.

Tijdens de uren die volgden, reden we langs verdroogde tabaksplantages, olijfboomgaarden vol puin, in tweeën gebroken bruggen. In Ainata stond bij een gebombardeerd en zwartgeblakerd benzinestation een bord met de tekst: WE FELICITEREN JULLIE MET DE OVERWINNING. In Tibneen verkondigde een poster: C'EST LA VICTOIRE DU SANG ('Het is de overwinning van het bloed'). Kort daarna kwamen we aan in Bint Jbeil.

Na een tijdje raken de woorden die je kunt bedenken om de verwoesting van een oorlog te beschrijven op. Als ik het ergens mee zou moeten vergelijken, komt het beeld van New Orleans in me op, dat onder water staat na een orkaan, maar in plaats van door water was deze stad overstroomd door gigantische blokken steen. Sommige doorgangen waren vrijgemaakt; het puin was opzijgeschoven en in grote bergen opgestapeld. In een paar van deze steenhopen had Hezbollah wapperende gele vlaggen geplant met daarop het groene logo: een hand die een kalasjnikov in de lucht steekt. Gele banieren verkondigden: DIT IS JULLIE DEMOCRATIE, USA.

We reden naar de oude stad, naar de smalle straatjes waarin de strijders van Hezbollah hun 'goddelijke overwinning' hadden behaald. Het steegje dat ooit naar het huis van tante Nahla had geleid, was verdwenen. In plaats daarvan lag er een tweeënhalve meter hoge berg stenen, ijzeren staven en hout. De bovenste helft van het huis was verdwenen. De poort was weggeblazen en de stenen tuimelden naar binnen als een bevroren golf. Ze kwamen tot halverwege de deur.

Tante Nahla stapte uit de auto en liep naar de rand van de berg puin. Naast al die stenen leek ze vreselijk klein. Ze keek om zich heen met in haar blik bijna iets van rechtvaardiging; niet zozeer tevredenheid, maar ook geen verbazing, alsof ze wilde dat wij zouden denken dat ze dit al haar hele leven verwacht had. Toen begon haar kin te trillen en verdween de zorgvuldig gearrangeerde uitdrukking van haar gezicht. 'Alles is weg,' zei ze en ze begon te huilen.

Mohamad en ik klommen over het puin en kropen door de poort naar haar huis. De meeste van de fruitbomen waren verpletterd onder de tsunami van stenen, maar aan de andere kant van de binnenplaats bloeiden de hibiscus en de oleander, roze en witte bloemen in een zee van grijs. We klauterden naar binnen en probeerden te redden wat we konden. Een foto van de vader van tante Nahla, Mohamads grootvader. Een klein tapijt. Ik pakte een paar katoenen zakjes van haar mouneh, zorgvuldig gelabeld in het Arabisch, die we later weggooiden toen we ons realiseerden dat het waarschijnlijk niet veilig was om het nog op te eten. Pas later hoorden we dat er onontplofte bommen tussen het puin hadden kunnen liggen, maar op dat moment dachten we daar niet aan.

We lieten tante Nahla achter bij haar buren en gingen toen bij Batoul langs. Ook haar huis was zwaar beschadigd, maar het was niet met de grond gelijkgemaakt zoals dat van tante Nahla. De lucht was zwaar van het kalkstof en de subtiele maar misselijkmakende stank van verrotting, hopelijk van bedorven voedsel. In de keuken was door de ontploffing een pot tomaten tegen de muur gevlogen, waar die een bloederige rorschachvlek op het pleisterwerk had achtergelaten.

Batoul doorzocht samen met haar dochter Zainab de puinhopen. Ze was de hele dag bezig geweest om alles wat nog te redden viel uit de keuken te halen en in de achterste slaapkamer te leggen, de enige kamer waarvan de muren nog intact waren. Ze had iemand de deur weer in zijn scharnieren laten hangen zodat haar spullen niet geplunderd zouden worden. Nu sleepte ze doelloos met puin heen en weer, niet goed wetend wat ze moest doen, als iemand die na een auto-ongeluk in shock verkeert. 'Kijk nou wat ze ons hebben aangedaan, wat Israël ons heeft aangedaan,' klaagde ze. Ze liet zich op de vloer zakken en ging op een hoop betonblokken zitten. 'Het huis is verwoest. Verwoest!'

Wat zeg je tegen iemand die haar huis heeft verloren, en daarmee ook bijna al haar bezittingen? Aarzelend zei ik hallo.

Ze stopte midden in haar klacht. Ze hief haar hoofd alsof ze me nu pas zag. Ze keek op met de ogen die horen bij het rouwfestival Ashura, haar kin trillend, dertienhonderd jaar van wanhoop en verdrijving die me door de eeuwen heen aanstaarden. 'Je bent afgevallen,' zei ze met een verwijtend gesnuif.

Batoul legde een matje van gevlochten plastic over de brokken pleisterwerk, beton en gebroken glas. Zainab haalde de voedselrantsoenen. Dit was waar de mensen in het zuiden de afgelopen maand op hadden geleefd: tonijn, hummus in blik, brood en water in flessen dat werd gedistribueerd door internationale hulporganisaties. Ze maakte het blikje hummus open en deed het in een kom, waar de hummus in de vorm van het blikje bleef staan, met de ribbels er zelfs in. Ze had geen knoflook, geen olijfolie: de flessen en potten in de keuken waren allemaal kapotgegaan door de exploderende bommen.

'Hummus zonder olijfolie,' klaagde ze.

We gingen op de mat zitten en schepten met het brood beetjes tonijn en hummus op. Het was niet eens zo slecht – ze had een citroen en een paar tomaten gevonden – maar Batoul was ontroostbaar.

'O Mohamad Ali, kijk nou wat er van ons geworden is,' zei ze toen we zaten te eten. 'Jij en je moeder kwamen vroeger altijd hier en dan gaven we jullie te eten. En nu hebben we niet eens een dak boven ons hoofd!' Batoul was zoals alle Bazzi's gek op klagen, maar dit was letterlijk waar: het dak boven ons hoofd was verdwenen.

Hongerige katten begonnen zich op de binnenplaats te verzamelen. Ze slopen naar ons toe, hun nek uitgestoken, klaar om weg te rennen: te bang om dichterbij te komen, te hongerig om weg te blijven. 'Dit gaf ik vroeger altijd aan de katten,' zei Batoul terwijl ze de dieren het laatste beetje tonijn gaf. 'En nu moeten we het zelf eten!' Het was natuurlijk niet de tonijn waar ze zo ontsteld over was, maar de verwoesting van haar huis.

Er verscheen een buurman, een oud mannetje met nog maar één tand. Hij had een plastic schaal met druiven, nectarines en peren voor ons meegenomen. Hij ging een eindje bij ons vandaan op de grond zitten terwijl wij het fruit aten. Maar toen hij voorzichtig een paar woorden van bemoediging uitsprak, iets banaals over dat alles beter zou worden, richtte Batoul zich tot hem.

'U heeft geld van Hezbollah en wij hebben niets!' siste ze.

Na de 'goddelijke overwinning' was de Partij van God meteen begonnen met het opnemen van de schade en het noteren van de namen van getroffen families om hen te kunnen compenseren. De verdeling van het geld zou de maanden en jaren die volgden een bron van verwarring en conflict vormen. Israël en de Amerikaanse regering hadden gehoopt dat de genadeloze bombardementen de sjiitische bevolking tegen Hezbollah zouden opzetten, maar door hun huizen te verwoesten, en voor veel van hen bovendien hun middelen van bestaan, had de oorlog veel sjiieten juist nog afhankelijker gemaakt van de Partij van God dan voorheen. Ze konden nergens anders heen.

De buurman had een bedrag gekregen om een flatje te huren tot zijn compensatie erdoor zou zijn, maar ondanks het feit dat hun huis onbewoonbaar was en hun flat in dahiyeh met de grond gelijkgemaakt was, hadden Batoul en Hadj Naji geen geld gekregen om iets te huren. Batoul dacht dat het kwam doordat ze niet 'dicht bij' Hezbollah stonden, in andere woorden: ze hadden geen wasta.

'Ik heb het geld gekregen omdat mijn huis verwoest is,' reageerde de buurman. Hij dook weg bij Batoul, die geen kleine vrouw was.

'U heeft het gekregen omdat u wasta heeft,' snauwde Batoul. 'Kijk naar ons huis. Is dat dan niet verwoest?'

Hij wilde iets zeggen, maar ze onderbrak hem. *'Hezb wasta!'* schreeuwde ze. 'Hezb wasta!' gilde ze opnieuw, haar stem rauw van woede, en zo eindigde onze maaltijd.

Toen ik een paar dagen later terug was in Beirut, zat ik met Munir in Walimah.

'Ik denk dat we na deze oorlog heel wat nieuwe gelovigen zullen krijgen,' zei Munir, die somber een sigaret opstak. 'En heel wat meer seksuele frustratie.'

Munirs neef Bashar was er ook. Hij was net terug uit Tyrus, een zuidelijke kustplaats die overspoeld werd door journalisten, hulpverleners en alle andere bijproducten van de oorlog. Volgens Bashar wemelde het er van de vreemde nieuwe types. Iraanse liefdadigheidsinstellingen, Iraans geld. Mannen met baarden. 'Ze willen ons leren hoe we sjiiet moeten zijn,' vertelde hij met een glimlach. 'Alleen doen ze het op de verkeerde manier.'

'Wat is de goede manier om sjiiet te zijn?'

'Van het leven houden,' antwoordde Bashar. Hij was een jonge vent.

Munir lachte, al klonk het ongelooflijk vermoeid, en drukte zijn sigaret uit. 'Ja, maar dat kan nogal een eenzijdige relatie zijn, weet je,' zei hij. 'Om van het leven te kunnen houden, moet het leven ook van jou houden.'

Tijdens de eerste tangoavond na de oorlog aten Georges en ik een bord mlukhieh en spraken over de afgelopen maand. Een van de geweldige dingen die tijdens de oorlog gebeurd waren (waarschijnlijk het enige goede) was de manier waarop de generatie van na de Libanese burgeroorlog de kloof had opgevuld die ontstaan was door het falen van de overheid. Jonge artsen onderzochten de vluchtelingen, schreven medicijnen voor en hielpen bij bevallingen. Jonge acteurs speelden voorstellingen en organiseerden theaterworkshops om vervelde, angstige kinderen te vermaken. De organisatie voor homorechten en de anticorruptiebeweging regelden eten voor vluchtelingen. Zico House en T-Marbouta, twee van Hamra's beste cafés, hadden zich voor de duur van de oorlog opengesteld als vluchtelingencentra en de ultrachique Club Social organiseerde een benefietconcert om geld op te halen. Georges had zijn tijd besteed aan het rondrijden langs de scholen in zijn buurt, die vol vluchtelingen zaten, en gratis medische onderzoeken uit te voeren.

'Annia, ik heb een vraag voor jou,' zei hij. 'Tijdens de oorlog zag ik steeds mensen op tv, en soms kwam ik ze ook tegen in de scholen, die zeiden dat ze zelfs hun kinderen zouden opofferen voor Nasrallah.'

De partijmantra: ik en mijn familie staan achter Sayyid Hassan tot aan de dood. Ik zal mijn zonen opofferen voor Hassan Nasrallah.

'Is dat waar?' Hij fronste zijn gladde voorhoofd. 'Voelen de sjiieten dat echt zo?'

'Natuurlijk niet,' reageerde ik.

Ik was enigszins geschokt door de vraag. Het was eigenlijk niet aan mij om antwoord te geven, maar Mohamad was er niet en een van de redenen dat ik zo gek was op Georges, was dat hij de moeite nam om vraagtekens te plaatsen bij zaken waarvan de meeste mensen allang zeker dachten te zijn.

Na de oorlog schreef ik een artikel over hoe Hezbollah de ruïnes van dahiyeh als propaganda gebruikte. Journalisten, Israëli's en zelfs veel Libanezen waren echter allemaal medeplichtig aan een subtielere vorm van propaganda. Ze bouwden een mythe, een die met één handige leugen Hassan Nasrallah, Ehud Olmert en CNN aan elkaar verbond, namelijk dat de mensen uit het Midden-Oosten – in dit geval de Libanese sjiieten – minder waarde aan hun leven hechten dan westerlingen. Dat ze het geweldig vinden om martelaar te zijn. Dat ze zichzelf graag opofferen voor een of andere apocalyptische zaak. Dat ze gestorven waren omdat ze dat graag wilden.

Dan Gillerman, de Israëlische VN-ambassadeur, gebruikte deze mythe om de Israëlische bombardementen op Libanese burgers in Qana te verdedigen, inclusief de dood van zestien kinderen, die er volgens hem voor gekozen hadden om 'met raketten te gaan slapen'. Libanese pr-mensen borduurden voort op deze mythe in hun sektarische naoorlogse slogan 'Ik hou van het leven', die impliceerde dat de sjiieten uit vrije wil de dood hadden verkozen boven het leven. En Nasrallah zelf had hem ook gebruikt, voor, tijdens en vooral na de oorlog, toen hij donderde: 'Zij willen tronen, terwijl wij alleen maar weggedragen willen worden in lijkkisten.'

Toen de tv-camera's echter weer verdwenen waren, toen de verslaggevers hun opschrijfboekjes hadden weggestopt en de scherpe vreugde het te hebben overleefd gevolgd werd door het schuldgevoel en de haat waartoe alleen bloedvergieten kan leiden; toen dat allemaal voorbij was, zei niemand: 'Ik, mijn vrouw en kinderen staan achter Sayyid Hassan tot aan de dood.' Toen hoorde je niet: 'Ik zal mijn zonen opofferen voor Hassan Nasrallah.' Mensen zeiden: 'Hummus zonder olijfolie!' of 'Hezb wasta,' of zelfs 'Je bent afgevallen.' Ze spraken over praktische, alledaagse zaken als eten en onderdak en nog in leven zijn. Maar het maakte niet uit wat ze thuis tegen elkaar zeiden, toen de camera's verdwenen waren. Niemand hoorde het, behalve zijzelf en hun familie.

De meeste burgers beleven de oorlog niet als strijders of als de slachtoffers die langskomen op tv, maar als vermoeide huisvrouwen die aardappelen schillen en zich voortdurend verbazen over de stupiditeit ervan. Doordat ik met Umm Hassane in huis opgesloten zat, was ik gedwongen de afschuwelijke, vernederende saaiheid van de oorlog te ervaren zonder de verdoving van gevaar of de bedwelming van het jezelf belangrijk voelen door risico's te lopen; om het mee te maken niet als getuige, niet als journalist, maar als mens. Dat was wat ik geleerd had toen ik kookte met Umm Hassane: dat dát het echte verhaal was. Je moest het eten eten.

De eerste keer dat ik Umm Paula's verhaal over het eten van stenen hoorde, dacht ik dat het ging over een moeder die de honger van haar kinderen stilt met verbeelding en liefde: 'Ze denken dat we iets te eten hebben en dan hebben ze geen honger meer.' Het was een verhaal over verhalen, over hoe die honger en lijden kunnen overwinnen, stenen kunnen veranderen in een maaltijd, zoals Jezus in Qana water veranderde in wijn.

Toen Paula deze interpretatie hoorde, moest ze lachen. 'Nou ja, zo kun je ernaar kijken. Het is tenslotte een verhaal. En we gebruiken inderdaad wel eens de uitdrukking "een maaltijd van stenen", alleen niet op die manier.'

Umm Paula had gezegd dat het 'een oud christelijk verhaal' was, en dus zocht ik ernaar in middeleeuwse verzamelingen van christelijke vertellingen. Niets. Ik vroeg iedereen die ik kende waar het vandaan kwam. Velen hadden het verhaal wel eens gehoord en ze zeiden me dat het heel oud was, maar niemand wist hoe oud. Het was net als het naspeuren van masquf door het troebele water van de geschiedenis.

Lang na de oorlog vertelde een vriend me dat het verhaal van de stenen terugging tot de tijd van het Abbasidische rijk. Hij zei dat het een van de machiavellistische verhalen over heersers en hun onderdanen was, over degenen die eten en zij die gegeten worden. Volgens hem was het waarschijnlijk een bewerking van een ouder verhaal, gemaakt door Arabische schrijvers uit de negende eeuw tijdens de grote Abbasidische vertaalorgie in Irak. Kan ya ma kan: misschien was het dat, misschien ook niet. In elk geval ging de versie die hij me vertelde zo:

Tijdens de glorieuze regeerperiode van de grote kalief Haroun al-Rashid, bevelvoerder der gelovigen, verhongerden de inwoners van Bagdad. Terwijl de kalief wijn dronk met zijn hovelingen liet hij het kalifaat over aan zijn viziers, een sluwe, wrede familie die de Barmakiden heetten. Ze drukten miljoenen dinars achterover. Ze legden de mensen genadeloos belastingen op. En ze verzekerden de kalief dat alles goed ging: de mensen hielden van hem, Bagdad was de stad van de vrede, bron van afgunst voor de hele schepping, de navel van de wereld.

Op een dag (zo gaat het verhaal) besloot de kalief om er zelf een kijkje te gaan nemen. Hij trok gewone kleren aan en liep door de grote stad om te zien wat hij zou tegenkomen. Toen hij langs een eenvoudig huis kwam, stak hij zijn hoofd over de muur en zag een vrouw stenen koken.

Toen de kalief haar verhaal hoorde, realiseerde hij zich dat de Barmaki-den hem leugens vertelden; dat ze een verhaaltje, een smoes opdisten, een *tabkhet bahas*: een maaltijd van stenen. En dus gooide hij de Barmakiden in de gevangenis en onthoofdde ze. En zoals we weten, leefde iedereen daar-na nog lang en gelukkig, en goed gevoed.

Deel V

God, Nasrallah en de buitenwijken

In de zogenaamde Eeuw der Onwetendheid, voor de tijd van de islam, maakten onze voorouders hun goden van dadels. In tijden van nood aten ze ze op. Wie is er dan onwetender, mijn beste heer, ik of zij die hun goden opaten?

U zou kunnen zeggen: 'Het is beter voor mensen om hun goden op te eten dan dat de goden hen opeten.'

Maar dan zal ik antwoorden: 'Ja, maar hun goden waren gemaakt van dadels.'

– Emile Habiby, *The Secret Life of Saeed, the Pessoptimist*

Hoofdstuk 25

In deze buurt wonen geen sjiieten

De oorlog was voorbij. De regens kwamen en daarmee ook de donder, en iedereen die tijdens die herfst de eerste onweersstorm hoorde, werd met een schok wakker en dacht, heel even maar, dat de oorlog nooit was afgelopen. In het zuiden spoelden de regens een vreemde oogst van verborgen onderdelen van clusterbommen uit de bomen en de velden, die het aantal naoorlogse slachtoffers van dergelijke explosieven op zesentwintig brachten. In november stapten zes Hezbollah-gezinde ministers uit het kabinet en verlamden daarmee de regering. Gedurende het hele najaar fulmineerde Hassan Nasrallah dat de Libanese premier Fouad Siniora en de overgebleven leden van zijn regering marionetten van Amerika waren. Nasrallah zinspeelde erop dat hij de 'goddelijke overwinning' door iets nog onvergetelijkers zou laten volgen.

Drieënhalve maand nadat de oorlog was afgelopen, op 1 december, marcheerden honderdduizenden volgelingen van Hezbollah en hun bondgenoten een deel van het oude centrum van Beirut in. Ze legden er duizenden met stof overtrokken schuimrubberen matrasjes neer, net zulke als waarop tijdens de oorlog een half miljoen vluchtelingen had geslapen, en richtten een stad van tenten op, hun eigen versie van de opstand voor onafhankelijkheid. Rollen prikkeldraad en betonblokken scheidden de demonstranten – de *have-nots* in de iconografie van deze nieuwe revolutie – van de rest van de stad, de *have's*. Op parkeerterreinen waar ooit landrovers geheerst hadden, plantten boeren uit Nabatiye sperziebonen, tomaten, courgettes, zonnebloemen en komkommers. Mannen voerden rituele wassingen uit en baden op de stoep voor de Buddha Bar. Ze zongen '*Allah, Nasrallah, wa al-dahiyeh killha* – God, Nasrallah en heel dahiyeh', dat door de Amerikaanse kranten vertaald werd met 'God, Nasrallah en de buitenwijken'. Ze eisten dat Siniora zou aftreden, zodat Hezbollah een nieuwe regering kon vormen waarin de Partij van God en haar bondgenoten meer macht zouden krijgen. Ze dachten dat het een maand, misschien twee zou duren voordat de 'goddelijke overwinning' gevolgd zou worden door een even goddelijke regeringsovername en ze bezwoeren dat ze zouden blijven tot dat gebeurde. Niemand wist op dat moment hoe lang ze zouden blijven, of wat er allemaal nog zou gebeuren voor ze zouden vertrekken.

De eerste maand was vreemd feestelijk. Grote groepen gesluierde vrouwen en in het zwart geklede mannen mengden zich onder stadsmeisjes in lage jeans en zichtbare strings in het geel van Hezbollah. Mannen deelden oranje sjaals uit, de kleur van de Vrije Patriottische Beweging, de voorna-melijk maronitische christelijke partij geleid door de ex-legercommandant Michel Aoun. Jongens droegen knaloranje clownspruiken en hesen meisjes op hun schouders, die vervolgens met de Libanese vlag zwaaiden. Een aanhanger van Hezbollah vroeg me om mijn mailadres om 'met me te kunnen chatten'. Jongens deelden gratis groene sponsjes uit als symbool van een 'schone' overheid en verscheidene mensen vertelden mij en Moha-mad dat ze wilden dat er een wet kwam die het verplicht stelde om dui-delijkheid te geven over waar de partijen hun geld vandaan kregen. Heel wat demonstranten – onder wie ook mensen uit Beirut of dahiyeh – ver-telden ons dat ze sinds de burgeroorlog niet meer in het centrum geweest waren. 'Als ik hier een broodje kocht,' zei een man terwijl hij naar het door Rym geliefde T.G.I. Friday's in de Maaradstraat wees, 'was ik vervolgens een week lang blut.'

Met Kerstmis serveerden Hezbollah en zijn bondgenoten een haast Ab-basidisch feestmaal: de Partij van God deelde honderden gegrilde kalkoe-nen uit, gevuld met pistachenoten, rozijnen en met kaneel gekruide rijst, en de beweging van generaal Aoun kwam met een ruim tien meter lange taart. De kalkoenen en de taart pasten in een lange traditie van eten als propaganda en teken van macht; een traditie van *simats* (afgeleid van een oud Arabisch woord dat 'maaltijd' betekent, of de doek waarop eten ge-serveerd werd): enorme openbare banketten die door heersers, sultans en kaliefen werden gegeven om zich van de trouw van het volk te verzeke-ren. Dit eten bevatte dezelfde boodschap als het voedsel dat werd uitge-deeld in de ondergrondse parkeergarages: Allah Karim. Het kan best zijn dat je regering luxe paleizen bouwt voor miljonairs uit de Golf, terwijl jij het moet zien te redden met tweehonderd dollar per maand. Het kan best zijn dat haar bondgenoten bommen sturen die je huizen verwoesten, je akkers vervuilen en je kinderen verminken of doden. Maar God – en de Partij van God – zal voor je zorgen.

Toen de regering na bijna twee maanden nog steeds niet was opgestapt, riep Hezbollah op tot een 'staking' van een dag op 23 januari 2007. Die ochtend werden Mohamad en ik wakker van de geur van brandend me-taal, inmiddels vertrouwd als een oude vriend. Onder ons vormde de Na-jib Ardatistraat een lege bocht tot aan de Corniche. Op de hoek stond het verkoolde skelet van een auto eenzaam te smeulen, rustend op zijn velgen als een vermoeide koe.

We liepen naar beneden en gingen langs bij onze buurman Rabih Dab-bous. Hij was een lange, besnorde schurk, die op de begane grond van ons appartementengebouw een zaak had waar hij Yamaha's verkocht. Een paar blokken verderop verzamelden milities zich, vertelde hij ons: volge-lingen van Hezbollah tegen voorstanders van de regering, met daartussen-in het leger. 'Als dit zo doorgaat,' zei hij somber, 'hebben we morgenoch-tend weer burgeroorlog. Morgenochtend.'

We stapten de straat op, sloegen rechts af en liepen langs het lange huizenblok dat naar het bovenste gedeelte van de Corniche leidde. Op de
hoek voor het restaurant van Abu Hassan hadden zich zo'n honderd man
verzameld. Ze hadden honkbalknuppels, loden pijpen, bakstenen en lange
houten planken bij zich. Alle leeftijden waren vertegenwoordigd, maar de
meesten waren jong, zo rond de twintig. Sommigen droegen een bivakmuts of hadden een bandana voor hun gezicht gebonden. Anderen droegen een lichtblauwe muts of sjaal, de kleur van de Toekomstbeweging: de
soennitische politieke partij van Saad Hariri en premier Siniora. Een paar
jongens hadden een lichtblauw lint om hun voorhoofd gebonden, waardoor ze wel iets weg hadden van een sektarische hippiebeweging uit een
ver verleden.

We hadden iets doms gedaan, maar het was al te laat. Ze hadden ons
zien aankomen en het zou verdacht lijken als we nu omdraaiden. We konden niets anders doen dan naar ze toe lopen en proberen de onvermijdelijke vraag naar Mohamads achternaam zo lang mogelijk te omzeilen.

'Hallo!' zei ik terwijl ik naar het dichtstbijzijnde groepje jongemannen
liep. 'Spreken jullie Engels? Mijn naam is Annia. Ik ben een Amerikaanse
journalist en dit is mijn tolk. Mag ik jullie een paar vragen stellen?'

'Tuurlijk,' antwoordde een gespierde jongeman in een Real Madrid-
shirtje en met een lichtblauwe muts op zijn hoofd. Zijn naam was Maher
Amneh. Hij was tweeëndertig en had een winkel in de Hamrastraat die
'uniseks vrijetijdskleding' verkocht. Ik had er wel eens een paar T-shirts
gekocht. Zijn neef Bahi was een ernstige negentienjarige student in een
groen sweatshirt en met een honkbalpet op. Bahi volgde aan de Amerikaanse universiteit in Beirut een *major* in managementinformatiesystemen,
met een *minor* economie. Hij hoopte het jaar daarop te kunnen afstuderen.

Toen ze 's ochtends wakker werden, hadden ze gezien dat hun buurt
vol stond met barricades en brandende auto's. Het voelde alsof ze werden
aangevallen en ze waren naar buiten gekomen om terug te vechten.

'Syrië en Iran zijn deze oorlog in juli begonnen. Wij hebben het gevoel
dat we niets kunnen zeggen als we overal barricades op straat zien,' zei
Bahi buiten adem. 'Het kan niet zo zijn dat alleen sjieten...'

'... wapens mogen hebben!' vulde Maher aan.

'... en soennieten niet,' besloot Bahi.

Toen ze in 1989 het akkoord van Taif ondertekenden, hadden alle Libanese militieleiders erin toegestemd om hun wapens in te leveren. Alleen
Hezbollah had zijn wapens mogen houden, als 'nationale verzetsbewe-
ging' tegen de Israëlische bezetting van Zuid-Libanon. Die was echter in
2000 beëindigd. Jarenlang had het regime in Damaskus vervolgens toege-
laten dat via Syrisch grondgebied Iraanse wapens bij Hezbollah terechtkwamen. Vanaf 2005 zette de regering Bush Siniora en zijn ministers onder druk om Hezbollah te ontwapenen. Nasrallah bezwoer dat de
beweging haar wapens nooit tegen andere Libanezen zou gebruiken, maar
veel mensen geloofden hem niet.

'Dus omdat de sjiieten wapens hebben,' vroeg ik Bahi, 'en jullie niet...'

'Illegale wapens!' schreeuwde iemand die vlak bij ons stond, een man van middelbare leeftijd met een gezicht als een oude schoen en loensende, waterige oogjes. In zijn hand had hij een loden pijp. 'Terroristen! Terroristen!'

'En ze bezetten onze gebieden,' zei Bahi, die geduldig weer het woord nam. 'We moeten ons gebied zuiveren. Hezbollah hoort thuis in de buitenwijken en het zuiden.'

'Hassan Nasrallah is een leugenaar!' schreeuwde Maher. 'Een grote leugenaar!'

'Ze horen thuis in het zuiden en de buitenwijken,' herhaalde Bahi. 'Ze bezetten ons gebied. En dus is het onze plicht om dat te bevrijden.'

'Hoe?' vroeg ik.

'We gaan ernaartoe en we vragen vreedzaam aan het leger om de Corniche te ontruimen,' antwoordde Bahi. 'En als ze dat niet doen, vallen we ze aan.'

'Is dat een goed idee, denk je?' vroeg ik.

'We willen gewoon in vrede leven,' zei Bahi. 'We laten hen onze gebieden niet bezetten.'

Onze gebieden. 'Waar woon je precies?' vroeg ik.

'Hier, in Beirut.' Bahi haalde zijn schouders op. Libanon was gesegregeerd naar religieuze groepering, legde hij uit. Met snijgebaren in de lucht verdeelde hij een imaginaire stad in helften, kwarten: de christenen hier, de moslims daar, soennieten en sjiieten van elkaar gescheiden. Beirut, zei hij, was van de soennieten. 'Zoals hier, dit is van de soennieten, begrijp je?' Hij wees met een brede armzwaai de hele buurt aan.

'Kom je uit deze buurt?' vroeg ik.

'Ja ja, ik woon hier,' antwoordde Bahi.

'Alle jongens die je hier ziet,' zei de man die erbij stond. 'Allemaal komen ze uit deze buurt.'

Ze waren dus onze buren. Dat zei ik niet. In plaats daarvan vroeg ik naar hun levens.

Toen in 2006 de oorlog uitbrak, was Bahi zijn zomerbaantje bij een bedrijf dat reclame maakte voor haarproducten kwijtgeraakt. Hij moest het eerste semester overslaan omdat hij het collegegeld niet kon betalen. En dus studeerde hij nu te laat af. Iran had geld gegeven aan de sjiieten die hun baan waren kwijtgeraakt, vertelde hij ons, maar wie betaalde voor hem? 'Ze zijn overal tegen, tegen alles wat ons leven beter kan maken,' zei hij.

'Er zullen zeker meer gevechten komen, meer gewonden,' zei Maher met een vriendelijke glimlach. 'Dat staat vast.'

Achter de twee neven was de rest van de shabab van de Toekomstbeweging naar de kruising gelopen. Ze hielden auto's tegen en vroegen aan de inzittenden wie ze waren en waar ze naartoe gingen. En ze wilden hun identiteitskaarten zien.

Tijdens de burgeroorlog kon een identiteitskaart, waarop iemands religie stond aangegeven, het verschil tussen leven en dood betekenen. De buurtmilities hielden destijds auto's aan en vroegen mensen om hun papieren, net als deze jongens hier deden. Als je de verkeerde godsdienst had, de verkeerde achternaam, voegde je je bij de ruwweg 170.000 mensen die tijdens de vijftienjarige oorlog waren gedood of verdwenen.

'We willen niet dat ze in onze buurt komen,' zei Maher. 'Dat is het enige wat we willen. We willen niet tegen ze vechten; we willen alleen onze buurt beschermen.'

'Maar is dit dan geen gemengde wijk?' vroeg ik

'Nee,' zei hij met kalme zekerheid. 'Honderd procent soennitisch.'

'Er wonen hier geen sjiieten?'

'Nee,' herhaalde hij geduldig. 'Dat weet iedereen.'

We stonden vlak voor Abu Hassan: een restaurant met een sjiitische eigenaar, waar klassieke zuidelijke gerechten als mjadara hamra en *frakeh* werden geserveerd, in het hart van wat zij als een 'soennitische' buurt beschouwden. Natuurlijk wees ik hem daar niet op; dat zou slechts de aandacht vestigen op het feit dat wij er wel eens aten.

'We kennen elkaar allemaal,' legde Maher uit. 'Dus als we een onbekende zien, weten we dat die hier niet thuishoort.'

'Wat doe je als je een onbekende ziet?'

'Dan vragen we hem: "Wat doe je hier, nu, in deze tijd?"' Als een dramastudent die in een rol stapt, trok hij een streng gezicht en ondervroeg zijn imaginaire gevangene. '"Dus waarom ben je hier?" Zo doen we dat. En als hij geen antwoord geeft, betekent het dat hij bij hen hoort. Dat hij hier komt kijken om te tellen met hoeveel we zijn.'

In andere woorden: hij is een sjiitische spion, gestuurd om te infiltreren in de buurt en verslag uit te brengen over hun voorbereidingen.

Ik vroeg me af of Mohamad zijn Libanese identiteitskaart of zijn Amerikaanse paspoort bij zich had. In beide gevallen zouden ze zodra ze zijn achternaam zagen, weten dat hij een sjiiet was. Zou zijn Amerikaanse paspoort opwegen tegen zijn godsdienst, of zouden ze denken dat hij een spion was? Wat zou er gebeurd zijn als hij zonder mij bij deze controlepost aangekomen was, een paar blokken bij ons huis vandaan?

Er kwam een zwarte suv aanrijden. Een van de donker getinte ramen schoof naar beneden. De inzittenden, mannen met walkietalkies in hun hand en oordopjes in, gaven instructies aan de jongens op straat, van wie er een naar ons toe kwam lopen en Maher op zijn schouder klopte.

'We moeten gaan,' zei Bahi. 'We stellen deze weg weer open.'

'Nou,' zei ik met een glimlach. Ik trilde en mijn hart bonkte, maar dat konden zij niet zien. 'Succes!'

We liepen weg. Ze hadden niet gevraagd naar Mohamads achternaam. Ze hadden niet ontdekt dat er in elk geval één sjiiet in deze buurt woonde.

'Mijn god,' zei ik zodra we tien meter verder waren.

Mohamad zei niets. Hij keek alleen achterom, over zijn schouder, naar onze buren.

De straat waarover we liepen, kwam uit op het bovenste gedeelte van de Corniche. Aan het einde van een lang blok met appartementengebouwen, hotels en restaurants kwamen we in Hezbollah- en Amal-gebied. Mannen in het zwart zaten op rode plastic stoelen voor de Kentucky Fried Chicken en keken oplettend om zich heen. Op de middenberm en de stoep stonden om de paar meter zwijgende mannen met boze gezichten. Langs de Corniche stond een rijtje minibusjes geparkeerd, van het soort dat de politieke partijen gebruikten om mensen naar demonstraties te rijden. Midden op straat lag het grauwe karkas van nog een verbrande auto.

We liepen naar een jongeman met sproeten die een lange metalen ketting in zijn hand hield en vroegen hem wat er aan de hand was.

'We doden de tijd, verder niets,' zei hij nors en een beetje angstig. Hij leek een jaar of zestien, zeventien. 'Er gebeurt niets.' Aan zijn Arabisch was duidelijk te horen dat hij uit het zuiden kwam; hij gebruikte uitgangen als -ish, de grammatica en het accent dat we kenden van Umm Hassane. We praatten met nog een aantal mannen, die allemaal even onzeker waren over de reden waarom ze hier eigenlijk zaten.

'Kunnen we nu naar huis gaan?' zei Mohamad.

Toen we door de straat terugliepen, zagen we echter dat de situatie in het kwartiertje dat we hadden staan praten veranderd was. Op de hoek had zich een grote groep mannen in het zwart verzameld. Sommigen van hen droegen zwarte bivakmutsen. Eén man had een pikhouweel. Anderen droegen zware pijpen. Een paar mannen raapten grote stenen op bij een beschadigd gebouw op de hoek. Boven in de gevelloze appartementen zaten hier en daar mannen die over straat uitkeken. De wederopbouw na Beiruts laatste burgeroorlog zorgde voor de wapens en strategische locaties voor de volgende.

Plotseling hoorden we een snelle opeenvolging van schoten. De echo's weerkaatsten tegen de zijkanten van de hoge gebouwen en rolden door de straat in de richting van de zee.

'Jezus!' schreeuwde ik zonder nadenken. (Een paar jaar eerder zou het 'Jezus-lelijk woord-Christus' geweest zijn, maar een van de lessen die Mohamad er bij me in had gehamerd, was hoe belangrijk het was om nooit te vloeken in oorlogsgebied.)

'Dat is het leger,' zei Mohamad, gekmakend kalm, zoals hij in dit soort situaties altijd was. 'Ze schieten in de lucht.'

Mannen met *keffiyehs* om hun hoofd gebonden begonnen te rennen, sommige onze kant op en andere juist van ons af. Een in het zwart geklede man met een walkietalkie schreeuwde dat ze terug moesten komen. Meer schoten ratelden door de lange, smalle straat.

In de richting vanwaar we waren gekomen, rende een rij Libanese soldaten over de hele breedte van de straat. Achter hen, aan de andere kant van de lijn, stonden de jongens van de Toekomstbeweging met wie we voor Abu Hassan hadden staan praten. Aan onze kant stormden de in het zwart geklede aanhangers van Amal en Hezbollah naar voren. Mannen aan beide kanten schreeuwden en gooiden stenen en puin naar elkaar, over de rij soldaten heen die in het midden stond, hun geweren omhoog gericht, klaar om te schieten.

Plotseling klonken er meer schoten, een heel spervuur deze keer, luider en veel dichterbij dan eerst. Mensen begonnen door de straat te rennen, terug naar de Corniche, en wij renden met hen mee. Plotseling had ik het gevoel dat we nooit meer thuis zouden komen.

'We moeten hier weg,' hijgde ik.

We stonden op de hoek van de Corniche en keken toe hoe een amorfe massa van ongeveer honderd mannen onze kant op kwam rennen. Allemaal hadden ze iets in hun handen: metalen pijpen, stukken beton, kettingen, planken waar de spijkers uitstaken. De kettingen rammelden als ratelslangen. Eén man zwaaide met een zware metalen ketting waarvan het uiteinde geknoopt was, een zelfgemaakte morgenster. Allemaal waren ze aan het schreeuwen, rennen, schoppen, slaan, gooien, in één grote kluwen alsof een centripetale kracht ze op een hoop had gegooid. Schreeuwend dromden ze om een auto heen. Ze sloegen erop met hun pijpen, die ze hoog ophieven en hard neer lieten komen alsof ze een dier wilden doden. Een van hen verwondde zijn hand en gilde van woede alsof de auto hem had aangevallen.

Een stel pezige, gebruinde jongemannen met gangstergezichten stond naast ons op de hoek. Ze droegen trainingspakken van Puma en om hun nek bungelden kleine zilveren hangertjes in de vorm van Zulfikar, het tweepuntige zwaard van Imam Ali; het is een symbool van de sjiieten maar wordt door Amal ook als een soort bendeteken gebruikt. Ze bekeken de gebeurtenissen met een katachtig glimlachje.

'Dit is niet goed, man,' zei ik.

'Dit is vlak bij ons huis,' zei Mohamad.

Het schieten stopte. We liepen terug door de straat en hoopten dat we ons huis zouden halen. De twee partijen hadden zich elk op hun eigen terrein teruggetrokken, aan de twee uiteinden van het lange huizenblok. In het midden stonden met starre, nerveuze gezichten de soldaten, hun geweren naar de hemel wijzend. Gebroken glas, enorme brokken beton, stenen en stukken hout en metaal lagen overal om hen heen. Een paar buurtkinderen renden naar buiten en begonnen tussen de glasscherven te spelen. Ze gilden van opwinding.

Van de ene kant klonk geschreeuw door de straat. De jongens van de Toekomstbeweging kwamen terug; ze marcheerden onze kant op vanuit de richting van ons appartement. Ze riepen iets, een leus die steeds luider klonk toen ze dichterbij kwamen: '*Airi bi Nasrallah wa al-dahiyeh killha!* – Fuck Nasrallah en heel dahiyeh!'

De nieuwe leus lokte aan de andere kant woedend geschreeuw uit. Zij trokken op vanuit de tegengestelde richting, rammelend met hun kettingen en pijpen, en schreeuwden hun eigen leus over de minister van Binnenlandse Zaken van dat moment: 'Ahmad Fatfat is een jood!'

'Misschien kunnen we beter niet hierlangs gaan.' Mohamad begon ongerust te klinken.

We draaiden ons om en renden opnieuw terug naar de Corniche, weg van ons appartement. We zouden nooit thuiskomen. Mannen renden schreeuwend langs ons in de richting waar wij vandaan kwamen.

'Dit is afschuwelijk!' hijgde ik terwijl we de straat door struikelden. 'Dit is net als toen jij klein was!'

'Ja!' zei hij treurig. 'Het zijn net vechtende buurtbendes.'

We stopten voor een van de kleine hotels in de straat. Een angstig uitziend stel met drie kinderen reed hun koffers de lobby in. Ze stonden vlak achter de deur en rekten hun nekken om te zien wat er in de straat gebeurde.

'Ze zien er doodsbang uit,' zei Mohamad. 'En terecht.'

'Ze hebben de verkeerde tijd uitgezocht om in Beirut op vakantie te gaan.'

Later die avond realiseerden we ons dat het waarschijnlijk binnenlandse vluchtelingen geweest waren: een Libanees gezin dat hun buurt uit gevlucht was omdat ze plotseling bij de verkeerde religieuze groep hoorden. Aan de Corniche al-Mazraa, waar Leena woonde, waren de botsingen zelfs nog erger. De shabab van de Toekomstbeweging hielden foto's van Saddam Hussein omhoog, die drie weken daarvoor door de nieuwe, door sjiieten geleide Iraakse regering was geëxecuteerd.

Inmiddels waren we veilig thuis, terug in de Najib Ardatistraat. Maar thuis was opeens een ander land, vooral voor Mohamad. De burgeroorlog was gekomen en weer gegaan, een generatie was opgegroeid, en nog steeds woonde hij maar een paar blokken bij de Groene Lijn vandaan.

In 1987, toen de burgeroorlog twaalf jaar bezig was, voerde de politicoloog Theodor Hanf een onderzoek uit. Een ruime meerderheid van de Libanezen die hij ondervroeg, wilde een democratische oplossing voor de gevechten; in andere woorden vredesonderhandelingen. Geen overwinnaars, geen overwonnenen.

Toch geloofde een koppige tien procent dat hun milities over hun tegenstanders zouden kunnen triomferen, dat ze hen het land uit konden jagen en daarna voor altijd zouden kunnen heersen. Deze tien procent – en het bloed dat zij voor hun visie van totale overwinning wilden vergieten – was genoeg om de oorlog gaande te houden. Twintig jaar later, in januari 2007, stond Libanon op de rand van een nieuwe burgeroorlog. Of het normale leven zich zou hervatten, of dat de eindeloze burgeroorlog de draad weer zou oppakken waar die was blijven liggen, hing nog altijd af van een klein, koppig deel van de bevolking.

De dag na de staking waren de barricades en de verbrande auto's verdwenen. Een straat die op dinsdag nog vol had gelegen met brandende autobanden zag er op woensdag uit alsof er niets gebeurd was. Abu Hassan deed zijn restaurant weer open. Mensen gingen naar hun werk, deden boodschappen, kwamen thuis, gingen naar bed.

Maar op donderdag 25 januari verspreidde zich rond de middag een stille maar al te duidelijke boodschap door de hele stad. Op verschillende universiteiten waren tegelijkertijd gevechten opgelaaid. Sluipschutters bij de Arabische Universiteit van Beirut in Tareeq al-Jadideh. Botsingen bij Hawaii University in Hamra. Gevechten bij de Libanese Internationale Universiteit in Zuqaq al-Blatt.

'De jongens van de Toekomstbeweging hebben besloten om de buurten schoon te vegen.' Rabih hield zijn hoofd scheef terwijl de nieuwsupdates uit zijn headset klonken. 'Het zal nog erger worden. Want nu, snap je, beginnen ze ook bij AUB en LAU.' Dat waren de twee grote Amerikaanse universiteiten aan de rand van Hamra.

Plotseling vulden de straten zich met vrachtwagens, auto's en motoren. Auto's botsten in paniek tegen elkaar op. Bestuurders leunden uit hun raampjes en schreeuwden naar elkaar. Mensen die in hun auto zaten opgesloten, duwden wild op hun toeter, waardoor er tegelijkertijd talloze claxons blèrden, als een gek geworden fanfareorkest. Iedereen haastte zich, om nog snel boodschappen te doen en dan gauw naar huis te gaan, de straat af. De lucht rook naar brand. Het was tijd om weer oorlogsboodschappen te gaan doen: tijd om brood, blikken soep, pasta, linzen en rijst in te slaan. Tijd om naar onze plaatselijke furn te gaan voor manaeesh.

Onze buurtbakker was Abu Shadi, een boom van een kerel met krullend bruin haar tot op zijn schouders, waar hij regelmatig blonde highlights in liet zetten. Abu Shadi voorzag Manara al sinds 1988 van manaeesh en zijn deeg was perfect: stevig en knapperig. Hij werkte dubbele uren; hij rolde de elastische deegrondjes uit met zijn enorme handen, besmeerde ze met olijfolie en strooide er za'atar over, legde ze op lange houten spatels en schoof ze de laaiend hete oven in, en dat allemaal tegelijk.

Mannen stonden voor de furn op hun manaeesh te wachten. Anders drentelden ze altijd rond over de stoep, met hun mond vol brood grappen makend, over politiek pratend en buurtroddels uitwisselend. Maar vandaag luisterden ze alleen naar de radio en keken elkaar ongemakkelijk aan. De slager ernaast trok met donderend geraas het metalen rolluik voor zijn etalage omlaag. In het hele blok sloten winkels hun luiken en deuren. Twee jongens van een jaar of veertien, vijftien, klommen op een scooter. Een van hen had een honkbalknuppel onder zijn leren jasje gestopt.

Een gebogen oude man in een vest kwam langzaam de heuvel op lopen. Hij stopte en keek ze fronsend aan. 'Wat moet je met die stok?' bromde hij.

'We hebben helemaal geen stok,' loog de ander met stuurs respect.

'Ik zie hem, onder je jas!'

De jongste glimlachte. 'We gaan schapen hoeden,' zei hij.

De oude man haalde verslagen zijn schouders op en schuifelde verder de heuvel op. De jongere generatie, die de burgeroorlog gemist had, reed met veel lawaai weg om lol te gaan trappen.

Die avond stelde het leger voor het eerst sinds 1996 een avondklok in. Vier mensen waren gedood en meer dan honderdvijftig gewond geraakt. Net als in onze buurt waren in andere delen van de stad controleposten ingericht en bij de universiteit vlak bij Hanans appartement zaten sluipschutters. Sluipschutters, controleposten, avondklok: het leek alsof de zeventien jaar die waren verstreken sinds het einde van de oorlog simpelweg in rook waren opgegaan.

Op zaterdag heerste in de stad de woedende, paranoïde sfeer die in die dagen voor normaal moest doorgaan. Mensen reden naar hun werk. Restaurants en winkels bleven open maar kregen weinig klanten. Iedereen ging naar huis en zat voor de televisie, wachtend wat er zou gaan gebeuren.

Iedereen behalve onze vriendin Rym, die met de auto uit Gemmayzeh naar ons toe kwam met een plan. Heel Beirut verschool zich binnenshuis, te bang om naar buiten te gaan. Maar het centrum was van ons, zei ze. We hadden net zoveel recht er te zijn als al die religieuze groeperingen die in de straten van Beirut met elkaar vochten. Ze wilde naar het centrum gaan, naar het gebied dat iedereen meer nog dan alle andere wijken meed, om te lunchen.

We zeiden ja. Waarom niet?

'En Umm Hassane?' vroeg Rym terwijl we ons klaarmaakten om te vertrekken. 'Waarom nemen we haar ook niet mee?'

'Umm Hassane, wilt u met ons mee?'

'Ik drink net een kopje thee! Wachten jullie tot ik mijn thee opheb?'

'We wachten op u.'

'Jullie hadden het moeten zeggen voordat ik begon met drinken...'

'We wachten op u!'

'Waar gaan jullie heen?'

'We gaan naar de stad om iets te eten.'

'Wat moet ik met eten? Ik heb al gegeten!'

'Komt u toch met ons mee. U kunt een stukje lopen.'

Een stukje lopen? 'Ik ben er al een tijdje niet uit geweest,' zei ze bedachtzaam.

Op dat moment deed Umm Hassane iets wat ze waarschijnlijk nog nooit eerder had gedaan: ze liet haar thee staan. Ze trok haar beste zwarte mantel aan, de jas die Mohamad haar 'super-hadji'-jas noemde, en belde Hanan om tegen haar op te scheppen dat ze naar de stad ging.

'Kijk toch naar haar, ze straalt,' zei Rym terwijl we in haar auto stapten.

Umm Hassane zat voorin en keek uit het raampje. Mohamad en ik draaiden de achterraampjes omlaag en staken als honden ons hoofd naar buiten. Rym zat achter het stuur te lachen.

We parkeerden bij het Martelarenplein en begonnen te lopen. Umm Hassane hinkte vastberaden in de richting van het stadscentrum, terwijl ze zich stevig vastklemde aan Mohamads arm. *'Shu biddi bil balad?* – Wat moet ik in het centrum?' vroeg ze luid en ze haalde haar schouders op. Maar ze hield niemand voor de gek.

Bij het restaurant overlegden we of we binnen of buiten zouden gaan zitten. Buiten was prettiger, maar zou Umm Hassane het niet te koud krijgen? Ze haalde haar schouders op: *'Mitil ma bidkun* – Wat jullie willen.' Wilde ze buiten zitten? Opnieuw een schouderophalen. 'Mitil ma bidkun.'

We gingen buiten zitten om te kunnen genieten van het uitzicht: de met kinderhoofdjes geplaveide straten, de zwerfkatten. Er was een oud mannetje met het syndroom van Tourette, een bekende figuur in het centrum van Beirut. Hij liep rond, verkocht glanzende posters van het oude stadscentrum en blafte van alles tegen de toeristen. Hij leek die dag de enige andere persoon in het centrum. Toen hij ons buiten zag zitten, schreeuwde hij van plezier en rende onze kant op. We hadden al een aantal van zijn posters, maar we kochten er nog een, een zeeblauwe foto van het Martelarenplein voor de oorlog, omringd door palmbomen en bioscopen in art-decostijl.

Umm Hassane wist zichzelf die dag te overtreffen. De serveerster bracht de menu's: 'Niets voor mij bestellen,' bezwoer ze. 'Ik wil niets; ik heb al gegeten!'

De serveerster bracht de borden en dekte de tafel.

'Waarom zet ze een bord voor me neer? Heb je niet tegen haar gezegd dat ik niet wil eten?'

'Houdt u het bord maar, voor het geval dat.'

'Ik heb al gegeten!'

'Wilt u thee?'

'Ik heb al thee gedronken!'

We bestelden toch maar een kopje. Ze dronk het meteen op, hoewel het gloeiend heet was, en klaagde dat het te koud was. Wilde ze nog wat? *'Shu biddi fi?'*

We gaven haar wat koude meze: hummus, gevulde wijnbladeren, tabouleh. Ze verslond het eten terwijl ze protesteerde dat ze geen trek had.

Haar ogen lichtten op toen de batata wa bayd arriveerde. 'Eten jullie batata wa bayd?' Ze hield haar hoofd naar achteren, kneep haar ogen tot spleetjes en staarde uit haar ooghoeken naar mijn bord.

'De uwe is natuurlijk beter,' zei ik terwijl ik een flinke schep van de gebakken aardappelen met ei op haar bord schoof.

Ze at het op. *'Taybeen, ma ishbun shi,'* snoof ze. 'Er is niets mis mee.' Nadat ze het eten had geprezen, keek ze naar de lege borden op tafel en zuchtte. 'Waarom zijn we niet thuisgebleven?' zei ze terwijl ze haar schouders ophaalde. 'Ik had ook best batata wa bayd voor jullie kunnen maken!'

Rym draaide zich om naar mij. 'Is ze altijd zo?' vroeg ze in het Engels.

Mohamad en ik schoten in de lach.

'Dit is nog niets,' antwoordde ik.

'Meestal,' zei Mohamad trots, 'is het veel erger.'

De serveerster kwam bij ons staan en sloeg verontschuldigend haar handen in elkaar. Ze sloten vanavond vroeg omdat wij de enige gasten waren. Wilden we nog iets hebben voordat de keuken dichtging?

Met tegenzin besloten we om naar huis te gaan.

Toen kreeg Rym alweer een idee. 'Umm Hassane, zullen we de tentenstad gaan bekijken?'

Mitil ma bidkun – wat jullie willen. Daarna voegde ze echter toe: 'Als jullie erheen gaan.' Dichter bij een 'ja' zou ze in haar taal niet komen.

We liepen door Sahat al-Nijmeh en Rym kocht een suikerspin die groter was dan haar hoofd. De oude man die hem verkocht, was blij ons te zien; al weer waren we de enige klanten.

'Het centrum is uitgestorven,' zei Rym keer op keer. 'Het is dood!'

Toen we bij de blauwe metalen barricades kwamen, stopten we, plotseling onzeker of we er wel langs durfden.

'Nou, we zijn hier nu toch, laten we gaan,' zei Umm Hassane met een beweging van haar hoofd alsof we er tegen onze wil heen waren gesleept. Ze liep langs de barricades en wij volgden haar.

Aan de andere kant van de barricades zaten mannen bij elkaar in canvas tenten. Anderen veegden vuilnis bij elkaar. De staking had een domper gezet op de feestelijke stemming en de enigen die er nog waren, waren fanatieke volgelingen van Hezbollah, die ons aanstaarden en vervolgens weer wegkeken. Op een watertank stonden boze leuzen en cartoons van de minister-president die Condoleezza Rice omhelsde.

Mohamad hield zijn moeders arm vast terwijl ze over straat hobbelde. Ze knikte goedkeurend toen ze de mannen het vuil zag opvegen. 'Waar houden ze de grote bijeenkomsten?' vroeg ze met een blik om zich heen.

Op tv had ze tien-, nee, honderdduizenden mensen gezien, iedereen zwaaiend en juichend. We lieten haar het grote roze gebouw zien waarvoor de mensen zich destijds verzameld hadden, maar nu was er geen vrolijke menigte meer. Geen kinderen en gezinnen die de *dabkeh* dansten. Alleen boze mannen in tenten.

Ik weet niet zeker wat we verwacht hadden te zien bij de sjiieten die het centrum hadden overgenomen; iets van trots misschien. Maar Umm Hassane stopte na een minuut, keek om zich heen en fronste. 'Moet je ze nou zien!' riep ze uit op het volume van een dove oude vrouw. 'Ze zitten hier maar een beetje!'

De mannen van Hezbollah draaiden zich om en keken ons met gespannen gezichten aan.

'Ze werken niet!' schold ze en ze maakte een breed armgebaar dat de hele tentenstad omvatte.

'Je moeder ontketent zo nog een burgeroorlog!' siste ik.

Mohamad probeerde haar de mond te snoeren, maar daardoor riep ze alleen nog maar harder.

'Ze zitten daar maar, zonder werk of handel!' Ze gebruikte een zuidelijke uitdrukking voor luie donders. 'Ze worden betaald om hier maar een beetje te zitten!'

Hezbollah staat om veel dingen bekend, maar goed tegen kritiek kunnen is daar niet een van. Ik stelde me voor hoe we eruitzagen in de ogen van de mannen van Hezbollah die daar wrokkig in hun tenten zaten: twee ongesluierde vrouwen van wie er eentje een roze suikerspin at en een kersenrood jasje droeg, één humeurige oude hadji die nauwelijks in staat was te lopen en werd ondersteund door haar zoon, die haar alleen maar naar het tentenkamp leek te hebben meegenomen zodat ze erdoorheen kon lopen en hen kon uitschelden voor nietsnutten.

Misschien waren het Umm Hassanes zuidelijke accent en haar zwarte hijab die haar redden. Misschien was het haar 'super-hadji'-jas. Waarschijnlijker was dat de mannen bevel hadden gekregen om bezoekers met rust te laten. In elk geval stelden de shabab zich tevreden met het werpen van vuile blikken en we namen haar zo snel mogelijk mee terug naar huis.

Zodra we binnen waren, liep ze naar de telefoon en begon allerlei familieleden te bellen. Ze kon niet wachten om hun de loef af te steken: zij was in het centrum geweest, zij had de tenten gezien. Wij trokken ons terug op het balkon en haalden opgelucht adem.

'Haar religieuze loyaliteit gaat blijkbaar maar tot een bepaalde grens,' merkte ik op.

Mohamad lachte. 'Zoals je weet, kost het haar geen enkele moeite om mensen te vertellen wat ze van ze denkt. Ze neemt geen blad voor de mond.' Hij keek me met een zijdelingse blik aan. 'Dat is waarschijnlijk waarom ik met jou getrouwd ben,' voegde hij toe. 'Misschien ben je niet eens zoveel anders dan zij.'

Een week later versterkte het leger de barricades die de twee kampen van elkaar scheidden. Soldaten sleepten met dikke grijze betonblokken, die ze omwikkelden met feestelijke krullen prikkeldraad. Iedereen dacht aan de oude Groene Lijn die ooit de stad in tweeën had gedeeld. De barricades waren nodig om mensen ervan te weerhouden naar de andere kant te lopen en te vechten, zeiden ze, en zo misschien een burgeroorlog te ontketenen.

'Maar jij weet wat de echte reden is dat ze die barricades oprichten, toch?' zei ik tegen Mohamad. 'Die zetten ze daar neer om jouw moeder uit het centrum weg te houden.'

Hoofdstuk 26

Mijn eerdere ervaringen met de oorlog

Ik zat aan mijn bureau naast het raam toen de explosie door de straat rolde en tegen het glas aan dreunde. De ruit bolde naar binnen en vervolgens naar buiten, maar brak net niet. Ik hoorde het gerinkel van glasscherven in het gebouw naast ons.

Inmiddels – het was nu juni 2007 – was het bijna routine: een autobom een eindje verderop in de straat bij het gebouw van de sportclub. Walid Eido was het vijfde parlementslid binnen twee jaar dat vermoord werd. We belden Leena en onze huisbaas, Ralph, die alle twee regelmatig naar de sportclub gingen, en onze vrienden belden ons, extra geschrokken deze keer omdat het zo dichtbij geweest was.

Later die avond belde ik Georges. Hij zou de volgende dag voor vier jaar naar Cleveland vertrekken om daar als specialist in opleiding te gaan werken, en deze 'afscheidsbom' maakte zijn vertrek niet gemakkelijker. 'Annia, ik kan hier gewoon niet tegen,' zei hij. 'Je weet niet hoeveel pijn het doet om zoiets te zien op het moment dat je vertrekt. Dit maakt het zoveel moeilijker om weg te gaan.'

Toch had ik wel een idee hoe hij zich voelde. Wij zouden ook vertrekken en daar was ik niet gelukkig mee. In de zomer van 2007 kreeg Mohamad twee banen aangeboden: een wetenschappelijke aanstelling van een jaar als Midden-Oostenanalist en een baan als docent journalistiek, beide in New York. Hij accepteerde alle twee. Hij wilde weg uit Libanon. Ik niet. Ik was woedend.

Hij keerde terug naar twee banen; ik had er in Amerika geen een. Ik had een goede baan opgegeven om met hem naar Bagdad te kunnen gaan en nu, na vier jaar werken als freelancer, begon ik eindelijk opdrachten van tijdschriften te krijgen. Toch was het niet alleen het werk; we hadden vrienden in Beirut, mensen om wie we gaven, en het voelde verkeerd om hen achter te laten. Hij had me meegesleept van het ene oorlogsgebied naar het andere, hij had ervoor gezorgd dat ik gaf om deze mensen die je soms woedend maakten, en nu, juist op het moment dat we ons hier thuis begonnen te voelen, wilde hij teruggaan naar New York en het Midden-Oosten vergeten. Maar New York was niet langer thuis. Dat was Beirut.

In augustus haalden we ons appartement in Beirut leeg en we laadden al onze bezittingen in een scheepscontainer. We vonden een nieuw tehuis voor Shaitan, omdat Mohamad haar niet wilde meenemen naar New York, en zeiden gedag tegen al onze vrienden. Van Umm Hassane hadden we al afscheid genomen, wat het moeilijkst geweest was van allemaal, en ze was inmiddels naar Hassan in Frankrijk vertrokken.

In New York pakten we een aantal dozen uit en zetten de belangrijkste spullen neer in ons nieuwe appartement. De rest van de dozen stapelden we op in een hoek (waar ze de volgende twee jaar onuitgepakt zouden blijven staan). En toen, laat in het najaar, keerde ik terug naar Beirut.

Vier jaar daarvoor, toen ik net met Mohamad getrouwd was en ik hem naar Bagdad gevolgd was, hadden een aantal goed bedoelende vrienden mijn moeder apart genomen. Ze hadden allerlei beelden opgeroepen uit *Not Without My Daughter*, een kitscherige film waarin de onschuldige, zeer Amerikaanse Sally Field met een Iraanse arts trouwt. De arts lijkt in eerste instantie vreselijk aardig, maar zodra ze naar Iran verhuizen, valt hij ten prooi aan een of andere atavistische islamitische drang en wordt ze min of meer zijn gevangene en slaaf. Deze Mohamad leek dan misschien normaal, waarschuwden de vrienden mijn moeder, hij leek misschien een gewone Amerikaan, maar zodra hij daar was, onder zijn eigen mensen, zou dat laagje Amerikaansheid er wel eens af kunnen slijten. Dan zou hij, zeiden ze, zomaar kunnen 'veranderen'.

Mijn moeder vond het belachelijk. Ze vertelde het aan Mohamad en mij, en we lachten alle drie smakelijk bij het idee dat hij zou veranderen in het duistere stereotype waarover je las in goedkope romannetjes. Niemand leek stil te staan bij de mogelijkheid dat ík degene zou kunnen zijn die veranderde.

In Beirut bezette Hezbollah nog steeds de helft van het centrum, de regering was nog altijd verlamd, en toen eind november de ambtstermijn van de president afliep, konden de steeds verder gepolariseerde facties van het land het niet eens worden over zijn opvolger. Toen Mohamad met Kerstmis op bezoek kwam, had het land al een maand lang geen staatshoofd. Op dat moment leek dat erg lang, maar dat zou later veranderen. Voedselprijzen vlogen de hoogte in en er braken relletjes uit over brood, benzine en andere eerste levensbehoeften.

Toen werd op 12 februari 2008 in Damaskus de Hezbollah-functionaris Imad Mugniyeh vermoord. Mugniyeh was een van de drie Hezbollah-leden op de FBI-lijst met de 'tweeëntwintig meest gezochte terroristen'. Amerikaanse regeringsfunctionarissen verdachten Mugniyeh ervan het brein te zijn achter de aanslag van 1983 op de Amerikaanse legerbarakken in Beirut en andere bomaanslagen. Iedereen verwachtte problemen.

Umm Hassane was nog steeds in Frankrijk bij Hassan en Annemarie. Iedereen wilde dat ze daar bleef om de onvermijdelijke 'gebeurtenissen' af te wachten. Maar Umm Hassane zou Umm Hassane niet zijn als ze er niet op zou staan om terug te keren naar Beirut. Ik hopte van appartement naar appartement en logeerde steeds weer bij andere vrienden, terwijl ik intussen op zoek was naar een gemeubileerde kamer die ik voor onbepaalde tijd kon huren. Steeds vaker braken er kleine gevechten uit, zoals altijd gebeurde wanneer de politieke partijen in een impasse verkeerden. Het was een manier om de druk op te voeren.

Er heerste een sfeer van angst en verdachtmakingen, vermengd met uitputting. Iedereen leek permanent moe en kwaad. Een taxichauffeur zei tegen me dat ik welkom was in Beirut, maar mijn echtgenoot niet, omdat sjiieten alleen maar de stad wilden vernietigen.

In Walimah kwam ik een oudere dame tegen. Ze vroeg me wat ik in Libanon deed. (Er waren wel meer Amerikanen in Beirut, maar toch stelden mensen me altijd die vraag. 'Dat is omdat we ons hier allemaal zo ongelukkig voelen en eigenlijk weg willen,' legde een Libanese vriend me uit.) Ze leek zo vriendelijk en onschuldig dat ik de fout maakte om haar te vertellen dat ik met een Libanese man getrouwd was.

'Ooooo,' zei ze en ze trok haar wenkbrauwen op. Ze hield haar hoofd scheef en koerde: 'En wat is zijn achternaam?'

'Hij is een sjiiet,' snauwde ik. 'Dat wilde u toch weten?'

'O nee, ik ben niet… Ik wilde niet…' Toen stopte ze en keek schuldbewust naar de vloer.

'Dat wilde u wel,' zei ik. Ik voelde me er slecht over, maar zei tegen mezelf dat ze het verdiend had.

Een paar dagen later vond er in het zuiden van Libanon een niet al te grote maar toch aanzienlijke aardbeving plaats. 'Daar zaten de mensen in Libanon echt nog op te wachten,' zei Mohamad toen hij me belde om te vragen of alles goed met me was. 'Je kunt beter naar huis komen.'

Maar thuis was voor mij niet meer New York. Ergens in mijn achterhoofd, ondanks of misschien juist dankzij alles wat er gebeurde, hoopte ik nog steeds dat ik Mohamad kon overhalen om terug te komen; als het niet nu was, dan misschien later.

Een stabiel thuis op een vredige plek maakte me nerveus. De ervaring had me geleerd dat ook zo'n huis binnen een paar minuten overhoopgehaald kon worden. Maar als ik kon leren om waar ik ook was een tijdelijk thuis voor mezelf te organiseren, zelfs in het meest instabiele gebied, zou ik hoe dan ook veilig zijn. Thuis was iets draagbaars; je hing het op je rug, stopte het in een potje, droogde het in de zon, haalde het uit de grond. Thuis was waar je het brood brak met de mensen van wie je hield. Je creëerde het zelf in een hotelkamer of op de achterbank van je auto of op de bank in de woonkamer van vrienden. Je riep het op door boeken te lezen, eten te koken en talen te leren, door maaltijden en woorden met anderen te delen. Je droeg het bij je, opgevouwen als een picknickkleed, en spreidde het uit waar je ook maar was.

Op een ochtend nadat er bijzonder heftige straatgevechten geweest waren, belde Mohamad me. 'Je moet thuiskomen,' zei hij. In New York was het drie uur 's nachts.

'En je moeder dan?'

'Die redt zich wel. Deze keer heeft ze jou niet nodig om voor haar te zorgen.'

Met mijn vraag had ik eigenlijk op iets veel groters en vagers gedoeld: waarom was het zo belangrijk geweest dat we in de oorlog voor haar zorgden, en nu opeens niet meer? Waarom was zij in Beirut gebleven en wij niet? Maar ik weidde er niet verder over uit.

'Het is net alsof we in een soort niemandsland leven,' zei hij. 'Zolang jij daar bent, kunnen we ons nooit settelen.'

'De hele tijd dat we hier waren, leefden we in een niemandsland. Misschien ben ik er wel aan gewend geraakt.'

Hij zuchtte. 'Je moet terugkomen. Het wordt gevaarlijk.'

'Dat kan ik niet,' reageerde ik. 'Ik moet hier zijn. Dit is waar ik over schrijf. Hoe kan ik hierover schrijven als ik er niet eens ben?'

'Weet je, Annia, je begint gevaarlijk veel op een oorlogsjunkie te lijken.'

'Ja? Net zoals jij, toen je in Nablus was, of in Jalalabad? Of in Bagdad, net na de invasie?'

'Dit is veel gevaarlijker.'

'O, echt? Gevaarlijker dan toen jij in Islamabad was en flirtte met die klootzakken die Daniel Pearl vermoord hebben?'

'Dit is erger, Annia.'

'Dat van gisteren waren maar botsingen. Er zijn hier de hele tijd botsingen.'

'Dat is precies hoe de burgeroorlog begonnen is. Met kleine incidenten.'

Ik zei niets. Het was vreselijk koud in het appartement van mijn vriendin en ik had zo'n vreselijke kater dat ik nauwelijks uit mijn ogen kon kijken.

'Waarom vind je het daar zo prettig?' vroeg hij.

Ik was een tijdje stil. Hij had me meegenomen naar Beirut en toen besloten dat hij het er haatte. Ik hield er juist van, om vele redenen, waarvan hij er een was. Dit sloeg nergens op.

'Weet je nog toen we elkaar net kenden?' vroeg ik. 'Toen lachte je voortdurend om de Amerikanen. Hoe mensen zich vreselijk druk maakten over hun onbeduidende emotionele trauma's: hun ouders die gemeen tegen ze deden, dat ze vroeger te weinig speelgoed hadden gekregen, dat ze hun echtgenoot bedrogen hadden en zich nu schuldig voelden.'

Vroeger noemde ik dat altijd zijn stoere-vent-uit-de-derde-wereld-act, maar dergelijke opmerkingen had hij al in geen jaren gemaakt.

'Nou ja, misschien voel ik me nu ook wel zo wanneer ik in New York ben. Misschien wil ik niet bij onze vrienden in Williamsburg zitten en ironische opmerkingen uitwisselen over de nieuwste realityshow op tv. Misschien wil ik niet een van die mensen zijn die denken dat hun narcistische probleempjes het enige erge zijn wat er op de wereld gebeurt.'

Hij zweeg. Ten slotte zei hij: 'Annia, ooit moet het verhaal een keer een einde hebben. Op een gegeven moment zul je je pen moeten neerleggen en accepteren dat de oorlog misschien doorgaat – hoogstwaarschijnlijk doorgaat – maar dat jouw verhaal hier eindigt.'

Vier dagen later verhuisde ik, na drie maanden zoeken, naar mijn eigen appartement. Het lag iets voorbij het einde van de Makdisistraat, één blok bij Smith's vandaan in een straat die parallel liep aan Hamra. Het was groter dan ik nodig had, maar ik had genoeg van het zoeken en ik had geen opzegtermijn, dus ik kon vertrekken wanneer ik wilde. Het appartement was tegenover de maronitische katholieke St. Rita-kerk, waar Umm Paula naartoe ging. Er was een lang balkon vanwaar ik alle buurtdrama's kon bekijken: duiven die een partner zochten, mensen die de kerk in en uit liepen, de buurt-shabab die voor de bakkerij rondhingen. De bakkerij diende als ontmoetingspunt voor de lokale leden van de Toekomstbeweging en de shabab besteedden veel tijd aan het met een enorme plumeau poetsen van de suv's van hun bazen. Af en toe raakten ze slaags met elkaar of met shabab van een blok verderop en 's avonds sleepten ze stoelen uit de bakkerij en zaten midden op de stoep waterpijp te roken.

Een paar weken later vroeg een oudere man in T-Marbouta, een café in Hamra, wat ik in Beirut deed. Zijn gezicht zat vol rimpels en hij had een grijze bos door de rook verkleurd haar; een van de linkse dinosauriërs die de hele dag kettingrokend in de cafés van Hamra zaten.

Ik probeerde moeizaam uit te leggen waarom ik hier in Beirut was terwijl Mohamad in New York zat, en hij keek me fronsend aan. Het had met mijn schrijfwerk te maken, de situatie, onze levens. Ik was vier jaar geleden naar Bagdad gegaan om bij de man te zijn van wie ik hield. En nu zat hij in New York, een stad met parken en trottoirs en wetten tegen huisbazen die je naar je godsdienst vragen. En ik woonde in een veel te duur appartement vol ongedierte, dat regelmatig geen stromend water had, en zat midden tussen de sektarische spanningen, op een vage missie waar ik ook zelf maar half in geloofde. Ik had zo mijn redenen, maar ik slaagde er niet erg goed in om ze helder uit te leggen.

Toen ik eindelijk klaar was, stak de oude man zijn wijsvinger op, als een dronken orakel. Met de nauwgezette waardigheid van iemand die de hele dag dronken is, zei hij: 'Doe niet zo ingewikkeld.'

Ik wist dat de oude man vroeger in een militie had gezeten. Ik wist ook in welke, maar dat maakte niet echt uit; de milities die de ene dag bezworen dat ze elkaar zouden vernietigen, waren de volgende dag bondgenoten. Het ging allemaal om strategische allianties, verstandshuwelijken, en de enige constante was dat ze alles deden om te winnen. Mensen verzonnen de meest ingewikkelde leugens om te ontkennen dat ze ooit tegen elkaar hadden gevochten, of ze kwamen met gecompliceerde rechtvaardigingen waarom ze mensen hadden gedood die slechts een paar maanden of weken eerder hun bondgenoten waren geweest. Dat deden ze nog steeds: generaal Michel Aoun was tot 2005 tegen het Syrische regime geweest en in 2008 had hij zich aangesloten bij de door Syrië ondersteunde Hezbollah. In 2004 prees de druzische krijgsheer Walid Jumblatt de zelfmoordterroristen die Israëlische burgers doodden; een jaar later prezen de Amerikaanse regering en conservatieve 'experts' hem als de held van de 'cederrevolutie'. De eerste paar keren dat je hun onzin hoorde, geloofde je het misschien nog en probeerde je een of andere logica te ontdekken in de steeds verschuivende allianties, maar na een tijdje moest je alleen nog maar lachen om de ingewikkelde gedachtenkronkels die de partijideologen nu weer verzonnen hadden.

Je kon niet in Beirut wonen zonder gecompliceerd te zijn. En toch zeiden mensen altijd tegen me dat ik niet zo ingewikkeld moest doen.

'Eenvoud is een deugd,' zei een Libanese restauranteigenaar ooit tegen me terwijl hij geschrokken toekeek hoe ik het ene na het andere ingrediënt – za'atar, kaas, lente-uitjes, rode peper, sesamzaadjes – op mijn *manoushi* stapelde.

'Ja,' antwoordde ik, 'maar niet een van mij.'

In april kwam Mohamad opnieuw op bezoek. Hij protesteerde hevig dat ik hem al weer naar Libanon gesleept had, maar hij verzette een berg werk en ik begon te geloven dat het hem misschien begon te bevallen in Beirut.

Op een avond gingen we naar een toneelstuk dat *Hoe Nancy wenste dat alles een 1 aprilgrap was* heette. (De meeste toneelstukken over de burgeroorlog hadden ingewikkelde namen.) Op het podium zaten vier ex-strijders, drie mannen en een vrouw, tegen elkaar aan gepropt op een smalle bank als passagiers in een volle servees. Elk van hen vertelde hoe de burgeroorlog hem of haar had veranderd; aan het begin waren ze nog ambivalent geweest, maar dan gebeurde er iets waardoor ze boos werden – 'Mijn bloed begon te koken,' herhaalden ze telkens weer – zich bij de gevechten aansloten en stierven. De linkse secularist sluit zich uiteindelijk aan bij de rechtse christelijke falangisten en sterft. De communist gaat bij Hezbollah en sterft. De soennitische nationalist komt tot het geloof en reist naar Afghanistan en Tsjetsjenië voor de jihad. (Hij sterft een heleboel keer.) Langzamerhand dringt tot je door dat dezelfde vier mensen steeds opnieuw sterven en weer tot leven komen, alleen maar om zich hernieuwd in de gevechten te mengen (vaak door zich aan te sluiten bij nog een andere groep), te sterven en weer bij het begin te beginnen. Elke keer dat ze terugkwamen, zeiden ze: 'Van mijn eerdere ervaringen met de oorlog, wist ik...' En toch bleven ze maar vechten.

Niet lang daarna liepen we door Wadi Abu Jamil toen we zagen dat werklui honderden glanzende witte toiletpotten op een van de overgebleven braakliggende terreinen neerzetten. Toen het avond werd, stonden er zeshonderd, keurig op wacht in nette rijen. Een poster wilde weten: IS HET NA VIJFTIEN JAAR VERSTOPPEN IN DE TOILETTEN NIET EENS EEN KEER GENOEG?

Het leger van toiletten was een installatie van de Libanese kunstenares Nada Sehnaoui. Tijdens de burgeroorlog schuilden mensen vaak in halletjes, kelders en vooral wc's; elke kleine, afgesloten ruimte die dekking bood tegen inkomend vuur. Als kind had Mohamad vele slapeloze nachten in de hal doorgebracht, tegen zijn ouders aan gedrukt en luisterend naar de artillerie en de machinegeweren. Als de gevechten erg hevig waren, sleepten ze hun matrassen het halletje in en zetten ze tegen de muren.

De mensen waren moe. De retoriek duurde nu al maanden, maar geen van beide kanten durfde tot nog toe iets anders te doen dan praten. De meeste Libanezen waren de gevechten zat. Alleen de politici waren bloeddorstig.

Toen vaardigde de regering, in de vroege uren van woensdag 7 mei, een decreet uit dat bepaalde dat het ondergrondse glasvezelnetwerk van Hezbollah voortaan illegaal was. Aangezien dit communicatienetwerk deel was van de infrastructuur van Hezbollah, beschuldigde die partij de regering ervan hen namens de Verenigde Staten en Israël te willen ontwapenen. Nasrallah kondigde aan dat hij donderdag om vier uur 's middags een toespraak zou houden. Die ochtend ging Mohamad tegen twaalven de deur uit om foul te halen.

De zaak van Abu Hadi, onze fawal in Hamra, werd overstroomd door mensen. Tientallen klanten stonden voor zijn winkeltje, duwend en trekkend en hun bestelling roepend. Mohamad herkende de man die voor hem stond: het was een van de acteurs van het toneelstuk, de man die naar Tsjetsjenië gegaan was voor de jihad. Hij bestelde hummus met vlees, *hummus bi tahinah*, fattet hummus en msabbaha en tegen de tijd dat hij klaar was, was er alleen nog maar foul. Mohamad deed er een uur over om twee kommetjes foul te halen. Tegen die tijd realiseerde hij zich dat we beter konden gaan hamsteren.

Inmiddels waren we ervaren rotten: we splitsten ons op en coördineerden onze inkopen via onze mobieltjes. Ik ging naar Healthy Basket, waar de rijke meioogst op de planken stond uitgestald: aardbeien, tomaten, sla, koriander, courgettes. Mohamad belde me vanuit Smith's: geen vlees, geen water in flessen. Geen laban, geen labneh. Er was nog maar weinig melk. Het brood was allang op.

De volgende dag stond in de krant *Al-Akhbar* een paginagrote foto van mensen die een plaatselijke furn binnen probeerden te komen, genomen vanuit het standpunt van de bakker: van alle kanten staken handen naar binnen met daarin verfrommelde bankbiljetten, genoeg voor een pakje brood. Het gezicht van een vrouw vertrok in paniek omdat ze door de mensen achter haar tegen de ruit werd geduwd. Boven de hoofden van de mensen verscheen bijna onopgemerkt een hand door een raampje met daarin een propje bankbiljetten; een lenige klant die had besloten de massa voor te zijn door boven op de uitstalling voor de winkel te klimmen.

Om vier uur ging Mohamad met een vriend die aan de andere kant van Hamra woonde naar de toespraak toe. Een paar uur later zat ik te bellen met een vriendin in New York toen ik het geknal van geweervuur hoorde.

Het gebruikelijke vreugdevuur na een politieke toespraak, veronderstelde ik. Niets ongewoons.

'Mijn hemel, krijgen die mensen dan nooit genoeg van al dat vuurwerk?' zei ik om mijn vriendin niet te laten schrikken.

Ik liep de keuken in. Het achterbalkon keek uit op Sadat, de straat die de grens van het eigenlijke Hamra vormde. Dit was de richting waaruit Mohamad zou moeten komen. Ik keek uit het raam of ik kon zien waar het geweervuur vandaan kwam; niet dat je kogels echt kunt 'zien', maar visuele informatie biedt altijd troost.

Precies op dat moment, het was een uur of zeven, hoorde ik een luide *BOEM*, de knal van lucht die plotseling een vacuüm opvult. Het was een geluid dat ik me herinnerde uit Bagdad: een door een raket aangedreven granaat. Een paar mannen die beneden in de Sadatstraat liepen, begonnen te rennen. Ik beëindigde het gesprek. Waar was Mohamad?

Het duurde waarschijnlijk niet langer dan tien minuten voor hij thuis was, maar het voelde aan als uren. De Hamrastraat was verlaten, vertelde hij. Terwijl hij naar huis rende, zag hij gewapende mannen barricades opwerpen en granaten afvuren. We beseften het pas veel later, maar hij was precies op tijd thuisgekomen.

We liepen het balkon op om te zien wat er gebeurde. De buurt-shabab bij de bakkerij waren opgewonden. Een van hen verdween het appartement boven de bakkerij in en toen hij weer verscheen, droeg hij een zwarte bivakmuts en had hij een geweer in zijn hand. Hij liep heen en weer en deed alsof hij schoot. Hij hield zijn geweer tegen zijn heup en richtte schuin omhoog, als een kindsoldaat uit Liberia. Niemand had hem ooit laten zien hoe je een geweer vast moet houden.

Een paar jongens liepen de straat door, langs de kerk naar de hoek. Een van hen sleepte een afvalcontainer de straat op en viste een stel smalle tuindeuren uit een stapel bouwafval. Hij zette elk van de deuren in een hoek van vijfenveertig graden tegen de container aan. Toen liep hij het Mozart Hotel aan de overkant van de straat in en confisqueerde een aantal plastic potten met daarin palmachtige planten met geveerde bladeren.

Mohamad en ik keken vol verbazing toe. In 2006 had Hezbollah tegen het Israëlische leger gevochten, technologisch een van de meest geavanceerde legers ter wereld. De Partij van God bezat wapens van Iraanse makelij, materieel waarmee je een Israëlische Merkava-tank kon uitschakelen. En deze jongens bouwden barricades van tuindeuren en potplanten.

Tegen achten gingen alle straatlantaarns tegelijk uit. De enige mensen op straat waren tieners op scooters. We hoorden het geluid van machinegeweren en raketten uit Hamra steeds dichterbij komen.

Ik maakte avondeten met de pasta en de groenten die we die dag hadden gekocht: erwtjes en knoflook en kerstomaatjes, basilicum en peterselie. Ik was trots op mezelf dat ik vooruitgedacht had: we werden dan misschien neergeschoten, maar in elk geval hadden we goed gegeten. Om één

uur 's ochtends gingen we naar bed met het geluid van geweervuur, ra-
ketgranaten en stungranaten. Veel anders konden we niet doen.

De hele nacht hielden twee zwerfkatten op het braakliggende terreintje
onder ons slaapkamerraam een wedstrijdje janken. Er was een verschrikkelijk onweer die nacht en de gevechten leken een uur of drie te stoppen,
maar de katten gingen gewoon door; toen ik de volgende ochtend om zeven uur wakker werd, waren ze nog steeds bezig. Ook hoorde ik granaten. Ik viel weer in slaap.

Toen ik om acht uur opnieuw wakker werd, rook de lucht fris en
vreemd, schoongebrand door de rook, zoals het in Amerika ruikt na de
viering van vier juli. Ik liep het balkon op. De straat was leeg en er was
geen spoor meer te bekennen van afvalbakken of tuindeuren. Het schieten
was hevig en heel dichtbij, en ik herkende de vuurwerkgeur als die van
munitie. Ik hoorde geschreeuw: 'Allahu Akbar! – God is groot.' Het was
alsof ik in een andere stad wakker was geworden.

Ik sliep nog half, maar een primitief gevoel van zelfbehoud zei me dat
ik van het balkon af moest gaan. Ik liep terug de slaapkamer in en
schudde Mohamad wakker. 'Lieverd, ik denk dat je beter kunt opstaan.'

Hoog in de muur boven ons bed zat een smal, langwerpig, liggend
raam dat uitkeek op het Mozart Hotel. We gingen op het bed staan en keken door het raampje.

Beneden in de straat was een kleine, groene tuin waar meestal kinderen
met een bal speelden. Nu knielden er drie Hezbollah-strijders in grijsgroe-
ne legerkleding. Hun kalasjnikovs leunden tegen hun schouder, de kolf
rustend op hun knieën.

Dwars door het geweervuur naderden langs het huizenblok langzaam
meer strijders. Ze liepen een paar stappen, stopten en wachtten dan op
een handsignaal van de commando's in de tuin, die voor hun dekking
zorgden. Ze hielden hun geweren op schouderhoogte en zwaaiden ze in
een strakke choreografie van de ene naar de andere kant, waarbij ze tegenovergestelde richtingen bestreken; zo liepen ze als in een sinister ballet
langzaam door de straat. Ze waren zorgvuldig getraind.

'Niet naar buiten gaan!' riepen ze toen ze dichterbij kwamen. 'Blijf binnen! Ga niet uw balkon op!' Af en toe riepen ze ook: 'Allahu Akbar!'

Een jongen van een jaar of vijftien, met krullend haar tot op zijn schouders, rende over de stoep naar de tuin toe. Hij had zijn shirt en schoenen
uitgetrokken om te laten zien dat hij ongewapend was. Hij hield zijn handen omhoog en rende dwars door het geweervuur. De commando's ge-
baarden naar hem en schreeuwden dat hij moest opschieten. Hij dook in
de bosjes achter hen.

Een van de commando's in de tuin richtte zijn AK-47 op ons gebouw.
Dom registreerde ik dat hij precies op ons mikte.

Het gevoel begon aan de achterkant van mijn nek. Het was alsof een
enorme bek me bij mijn nekvel greep en me als een jong katje door elkaar

schudde. Mijn nek liet aan mijn hersens weten dat ik goed moest opletten wat mijn ogen me vertelden. Heel langzaam verzamelden mijn hersens de geïsoleerde beelden die mijn ogen naar mijn brein gestuurd hadden en voegden ze samen tot een logisch geheel – de jongen die zich overgaf, de handsignalen: er zaten sluipschutters in de gebouwen.

De commando zag het gordijn bewegen: hij dacht dat wij sluipschutters waren, dat was waarom hij zijn geweer op ons richtte.

'Ga weg bij dat raam!' snauwde Mohamad.

We doken op het bed en klauterden eraf, weg van de ramen, en renden half gebukt de gang in.

De telefoon ging. Het was onze vriend Ben, een radioverslaggever die een eindje verderop woonde, voorbij de tuin waar de soldaten gezeten hadden. Het raam aan de achterkant van zijn huis was eruit geschoten. Hij vermoedde dat er sluipschutters op zijn dak zaten. Eerder die ochtend had hij uit het raam gekeken en een lichaam op de stoep zien liggen.

Ik liep naar het balkon en keek langs het blok de straat in. Ik zag nergens sluipschutters, maar sluipschutters willen niet gezien worden. Uit de watertank op het dak van het Mozart Hotel stroomde water. Waarschijnlijk geraakt door kogels.

'Je kunt beter hier komen,' zei ik tegen Ben. 'Volgens mij is het in ons blok veiliger.'

'Veiliger' was een relatief begrip. Bij onze buurman Balsam zaten ook sluipschutters op het dak. Toch leek ons blok iets veiliger. Ik begon lege flessen met water te vullen voor het geval onze watertank ook lekgeschoten werd.

Even later wierpen we opnieuw een blik naar buiten. De gewapende mannen waren rustiger en keken om zich heen naar de huizenblokken. Toen, om een uur of negen, tien, klonk er weer een boel geweervuur. We verhuisden naar de gang en installeerden ons daar met onze computers. Het appartement had een extra wasbakje in de gang die naar de slaapkamers leidde. Dit was gebruikelijk in oudere appartementen in West-Beirut, waar bezoekers wellicht hun handen wilden wassen zonder het privégedeelte van het huis in te hoeven gaan, maar het was ook erg handig in een situatie als deze, waarin het te gevaarlijk was om je in de keuken of de badkamer te wagen. Ik vroeg me nogal onlogisch af of dit de werkelijke reden was om een wasbak in de gang te maken. We hoorden hevig geweervuur vanaf de Sadatstraat, een half blok verderop, en ook vanuit de tegenovergestelde richting, waar Bens appartement was.

Onze vriendin Deb, een verslaggever voor National Public Radio, belde even later. Ze logeerde in een klein hotel aan de Sadatstraat, Viccini Suites. Er waren zware gevechten in de Sadatstraat, die naar het paleis van Hariri leidde, en iedereen in het hotel had de nacht in de kelder doorgebracht.

Ik keek uit het raam en zag twee gewapende mannen vlak voor de deur van het Viccini staan. 'We komen je halen,' zei ik tegen haar. 'In ons huis is het veiliger.'

Het was vrijdag, de dag dat gelovige moslims naar de moskee gaan voor het middaggebed. Om twaalf uur 's middags begon de muezzin de *duaa* te mompelen, de oproep die het begin van het vrijdaggebed aangeeft, en de buurt liet collectief zijn adem ontsnappen. Mannen liepen over straat naar de moskee. Vrouwen gingen naar de bakker. Ze kwamen met lege handen terug, zag ik, en ik concludeerde dat het brood blijkbaar op was.

In onze straat was het rustig, maar in de Sadatstraat klonk geweervuur en dezelfde twee gewapende mannen stonden nog altijd voor het Viccini. Ik belde opnieuw met Deb. Ze vertelde dat de gewapende mannen naar beneden waren gekomen, van iedereen de mobiele telefoon hadden ingenomen en identiteitskaarten hadden gecheckt, waarna ze de telefoons hadden teruggegeven en waren vertrokken.

'Ik kom je halen,' zei ik.

De straat leek rustig toen ik naar Sadat liep. Ik kwam de broer van mijn huisbaas tegen, die op weg was naar de moskee. 'Hallo, Hadj Salim.' Ik knikte naar hem.

Hij staarde me alleen aan en liep door.

Ik haalde Deb op en we liepen zonder incidenten terug. De gewapende mannen waren nog een tweede keer gekomen, vertelde ze, om hun verontschuldigingen aan te bieden dat ze de telefoons hadden ingenomen. 'Iemand heeft die jongens echt goed getraind,' zei ze hoofdschuddend.

Ben kwam ook naar ons toe en ik besloot voor iedereen te gaan koken. Ik maakte een enorme tonijnsalade met pasta, fijngesneden venkel, feta, tomaatjes en zwarte olijven zonder pit. Ik maakte een dressing met kappertjes, citroensap, olijfolie en mosterd. Fijngehakt basilicum en peterselie. Een heleboel zwarte peper. Ik deed weer eens ingewikkeld, maar er viel niets anders te doen en dit was tenminste iets nuttigs. Voedsel is altijd al een vorm van troost geweest, een manier om het gewone leven te bekrachtigen. Maar wanneer een normaal leven onmogelijk was, en niemand daar de schuld voor droeg behalve ikzelf – ik zou vredig in New York kunnen wonen, maar had erop gestaan om naar Beiroet te gaan – bood voedsel me bovendien de mogelijkheid om te doen alsof.

Ik realiseerde me dat ik niets gemaakt had voor Mohamad, die weigerde om tonijn te eten. Ik begon de rest van de pasta voor hem te koken. Om ongeveer kwart voor drie, net toen ik het wilde gaan afgieten, brak er zulk hevig geweervuur uit, en zo dichtbij, dat we alle vier de gang in renden en bij de wasbak gingen staan.

Deb knielde op de vloer met haar mobieltje en beschreef de gevechten aan iemand bij National Public Radio. Mohamad hurkte tegen de muur met zijn laptop op zijn knieën en mailde een artikel door. Hij gebaarde naar mij dat ik me ook moest bukken, maar ik schudde mijn hoofd.

Het geweervuur ging maar door en ik vroeg me af waar al die kogels vandaan kwamen; honderden per minuut, als regendruppels op het dak.

Plotseling herinnerde ik me Mohamads pasta. Het kookte nu al zeker een kwartier! Het zou veel te zacht worden. In een situatie zoals deze kon je geen eten verspillen.

Ik liep half gebukt de keuken in en hield mijn hoofd onder het niveau van het raam. De keuken was een gevaarlijke plek; het grote raam en de glazen deur keken uit op de Sadatstraat, waar de meeste schoten vandaan kwamen. Toch leek de zekerheid van papperige pasta me op dat moment veel ernstiger dan de mogelijkheid om door een verdwaalde kogel geraakt te worden.

'Wat doe jij nou?!' schreeuwde Mohamad uit de gang.

'Te laat!' riep ik terug. Ik draaide het vuur uit, gooide de pasta in de vergiet die klaarstond in de gootsteen en haastte me terug naar de gang.

Deb, Ben en Mohamad keken me vol afschuw aan; ik begreep niet waarom. Snapten ze dan niet dat ik zolang ik kookte veilig was?

Na nog vijf minuten hield de schotenwisseling op. Pas veel later drong tot me door dat ik me compleet irrationeel had gedragen.

Op vrijdagmiddag waren de gevechten in Hamra afgelopen. Later die dag liepen we door de buurt. De straten lagen vol gebroken glas en granaatscherven. Bij Future TV hadden militiestrijders de kantoren in brand gestoken en de archieven vernietigd door alle videobanden op een rokende brandstapel op de stoep te gooien. Vervolgens hadden ze overal in de kantoren posters van de Syrische president Bashar al-Assad opgehangen. In de Sidanistraat, een paar blokken bij ons huis vandaan, waren alle winkels open, zelfs de sandwichshop Subway. Overal stonden gewapende mannen, die ons met ijzige, onvriendelijke gezichten aankeken en niets zeiden. In de Gandhistraat liepen een paar in pyjama geklede prostituees langs, die zachtjes met elkaar praatten in Arabisch met een Marokkaans accent en de gewapende mannen compleet negeerden.

Voor het restaurant van Abu Hassan had iemand een vlag van de Syrische Socialistische Nationalistische Partij neergezet: een soort sierlijke rode swastika, afgerond als het blad van een cirkelzaag, in een witte cirkel op een zwarte achtergrond. Toen we in het gouden zonlicht van de vroege avond de Hamrastraat in keken, zagen we overal rode en zwarte vlaggen. De vlaggen bleven gedurende de hele crisis hangen, die ongeveer twee weken zou duren en minstens eenenzeventig mensen het leven zou kosten.

De daaropvolgende week zouden de straten beheerst worden door gewapende mannen, prostituees en de Sri Lankaanse, Ethiopische en Filippijnse dienstmeisjes die door Libanese huisvrouwen de deur uit gestuurd werden om boodschappen te doen wanneer ze te bang waren om zelf te gaan. Af en toe schuifelde een burger haastig van het ene huis naar het andere en keek wantrouwig naar vreemdelingen.

De dag na de gevechten waren de enige bedrijven die opengingen de winkels die essentiële zaken als voedsel of nieuws verkochten. Groepjes van vijf of zes mannen dromden rond krantenverkopers. Bij Malik al-Batata (De Aardappelkoning), beroemd vanwege zijn shawarma en zijn patat, had een kleine groep mannen zich verzameld om een overlijdensbericht te lezen dat op de muur geplakt was. Het was voor een van onze buurt-shabab, de jonge jongens die geprobeerd hadden de Hezbollah-strijders weg te jagen. Hij was tijdens de gevechten doodgeschoten. Plotseling herinnerde ik me dat ik Hadj Salim gedag had gezegd, gisteren voor de moskee, en ik zag opnieuw de akelige blik voor me die hij me had toegeworpen. Er zouden ongetwijfeld problemen komen in de wijk.

Om één uur werd er op de deur geklopt. Het waren onze vrienden Sean en Nizar, die in het oosten van Beiroet woonden. Ze hadden niet met de auto of taxi naar Hamra kunnen komen; de gewapende mannen hadden de buurt afgezet met barricades en controleposten. En dus waren ze het hele eind vanaf hun appartement aan de andere kant van Gemmayzeh komen lopen om ons te bezoeken; ongeveer een uur te voet.

'Hoe stom is dit?' zei Nizar. Hij liep met grote stappen naar binnen en begon door de kamer te ijsberen. 'Hoe verdomde stom zijn ze? Dit hele gedoe was een val om Hezbollah erin te laten lopen, om ze hun wapens te laten gebruiken tegen de Libanezen. En wat doen ze? Ze trappen erin. Hoe stom kun je zijn, hoe verdomde stom… *Kis ikhta, hal balad!* – Rot toch op met dit land! – Ik ben er klaar mee. Ik ga weg uit dit land. Ik ben klaar.'

Buiten ons appartement had een menigte rouwenden zich voor de bakkerij verzameld. Sommigen schreeuwden met rauwe stemmen. Terwijl we vanaf ons balkon toekeken, kwam door de Adonisstraat, uit de richting van Smith's, een stel gewapende mannen van de SSNP aanlopen. Ze bevalen de rouwende mensen om naar huis te gaan. Sommigen begonnen tegen de strijders te schreeuwen: 'Hoe kunnen jullie dit doen?!'

De militiestrijders schoten in de lucht. De rouwenden verspreidden zich en de straat was weer leeg. Sean en Nizar besloten om naar huis te gaan voor er opnieuw iets zou gebeuren.

'Weet je, misschien moeten jullie met ons meegaan en bij ons komen logeren,' zei Sean terwijl we bij de deur afscheid namen. We schudden ons hoofd: wij gingen nergens heen.

De volgende dag was de begrafenis voor Ziad Ghalayini, de jongen die was neergeschoten, en een andere jongeman die tegelijk met hem gedood was. Honderden mensen stonden buiten op de stoep en de straat. De balkons stonden vol schreeuwende en huilende vrouwen. Vanuit de moskee klonken gemompelde gebeden.

Een groep van ongeveer twintig mannen rende de straat door met de lijkkisten. Ze schreeuwden en riepen: 'Ziad, Ziad, *habib Allah!* – Ziad, Ziad, geliefde van God!' Wanneer een van hen de grip op de kist verloor, nam een ander zijn plaats in. De kisten waren bedekt met groene satijnen doeken met daarop gele letters. Op een van de twee stond een *tarboosh*, de kleine rode fez die de Ottomanen hun onderdanen hadden gedwongen te dragen: het symbool van mannelijkheid.

Ze droegen de lijkkisten het hele blok rond, van gebouw tot gebouw, en wiegden ze zachtjes heen en weer. De vrouwen schreeuwden en gilden, wierpen zich in elkaars armen, zwaaiden met hun handen en sloegen op hun borst. De mannen brachten de kist van Ziad naar het appartement van zijn familie en lieten de andere op de lijkwagen staan. Vanuit het huis klonk steeds luider gesnik en gegil. Iedereen op straat keek toe en luisterde naar het geschreeuw: 'Ziad! Ziad!' Een hese mannenstem begon te roepen: 'Ze moeten allemaal weg! Ze moeten allemaal weg!'

Abdelghanim, een van vier vriendelijke broers die een kruidenierswinkel hadden, kwam naar ons toe om gedag te zeggen. 'Kenden jullie hem?' vroeg hij. Ik antwoordde dat ik hem van gezicht kende. Hij schudde zijn hoofd. 'Arm kind. Het was echt een goede jongen, hij was altijd in de buurt en hielp iedereen.' Hij verwachtte problemen na de begrafenis.

De mannen droegen de kist de trap af. De vrouwen zwaaiden ten afscheid vanaf het balkon, huilend: ze sloegen met beide handen tegen hun voorhoofd, waarna ze beide armen wijd uitspreidden. Toen de kist door de voordeur naar buiten kwam, begonnen ze te jammeren. Ze gooiden met rozenblaadjes en rijst: deze begrafenis was de enige bruiloft die hij ooit zou meemaken. Een oude vrouw legde witte lelies op de lijkwagen. De mannen kwamen naar buiten, huilend en leunend op elkaars schouders.

Terwijl ze de twee kisten terugbrachten naar de moskee voor het eindgebed, wilde een sjiitische buurvrouw de familie haar medeleven betuigen. Maar de vrouwen begonnen te duwen en te trekken. 'Eruit!' schreeuwde een van de vrouwen terwijl ze haar wegjoegen. 'Ga terug naar Nasrallah!'

Mohamad en ik keek elkaar aan en besloten dat het tijd was om naar binnen te gaan.

Een oudere dame stond tegelijk met ons in de lift. Ze was erg overstuur en kon niet stoppen met praten. Haar zuster woonde in het gebouw, vertelde ze ons, en ze had een dochter die in Amerika studeerde en het was belangrijk om de Amerikanen te vertellen dat niet alle Libanezen waren zoals de Hezbollah. Ze volgde ons de lift uit, ook al woonde ze niet op onze verdieping, en bleef in de gang staan praten. Het leek onbeleefd om haar zomaar achter te laten – ze was bijna in shock – en dus bleven we lange tijd voor onze deur staan luisteren. 'Het spijt me heel erg van Ziad,' zei ze. 'Altijd als ik bij mijn zuster op bezoek ging, kwam hij naar me toe en vroeg om mijn autosleutels, zodat hij mijn auto kon parkeren. Hij was echt een goede jongen.' Ze keek naar Mohamad.

Nu komt het, dacht ik.

'Wat is uw achternaam?' vroeg ze.

'Bazzi.'

'O.' Ze trok haar wenkbrauwen op. 'Bazzi. U bent een sjiiet.'

283

'Ja, inderdaad.'

'Ik ben soennitisch, maar mijn man is een sjiiet. Hij is een doctor aan de AUB. Hij verwerpt alles wat er nu gebeurt.' Ze keek hem vol verwachting aan. Ze zou het hem laten zeggen, ze zou hem zijn loyaliteit aan het menselijke ras laten bewijzen. 'En u,' moedigde ze hem aan. 'Wat vindt u van de gebeurtenissen?'

'Ja, ik verwerp ze ook,' antwoordde Mohamad. 'Dat doen we allemaal.'

Abdelghanim had gelijk: die middag waren er problemen. In Tareeq al-Jadideh vielen soennieten tijdens een andere begrafenisoptocht sjiitische bedrijven aan, waarna een sjiitische winkeleigenaar het vuur op de menigte opende en twee mensen doodde. Beide partijen gaven de ander de schuld van ontvoeringen, gedwongen evacuaties, religieuze zuiveringen. 'Het is zo gevaarlijk,' zei mijn vriendin Adessa toen ze ons belde om te horen of alles goed met ons was. 'Want hoe vaak heb je mensen tijdens de burgeroorlog niet horen zeggen: "Nou ja, zíj hadden het op óns gemunt"?'

Op internet en via de telefoon circuleerden allerlei geruchten: ontvoeringen in Zarif, ontvoeringen op de Corniche. Een vrouw vertelde op de sportclub aan Leena's schoonzus dat Hezbollah soennieten uit Zarif ontvoerde. Een buurvrouw van Umm Hassane zei haar dat ze Hanan moest waarschuwen niet naar huis te gaan, omdat de soennieten sjiieten dwongen om weg te gaan uit Tareeq al-Jadideh, waar Hanan woonde.

Plotseling herinnerde ik me dat Munir ook in Tareeq al-Jadideh woonde. Dat was ik vergeten.

'Annia, je moet vertrekken,' zei hij toen ik belde. 'Dit is mijn land en dit is de shit van mijn mensen. Jij hoeft dat niet te tolereren. Ik hoef het niet te tolereren. Ik zei het net nog tegen Joseph: laten we weggaan, naar India.'

Aan het einde van 2006 had Munir met een aantal zakenpartners, van wie er een boeddhist was, een homobar en een restaurant geopend: Bardo. Dat was Sanskriet voor de plek waar je ziel na de dood heen gaat om te wachten tot die herboren wordt; 'een betoverende plek', vertelde hij me ooit. Het paste bij de fantasie van India als het Oosten, een mystiek land van geluk en in saffraan gedrenkte verlichting.

'India? Munir, lieverd. Daar hebben ze religieuze rellen waarbij die van hier kinderspel lijken. Hindoes en moslims, duizenden mensen die elkaar vermoorden. Die complete treinen in brand steken en iedereen die erin zit laten verbranden.'

Hij was stil.

Te laat realiseerde ik me dat Munir geen New York had om naar terug te keren. Hij had zijn imaginaire India nodig op de manier waarop ik zijn tangoavonden nodig had: als een beeld van hoe de wereld zou kunnen zijn, het soort droompaleis waaraan we allemaal behoefte hebben, zeker in Beirut, en het was een van de dingen die hem hielpen om niet te haten.

'Dus in India hebben ze dit soort gedoe ook?' zei hij treurig. 'De hele wereld is gek geworden.'

De vergeldingen begonnen. De strijd breidde zich uit tot buiten Beirut en er vonden gevechten plaats in het Choufgebergte, tussen Hezbollah en zijn voormalige bondgenoot, de Progressieve Socialistische Partij. In het noordelijke stadje Halba bestormden strijders van de Toekomstbeweging de kantoren van de SSNP en doodden er negen mannen. Tijdens de aanval stierven drie leden van de Toekomstbeweging. Hun kameraden filmden de stervende SSNP-mannen met hun mobieltjes en zetten de afschuwelijke beelden op internet. Hezbollah toonde de filmpjes als propaganda en wees erop dat soennieten nu ook soennieten doodden, en dat de beelden niet geschikt waren voor 'kinderen of teergevoelige mensen'. Ondanks de waarschuwingen bekeek Umm Hassane de bloederige beelden en ze raakte overstuur. 'Wat is dit voor slachtpartij?' zei ze tegen Mohamad over de telefoon. 'Ze verminkten de lichamen en vertrapten ze. *Wallah*, zulke dingen deden de Israëli's nooit. Wat is dit voor verschrikkelijke aanblik? Het maakt dat je hart huilt.'

Hezbollah hield het vliegveld dicht. Soennitische gewapende mannen zetten controleposten op langs de weg naar de Syrische grens en hingen posters van Saddam Hussein op. Ze controleerden de identiteitskaarten van iedereen die probeerde het land in of uit te komen en wilden weten of ze sjiieten waren.

Ik keek naar de foto's van gemaskerde gewapende mannen die met hun raketwerpers aan de grens stonden, onder de posters van Saddam, en plotseling begreep ik Mohamads wens om terug te gaan naar New York.

'Het spijt me dat ik je terug heb laten komen,' zei ik.

'Nou ja, ik kan nu niet vertrekken.' Hij haalde zijn schouders op.

Die middag hing de familie van Ziad aan de buitenkant van hun flatgebouw een enorme banier op met een foto van hun dode zoon, bijna vier meter hoog. In hun appartement, dat recht tegenover het onze lag, zag ik door de open ramen een woonkamer die nog vol stoelen stond voor het condoleancebezoek. Op de stoelen zaten allemaal kleine jongens en meisjes van tussen de drie en vijf jaar oud. Onder leiding van een vrouw zongen ze:

Li ilaha illa Allah,
al-shaheed habib Allah!

Er is geen God behalve God,
de martelaar is de geliefde van God!

De kinderen stompten met hun knuistjes in de lucht, net zoals hun oudere broers en zussen al dagenlang deden. Ze schreeuwden vrolijk, alsof het een spelletje of een kinderliedje was en degene die het hardst riep een traktatie zou krijgen.

Op woensdag 14 mei vlogen verschillende Arabische leiders naar Libanon voor onderhandelingen. Hezbollah haalde de barricades aan één kant van de weg naar het vliegveld weg, zodat de onderhandelaars alle Libanese politieke leiders konden ontmoeten. Het vliegveld was nog steeds dicht, maar toch voelde het alsof er een grote last van de stad getild werd. In heel Ḥamra zeiden mensen tegen elkaar: 'Al-hamdillah al-salameh – God zij gedankt dat je veilig bent.' Zelfs de religieuze khadarji glimlachte breed toen hij me zag.

Ik ging naar Abu Hadi om fatteh te halen. Hij schepte de stomende kikkererwten in mijn kom en klaagde vrolijk dat hij alleen was; zijn hulp, die in dahiyeh woonde, kon al dagenlang Hamra niet in.

'Heb je genoeg klanten?' vroeg een oude man die over een enorme kom fatteh gebogen zat, een van zijn vaste bezoekers.

'Ik heb altijd werk,' zei Abu Hadi. 'God zij dank.'

Bij de kaaswinkel in de Sidanistraat glimlachte de verkoper.

'Ik moet u iets vragen,' zei ik, ook al vermoedde ik dat ik het antwoord al wist. 'Waarom bleef u die vrijdag open, tijdens alle gevechten?'

Hij glimlachte half en haalde zijn schouders op. Hij was een ghanouj. 'Omdat de mensen kaas wilden.'

Waarom? Waarom besluiten mensen midden in een vuurgevecht dat ze beslist kaas moeten hebben?

Deze keer glimlachte hij zo breed als hij kon. 'Omdat ze denken dat ze het misschien nooit meer zullen proeven.'

Die avond brachten Mohamad en ik een vriendin naar huis. De stad was nog steeds onrustig en ze vond het niet prettig om 's avonds alleen over straat te gaan. We liepen terug door Ain al-Mreiseh, langs de zee, toen we schoten hoorden. De sektarische plattegrond die alle inwoners van Beirut in hun hoofd hebben, maakte dat we meteen toen we het hoorden, wisten wat het resultaat van de ontmoeting was: vreugdevuur uit de door Amal gecontroleerde wijken betekende dat de regering haar orders had herroepen. Voorlopig waren de gevechten voorbij. Maar de oorlog zou nooit stoppen; het was zoals Mohamad gezegd had: je maakte er zelf een einde aan. Terug verhuizen naar New York was het einde van zijn oorlogen. Ik zou mijn eigen einde moeten vinden.

We liepen naar huis met op de achtergrond het geluid van geweervuur en vermeden de straten waar Amal heerste. We liepen vlak langs gebouwen en onder balkons door, en zagen de rode bloesems van lichtspoormunitie in grote bogen door de nachthemel gaan. Toen we bij ons huizenblok aankwamen, zagen we dat er een nieuw spandoek over de straat gespannen was. In bloedrode Arabische letters stond er: MARTELAAR VAN HET VER-RAAD. Eronder stond een foto van Ziad voor de Duivenrotsen, de beroemde rotsen in de zee vlak bij de Corniche. Hij glimlachte en nam een mannelijke pose aan, die alleen maar maakte dat hij er meer als een kind uitzag: zijn heup opzij, zijn handen in zijn zakken en zijn hoofd schuin.

Hij droeg een wit T-shirt met daarop in grote zwarte letters, in het Engels: STILL VIRGIN.

'Het is zo triest!' riep Mohamad uit.

Dat had jij kunnen zijn, dacht ik, maar ik zei het niet hardop. Als jij op je tiende in Beirut was gebleven in plaats van naar New York te verhuizen, had jij dat kunnen zijn: staand voor de Duivenrotsen, pogend er als een strijder uit te zien. Ik had het kunnen zijn, als ik hier was opgegroeid, of ieder ander van ons.

'Ja, dat is het,' zei ik. Ik pakte zijn hand en we liepen naar huis.

Epiloog

Twee jaar later, bijna op de dag af, zat ik aan de telefoon met Umm Hassane. Zij was in Beirut, ik in New York.

'Umm Hassane,' schreeuwde ik, omdat de verbinding slecht was, mijn Arabisch nog steeds weinig voorstelde en zij nog altijd doof was. 'Ik maak mlukhieh. Hoe moet je mlukhieh maken met gedroogde blaadjes?'

'Waarom zou je mlukhieh willen maken?' was haar retorische wedervraag. Tussen ons zoemden en bromden duizenden kilometers ether, maar ik zweer dat ik haar bijna met haar ogen kon horen rollen. 'Dat lukt nooit! Het is te moeilijk!'

Eerder die week was ik naar Sahadi's gegaan, de Arabische supermarkt aan Atlantic Avenue, en had een nummertje uit het apparaat getrokken. De winkel stond vol New Yorkers die olijven, feta, hummus en baba ghanouj wilden kopen. Toen ik eindelijk aan de beurt was, zei ik tegen de man achter de toonbank dat ik gedroogde mlukhieh wilde.

Hij keek me met een scherpe blik aan, een sceptische wie-ben-jij-blik, en ik bereidde me voor op de onvermijdelijke vraag.

'U maakt mlukhieh?' zei hij.

Ik lachte. Het was niet de vraag die ik verwacht had, maar deze beviel me beter. 'Waarom niet?' vroeg ik en ik deed mijn beste imitatie van Umm Hassane tijdens het winkelen: een felle boze blik, een uitgestoken kin, een wapperend handgebaar. En vervolgens een minachtend schouderophalen, alsof een dergelijke vraag tussen ons toch echt niet nodig was.

'Bent u Arabisch?'

'Nee.' Ik glimlachte.

Een paar jaar daarvoor had ik me waarschijnlijk gehaast om uit te leggen dat ik weliswaar niet Arabisch was, maar dat mijn echtgenoot Libanees was en dat iedereen toch van mlukhieh hield? Wellicht had ik erop gewezen dat mlukhieh Afrikaans is en vervolgens uitgeweid over de overeenkomsten tussen Egyptische mlukhieh en de kool die in het Amerikaanse zuiden wordt gegeten, beide gestoofd met vlees en geserveerd met uitjes in zoete azijn. Misschien had ik verteld over mijn Griekse afkomst, of opgebiecht dat ik mlukhieh in de zomer van 2001 had leren kennen door een Iraakse vriend, hier aan Atlantic Avenue. En hoewel deze dingen belangrijk zijn en ons maken tot wie we zijn, bestaan er ook momenten en plekken waarop we onze individuele geschiedenis opzij kunnen zetten. Ik heb geleerd hoe waardevol dat is.

'Maar u weet wel hoe u mlukhieh moet klaarmaken?'

'Ja.'

Hij grijnsde triomfantelijk, alsof ik zojuist iets had bewezen waarop hij een flinke som geld had ingezet. 'Waarom niet?' zei hij toen en hij vulde een plastic zakje met mlukhieh.

Mijn terugkeer in mijn eigen land had geen gelukkige start. Het was het einde van 2009, de winter kwam eraan en iedereen die ik kende, werd ontslagen. Mohamad en miljoenen anderen hadden de Mexicaanse griep. Onze regering verspilde nog steeds miljarden dollars en ontelbare levens aan twee oorlogen, die zich beide nu al jaren voortsleepten, maar niemand leek over iets anders te praten dan filmsterren of sport. En als ze het toch over de oorlog in Irak hadden, was dat in keurig verpakte, kant-en-klare soundbites die niets met Roaa, Abu Rifaat, dr. Salama, Abdullah of een van de andere Irakezen die ik kende te maken leken te hebben. De mensen in New York hadden het zo druk met hun smartphones dat ze eenvoudige vaardigheden vergeten leken te zijn, zoals hoe je moet wandelen. Vrienden wilden dat ik afspraken weken van tevoren inplande en zeiden dat ze anders 'vol' zaten, alsof ze hotelkamers waren. Mensen leken bang om er een duidelijke persoonlijke mening op na te houden, en toch wemelde het internet ervan. En er waren ook weer bedwantsen.

Ik belde mijn vriendin Cara. Zij en Mohamad hadden me overgehaald om terug te komen en ik voelde me beroerd, dus het was haar schuld.

Ze lachte. 'Heb ik je ooit verteld wat er gebeurde toen ik met Amiram hierheen verhuisde? We waren ongeveer een week terug uit Israël. Op een dag kwam hij naar me toe en zei: "Ik begrijp het niet. Waarom komen de buren 's ochtends niet bij ons langs om koffie te drinken?"'

Dat doen ze in Libanon ook. Het heet een *subhieh*, van *subuh*, ochtend. Het is een onvertaalbare: het kan alles betekenen, van een chic liefdadigheidsontbijt tot een paar dames die samen lunchen. Maar meestal betekent het een informele bijeenkomst van buren of vrienden, die samenkomen om koffie te drinken en te praten, ideaal gesproken elke ochtend. Door dit soort bijeenkomsten een naam te geven, verhief je het samen eten en drinken en converseren tot een instituut, een neefje van de milonga, de *tertulia*, of zelfs de verboden leesclub van sjeik Fatih en zijn moeder. Niet zozeer een tijd en een plaats, maar een gemeenschap, een moment waarop mensen proberen samen de wereld weer op zijn plek zetten. Dat hebben we hier niet, merkte ik bitter op. Wij hebben Starbucks.

'Luister, Annia,' zei ze. 'Mensen zoals wij zullen zich nooit ergens thuis voelen. Nooit. We zullen nooit dat aangename gevoel kennen van ergens bij horen.'

Oorlog verandert je mentale spijsvertering, zodat een deel van je voortdurend in oorlog verkeert en zich ongemakkelijk voelt bij vrede. Dit is net zozeer een fysieke als een intellectuele reactie, vergelijkbaar met hoe het feit dat mijn grootouders de Grote Depressie hadden meegemaakt, maakte dat ze niet in staat waren iets weg te gooien. Het zorgt dat ik me alleen thuis voel wanneer ik omringd word door mensen die onderweg zijn. Het maakt dat Libanese mensen voortdurend op hun claxon drukken, in de lucht schieten of vuurwerk afsteken, omdat ze zich niet op hun gemak voelen zonder lawaai. Als je eenmaal weet hoe snel een ei kan breken, zul je er nooit meer een kunnen zien zonder je voor te stellen dat het kapotgaat. Een deel van ons geniet stiekem van rampen: dan krijgen we gelijk, de dingen zijn inderdaad zo slecht als we altijd gedacht hadden. Dat lelijke deel in onszelf (en ik bezit het, net zo goed als ieder ander) heeft een hekel aan de mensen om ons heen, degenen die alleen de gladde, perfecte schaal lijken te zien.

Wat je met die bitterheid doet, bepaalt wat voor mens je wordt. Je kunt het met je meedragen, zelfs op een vredige plek. Of je kunt besluiten om het opzij te zetten, zelfs in een stad die in oorlog verkeert.

Midden in een voor hem ongebruikelijke actuele discussie over religie en politiek pakte Munir eens een wijnglas op. 'Kijk naar dit glas,' zei hij en hij hield het omhoog, zodat we de slanke steel en het fragiele glas konden bewonderen. 'Er is zo veel voor nodig om het te maken. En toch is er maar zo weinig nodig om het kapot te maken. Je breekt het in een oogwenk.'

Op dat moment leek het niet zo belangrijk; de wijsheid van een dronkenman. Toch kan ik nooit meer wijn drinken zonder naar het fragiele gebogen glas te kijken en te denken: ja, je kunt het in een oogwenk breken. En toch is het hier, heel en vol wijn.

Maanden later in het voorjaar sprak ik Roaa aan de telefoon. Ik zat nog steeds in New York. Zij was in Colorado. Ze was inmiddels getrouwd en had een dochtertje, en met zijn drieën waren ze helemaal van Bagdad naar Sulaimania in Iraaks Koerdistan gereisd, vervolgens naar Turkije en ten slotte naar een gemeubileerd appartement in een Amerikaanse buitenwijk.

De laatste keer dat ik Roaa gezien had, in 2004, leek het sektarische geweld in Irak alomtegenwoordig, maar dat bleek pas het begin te zijn. In 2006 verkeerde het land in de greep van een hevige burgeroorlog. Tijdens deze chaos werd ze eindelijk verliefd. En Roaa zou Roaa niet zijn als ze het zichzelf niet moeilijk maakte: hij was Arabier, zij was Koerdisch. Veel families zouden zo'n relatie hebben afgekeurd, maar niet die van hen, en ze kregen een prachtige dochter, Rania.

In 2008 begon Roaas man doodsbedreigingen te krijgen: anonieme berichten waarin gerefereerd werd aan 'onislamitisch' gedrag zoals het drinken van bier (de oude Soemeriërs telden blijkbaar niet mee). In de dreigbrieven stonden gedetailleerde verwijzingen naar zijn identiteit, wie zijn vrienden waren en waar hij woonde. En dus voegden Roaa en haar man zich bij de diaspora: bijna drie miljoen vluchtelingen binnen de Iraakse grenzen en nog anderhalf miljoen in de steden van naburige landen, een massamigratie die het Midden-Oosten en de rest van de wereld voor altijd zal veranderen. Zij en haar man vroegen asiel aan via het Amerikaanse vluchtelingenprogramma en na een aantal gesprekken werden ze geaccepteerd. En nu was ze dus hier, in de buitenwijken van Denver. Ze had altijd al de wereld willen zien.

We spraken over mobieltjes en over Facebook, dat ons geholpen had om contact te houden, over banen en papieren, en of ze naar New York moesten verhuizen of dat ze in Colorado iets moesten proberen op te bouwen, waar ze niemand kenden. Ze hadden nog geen telefoon- of internetaansluiting, geen auto, geen baan en bijna geen geld.

'Nou ja…' Ze lachte, alsof ze zich plotseling herinnerde dat ze heel wat ergere dingen had meegemaakt. Toen zei ze fel: 'We dwingen onszelf gewoon om ons te settelen.'

In Irak zou de situatie langzaam verbeteren. Shahbandar Café werd in maart 2007 gebombardeerd door islamitische militanten en in 2009 weer opgebouwd. De Abu Nuwasstraat werd opgeknapt en de masquf-restaurantjes gingen weer open. In buurten waar het Mahdi-leger van Muqtada al-Sadr ooit de scepter gezwaaid had, schreven de mensen teksten op de muren als: WIJ KOMEN MET HET LEGER VAN UMM MAHDI; in Bagdad de bijnaam voor een fawal, een oude vrouw die op straat foul verkoopt. (Politieke leiders bespotten en vergelijken met peulvruchten was geen nieuw verschijnsel: in 2003 had Abu Rifaat me een muur laten zien met daarop: GEEN HAKIM, GEEN CHALABI, IK WIL ALLEEN BIER EN LABLABI, waarin beide politici, de religieuze en de seculiere, niet in gunstige zin met bier en soep van kikkererwten werden vergeleken.)

Salaam, de communist, moest drie jaar lang zijn buurt verlaten, terwijl soennitische opstandelingen er een islamitische ministaat van probeerden te maken. Hij keerde terug in 2009 en was stomverbaasd toen hij de drankwinkels zag; rijen whiskyflessen stonden zomaar in de etalages, iets waar de winkeleigenaars een jaar eerder nog voor geëxecuteerd konden worden. Hij belde een vriend en zei: 'Nu voel ik me veilig, want ik zie winkels die drank verkopen.' Maar dan verwoestte een serie bomaanslagen opnieuw de markten en ijswinkeltjes, de oorlog liet zich opnieuw gelden en het voorzichtige tij van de beschaving trok zich terug. *Youm aasl, youm basl* – dag van honing, dag van uien.

In Beirut verdwenen de gewapende mannen net zo snel als ze verschenen waren. Hezbollah brak het tentenkamp in het centrum af, er waren parlementsverkiezingen en er kwam een nieuwe regering, waarin alle facties vertegenwoordigd waren. En toch bespeurde je nog steeds de haat die vlak onder de oppervlakte sudderde. De politieke partijen hielden hem warm op een laag vuurtje, zodat ze hem opnieuw aan de kook konden brengen zodra ze dat wilden. *Je breekt het in een oogwenk.*

En toch: hoe sterk de nasmaak van haat ook is, je herinnert je die lang niet zo levendig als de andere dingen. Als ik aan Bagdad dacht, dacht ik aan de manier waarop mensen hun boeken koesterden; aan hun gevoel voor humor en dat voor geschiedenis, en aan hoe altijd wel weer iemand over het Gilgamesj-epos begon. Aan de ouderwetse cafés. De geur van masquf. Hoe iedereen altijd plotseling gedichten begon te reciteren of verhalen begon te vertellen die al bestonden sinds de Abbasiden. Als ik aan Beirut dacht, herinnerde ik me niet de gewapende mannen, niet onze buren die identiteitskaarten controleerden en niet de mannen van Hezbollah die met elkaar in tenten hurkten als de bedoeïenenhorden van Ibn Khaldun. Dan herinnerde ik me de geur van lamsvlees dat op zondag door de buren geroosterd werd, gemengd met het aroma van gebrande koffiebonen en kardemom van de winkel beneden. Het gekrijs van hanen dat weerkaatste tegen het beton, het geroep van Kaaaaa-eeek! door de oude man die kaak verkocht. Ik stelde me het moment tijdens de ramadan voor, vlak voor de iftar, wanneer de straten plotseling leeg werden, de buurt compleet stil en onbeweeglijk werd, alsof heel Hamra zijn adem inhield en wachtte tot de stem van de muezzin het einde van de vasten zou aankondigen. Ik herinnerde me de waarzegger op de Libanese tv die op oudejaarsavond de gebeurtenissen voor het komende jaar voorspelde, gevolgd door een jonge vrouw in een zwartleren topje die de weersverwachting voorlas. Ik stelde me de fattoush bij de Baromètre voor, een piramide van rood en groen, en ik bedacht dat als ik op dat moment bij de Baromètre naar binnen zou lopen, ik waarschijnlijk iemand zou tegenkomen die ik kende.

De bommen miste ik niet. Wat ik wel miste, waren mijn vrienden en hoe we elkaar na een bombardement belden om ons ervan te verzekeren dat het met iedereen goed was. Ik miste de manier waarop Umm Adnan of Abu Ibrahim recepten opdreunde wanneer ik khubaizeh of wilde venkel kocht; de vervelde tiener die bij mijn buurtsupermarkt in New York achter de kassa zat, was reuze aardig, maar dat deed ze nooit wanneer ik een plastic zakje gewassen spinazie kocht.

Het had geen zin om in Bagdad of zelfs in Beirut te blijven. Het had geen zin om alleen maar daar te zijn omdat onze vrienden niet konden of wilden vertrekken; het had geen zin, zoals Mohamad altijd zei, om in een oorlogsgebied te blijven uit loyaliteit jegens vrienden die geen keuze hebben en wel moeten blijven. Maar er valt iets te zeggen voor het warm houden van de herinnering en een kleine vlag te planten, ook al is het een gerafelde, tegen het vergeten.

Altijd wanneer ik Beirut of Bagdad miste, ging ik naar een boerenmarkt. Daar vond ik elke keer wel iets bekends, of iets onbekends, waar ik vervolgens wat lekkers van maakte. Ik belde vrienden op (degenen die niet 'vol' zaten) en nodigde ze uit voor het eten.

Eten alleen kan niet voor vrede zorgen. Het maakt deel uit van de oorlog, net als alle andere dingen. We kunnen de ene dag het brood breken met onze buren en ze de volgende dag vermoorden. Eten is slechts een excuus, een gelegenheid om je buren te leren kennen. En als je het deelt met anderen wordt het iets meer.

Ik spreidde de gedroogde groene mlukhieh-blaadjes uit op tafel. Ik gooide de bruine blaadjes weg en brak hier en daar steeltjes af. Het zag eruit als thee en zo rook het ook. Ik bereidde het precies zoals Umm Hassane het me verteld had en het smaakte afschuwelijk.

'Umm Hassane,' riep ik de volgende keer dat we haar belden. 'De mlukhieh. Hoe maak je die klaar als het gedroogd is?'

'Je kookt het!'

'Ja, maar kook je de blaadjes eerst apart, voor je de kip erbij doet?'

'Natuurlijk!' (Haar standaardantwoord voor elke stap waarover ze vergeten heeft je te vertellen.)

'Hoe lang?'

'Tot het klaar is!'

Ze nam elke gelegenheid te baat om erop te wijzen dat het onmogelijk was om in Amerika tabeekh te maken. De slagers in Amerika zouden het vlees nooit fijn genoeg kunnen malen. De tomaten zouden niet goed smaken. De mlukhieh was geen echte mlukhieh. Dit was haar manier om ons te vertellen dat ze ons miste en te proberen ons naar Beirut terug te krijgen. Maar elke keer dat we haar belden om te vertellen dat we op bezoek zouden komen, snoof ze, alsof ze het pas zou geloven wanneer ze ons zag.

Cara had gelijk: wij zullen nooit het gevoel vinden dat we erbij horen. Ik zal het niet vinden in een winkel, in een stad, of zelfs op een boerenmarkt, omdat het niet iets is wat je kunt vinden, maar iets wat je maakt. Ik leg een tuin aan, lees een boek. Ik drink koffie met mijn buren. Ik kook eten voor mijn vrienden. Ik wacht niet tot ik een afspraak kan maken. Ik bel Georges in Cleveland, Roaa in Denver of Adessa in Beirut. Ik bel mijn moeder en vraag wat ze vanavond eet. Ik koop een broodje en eet het op straat en verwonder me over het feit dat de trottoirs hier voor voetgangers zijn en niet voor auto's, zoals in Beirut.

Wanneer ik door de straten van New York loop, zijn er momenten waarop ik toevallig oogcontact maak met een man die juist een hap neemt van zijn hotdog of burrito of broodje falafel. Dan kijkt hij op met een plotselinge, bijna hondachtige blik van schaamte, omdat hij een volle mond heeft en in het openbaar loopt te eten, en omdat dat de Amerikaanse manier is om te reageren wanneer je betrapt wordt met je mond vol. En zonder na te denken wil ik 'Sahtain' zeggen. Voor de duizendste keer denk ik dat het zonde is dat wij daar in het Engels geen woord voor hebben, dat we wel op straat eten maar er niet echt van genieten zoals ze dat in het Middellandse Zeegebied doen. En dus zeg ik het toch, ook al zal die jongen waarschijnlijk denken dat ik gek ben: sahtain! Eet, in Gods naam!

Dankwoord

Het moeilijkste van het bedanken van andere mensen is dat ze weigeren zich te gedragen. Vertalers worden vrienden (en andersom). Bronnen groeien uit tot mentors. Een meelezer wordt bovendien iemand met wie je culinaire geheimen deelt. In verband met de ruimte heb ik geprobeerd hen te ordenen, maar veel van de mensen die ik hierna bedank, passen niet in één categorie.

Een aantal van de mensen die me het meest hebben geholpen, kan ik hier niet bij naam noemen, voor hun veiligheid en die van hun geliefden. Ze weten zelf wie ze zijn en hoeveel ik aan ze te danken heb.

Toen ik als groentje op het gebied van oorlogsverslaggeving in Bagdad en Beirut kwam, waren collega-journalisten vrijgevig met hun bronnen, satelliettelefoons, in de loop van jaren opgedane wijsheid, alcohol en geroosterd vlees. Onder hen waren Chris Albritton, Jackson Allers, Anne Barnard, Nick Blanford, Kate Brooks, Andrew Lee Butters, Thanassis Cambanis, Charlie Crain, Babak Dehghanpisheh, Yochi Dreazen, Farnaz Fassi'shi, Kim Ghattas, Ben Gilbert, Christine Hauser, Betsy Hiel, Warzer Jaff, Larry Kaplow, Ashraf Khalil, Ibrahim Khayat, Rita Leistner, Joe Logan, Matt McAllester, Challiss McDonough, Andrew Mills, Diana Moukalled, Evan Osnos, Scott Peterson, Jim Rupert, Moises Saman, Kate Seelye, Anthony Shadid, Tina Susman, Letta Tayler en Liz Sly.

In Bagdad gaf Betsy Pisik me een stoomcursus oorlogsverslaggeving. ('Niemand wil lezen over gezondheidshygiëne,' vertelde ze me, 'maar iedereen wil lezen over baby's.') Hazem Al-Amin en Maher Abi Samra zorgden voor arak en af en toe een vertaling Arabisch-Frans. Rebecca Bou-Chebel bracht de vitaliteit van Beirut naar het door oorlog verscheurde Bagdad; Manal Omar en Hassan Fattah maakten me aan het lachen als er alle reden was om te huilen. En het Institute for War & Peace Reporting creëerde in Bagdad een eiland van beschaving, gastvrijheid en journalistieke ethiek, dankzij de bijzondere mensen die we daar ontmoet hebben, onder anderen Michael Howard, Salaam Jihad, Steve Negus, Hiwa Osman, Usama Redha, Maggy Zanger, en Hiwa's onvergetelijke tandoori-kalkoen met Thanksgiving.

Amir Nayef Toma, de Vergilius van Bagdad, opende me de ogen voor de schoonheid van het gewone en het ongewone leven in zijn stad. Hij is een moderne al-Jahiz en een ware wereldburger. Reem Kubba en haar echtgenoot Sadiq trakteerden ons in hun prachtige huis op poëzie; Oday en Usama Rasheed, Ziad Turky, Basim al-Hajar, Basim Hamed, Faris Harram en Nassire Ghadire spraken over B.B. King, de liederen van al-Qubanshi, *The Exorcist*, *Three Kings*, de Iraakse dichter al-Jawahiri en The Doors.

De diepgevoelde compassie van Alan King voor de mensen van Irak, en de toewijding waarmee hij alles over hun geschiedenis en religie te weten probeerde te komen, was voor mij een voorbeeld. Ik ben hem bovendien dankbaar dat hij ons heeft voorgesteld aan sjeik Hussein Ali al-Shaalan, van wie we zoveel geleerd hebben, en Adnan al-Janabi, die me inspireerde om de boeken van Hanna Batatu, Ali al-Wardi en Ibn Khaldun te lezen.

Speciale dank aan dr. Salama al-Khafaji, sjeik Fatih Kashif al-Ghitta en dr. Amal Kashif al-Ghitta. Ik hoop dat uit dit boek duidelijk wordt hoeveel hun vriendschap voor mij betekent. *Beitkum aamra, sufrah aamra.*

Alle fantastische redacteuren met wie ik bij *The Christian Science Monitor* heb samengewerkt, verdienen mijn dankbaarheid. Toch ben ik speciale dank verschuldigd aan die cruciale eerste redacteuren – Josh Benson, Jeremy Kahn en Jim Norton – die de opzetjes van een onbekende freelancer in Irak lazen en erop reageerden. Zonder hen zou ik nooit het geluk hebben gehad om te kunnen werken met Franklin Foer, Richard Just, Joshua Kurlantzick, Adam Kushner, Kate Marsh, Amelia Newcomb, Clay Risen en David Clark Scott. Adam Shatz en Roane Carey bij *The Nation* stimuleerden me om te schrijven op een manier waarvan ik niet wist dat ik die in me had. James Oseland, Georgia Freedman en Dana Bowen van *Saveur* wisten van schrijven over eten iets intelligents, nuchters en compromisloos kosmopolitisch te maken.

Als journalist heb ik het voorrecht gehad om te kunnen praten met een aantal van de meest briljante wetenschappers, activisten en politieke analisten ter wereld. Ik ben intellectueel schatplichtig aan Charles Adwan, Khalil Gebara, Timur Goksel, Nadim Houry, Samir Kassir, Isam al-Khafaji, Chibli Mallat, Jamil Mroue, Amal Saad-Ghorayeb, Paul Salem, Nadim Shehadi, Lokman Slim, Fawwaz Traboulsi en Mai Yamani, die allen hun enorme kennis van en inzicht in de geschiedenis, religies, cultuur en maatschappij van het Midden-Oosten met me deelden. Ahmad ElHusseini en Fouad Ajami verbaasden me tijdens een zeven uur durende lunch, een van Ahmads altijd onvergetelijke maaltijden, met hun kennis van sjiitische geschiedenis, politiek en theologie. Entifadh Qanbar onthulde me het geheime sektarische leven van Iraakse gerechten. Rami Khouri en het Issam Fares Institute openden voor mij de deuren van de bibliotheek van de Amerikaanse Universiteit van Beirut, door me in te schrijven als aangesloten wetenschapper.

Lizzie Collingham, Martin Jones, Nawal Nasrallah en Dani Noble deelden hun kennis uit de voedingswetenschap en inzichten in de culinaire geschiedenis van het Midden-Oosten. Faleh Jabar en Sami Zubaida waren zeer gul met hun breed georiënteerde intellect en hun herinneringen aan het oude Bagdad. Shadi Hamadeh van de Food Heritage Foundation liet me kennismaken met Aunty Salwa, de SNOB-theorie en de oranjebloesem-

limonade van Wardeh. Rami Zurayk sprak met me over eten, voedsel verbouwen en macht, woorden die altijd samen gebruikt zouden moeten
worden.

Barbara Abdeni Massaad zou een boek kunnen schrijven (en dat deed
ze dus ook) over manoushi, en ook over mouneh. Haar onverschrokken
verslaggeving bracht bezieling in dit boek en haar passie en eindeloze
nieuwsgierigheid hebben me geïnspireerd om het af te maken. Ook Malek
Batal en Beth Hunter hebben een niet te kwantificeren bijdrage aan dit
boek geleverd. Malek vertelde me culinaire verhalen, leerde me spreekwoorden en geschiedenis en liet me zien hoe ik mijn gietijzeren pan
schoon moest schrobben met koffiedik. Beth liet me delen in haar economische onderzoek en haar cynische gevoel voor humor. En alsof dat nog
niet genoeg was, stelden ze me voor aan Wassim Kays en Maha Nasrallah, die ons op een perfecte middag in Batloun pompoen-kibbeh en water-
meloen voorzetten.

Veel dank aan iedereen die recepten en keukengeheimen met me heeft
gedeeld. Nelly Chemaly, Muna al-Dorr (beter bekend als Umm Ali), Ali
Fahs, Kamal Mouzawak en iedereen van Souk el Tayeb leverden recepten
en andere vormen van wijsheid. Adessa Tawk stond bij me op de stoep
met appels, tomaten, komkommers, spinazie, olijfolie, mouneh en familie-
recepten. Georges Naassan, zijn moeder en Katia ('Monique') Medawar
droegen recepten voor terwijl we rode wijn dronken bij Bardo en Walimah; en Samar Awada leerde me het geheim van echte tabouleh. Bassam
Badran (alias 'De Foul-koning') en Rawda Mroueh van Matbakh al-Beiti
gaven me recepten die ze in hun restaurants gebruiken. Siad Darwish, Ali
Shamkhi en alle andere Irakezen met wie ik in Beirut gekookt heb (ik kan
ze niet noemen, maar ze weten wie ik bedoel) leerden me de vreugde van
de Iraakse kookkunst kennen. Eliane BouChebel, Wardeh Loghmaji, Leena
Saidi, Malek Batal (al weer!) en Umm Nabil gaven hun mlukhieh-gehei-
men prijs. Verder speciale dank aan tante Khadija, tante Nahla en, zoals
altijd, Umm Hassane.

'Er wordt algemeen aangenomen dat er bij het vertalen altijd iets verloren gaat,' schreef Salman Rushdie ooit, 'maar ik hou me koppig vast aan
het idee dat er ook iets gewonnen kan worden.' Rayane Alamuddin, Bassam Moussa, Usama Redha, Leena Saidi en een of twee mensen die ik niet
kan noemen, openden voor mij een wereld van connotaties, dubbele betekenissen, werkwoorden en spreekwoorden, poëzie en woordgrappen. Ik
denk dat ze weten hoe gelukkig ik mezelf prijs hen als vertaler en vriend
te hebben. Hayat Shibl leerde me om op vier verschillende manieren 'bedankt' te zeggen; Samar Awada, soms leraar en altijd vriend, leerde me
om niet bang te zijn voor het geschreven Arabisch.

Sirene Harb en Bassem Mroue vertelden ons tijdens het eten van fattoush bij Abu Hassan en de Baromètre verhalen en moppen en leerden
ons over de geschiedenis. Paula Khoury voerde me wodka, sigaretten en
boeken. Rhonda Roumani liet me Damaskus zien; Tania Mehanna maakte

het altijd aangenaam voor ons om terug te gaan naar Libanon; en Rym Ghazal vond, naast vele andere dingen, een huis voor onze lieve Shaitan. Jiro Ose en Julia Zajkowski wisten het rustigste appartement in Beirut voor me te regelen; Ralph Schray en Riad Hanbali bewezen dat huisbazen ook heren kunnen zijn; en Rabih Dabbous redde me van de *Bukhala* van Ras Beirut.

Bilal El Amine, Maha Issa en Abdulrahman Zahzah van T-Marbouta, die hun café ombouwden tot vluchtelingencentrum, herinnerden me eraan dat het woord 'restaurant' komt van 'restaureren', 'goedmaken'. Maren Milligan sleepte me mee naar de Baromètre en was mijn onderzoeksgoeroe. Romola Sanyal maakte de beste Indiase boterkip die ik ooit gegeten heb. Munir Abdallah versloeg me met scrabble, kon toveren met kardemom en organiseerde de tangoavonden, waar ik Adessa Tawk en Georges Naassan ontmoette. Hun vriendschap stroomt door elke pagina van dit boek.

Toen ik de laatste hand legde aan dit boek, verbleef ik in de allerbeste schrijvershuizen: de appartementen van mijn vrienden. Wanneer ik in New York op bezoek ging bij Pamela Roberts voelde ik me alsof ik 's nachts in een bibliotheek was ingesloten (mijn geheime doel in het leven). Victor Araman, de meest glamoureuze professor die ik ken, deed een stoelendans met ons en ruilde zijn appartement met het onze. Ook koesterden we onze vredige weken in het elegante huis van Les Payne en boven de achtertuin van Barbara en Gary Primosch.

In Beirut mocht ik toekijken hoe Imma Vitelli, voordat ze op weg ging voor een nieuwe opdracht, alles las wat ze kon, waarna ze haar appartement aan mij overliet. Nahlah Ayed, een onbevreesde verslaggever en een echte vriendin, bewees dat je de hardst werkende vrouw in de televisiewereld kunt zijn en toch een fantastische maqlubeh kunt koken. En als ik bij een stam hoor, maken Nizar Ghanem en Sean Carothers Lee daar ook deel van uit. Ik sliep op hun bank, plunderde hun koelkast en hun boekenplanken en maakte gebruik van hun kennis over alles wat het waard is om te weten.

En dan is er nog Cara Hoffman, die me de moed gaf om mezelf schrijver te noemen. Tijdens tien dagen logeren bij Cara leerde ik meer over schrijven dan in de tien jaar daarvoor; ik zou dit boek nooit voltooid hebben zonder die stresstrip naar de Schrijvers Goelag in het Noorden. Eli BenYaacov en Glenn Hoffman wisten ons menselijk te houden met hun heerlijke diners; Hunter S. Thompson, Iggy Pop en Seneca Drums-gin hielpen ons de klus af te maken.

Maren Milligan, Georges Naassan, Christa Salamandra en Robin Shulman lazen alle vier het manuscript en maakten waardevolle opmerkingen. Suhail Shadoud heeft uren besteed aan het corrigeren van mijn Arabisch en deed allerlei suggesties voor de transliteratie, beide met de welsprekendheid van een dichter en de precisie van een tandarts. En ik had het geluk om als feitencontroleur Jennifer Block te vinden, een ster van een onderzoeksjournalist. Zij heeft me voor meer fouten behoed dan ik kan opnoemen, en alle fouten die nog in de tekst staan, heb ik erin gesmokkeld toen zij even niet keek.

Dit boek zou er nooit geweest zijn zonder onze vrienden en mentors in New York. William Serrin moedigde me aan om een master in journalistiek te doen aan de universiteit van New York, waar Dick Blood me leerde om kogelgaten te tellen en het eten te eten. Brooke Kroeger liet me geloven dat ik een buitenlandcorrespondent zou kunnen zijn, en daarna een schrijver, en liet me nooit genoegen nemen met ondermaats werk. Jimmy Breslin en Ronnie Eldridge koppelden ons; Frankie Edozien, Bob Roberts en Hilary Russ bewaakten Amerika toen wij er niet waren; Rukhsana Siddiqui's jaarlijkse bezoeken aan New York waren reden genoeg om terug te komen. Robin Shulmann en Ethan Miller hielpen me met langeafstandstelefoontjes uit Beirut om me dit boek voor te stellen. Indrani Sen, Tracie McMillan en Kim Severson maakten dat ik schrijven over eten als een essentiële vorm van journalistiek zag. Alyssa Katz, Robert Neuwirth, Azadeh Moaveni en Jennifer Washburn gaven onmisbaar advies over agenten, voorstellen en contracten. Zodra de machinerie in beweging was, adviseerde Mary Anne Weaver me om altijd bergopwaarts te gaan; Deborah Amos, Laurie Garrett, Tim Phelps, Scott Malcomson, Suketu Mehta, Dan Morrison, Fariba Nawa, Basharat Peer en Helen Winternitz hielpen me allemaal om te geloven dat boeken ooit, op een dag, klaar zijn.

Speciale dank ben ik verschuldigd aan Flip Brophy van Sterling Lord Literistic. Zij moedigde mijn eerste pogingen om een boek te beginnen aan en stelde me later voor aan mijn agent en goede vriendin Rebecca Friedman. Rebecca begreep nog voordat ik dat zelf deed wat ik wilde schrijven; haar literaire kwaliteiten en inzicht transformeerden een halfbakken idee over eten en oorlog tot een voorstel en daarna een boek. Met haar pure intelligentie en vertrouwen staat zij aan de wieg van vele boeken.

Dominick Anfuso en Martha Levin van Free Press hebben vanaf het begin in *De Smaak van vrijheid* geloofd. Wylie O'Sullivan, mijn rustige, betrouwbare en fantastische redacteur, hielp me met eindeloos geduld om te navigeren door de psychologische oorlogsvoering van het schrijven van memoires. Haar opmerkzaamheid vormde een manuscript om tot een verhaal en ik prijs mezelf gelukkig met haar te hebben mogen werken. Mara Lurie zette de woorden op het papier met de onverstoorbaarheid van een kok achter een snelbuffet. Ellen Sasahara gaf de tekst vorm en maakte van dit boek een feest voor het oog. Nicole Kalian regelde de publiciteit en Eric Fuentecilla ontwierp het omslag, dus het is aan hen te danken dat je dit boek überhaupt leest. Sydney Tanigawa en alle anderen die me hebben verdragen: veel, veel dank en eindeloos veel baklava.

Ten slotte, de familie. Hassan, Hassane en Ahmad Bazzi hebben me verwelkomd in de hunne en Hanan Bazzi zorgde dat ik me thuis voelde in Beirut. Umm Hassane en Abu Hassane hoef ik niet meer te introduceren, maar ik wil hun graag nog een laatste keer dankjewel zeggen. Mijn moeder, Janina Ciezadlo, vertrok geen spier toen ik haar vertelde dat ik naar het Midden-Oosten ging verhuizen; de hele tijd dat ik in Beirut en Bagdad was, hield ze haar hoofd koel, maar ik weet hoe moeilijk het is wanneer een geliefde in een oorlogsgebied verblijft. Haar standvastige emotionele en intellectuele steun is er altijd voor me geweest. En ik wenste dat mijn grootouders, John en Constance Ciezadlo, er nog waren zodat ze dit boek in hun handen konden houden en zeggen, op die sceptische, verbaasde toon van ze: Moet je nou toch eens zien!

En als laatste, Mohamad. Een van de ergste dingen van het schrijven van een boek is dat het je weghoudt van de mensen van wie je houdt; een extra ironische frustratie wanneer je juist schrijft over hoeveel je van ze houdt. Mohamad heeft dit drie jaar lang verdragen en hield me in die tijd op de been met zijn gebruikelijke combinatie van kracht, intelligentie, droge humor en pure klasse. Dit boek is opgedragen aan hem.

Opmerking van de auteur

Het verhaal over de kalief en de Byzantijnse ambassadeur op pagina 94-95 is gebaseerd op de verslagen van een historicus uit de elfde eeuw: al-Khatib al-Baghdadi, prachtig vertaald en geannoteerd door Jacob Lassner in *The Topography of Baghdad in the Early Middle Ages*. De regels uit het gedicht van Abu Nuwas over het buurtcafé, op pagina 93 zijn een bewerkte versie van een vertaling door het Princeton Online Poetry Project. Ik heb ze omgezet in moderne spreektaal; ik heb zo'n vermoeden dat Abu Nuwas dat wel goed zou vinden.

En ten slotte: om hun veiligheid te waarborgen en hun privacy te respecteren heb ik de namen van sommige mensen in dit boek veranderd.

Recepten

Fattoush
Levantijnse broodsalade
voor 6 personen

In het Midden-Oosten wordt het door mensen van alle religies als een zonde beschouwd om brood weg te gooien. De noodzaak om het platte brood van de vorige dag op te maken, heeft gezorgd voor een scala aan gerechten – traditionele Arabische schotels zoals fatteh (zie Fattet hummus, pagina 312), fattoush en de verschillende soorten broodsoep van het Arabische schiereiland – die het oudbakken brood omtoveren tot iets heerlijks.

Ingrediënten

Dressing
2 knoflookteentjes
½ tl grof zeezout
sap van ½ citroen
½ el granaatappelsiroop*
100 ml olijfolie, extra vierge

Salade
1 kropje Romeinse sla (bindsla)
2 handjes gehakte verse munt
2 handjes gehakte peterselie
6 fijngesneden lente-uitjes
50 gr postelein**
1 minikomkommer of ¼ komkommer
een paar radijzen, in vieren en daarna in dunne plakjes gesneden
1 grote of 2 normale pitabroodjes, liefst een dag oud
olijfolie extra vierge
500 gr sappige tomaten
½ tl sumak***, of meer naar smaak
versgemalen zwarte peper

Keukengereedschap
vijzel

1. Stamp de knoflook samen met het zout in de vijzel tot een pasta. Voeg de pasta bij het citroensap, roer de granaatappelsiroop erdoor en laat de dressing intrekken terwijl je de salade maakt.
2. Doe de Romeinse sla, munt, peterselie, lente-uitjes, postelein, komkommer en radijs in een grote schaal. (Als je de salade enige tijd van tevoren wilt maken, kun je de schaal nu in de koelkast zetten en de dressing er later over doen.)
3. Verwarm de oven voor tot 150 graden. Snijd de pitabroodjes doormidden en bestrijk ze aan alle kanten licht met olijfolie. Rooster ze in de oven tot ze knapperig en goudbruin zijn, ongeveer 5 minuten (let goed op, ze verbranden snel). Haal ze uit de oven. Als ze genoeg zijn afgekoeld breek je ze in kleine stukjes.
4. Voeg de tomaten en stukjes brood vlak voor het opdienen aan de salade toe. Meng de olijfolie door de dressing en giet die over de salade. Strooi er wat sumak en versgemalen peper over. Was je handen en hussel de salade dan met je handen goed door elkaar. Zorg ervoor dat elk blaadje en stukje groente bedekt is met dressing. Proef en voeg eventueel nog zout of sumak toe. Gelijk opdienen.

Variaties
Beschouw dit als basisrecept; met fattoush kun je restjes opmaken, improviseren en variëren zoveel je wilt. Je hoeft geen pitabrood te gebruiken; ander overgebleven brood kan ook. Sommige mensen houden van een grove salade, andere hebben de groente liever fijngesneden. Afhankelijk van je smaak kun je meer of minder sumak gebruiken. Sommige mensen voegen verse kruiden toe (probeer eens dragon of bonenkruid) en een paar dappere zielen voegen vreemde zaken zoals rauwe bloemkool toe. (Ikzelf hou van feta, gesneden paprika, avocado en za'atar.) En ga zo maar door.

Ik ben gek op knoflook, maar sommige mensen hebben hun fattoush liever zonder. Als je wel van knoflook houdt, maar je wilt geen al te opdringerige salade, snijd dan een teentje doormidden. Als er een groene uitloper aan zit, verwijder je die. Voor alleen een vleugje knoflook wrijf je de binnenkant van de schaal in met de snijkanten, voor iets meer smaak doe je de tenen in de dressing en laat het een tijdje trekken (maar vergeet niet de halve tenen eruit te halen voor je de salade opdient).

In plaats van het te roosteren kun je het brood ook in een pan frituren in olijfolie. Snijd het brood in vierkantjes of driehoekjes van ongeveer gelijke grootte (dit gaat heel handig met een keukenschaar). Verhit een flinke laag koolzaadolie of olijfolie (geen extra vierge) in een koekenpan. Als de olie heet genoeg is, frituur je de stukjes brood met een paar tegelijk. Draai ze voorzichtig om tot ze knapperig en aan beide kanten goudbruin zijn. Laat de stukjes uitlekken op keukenpapier.

* Granaatappelsiroop kun je vinden in bijvoorbeeld de Turkse supermarkt.

** Postelein is een enigszins vergeten groente, die in het voorjaar bij de groenteboer of in de biologische winkel te krijgen is. Het smaakt een beetje zurig. Eventueel te vervangen door waterkers, veldsla, wilde spinazie, veldzuring of andere eetbare wilde groente die je bij jou in de buurt kunt vinden.

*** Sumak is een struik waarvan de besjes gedroogd en gemalen worden tot een donkerrood poeder. Het heeft een zure smaak. Je kunt het in Marokkaanse en Turkse winkels kopen.

Batata wa bayd Mfarakeh
Kruimig gebakken aardappels met ei
voor 4 ruime porties

Langzaamaan, dat is het geheim van dit gerecht. Sommige koks frituren de aardappelen, maar ik geef de voorkeur aan Umm Hassanes methode, die maakt dat de consistentie meer lijkt op die van gebakken aardappelen. Het standaardrecept wordt gemaakt met alleen eieren, uien en aardappelen, maar op deze simpele basis valt uitstekend te variëren. Voeg bijvoorbeeld stukjes gesneden paprika en/of knoflook toe aan de uien; meng gerookte zalm, room of je favoriete kaas door de eieren (ik hou van feta, geitenkaas of cheddar). Ook heerlijk met komijn, zwarte mosterdzaadjes en een snufje kerriepoeder.

Ingrediënten
2 middelgrote uien, gesnipperd
2 el koolzaad- of olijfolie
4 middelgrote kruimige aardappels, geschild en in kleine blokjes gesneden
½ el zeezout, plus zout voor de aardappels
8 eieren

Optioneel
1 handje fijngehakte verse kruiden, zoals oregano, rozemarijn en/of tijm.

Keukengereedschap
middelgrote braadpan

1. Fruit de uien in de olie in een gietijzeren braadpan of hapjespan. Roer regelmatig en laat ze niet verbranden. Doe na 2 à 3 minuten, wanneer de uien zacht beginnen te worden, het deksel op de pan en zet het vuur laag. Roer elke 10 minuten even om te zorgen dat de uien niet aan de bodem vastplakken of aanbranden. Laat ze nu nog niet bruin worden; ze moe-

ten heel langzaam karameliseren. Zet wanneer ze veel vocht beginnen los te laten en doorzichtig worden het vuur zo laag mogelijk (gebruik eventueel een vlamverdeler).

2. Bestrooi terwijl de uien opstaan de aardappelblokjes rijkelijk met zout, schud alles door elkaar en laat ongeveer 5 minuten staan. Spoel daarna heel goed af met koud water.

3. Na zo'n 30 minuten beginnen de uien als het goed is goudbruin te worden. Zet het vuur iets hoger en haal het deksel van de pan om zo veel mogelijk vocht te laten verdampen. Voeg het zeezout en de aardappelblokjes toe en meng alles door elkaar. Als je verse kruiden gebruikt, voeg die dan nu toe.

4. Zet het vuur heel laag en doe het deksel op de pan. Laat de aardappelblokjes onder af en toe roeren zacht worden; meestal duurt dat 10 tot 15 minuten, dus proef nu en dan. Als je van knapperig houdt, zet je nu het vuur hoog, voegt nog wat olie toe en laat ze tussen het roeren door krokant worden. De aardappelen zijn klaar als ze aan de randen beginnen te verkruimelen en je er makkelijk met een vork in kunt prikken. Voeg naar smaak zout en kruiden toe.

5. Breek de eieren direct boven de pan. Roer totdat het ei net begint te stollen. Haal de pan van het vuur en blijf roeren tot de eieren gaar zijn (ze bakken nog een minuut of twee door vanwege de hitte van de pan). Proef en breng op smaak met zout, peper en wat je verder nog lekker vindt.

Umm Hassane raadt aan de batata wa bayd te serveren met groene salade. Het gaat ook verrassend goed samen met plakjes tomaat, besprenkeld met olijfolie en bestrooid met wat zout.

Variatie
Voor een versie waarin de ingrediënten minder zacht en met elkaar vermengd zijn, kun je de aardappelen frituren. Giet terwijl de uien langzaam karameliseren, in een gietijzeren pan of hoge hapjespan een centimeter of vijf koolzaadolie of een andere neutrale olie die geschikt is om flink te verhitten en verhit tot 150 graden. Frituur de aardappelblokjes in kleine hoeveelheden tegelijk tot ze licht goudbruin zijn. Haal ze met een schuimspaan uit de olie en laat ze uitlekken op keukenpapier. Schep ze door de gekarameliseerde uien en voeg daarna de eieren toe zoals hierboven beschreven staat.

Shawrabet shayrieh

Noedelsoep
voor 4 tot 6 personen

Deze soep is een favoriet van de familie Bazzi. Ik dacht dat het een recente uitvinding was, een soepachtige variatie op de klassieke spaghetti met gehaktballetjes. Toen ontdekte ik dat de praktijk van het koken van gehaktballen en fijne noedels in soep helemaal teruggaat tot het Bagdad van de middeleeuwen (en waarschijnlijk nog verder). Arabische kolonisten introduceerden noedels in Italië, en de Italianen perfectioneerden de kunst van het maken van *pasta secca*. Moorse veroveraars namen de gehaktballetjes van hazelnootformaat, al-bunduqieh, mee naar Spanje, waar men ze al-bóndigas noemde. De Spanjaarden vervolmaakten het recept door naar de Nieuwe Wereld te varen en de tomaat mee terug te nemen naar het Middellandse Zeegebied. Dit recept combineert pasta, gehaktballetjes en tomatensaus in een soep van oud en nieuw, traditie en vernieuwing, Europa en Azië en de Nieuwe Wereld.

Ingrediënten
30 ml olijfolie (geen extra vierge)
100 gr capelli d'angelo (heel dunne spaghetti), gebroken in stukjes van zo'n 2 cm
225 gr kafta (recept volgt), tot kleine balletjes gerold
2 flinke knoflooktenen, geperst
800 gr tomatensaus of gepureerde tomaten (of 2 kilo verse tomaten, geraspt of heel fijn gesneden, met 2 el tomatenpuree)
zout en versgemalen peper naar smaak

Optioneel
2 el fijngehakte zongedroogde tomaten
scheut rode wijn (ongeveer 50 ml)
1 el fijngehakte verse oregano of 1 tl gedroogde
2 el fijngehakt vers basilicum of 1½ tl gedroogd

Keukengereedschap
grote soeppan met dikke bodem
bord of schaal om de pasta apart te houden
spatel voor het roerbakken van de pasta en gehaktballen

1. Verhit de olijfolie in een grote soeppan boven matig vuur tot die heet is maar nog niet begint te roken. Voeg de pasta toe en bak die onder voortdurend roeren, tot de sliertjes geroosterd beginnen te ruiken en ze mooi goudbruin kleuren, ongeveer 2 minuten. Haal de pasta uit de pan, maar laat zo veel mogelijk olie achter, en zet apart in een schaal.

2. Bak de gehaktballetjes in de overgebleven olie onder zachtjes schudden, tot ze aan alle kanten bruin zijn, ongeveer 3 minuten. Zet als ze blijven plakken het vuur iets hoger en wacht tot ze vanzelf loskomen; probeer ze niet los te maken. Voeg de geperste knoflook toe (en eventueel de zonge-droogde tomaten) en bak nog ongeveer een minuut.
3. Als de knoflook begint te geuren, blus je de pan af met de tomatensaus (of de rode wijn, of het uiensap dat je nog overhebt als je je eigen kafta hebt gemaakt). Laat ongeveer een halve minuut pruttelen en voeg dan de apart gezette pasta toe, plus alle andere ingrediënten behalve het basili-cum. Voeg zout toe naar smaak. (De oregano smaakt soms in het begin een beetje bitter.)
4. Laat 10 tot 15 minuten pruttelen. Als je basilicum gebruikt, voeg je dat pas toe vlak voordat je het vuur uitzet. Laat het 1 of 2 minuten mee pruttelen. Proef opnieuw en voeg eventueel zout en kruiden naar smaak toe. Voeg zo nodig water toe. Dien op.

Variatie
Als je haast hebt, kun je in een kwartiertje shawrabet shayrieh maken door kant-en-klare ingrediënten te gebruiken (tomatensaus uit fles of blik, gehaktballetjes uit de vriezer). Of je kunt alles zelf maken en vrienden en familie inschakelen om je te helpen. Leuk om te doen voor kinderen van alle leeftijden.

Kafta
Genoeg voor ongeveer 12 kleine gehaktballetjes

Ik maak dit recept meestal met twee of vier keer de hoeveelheden en vries de balletjes die ik niet meteen nodig heb in.

Ingrediënten
½ middelgrote ui
2 el fijngehakte peterselie
2 el fijngesneden zongedroogde tomaten
225 gr runder- of lamsgehakt*
2 el pul biber (Turkse chilivlokken)
½ tl piment
½ tl zout
½ tl versgemalen zwarte peper
¼ tl komijn
¼ tl gemalen koriander
¼ tl kaneel

Keukengereedschap
rasp
keukenmachine (als je je eigen gehakt maakt)
kleine zeef of theezeefje
mengkom

1. Rasp de halve ui en laat uitlekken in de zeef of het theezeefje. Bewaar het sap voor de soep. Hak de peterselie en de zongedroogde tomaten heel fijn (als je wat overhebt, kun je dat ook voor de soep bewaren).
2. Meng alle ingrediënten met een vork of met je handen door elkaar. Kneed niet te lang; dan worden de gehaktballen te stevig.
3. Neem met een eetlepel of soeplepel (afhankelijk van de grootte van de gehaktballetjes die je wilt maken) steeds wat gehakt. Rol het tussen je handpalmen lichtjes tot een balletje, tot je er 12 hebt.

Dat is het. Je bent klaar. Denk er wel aan om je keukenmachine en alle andere spullen die in contact zijn gekomen met het rauwe vlees heel goed schoon te maken.

* Ik raad je aan om geen vlees te kopen dat al tot gehakt is vermalen. In Libanon is dat gemakkelijk: de slager gebruikt precies het vlees dat je wilt en maalt het waar je bij staat. Ook in Nederland kun je aan je slager vragen om het vlees voor je te malen, of je kunt het zelf doen. Koop een goed stuk vlees en maal er met de keukenmachine gehakt van. Zo doe je het:
1. Koop het vlees dat je lekker vindt (ik neem zelf graag magere riblappen of lamsschouder). Snijd al het bot en kraakbeen eruit. Je kunt er wat vet aan laten zitten, of je kunt je gehaktballetjes lekker mager houden; dat is het mooie van je eigen gehakt maken.
2. Snijd het vlees in zulke kleine stukken dat je keukenmachine het aankan. Laat de machine een paar keer kort draaien, genoeg om er een samenhangende massa van te maken. Maal het wat fijner als je steviger gehakt balletjes wilt, of laat het grof als je dat lekkerder vindt.

Foul mdamas van Abu Hadi
Verborgen tuinbonen
voor 4 personen

Elk land, elke stad of streek heeft zijn eigen manier om foul te serveren. In Egypte wordt het opgediend met onder andere boter, in Aleppo met de rode peper waar de stad om bekendstaat en in Damaskus kun je een soort foul krijgen met yoghurt erover. Ik hou van foul met gesmolten feta, hete pepers en een gebakken ei.

Ingrediënten

200 gr gedroogde tuinbonen*
750 ml water voor het weken, plus nog wat meer voor het koken
½ tl natriumbicarbonaat
150 gr gedroogde kikkererwten
500 ml water voor het weken, plus nog wat meer voor het koken
1 flinke theelepel grof zeezout
3 teentjes knoflook, geperst
50 ml citroensap (van ongeveer 1 citroen)
125 ml olijfolie, extra vierge
1 tl komijn
½ tl paprikapoeder
brood, tomaten in blokjes, lente-uitjes, verse groene peper en olijven om de foul mee op te dienen

Keukengereedschap

2 afsluitbare glazen of aardewerken schalen om de gedroogde bonen in te weken
2 middelgrote pannen
vijzel
schaal om in te serveren

De peulvruchten koken

1. Laat de bonen en kikkererwten elk in een eigen schaal 7 tot 12 uur weken. (Zet ze in de koelkast met een deksel op de schaal, tenzij het zo al koud is in je keuken.)
2. Gooi het weekwater weg en spoel de peulvruchten goed af. Doe de bonen en kikkererwten elk apart in een pan met ¼ theelepel natriumbicarbonaat. Voeg zoveel water toe dat de peulvruchten net onderstaan; je moet kleine bobbeltjes zien in het wateroppervlak.
3. Breng beide pannen aan de kook en laat het 10 minuten flink doorkoken. Niet roeren of het schuim wegscheppen. Voeg alleen genoeg water toe om te zorgen dat de peulvruchten steeds net onder water blijven staan. Giet na 10 minuten de tuinbonen af en doe er 750 ml nieuw water bij. Zet het vuur onder beide pannen lager en laat zachtjes koken tot de peulvruchten gaar zijn – afhankelijk van de bonen kan dat 1 ½ à 2 ½ uur duren – en voeg steeds net genoeg water toe als nodig is. De peulvruchten zijn waarschijnlijk niet op hetzelfde moment gaar, dus blijf goed opletten en proeven.
4. De kikkererwten zijn klaar wanneer ze vanbinnen zacht zijn, de schilletjes los beginnen te raken en sommige bonen doormidden zijn gespleten. Zet de pan in de gootsteen onder de koude kraan. Hou de pan schuin en laat het schuim wegspoelen. Pak als de erwten genoeg zijn afgekoeld twee handen vol en wrijf ze heel zachtjes tegen elkaar. De schilletjes moeten eraf komen, maar de kikkererwten moeten heel blijven. Spoel zo alle

erwten af met koud water. Als alle schilletjes verwijderd zijn, spoel je de peulvruchten nog één keer af om alle natriumbicarbonaat kwijt te raken. (Als je je foul wat langer van tevoren wilt voorbereiden: je kunt de gekookte, gepelde kikkererwten een dag of twee in de koelkast bewaren, of ze invriezen, waardoor ze tot 3 maanden houdbaar zijn.) Doe ongeveer een centimeter water in de pan en laat de kikkererwten op een laag vuur pruttelen; net genoeg om ze warm te houden, maar niet zo hoog dat ze uit elkaar vallen. Zorg dat er steeds een centimeter water in de pan staat.

5. De tuinbonen zijn klaar als ze vanbinnen zacht zijn en de meeste schilletjes open beginnen te barsten. Giet ze voorzichtig af, zonder ze al te veel door elkaar te schudden. Voeg een centimeter water toe en laat ze op dezelfde manier pruttelen als de kikkererwten.

De foul maken

1. Gebruik de stamper van de vijzel om het zout en de knoflook in een grote schaal fijn te wrijven. Voeg de helft van het citroensap toe en laat ongeveer 5 minuten staan. (Het citroensap 'kookt' de knoflook; hoe langer je het laat staan, hoe zachter de smaak wordt.)

2. Schep als je klaar bent om de foul te serveren alle tuinbonen en de helft van de kikkererwten samen met een deel van het kookvocht in de schaal met de knoflook. Stamp voorzichtig een deel van de peulvruchten fijn terwijl je ze door de knoflook mengt. Voeg de helft van de olijfolie toe. Voeg nog wat vocht van de kikkererwten toe als het te droog lijkt; ikzelf hou van een soepachtige, flink gepureerde foul met veel knoflook. Proef en voeg naar smaak olijfolie en zout toe.

3. Maak als je tevreden bent over de smaak een kuiltje in het midden van de foul en schep daar het restant van de kikkererwten in. Schenk de rest van de olijfolie erover en vervolgens wat er over is van het citroensap. Bestrooi met komijn en paprikapoeder. Serveer met brood, olijven, tomaten of wat je maar wilt.

Variatie

Het is zeker de moeite en de tijd waard om de peulvruchten zelf te weken en te koken (vooral als je extra veel maakt en invriest wat je niet meteen nodig hebt). Maar als je daarvoor geen tijd hebt, kun je dit recept ook maken met peulvruchten uit blik of glas. Gebruik blikken of potten van 400 gram en neem eentje van elk of twee blikken met gemengde bonen (verkrijgbaar bij de Turkse winkel).

Spoel de peulvruchten goed af onder stromend water. Verwarm ze in twee pannen en ga dan verder bij 'De foul maken'. Neem iets minder zout, ¼ theelepel (in ingeblikte peulvruchten zit al veel zout) en begin met 2 knoflooktenen, 30 ml citroensap en 80 ml olijfolie. Pas de hoeveelheid zout, specerijen et cetera aan je smaak aan.

* Het allerbelangrijkste geheime ingrediënt van een goede foul zijn goede

bonen. De gedroogde tuinbonen moeten klein zijn, ongeveer zo groot als gedroogde zwarte bonen, en warm lichtbruin van kleur. (Roodgekleurde bonen zijn oud; je kunt ze koken maar dat duurt een stuk langer en ze zijn niet zo lekker). Neem bij de kikkererwten de kleinste die je kunt vinden.

Fattet hummus van Abu Hadi
Fatteh van kikkererwten
voor 2 ruime porties

De sleutel tot dit verraderlijk simpel lijkende gerecht is om te zorgen dat je alle onderdelen zo snel mogelijk klaarmaakt. Abu Hadi's variant van dit populaire Levantijnse gerecht is, dankzij zijn wortels die in Damaskus liggen, iets anders dan de versie die je in Beirut vindt. Ik heb me wat vrijheden veroorloofd met zijn recept, zoals het verhitten van de komijn en het paprikapoeder in de boter, en het toevoegen van olijfolie. Ik weet zeker dat Abu Hadi het me zou vergeven; hij houdt ervan om te experimenteren met nieuwe smaken.

Ingrediënten
1 blik kikkererwten*
2 tenen knoflook
1 tl grof zeezout
10 ml citroensap (ongeveer ¼ citroen)
1½ el tahin
625 ml volle yoghurt
1 grote of 2 gewone pita's van een dag oud, in tweeën gesplitst
15 gr boter
15 ml olijfolie
2 el pijnboompitten
½ tl paprikapoeder
1 tl komijn
1 tl gedroogde munt

Keukengereedschap
kleine pan
vijzel
2 kleine kommen
1 of 2 schalen om te serveren (liefst van glas)
kleine koekenpan

1. Spoel de kikkererwten af en wrijf ze lichtjes tussen je handen om zo veel mogelijk van de schilletjes te verwijderen. Verwarm ze in een kleine pan met een heel klein laagje water boven heel laag vuur. Voeg zo nodig water toe.
2. Wrijf in een kleine kom de knoflook en het zout tot een gladde pasta. Voeg het citroensap toe en roer tot een dunne massa. Zet apart.
3. Neem de helft van het knoflookcitroenmengsel en doe dat in een tweede kom. Voeg de tahin toe en meng het er goed doorheen. Voeg de yoghurt toe en roer tot alles goed gemixt is. Zet apart.
4. Rooster of frituur de helften van de pitabroodjes tot ze goudbruin zijn (zie voor een stap-voor-stapuitleg het recept voor fattoush, pagina 303). Breek ze als ze genoeg zijn afgekoeld in kleine stukjes. Zet de helft apart. Leg de andere helft in een laagje onder in een schaal.
5. Giet de kikkererwten samen met hun kookvocht in de kom met de overgebleven helft van het knoflookcitroenmengsel. Roer goed door elkaar en stamp ongeveer de helft van de kikkererwten fijn. Doe ze in de schaal met het geroosterde brood. Giet het yoghurtmengsel erover.
6. Laat de boter samen met de olijfolie smelten in de koekenpan, boven een matig vuur. Doe de pijnboompitten erbij en rooster ze onder voortdurend schudden tot ze goudbruin zijn. Voeg paprikapoeder en komijn toe en schud zachtjes om te mengen. Strooi de pitten over de yoghurt en leg het overgebleven brood erbovenop. Garneer met gedroogde munt en strooi er eventueel nog wat komijn en paprikapoeder over.

* Ongeveer 150 gram gedroogde kikkererwten. Zie voor de bereidingswijze het recept voor foul mdamas, pagina 309)

Yakhnet kusa van Umm Hassane
Stoofschotel met courgette
voor 6 tot 8 personen

Dit is mijn favoriete yakhne, of groentestoofpot – misschien omdat het mijn eerste was – maar ze zijn allemaal heerlijk. Als je het basisrecept eenmaal onder de knie hebt, kun je variëren door in plaats van de courgettes andere groente van het seizoen te nemen. Ik vind het heerlijk met geroosterde bloemkool of dikke sperziebonen, Mohamad houdt van erwten en wortels. Bedenk je eigen versie.

Ingrediënten
60 ml olijfolie (en meer als nodig)
500 gr magere riblappen of lamsschouder, in stukjes van een paar cm
4½ liter water
3 kleine of 2 middelgrote uien, gepeld en in vieren gesneden
6 tenen knoflook

1 laurierblad
2 kruidnagels
8 zwarte peperkorrels
1 pimentbes
1 el zeezout, plus meer naar smaak
1 kilo kleine courgettes
6 el taqlieh (recept volgt, pagina 315)
vergemalen zwarte peper
3 of 4 citroenen

Keukengereedschap
2 grote braadpannen of soeppannen
schaal om het vlees apart te houden
flinke vijzel of keukenmachine
vergiet of zeef
rubberen pannenlikker

1. Verhit 30 ml olijfolie in een gietijzeren braadpan of soeppan, boven matig vuur. Voeg het vlees toe en schroei het aan alle kanten dicht tot het mooi bruin is, ongeveer 5 minuten. (In eerste instantie blijft het vlees aan de pan plakken, maar probeer het niet los te maken. Na een paar minuten zou het vanzelf los moeten gaan. Gebeurt dat niet, zet het vuur dan iets hoger.)
2. Voeg 1½ liter water toe, zet het vuur hoog en breng het aan de kook. Zet het vuur weer iets lager en laat het koken tot er geen schuim meer boven komt drijven, ongeveer 5 minuten. Giet het water af en gooi het weg. (Zie voor een uitleg van deze ongebruikelijke methode het recept van frikeh, pagina 315) Doe het vlees in een vergiet of zeef en spoel het schuim eraf.
3. Veeg de pan schoon en giet er 3 liter water in. Voeg vlees, uien, knoflook, laurierblad, kruidnagels, peperkorrels, piment en 1 eetlepel zout toe. Breng opnieuw aan de kook en zet het vuur dan heel laag. Doe een deksel op de pan en laat het vlees sudderen tot het gaar is, ongeveer 2½ uur.
4. Snijd terwijl het vlees suddert de courgette in plakjes van 1 centimeter dik en maak de taqlieh. Giet als het vlees gaar is de jus door een vergiet of zeef in een aparte pan. Doe het vlees met de uien in een schaal. Haal de specerijen en het laurierblad eruit en gooi ze weg.
5. Veeg de eerste pan schoon. Voeg 30 ml olijfolie toe en verhit die boven matig vuur, maar pas op dat het niet gaat roken. Voeg de taqlieh toe en bak ongeveer 2 minuten. Blijf steeds roeren en schraap de zijkanten en de bodem van de pan schoon zodat het niet vastplakt of aanbrandt.
6. Doe de courgette erbij zodra de taqlieh begint te geuren maar voor het zo droog wordt dat het aan de pan blijft plakken. Blijf roeren. Bak 2 tot

3 minuten op vrij hoog vuur en schud af en toe met de pan om ervoor te zorgen dat elk stukje courgette bedekt is met taqlieh. Voeg zo nodig meer olijfolie toe. Laat de courgette niet bruin worden.

7. Voeg zodra de courgette zacht en een beetje doorschijnend wordt de jus en het vlees toe en zet het vuur iets lager. Laat met het deksel erop sudderen tot de courgette zacht maar niet papperig is, 25 tot 45 minuten, afhankelijk van hoe groot de stukjes courgette zijn. Proef af en toe en prik met een vork in de courgette om te kijken of die al zacht genoeg is. Voeg zout naar smaak toe.

8. Dien op met zout, peper en vers citroensap naar smaak. Umm Hassane serveerde dit gerecht altijd alleen met rijst, maar ik vind het ook lekker met brood, bulgur of gewoon zo.

Taqlieh
Korianderknoflookpasta
voor ongeveer 6 eetlepels

Ingrediënten
1 bol knoflook, gepeld en geperst
1 tl zeezout
1 bosje verse koriander, zonder de dikke stelen en grof gesneden

Wrijf de knoflook met het zout fijn in een vijzel. Voeg de koriander toe en wrijf tot je een grove, geurige pesto krijgt.

Je kunt taqlieh heel goed invriezen. Ik maak meestal de dubbele hoeveelheid, doe wat ik niet meteen gebruik in kleine bakjes en giet er zoveel olijfolie over dat het net onderstaat (zo blijft de smaak beter bewaard). In een goede vriezer kun je dit tot 6 maanden bewaren.

Frikeh dajaj
Geroosterd gebroken graan met kip
voor 6 tot 8 personen

Ik vind het maken van frikeh veel lijken op het koken van risotto. Aan het begin hoef je niet voortdurend te staan roeren en de bouillon in piepkleine beetjes toe te voegen (al kun je het best doen als je wilt), maar aan het einde is dat wel nodig, als je tenminste de perfecte osmotische balans van vocht en graan wilt vinden. Je wilt dat de graankorrels heel langzaam opzwellen terwijl ze het vocht opnemen. Tegelijkertijd moeten ze genoeg gluten loslaten om de resterende bouillon te binden tot een romige saus. Umm Hassanes techniek om de boel halverwege even te laten rusten helpt de graankorrels om vocht en smaak op te nemen. Soms is het allerbelangrijkste ingrediënt tijd.

Er zijn grofweg twee manieren om frikeh met kip te maken: de gebruikelijke manier, waarbij je de kip en het graan apart houdt, en de plattelandsmanier waarop Umm Hassane het maakt, een rijke mix van vlees en graan. Ik geef je hier de versie van Umm Hassane.

Een laatste opmerking: de nootachtige, geroosterde smaak van frikeh past heel goed bij wild, waardoor het uitstekend geschikt is om na Thanksgiving te maken met de restjes kalkoen, plus de bijbehorende jus en bouillon.

Ingrediënten
400 gr frikeh*
15 gr boter en/of 15 ml olijfolie
1 wortel, in blokjes
1 kleine ui, gesnipperd
1 stengel bleekselderij, in stukjes
1 l kippenbouillon, plus zo nodig meer (recept volgt)
1 el zout (liefst grof zout of zeezout)
2 tl kaneel
½ tl versgemalen zwarte peper
½ tl gemalen piment
¼ tl nootmuskaat
een snufje gemalen kruidnagel
300 gr gaar kippenvlees (ongeveer de helft van het vlees dat je gebruikt voor de kippenbouillon, recept volgt)

Keukengereedschap
mengkom
grote zeef
grote soeppan of gietijzeren pan

1. Week de frikeh 15 minuten in water in een mengkom. Spoel goed af onder stromend water. Pak steeds een paar handen vol graan en wrijf de korrels ongeveer 5 minuten tussen je handen heen en weer en knijp erin. Als het goed is, komt er wat kaf bovendrijven doordat je de vliesjes van het graan af wrijft. (Ik heb van alles gevonden in mijn frikeh, van steentjes tot linzen tot stukjes touw.) Hou de kom schuin om het water met het kaf weg te laten stromen. Giet zo veel mogelijk van het water af. Als je een grote zeef hebt, kun je de frikeh daarin doen en afspoelen onder stromend water.
2. Verhit de boter en/of olijfolie in een grote soeppan of gietijzeren braadpan boven matig vuur. Voeg de groenten toe (ik doe meestal eerst de wortels erbij en laat ze een beetje karameliseren, waardoor er een zoete-aardappelachtige geur vrijkomt, voor ik de ui en selderij toevoeg). Fruit een paar minuten tot ze beginnen te geuren en wat van hun vocht loslaten.

3. Voeg zodra de uien zacht beginnen te worden de frikeh toe en bak een minuut of drie, tot het nootachtig begint te ruiken. Voeg voor het kan gaan aanbranden 1 liter bouillon en het zout toe en zet het vuur iets hoger. Breng aan de kook. Zet zodra het kookt het vuur zacht en voeg de specerijen toe. Doe het deksel erop en laat ongeveer 30 minuten pruttelen, maar roer wel af en toe. In dit stadium is het meestal nogal soepachtig; als het nodig is, kun je vocht toevoegen.
4. Haal van het vuur. De frikeh heeft op dit moment waarschijnlijk nog niet al het vocht geabsorbeerd; de individuele graankorrels zijn nog al dente en het geheel is een waterige, kleverige, onappetijtelijke massa. Laat het ongeveer 15 minuten staan en afkoelen en de bouillon absorberen terwijl je zelf iets anders doet, zoals noten bakken voor de krentennotentopping (optioneel, maar zeer aangeraden; recept volgt). Voeg na 15 minuten de kip toe.
5. Voeg wanneer op dit moment al het vocht al is geabsorbeerd (niet waarschijnlijk) wat bouillon toe, met kleine beetjes tegelijk. Hier komen we zo langzamerhand op het risottoterrein.
6. Breng de frikeh boven een matig vuur aan de kook. Zet het vuur iets zachter en laat het 30 minuten pruttelen, onder voortdurend roeren. Voeg zo nodig wat bouillon toe. Proef regelmatig of de graankorrels al gaar zijn. Ze zijn klaar als ze stevig en donzig zijn, maar niet langer al dente. Proef en voeg eventueel zout en specerijen toe naar smaak.

Umm Hassane serveert haar frikeh gewoon zo, en ik vind het heerlijk. Maar als je mensen wilt imponeren met een bijzondere presentatie, maak dan de krenten-notentopping, zie hieronder.

* Wanneer Arabische thuiskoks frikeh maken, gebruiken ze bijna altijd geroosterd jong graan dat is voorgekookt en gebroken. Dat is de soort die je in dit recept moet gebruiken. Je kunt proberen het te vinden in een Turkse of Marokkaanse winkel, maar soms kun je het ook online bestellen (zoek naar *freek, farik, frik, frick, fareek, freekeh, frikeh, fareekeh* of welke spelling je ook maar kunt bedenken).

Krenten-notentopping

Ingrediënten
15 gr boter
200 gr gehakte noten (ik gebruik gelijke hoeveelheden pijnboompitten, pistachenoten en amandelschaafsel)
50 gr krenten
1 tl kaneel (en nog wat bij het opdienen)
½ tl gemalen piment
½ tl zwarte peper
¼ tl gemberpoeder
snufje nootmuskaat
snufje kruidnagelpoeder
1 tl zeezout
olijfolie om de kom mee in te vetten

Keukengereedschap
kleine koekenpan

1. Verhit de boter boven matig vuur tot het begint te schuimen. Rooster de noten in de boter onder voortdurend roeren. Voeg wanneer ze aan alle kanten goudbruin worden de krenten, specerijen en zout toe. Blijf net zo lang roeren tot de krenten wat beginnen op te zwellen en de specerijen beginnen te geuren en haal dan de pan van het vuur. Proef het als het genoeg is afgekoeld en voeg zout en specerijen toe naar smaak.
2. Om de frikeh mooi op te dienen, vet je voor elke portie een ronde kom in met olijfolie en strooit een paar lepels topping op de bodem. Leg een laagje kip op de noten en daarbovenop de frikeh, tot de kom vol is. Duw het stevig aan. Zet een bord omgekeerd op de kom. Hou kom en bord goed vast en draai ze dan om zodat de kom op het bord staat. Schud heel zachtjes met de kom zodat de frikeh eruit komt. Haal de kom eraf (misschien is het nodig om een mes langs de rand te steken om de frikeh los te krijgen). Strooi er nog wat kaneel over. Dien op en neem het applaus in ontvangst.

Kippenbouillon
voor ongeveer 2 liter

Ik ben gek op deze oude Mesopotamische techniek om bouillon te maken, die in Irak nog steeds veel gebruikt wordt en waarbij het vlees wordt voorgekookt, waarna je het eerste kookwater weggooit. Ik heb ontdekt dat je hierdoor een helderder bouillon krijgt, met een puurdere, diepere smaak.

Ingrediënten
een kip van 2 kilo, in vieren gesneden
4 l water
4 takjes peterselie (met steel)
2 takjes verse tijm
1 laurierblad
3 middelgrote uien of preien (alleen het witte en lichtgroene deel), in stukjes
2 middelgrote wortels, in de lengte gehalveerd en in vingerdikke stukjes gesneden
1 bleekselderijstengel of ¼ venkelknol, in stukjes
6 tenen knoflook, zonder schil
1 tl grof zeezout
8 zwarte peperkorrels
3 kruidnagels

Keukengereedschap
grote soeppan met een inhoud van zeker 6 liter
grote zeef of vergiet
slagerstouw
tweede pan om de bouillon in te doen
grote schuimspaan of vleestang
fijne zeef

1. Doe de kip in de grote soeppan, voeg 2 liter koud water toe (of genoeg om te zorgen dat de kip onderstaat) en breng aan de kook. Zet het vuur laag en laat zachtjes koken tot er geen schuim meer boven komt drijven. Giet het kookwater af en gooi het weg. Spoel de kip af in een vergiet of zeef.
2. Veeg de pan schoon en doe er 2 liter koud water in. Bind de takjes peterselie en tijm samen met een stukje touw. Voeg de kip, kruiden, groenten, knoflook, zout, peperkorrels en kruidnagels toe en laat ongeveer een halfuur heel zachtjes koken (er mag steeds maar één belletje tegelijk naar het oppervlak komen).
3. Haal zodra de kip van de botjes begint los te vallen de stukken met een schuimspaan of een vleestang uit de pan en laat ze afkoelen in een scho-

ne zeef of vergiet die je boven een pan hebt gezet. Haal het vlees van de botjes zodra het genoeg is afgekoeld en zet het apart. Gooi de botten en het vel weg (of doe ze, als je houdt van een rijkere bouillon, terug in de pan en laat het nog tot 5 uur lang zachtjes doorkoken).

4. Zeef de bouillon met de fijne zeef of gebruik een vergiet waarin je een schone doek hebt gelegd. Gooi wat in de zeef achterblijft weg. De bouillon blijft 2 tot 3 dagen goed in de koelkast (kook 2 minuten voor je hem gebruikt). Of vries het in, met een laagje vet bovenop om de smaak goed vast te houden.

Mjadara hamra van Umm Hassane
Rode mjadara
voor 8 tot 10 personen

Ik heb me met dit recept een aantal vrijheden veroorloofd. Umm Hassane zou nooit specerijen toevoegen, omdat dit gerecht in de stad waar zij vandaan komt, zijn smaak puur krijgt van de gekarameliseerde uien. De kunst is om de uien bijna, maar nog net niet te laten aanbranden. Je moet een halfuur lang voortdurend roeren (eerst af en toe, later bijna zonder tussenpozen). Maar omdat de tijd die de uien nodig hebben, afhangt van hun watergehalte, versheid en grootte, raad ik je aan heel goed op te letten en meer te vertrouwen op je zintuigen – neus, oren en ogen – dan op de klok. Als je klaar bent, zal het in je keuken hemels ruiken.

Ingrediënten
500 gr bruine linzen
400 gr grove bulgur*
2 el zout, plus meer naar smaak
2 l water
500 ml koud water
125 ml olijfolie (geen extra vierge)
125 ml koolzaadolie
1 kilo uien (ongeveer 5 grote), gesnipperd
1 tl gemalen koriander
1 tl komijn
1 tl versgemalen witte of zwarte peper
1 tl pul biber (Turkse chilivlokken)
¼ tl piment
¼ tl kaneel

Keukengereedschap
middelgrote pan
grote gietijzeren braadpan

De linzen koken
Spoel de linzen en de bulgur apart af en gooi het water weg. Doe de linzen in een pan met 1 eetlepel zout en 2 liter water. Breng aan de kook en schep het schuim uit de pan. Doe het deksel op de pan en zet het vuur laag. Laat de linzen heel zachtjes doorkoken, ongeveer 40 minuten. Roer af en toe, en voeg zo nodig wat water toe.

De uien bakken
1. Zet 500 ml koud water klaar om over de uien te gooien als ze klaar zijn (als het zover is, heb je daar geen tijd meer voor). Verhit de olijf- en koolzaadolie in een gietijzeren pan boven matig vuur. Gooi als de olie heet is een klein beetje ui in de pan; als het flink begint te sissen is de olie heet genoeg. Doe de rest van de uien erbij en fruit ongeveer 5 minuten. Roer af en toe.
2. De uien zouden op dit moment veel vocht moeten loslaten, waardoor ze bijna koken in de mix van olie en uiensap. Ze ruiken nog steeds scherp en een beetje rauw door de zwavel die vrijkomt. Zet het vuur hoger en roer af en toe om te zorgen dat ze niet blijven vastplakken.
3. Na ongeveer 10 tot 15 minuten hebben de uien hun meeste vocht uitgescheiden. Zet wanneer ze beginnen te karameliseren en er langs de randen roodbruine plekjes verschijnen het vuur zachter en blijf roeren. Dit is een goed moment om even naar de linzen te kijken. Ze zouden héél zachtjes moeten koken, opzwellend in de hitte. Als je belletjes ziet, zet dan het vuur zachter en voeg eventueel wat water toe.
4. Intussen zijn de uien als het goed is helemaal goudbruin en langs de randen wat donkerder. Roer nu iets vaker – laat de linzen maar even voor wat ze zijn – en zet het vuur wat hoger. Zorg dat je het koude water in de buurt hebt voor het moment waarop ze roodbruin en knapperig worden en nog net niet beginnen te verbranden. Niet stoppen met roeren. De volgende paar minuten zijn cruciaal. Als nu de telefoon gaat: niet opnemen.
5. Op een gegeven moment, meestal zo'n 35 tot 40 minuten nadat je ze hebt opgezet, beginnen de uien heel snel te veranderen. Ze zwellen op als Rice Krispies en worden donker roodbruin. Ze beginnen enigszins naar bacon te ruiken; het bijna verbrande aroma van echte mjadara hamra. Zodra dat gebeurt, gooi je onmiddellijk het koude water over de uien, je haalt de pan van het vuur en blijft roeren. Ze blijven nog zo'n halve minuut heftig sissen. Blijf roeren tot de boel weer rustig wordt.

De mjadara maken

1. Controleer de linzen. Inmiddels zouden ze bijna al het water moeten hebben opgenomen. Ze zijn klaar wanneer ze zacht zijn en sommige beginnen open te barsten.
2. Zet de pan met uien weer op een hoog vuur. Als ze heftig beginnen te koken, doe je de linzen en specerijen erbij, plus zoveel water dat ze ruim onderstaan. Breng opnieuw aan de kook en laat ongeveer 10 minuten doorkoken.
3. Proef de linzen. Ze moeten nu heel zacht zijn en bijna uit elkaar vallen. Voeg zo nodig nog wat zout toe. Doe de bulgur erbij en zet het vuur iets lager. Het moet lekker blijven borrelen en een zacht pruttelend geluid maken terwijl de bulgur het vocht opneemt. Laat 10 minuten doorkoken.
4. Proef of de bulgur gaar is. Het moet zacht zijn maar niet té, bijna donzig. Voeg zo nodig zout toe. Doe het deksel stevig op de pan en zet het voor je het opdient minstens 1 uur op een warme plek: boven een heel laag vuur met een vlamverdeler of in een warme oven (sommige mensen wikkelen een handdoek of deken om de pan). Serveer met iets zuurs: tafelzuur, citroen, tomaten, tabouleh. Ik vind het bijvoorbeeld heerlijk met fattoush met veel citroen en volkoren pitabrood.

Variatie

Kun je niet genoeg krijgen van gekarameliseerde uien? Maak dan deze garnering erbij:

2 grote uien, in ringen
60 ml olijf- en/of koolzaadolie

Bak de uien in de olie boven matig vuur tot ze roodbruin en knapperig zijn. Doe ze over de mjadara.

* De bulgur die je in de supermarkt of biologische winkel koopt, is meestal vrij licht van kleur. De donkerbruine bulgur (vaak geïmporteerd uit Syrië of Libanon) heeft een hogere voedingswaarde en een steviger smaak, die goed past bij dit gerecht. Je kunt donkere bulgur, vaak ook in verschillende grofheden, vinden bij de Turkse winkel.

Kibbeh nayeh
Rauwe kibbeh
voor 4 tot 6 personen

Regel nummer een: maak dit alleen als je honderd procent zeker bent van het vlees dat je gebruikt. Regel nummer twee: koop geen kant-en-klaar gehakt tenzij je je slager voor tweehonderd procent vertrouwt. De veiligste manier is om je eigen vlees te malen (zie het recept voor kafta, pagina 308). Regel nummer drie: laat dit gerecht nooit een tijdje staan, ook niet in de koelkast. Het moet direct gegeten worden.

Umm Hassane, die de slagers in Amerika voor geen cent vertrouwt, hield eerst vol dat ze het vlees hier nooit fijn genoeg zouden kunnen malen voor kibbeh. 'Hoe moet je in Amerika in hemelsnaam kibbeh nayeh maken?' zei ze me ooit. 'Dat lukt je nooit!' Maar toen kwam ze erachter dat we thuis ons eigen gehakt konden maken, met een keukenmachine, en sindsdien heb ik het nooit anders gedaan.

Ingrediënten
200 gr fijne bulgur, liefst de donkerbruine soort
2 kleine uien, grof gesneden
1 handje peterselie, grof gehakt
1 handje muntblaadjes, grof gehakt
2 tl kamuneh (recept volgt)
1 tl zout
2 tl geraspte citroen- of sinaasappelschil
225 gr magere lamsschouder of runderriblappen, zonder vet of spieren, in stukjes
ijswater
een flinke hand walnoten, pijnboompitten, cashewnoten of andere noten die je lekker vindt

Om mee op te dienen
5 of 6 takjes munt
verse groene pepers
een paar kleine uitjes, in vieren gesneden
30 ml olijfolie, extra vierge, of meer naar smaak
Arabisch plat brood, bijvoorbeeld pitabrood of Turks brood

Keukengereedschap
fijne zeef
kleine mengkom
keukenmachine
wat grotere mengkom

1. Was de bulgur grondig. Laat het uitlekken in een zeef en doe het in een kleine mengkom. Voeg langzaam water toe en meng het met je handen. Wrijf de korreltjes om ze zacht te maken, tot ze vochtig aanvoelen. Laat het een uur weken.
2. Maal de uien, peterselie, munt, specerijen, citroen- of sinaasappelrasp en een kwart van de bulgur in een keukenmachine, tot het een korrelige, geurige pasta is. Haal het uit de machine en zet apart. Voeg dan de rest van de bulgur toe.

3. Maak de keukenmachine schoon, doe het vlees erin en maal het tot het heel fijn en glad is. (Misschien moet je het vlees eerst in kleine stukjes snijden, afhankelijk van wat je keukenmachine aankan.) Kneed het gehakt beetje bij beetje door het bulgurmengsel, alsof je brooddeeg aan het kneden bent. Doe er af en toe een klein beetje ijswater bij (sommige mensen doen dit kneden ook in de keukenmachine, met kapot gestampte ijsblokjes, maar dat vindt Umm Hassane maar niks). De consistentie moet stevig zijn maar ook glad, als natte klei.

4. Als het mengsel de gewenste consistentie heeft bereikt, maak je er een platte schijf van en druk je er met een vork ribbels in. Duw de noten erin, als je zin hebt in een mooi patroontje, en garneer met takjes munt, groene peper en stukjes rauwe ui. Giet er ruim olijfolie over. Serveer met plat brood, munt en rauwe ui, en schenk er meer olijfolie over als het begint uit te drogen. Eet het direct op. (Als er wat overblijft – wat bij mij nooit gebeurt – kun je er kleine gehaktballetjes van maken, ze invriezen en ze gebruiken in de shawrabet shayrieh.)

In de bergen van Libanon, waar de mensen nog steeds hun eigen wijn en arak maken, spoelt men de kibbeh nayeh weg met een slok vurige anijslikeur. Als je geen arak hebt, kun je Turkse raki, Griekse ouzo of Italiaanse sambuca proberen. Smaakt ook goed met een sterke rode wijn, kruidig en niet al te zoet.

Kamuneh
Komijnmengsel
voor ongeveer 3 eetlepels

'Kamuneh' is het verkleinwoord van *kamun*, komijn. Het is een van die Levantijnse specerijenmengsels waarvan net zoveel variaties bestaan als er in Libanon strijdende partijen zijn. In bepaalde buurten van Beirut verkopen oude vrouwen kamuneh op straat, per pond, met hete peper ernaast zodat je zelf de scherpte kunt aanpassen. Hanan koopt de hare bij een bakker in de buurt, die er rozenblaadjes in doet; die van tante Nahla is elegant en simpel, vooral komijnzaadjes en hete rode peper; en het familierecept van Adessa is zelfs nog eenvoudiger: komijn, piment, zwarte en witte peper. Ik koop de mijne bij een Libanees vrouwencollectief dat Earth & Company heet, waar ze er tien verschillende specerijen voor gebruiken, en Ali Fahs maakt de zijne met niet minder dan dertien ingrediënten. Iedereen vindt zijn of haar versie de beste. Ze hebben allemaal gelijk.

Ingrediënten
1 el gemalen komijn
1 tl versgemalen zwarte peper

1 tl versgemalen witte peper
1 tl piment
1 tl pul biber (Turkse chilivlokken)

Optioneel (maar wel aanbevolen)
¼ tl kaneel
¼ tl gemalen koriander
¼ tl gedroogde rozenblaadjes
¼ tl gedroogde majoraan
¼ tl gedroogde oregano
⅛ tl kruidnagelpoeder

Meng de specerijen in een kleine kom. Voeg desgewenst de optionele ingrediënten toe en verkruimel alle blaadjes. Bewaar op een koele, droge plaats.

Variaties

Kibbeh met tomaat
Dit is een klassiek boerengerecht voor mensen die zich geen vlees kunnen veroorloven, of voor dorpelingen die zich houden aan het gebruik om in de rouwperiode na de dood van een familielid of buurtgenoot geen vlees te eten.

1. Vervang het vlees door 500 gram fijngesneden rijpe tomaten. (Je kunt de schilletjes en de zaden verwijderen, maar meestal laat ik dat zitten.) Bestrooi de tomaten met zout en laat ze een paar minuten staan. Giet het vocht af en zet apart. Het vocht gebruik je voor de bulgur, in plaats van water.
2. Meng de bulgur, specerijen, uien en kruiden net als bij de kibbeh nayeh. Stamp de tomaten in een vijzel fijn terwijl je er langzaam olijfolie bij doet, en doe beetje bij beetje het bulgurmengsel erbij. De olijfolie en de tomaten met wat er nog aan sap in zit moeten met elkaar mengen tot een fluwelige substantie, een beetje zoals de traditionele Spaanse gazpacho. Voeg langzaam het apart gezette sap toe en blijf proeven, tot het de consistentie heeft van een tapenade. Serveer als bijgerecht of meze.

Kibbeh met aardappel
Vervang het vlees door 4 of 5 gekookte of gebakken kruimige aardappelen die je gepureerd hebt. Gebruik alleen de eerste 5 specerijen (komijn, zwarte peper, witte peper, piment, pul biber) in de kamuneh en laat de peterselie, munt en noten weg. Gebruik 2 eetlepels citroenrasp in plaats van 1 en voeg bovendien het sap van ½ citroen toe. Je hebt waarschijnlijk ook wat meer zout, olijfolie en pul biber nodig.

Kibbeh met rauwe vis
Bereiding hetzelfde als kibbeh nayeh, maar neem rauwe vis (zoals je die voor sushi gebruikt) in plaats van vlees. Gebruik alleen de eerste 5 specerijen (komijn, zwarte peper, witte peper, piment, pul biber) in de kamuneh. In plaats van 1 theelepel citroenrasp, gebruik je de rasp en het sap van een hele citroen. Experimenteer met andere specerijen en garneringen; het smaakt bijvoorbeeld uitstekend met citroengras en geraspte verse gember.

Mlukhieh van Umm Hassane
Juteblad
voor 6 tot 8 personen

Dit is niet de standaard mlukhieh die je in Beirut kunt eten (gepureerde bladeren, het vlees apart, geserveerd met uien en azijn). Dit is een scherpe, zuidelijke, boerenversie van mlukhieh, pittig en met veel knoflook, waarbij de hele blaadjes samen met de kip gestoofd worden en overgoten worden met citroensap.

Ingrediënten
110 gr gedroogde mlukhieh-blaadjes*
1 l water
1 l kippenbouillon (zie pagina 319)
10 el taqlieh (zie pagina 315)
30 ml olijfolie
1 ui, gesnipperd
3 grote bladen snijbiet
45 ml citroensap (ongeveer 1 citroen)
1 bol knoflook (8-10 teentjes), zonder de harde velletjes
6 gedroogde rode pepers
1 el zeezout, plus meer naar smaak
300 gr gaar kippenvlees van de kippenbouillon (pagina 319)
citroen in vieren gesneden om te serveren

Optioneel (maar zeer aanbevolen) om het mee op te dienen
pul biber (Turkse chilivlokken)
gekookte rijst

Keukengereedschap
2 grote soeppannen of gietijzeren braadpannen
zeef

Gedroogde mlukhieh weken

1. Spreid de blaadjes uit op een schoon werkblad. Haal steeltjes eraf, gooi bruine blaadjes en andere dingen die er niet in thuishoren weg.
2. Breng 1 liter water aan de kook. Doe de blaadjes in een soeppan of braadpan en giet het kokende water eroverheen. Doe het deksel erop en laat het weken tot het water is afgekoeld, op zijn minst 1 uur.
3. Spoel de blaadjes goed af onder stromend water tot het water dat eraf komt helder is. Laat de blaadjes uitlekken en doe ze weer in de pan. Voeg de kippenbouillon toe en breng aan de kook. Zet het vuur laag en laat zachtjes doorkoken tot de blaadjes zacht zijn, ongeveer 2 uur (afhankelijk van hoe oud de blaadjes zijn en hun grootte). Misschien moet je meer bouillon of water toevoegen.

De mlukhieh koken

1. Maak de taqlieh. Verhit de olijfolie in een tweede grote pan boven matig vuur. Voeg de uien toe en fruit langzaam, zonder ze te laten aanbranden, tot ze bruin en geurig zijn, ongeveer 30 minuten.
2. Zet het vuur onder de gekarameliseerde uien hoger. Voeg de taqlieh en de fijngesneden snijbiet toe en bak tot het begint te sissen en te geuren. Maak voortdurend los van de bodem en de zijkanten met een spatel om ervoor te zorgen dat het niet aanbrandt. Wanneer de taqlieh droog begint te worden en hardnekkig aan de bodem blijft plakken (na ongeveer 2 minuten) blus je het af met het citroensap. Voeg de mlukhieh-blaadjes met hun vocht toe, plus de knoflook, de pepers en het zout. Zet het vuur laag en laat prutteln tot de blaadjes heel zacht zijn, ongeveer 1 uur. Voeg het kippenvlees toe en laat nog 15 minuten prutteln.
3. Net als bij alle stoofgerechten wordt bij mlukhieh de smaak beter als je het een uur of twee in de koelkast zet, of zelfs een hele nacht, voor je het opdient. Warm het voorzichtig weer op en begiet rijkelijk met citroensap. Hou je van scherp, strooi er dan nog wat pul biber overheen. Wordt meestal geserveerd boven op een schaal rijst.

Diepvries- of verse mlukhieh koken

Gebruik 500 gram diepvries- of verse blaadjes. Laat de snijbiet weg (je gebruikt ze bij de gedroogde mlukhieh voor het frisse groene kleurtje). Sla de eerste drie stappen over en ga meteen naar 'De mlukhieh koken'. Nadat je de taqlieh hebt meegebakken, voeg je het citroensap toe en daarna de knoflook, pepers en verse blaadjes. Meng met een spatel om te zorgen dat de blaadjes helemaal bedekt zijn met knoflook en koriander. Voeg dan 1 liter kippenbouillon toe en breng aan de kook. Zet het vuur zo laag mogelijk en laat prutteln tot de blaadjes zacht zijn, ongeveer 1 uur. Serveer zoals boven beschreven.

Variatie
Mlukhieh is moeilijk verkrijgbaar in Nederland. Als je het niet kunt vinden maar je wilt het recept toch uitproberen, maak dan de eenvoudiger spinazie-yakhne die hierna volgt.

* Verse mlukhieh is lastig te vinden, maar je kunt het proberen bij winkels of markten met producten uit Noord-Afrika of het Midden-Oosten. In het diepvriesvak van de Turkse winkel vind je soms diepgevroren mlukhieh. De spelling varieert: *mlukhieh*, *melokhia*, *melokhiya*, *molokhia* et cetera. In Oosterse winkels vind je het als saluyot. De Nederlandse naam is juteblad of jute.

Yakhnet sbanegh
Spinaziestoofpot
voor 6 tot 8 personen

Ingrediënten
750 gr verse spinazie
30 ml olijfolie
10 el taqlieh (pagina 315)
6 gedroogde rode pepers
1 l kippenbouillon (pagina 319)
1 tl zout, plus meer naar smaak
300 gr gaar kippenvlees van de bouillon (pagina 319)
halve citroenen om te serveren

Optioneel
rijst om mee te serveren

1. Als je versgeplukte spinazie gebruikt, was die dan grondig een aantal keer, tot je op de bodem van de gootsteen geen zand meer vindt. Hak de blaadjes grof.
2. Verhit de olijfolie in een diepe koekenpan of braadpan boven matig vuur. Voeg de taqlieh toe en bak tot die begint te geuren en sissen. Gebruik een spatel om te zorgen dat het niet aanbakt. Voeg wanneer het droog wordt en aan de bodem blijft plakken (na ongeveer 2 minuten) de pepers toe en daarna steeds een handje spinazie. Keer de spinazie met een spatel om te zorgen dat de blaadjes goed bedekt raken met knoflook en koriander, tot de spinazie begint te slinken en heldergroen wordt, 4 à 5 minuten.
3. Voeg de kippenbouillon toe, 1 theelepel zout en het vlees. Laat zachtjes pruttelen, net lang genoeg om de smaken goed met elkaar te laten mengen, ongeveer 5 minuten. Proef en voeg zo nodig zout toe. Zet een uur of twee in de koelkast, of een hele nacht, voor je het opdient. Verwarm

het zachtjes en besprenkel rijkelijk met citroensap. In het Midden-Oosten wordt dit gerecht meestal geserveerd boven op een schaal rijst (en soms op verkruimeld oud brood met yoghurt eroverheen, als fatteh).

Tebsi baitinjan van Ali Shamkhi
Auberginestoofpot
voor 6 tot 8 personen

Dit is mijn favoriete Iraakse marga of stoofpot, een kunst waar je makkelijk een apart boek aan zou kunnen wijden. Sommige mensen maken het met langwerpige schijven gekruid gehakt (zoals de kafta van pagina 308), andere gebruiken langwerpige stukjes vlees, zoals ik hier doe, en weer andere gebruiken helemaal geen vlees. Voor Roaas vegetarische versie laat je gewoon het vlees weg en gebruik je iets minder specerijen.

Ingrediënten
500 gr aubergine
koolzaadolie of een andere olie die geschikt is om in te frituren
500 gr aardappelen, geschild en in plakken van 2 cm gesneden
1 grote ui, in plakken van 2 cm
1 groene paprika, in vieren en ontdaan van de zaadlijsten
1 rode paprika, in vieren en ontdaan van de zaadlijsten
2 grote vleestomaten (ongeveer 500 gr), zonder het harde middenstuk en in plakken van 1 cm gesneden
500 gr rosbief, in langwerpige stukken van zo'n 20 cm lang, dwars op de draad gesneden
1 grote knoflookteen, in achten gesneden
160 ml tomatenpuree
2 rijpe tomaten, gepureerd of geraspt (optioneel, maar geeft de saus een frisse smaak)
250 ml water, meer als dat nodig is
1 tl grof zeezout, plus zout voor de aubergines en meer naar smaak
1 tl Iraakse bharaat (recept volgt), plus meer naar smaak

Keukengereedschap
schaal en bord om de gezouten aubergine te laten weken
grote pan of gietijzeren braadpan
schuimspaan of vleestang
schaal voor het vlees
grote ovenbestendige pan (minstens 6 liter) met deksel

1. Schil de aubergines en snijd ze in plakken van zo'n 2 centimeter dik. Doe ze in een schaal en bestrooi ze met zout. Vul de schaal met koud water en leg er een omgekeerd bord bovenop om te zorgen dat de aubergine

niet gaat drijven (misschien moet je iets zwaars op het bord zetten of leggen, bijvoorbeeld een kom water). Laat de aubergine weken terwijl je de rest van de groente snijdt. Spoel de plakken daarna goed af en dep ze droog met keukenpapier.

2. Doe een flinke laag (ongeveer 5 centimeter) olie in een grote pan en verhit die boven een hoog vuur tot 180 graden. Frituur de aubergine- en aardappelplakken steeds met een paar tegelijk en draai ze af en toe om tot ze net goudbruin beginnen te worden, ongeveer 2 minuten. Haal ze uit de olie met de schuimspaan of vleestang en laat ze uitlekken op keukenpapier. Doe hetzelfde met de uien (90 seconden), de groene paprika (1 minuut), rode paprika (1 minuut) en een van de vleestomaten (15 seconden). Frituur het vlees tot het net bruin begint te worden, ongeveer 30 seconden, en doe het in een aparte schaal om het vleesnat op te vangen.

3. Doe 3 eetlepels van de olie in een diepe koekenpan of sauspan op matig vuur. Voeg de knoflook toe en bak tot die begint te geuren, ongeveer 1 minuut. Voeg de tomatenpuree toe en bak die ongeveer 30 seconden mee, al roerend tot het bruin wordt. Voeg 250 ml water toe, 1 theelepel zout, 1 theelepel van de bharaat, de gepureerde tomaten en het vleesnat dat je hebt opgevangen. Zet het vuur laag en laat zachtjes pruttelen.

4. Verwarm de oven voor op 180 graden. Leg de overgebleven tomatenplakjes op de bodem van een grote, ovenbestendige pan en maak vervolgens afwisselend laagjes van het vlees en de groenten tot de pan vol is. Strooi over elke laag een beetje van de specerijenmix. Proef af en toe of er nog zout bij moet.

5. Schenk de tomatensaus eroverheen en laat naar beneden zakken. Als dat nodig is, giet je er nog zoveel water bij dat het vocht tot net onder de bovenste laag staat. Steek een spatel langs de rand van de kom om te zorgen dat de saus tot onderop komt. Druk de laagjes met een houten lepel of spatel zachtjes aan. Breng op het fornuis langzaam aan de kook, doe dan het deksel erop en zet de pan 1 uur in de oven. Laat een halfuurtje rusten voor je het opdient. Je kunt dit gerecht met rijst serveren.

Iraakse bharaat

Iraaks specerijenmengsel
voor ongeveer 2 eetlepels

Ingrediënten
1½ tl zwarte peperkorrels
2 witte of groene kardemomzaden
2 hele pimentbessen
2 hele kruidnagels
1 tl komijnzaad
1 tl korianderzaad
1 tl gedroogde rozenblaadjes
1 gedroogde rode peper
½ tl gemalen nootmuskaat
½ tl kaneel
¼ tl gemberpoeder
¼ tl kurkuma

Keukengereedschap
zware koekenpan
kruidenmolen of vijzel

Verhit een droge koekenpan boven matig vuur. Doe de peperkorrels, kardemomzaden, piment en kruidnagels in de pan en rooster tot ze beginnen te geuren, ongeveer 2 minuten. Voeg komijn- en korianderzaad toe en laat ze onder voortdurend schudden ongeveer 2 minuten mee roosteren (vertrouw op je neus; haal de pan van het vuur als het aangebrand begint te ruiken). Doe de specerijen op een bord en laat ze afkoelen. Vermaal ze tot poeder, samen met de rozenblaadjes en de rode pepers. Roer de gemalen specerijen erdoor.

Libanese mighli
voor 8 kleine porties

Dit is een aangepaste versie van de recepten van twee spectaculaire koks: de moeder van Georges Naasan, die op een van de tangoavonden haar recept met me deelde, en Rawda Mroue van Côte de Veau (ook wel bekend als Beiti, dat 'mijn huis' betekent), een piepklein achteraftentje in Beirut waar je geweldig kunt eten.

Ingrediënten
Dessert
200 gr suiker
175 gr rijstmeel, gezeefd
1 l koud water
2 el kaneel
2 el gemalen karwijzaad
1 el gemalen anijszaad of venkelzaad

Topping
1 handje gepelde walnoten
1 handje hele witte amandelen of amandelschaafsel
1 handje pijnboompitten
1 handje pistachenoten (gepeld en ongezouten)
25 gr geraspte kokos

Keukengereedschap
pan
garde
8 kleine toetjesbakjes

1. Doe suiker, rijstmeel en water in de pan. Breng aan de kook, onder voortdurend roeren. Laat afkoelen.
2. Voeg de specerijen toe en laat het zachtjes doorkoken tot het dik wordt. Roer regelmatig. Schenk in 6 kleine bakjes en laat een nacht afgedekt in de koelkast staan.
3. Meng de noten en kokos (je kunt de kokos licht roosteren als je dat lekker vindt). Verdeel in 6 porties en strooi over de toetjes.

Verklarende woordenlijst

In *De smaak van vrijheid* laat ik de niet-Arabische lezer kennismaken met een aantal woorden die ik geleerd heb (en waar ik in veel gevallen van ben gaan houden). Veel van deze woorden komen uit het gesproken Arabisch, dat nogal afwijkt van de geschreven standaardtaal. Om die reden spel ik de woorden meestal fonetisch, in plaats van te proberen letterlijk de Arabische letters weer te geven, die lang niet allemaal een equivalent hebben in het Latijnse alfabet. Wanneer ik moest kiezen tussen consistentie en een getrouwe transliteratie, of leesbaarheid, heb ik altijd voor het laatste gekozen. Idiomatische Arabische uitdrukkingen heb ik vertaald naar begrijpelijke equivalenten.

ain
Fontein, bron of oog (en nog andere betekenissen).

ajnabi (mannelijk)/**ajnabieh** (vrouwelijk)/**ajanib** (meervoud)
Buitenlands, vreemd; buitenlander(s).

akil
Voedsel (afgeleid van het werkwoord *akala*, eten).

Allah
Arabisch woord voor God (letterlijk 'de god'), daterend van de tijd voor de islam. Gebruikt door moslims, christenen, joden, aanhangers van het bahai-geloof en andere Abrahamitische religies.

arak
Heldere alcoholische drank die zijn smaak krijgt van anijs en soms ook andere ingrediënten. In Libanon gewoonlijk gedistilleerd uit druiven en in Irak uit dadels. Traditioneel geserveerd met meze, vooral die gemaakt van rauw vlees.

arous
1. Bruid. 2. Sandwich van Arabisch plat brood, gevouwen om labneh en komkommer, za'atar, kaas of een andere vulling.

balad
1. Land, stad, gemeenschap. 2. Het centrum van de stad (spreektaal).

banadura
Tomaat of tomaten. Van het Italiaanse *pomodoro*.

Bedoeïen
Nederlands woord, afgeleid uit het Arabisch, voor leden of afstammelingen van nomadische woestijnvolken in het Midden-Oosten en het noorden van Afrika.

boub al-kusa
Zuid-Libanees dialect voor het binnenste van een uitgeholde courgette. Van *lub*, voor hart of kern.

dahiyeh
1. Buitenwijk. 2. In Beiroet een ander woord voor de 'Strook van Ellende', een aantal dorpen net ten zuiden van de stadsgrens, met voornamelijk sjiitische inwoners.

daimeh	Altijd (ook wel uitgesproken als 'daiman'). Gebruikt in uitdrukkingen als *'daimeh, inshallah'* (altijd, als God het wil).
dajaj	Kip.
diwan	Naast andere betekenissen: een ruimte om gasten te ontvangen of audiëntie te houden voor het publiek (spreektaal).
druzen	Leden van een heterodoxe religieuze gemeenschap binnen de islam, die vooral voorkomt in de Levant. Oorspronkelijk ontstaan als mystieke stroming binnen het sjiisme, een tak van de sjiitische islam.
duaa	1. Het aanroepen van God of het smeken tot God in allerlei situaties. 2. De aanroeping zelf.
fallaheen	Keuterboer of deelpachter.

faqir (mannelijk)/**faqirah** (vrouwelijk)/**fouqara** (meervoud)

	1. Arm, arme mensen. 2. Met beide benen op de grond, niet snobistisch (spreektaal).
fawal	Iemand die foul maakt.
fatayer	Gebakken envelopjes van brooddeeg gevuld met vlees, kaas of groente.
fattoush	Levantijnse salade die wordt gemaakt met verkruimeld Arabisch plat brood (van *fatta*, verkruimelen of in kleine stukjes breken).
fatteh	Gerechten gemaakt met laagjes verkruimeld plat brood, een basis van vlees of groenten en meestal overgoten met knoflookyoghurt.
fattet hummus	*Fatteh* gemaakt met kikkererwten.
fesenjoon	Een Iraans vleesgerecht (meestal gevogelte) gestoofd in een saus van granaatappels en gemalen walnoot. Wordt ook gegeten in het zuiden van Irak en zuidelijk Libanon.
foul	1. Tuinbonen, meestal gedroogd. 2. Kort voor *foul mdamas*.
foul akhdar	1. Verse tuinbonen (letterlijk: 'groene tuinbonen'). 2. Een gerecht gemaakt van hele verse tuinbonen, gestoofd met uien, knoflook en korianderblad.
foul mdamas	Een gerecht van gedroogde tuinbonen, gestoofd tot ze zacht zijn en vervolgens gepureerd met knoflook, citroensap, olijfolie, kruiden en soms kikkererwten of andere ingrediënten (letterlijk: 'begraven tuinbonen').

frikeh (ook *frik, farik, farikeh* etc.)

	Boven het vuur geroosterde jonge tarwe, meestal gebroken om het beter te kunnen bewaren en klaarmaken.
frakeh	Een gerecht van rauw vlees gemengd met bulgur en

	specerijen, veel gegeten in het zuiden van Libanon. Komt van dezelfde stam (*faraka*, wrijven) als frikeh.
furn	1. Een oven, met name een bakoven. 2. Een buurtbakkerij (spreektaal).
ghanouj (mannelijk)/**ghanoujah** (vrouwelijk)	
	Een plagerige, flirtende persoon.
hadarah	Beschaving, met name een die op één plek gevestigd is; het tegenovergestelde van een nomadische leefwijze. Vaak met de connotatie van moderniteit en stadsleven.
hadj	De pelgrimstocht naar Mekka, een van de vijf zuilen van de islam, die elke moslim eens in zijn leven moet maken.
Hadj (mannelijk)/**Hadji** (mannelijk of vrouwelijk)/**Hadjieh** (vrouwelijk)	
	Eretitels die worden gegeven aan moslims die de hadj gemaakt hebben (bovendien vaak gebruikt als aanspreektitel van oudere mensen, ook als ze de hadj niet gemaakt hebben, als teken van respect). In Irak heet een man die de hadj gemaakt heeft een *Hadji*, en een vrouw *Hadjieh*; in Libanon zijn de gebruikelijke namen *Hadj* (voor een man) en *Hadji* (voor een vrouw).
halal	Alles wat is toegestaan, met name volgens de islam (vaak gebruikt voor voedsel).
hamudh	1. Alles wat zuur is. 2. Citroenen of citroensap (spreektaal).
haraam	Alles wat verboden is, met name volgens de islam.
hijab	1. Sluier, scherm, gordijn of iets anders wat wordt gebruikt om iets te verbergen, beschermen of afschermen. 2. Kledingstuk, vaak een hoofddoek, dat gebruikt wordt om haren, nek en lichaam van een vrouw te verbergen.
hindbeh	1. Cichorei, paardenbloemblad en andere bittere groente. 2. Het gerecht gemaakt van bittere groente, gesauteerd met olijfolie, knoflook en gekarameliseerde uien.
hummus	1. Kikkererwten. 2. Universele afkorting voor *hummus bi tahinah*, het gerecht van gemalen kikkererwten met tahin, knoflook en citroensap.
iftar	Letterlijk 'het breken van de vasten'; de maaltijd die tijdens de ramadanmaand bij zonsondergang een einde maakt aan het vasten.
inshallah	Als God het wil (letterlijk: *in shaa Allah*, 'als gewenst door God').
jabalieh	Letterlijk: 'van de berg' of 'uit de bergen'. Vaak gebruikt voor fruit, groenten of gerechten die uit de bergen komen.

jajik	Salade van yoghurt, komkommer, knoflook en fijnge-hakte groene kruiden (meestal munt). Een iets andere versie is te vinden in middeleeuwse kookboeken uit Irak.
jazar	Wortel, peen (spreektaal).
jizr	1. Wortel of stengel. 2. De uit drie of vier letters be-staande stam van de meeste Arabische woorden.
kafta	Gehakt, gemengd met specerijen, uien en groene krui-den en gevormd tot balletjes, platte schijven, rolletjes, kebabs of andere vormen.
kafta bi saynieh	In Libanon: grote ballen of schijven *kafta*, gebakken op een bakplaat samen met groenten (meestal tomaten, aardappelen en tomatenpuree).
kamouneh	1. Specerijenmengsel met als basis komijn, dat wordt toegevoegd aan *kibbeh nayeh*; verkleinwoord van *ka-moun* (komijn). Ook *tahweeshet kamouneh* genoemd. 2. In het zuiden van Libanon, een mengsel van bulgur, specerijen en gepureerde groenten dat je zo kunt eten, of kunt toevoegen aan rauw vlees om *kibbeh nayeh* te maken.
kan ya ma kan	Vertalers en taalkundigen verschillen van mening over de oorsprong en betekenis van deze uitdrukking. Vol-gens sommigen luidt de uitdrukking *'kan yama kan'*, wat zoiets betekent als 'er was eens' of 'heel lang gele-den'. Anderen schrijven *'kan ya makan'*, wat meer iets is als 'er was een plek'. Sommigen leggen een verbinding met de oude uitdrukking *'kan fi makan fi qadim al-za-man'*, wat zoiets betekent als: 'Er bestond ooit een plek.' Nog weer anderen schrijven *'kan ya ma kan'* ofte-wel 'er was en er was niet'.
katab al-kitaab	Islamitisch huwelijkscontract (letterlijk: 'het boek schrij-ven' of 'het contract schrijven').
khadarji	Groenteboer.
khubaizeh	Malva sylvestris of groot kaasjeskruid, een plant met dikke groene bladeren die in de Levant in het wild voorkomt. Zo genoemd omdat de bladeren lijken op *khubz Arabi*, Arabisch plat brood.
kibbeh	Levantijns gerecht gemaakt van graan (in Libanon meestal bulgur), vaak gemengd met heel fijn gehakt vlees. Je kunt het op verschillende manieren verwer-ken: bijvoorbeeld tot balletjes, gevuld met gehakt, pijn-boompitten en specerijen (*kibbeh qras*); in laagjes afge-wisseld met gehakt op een bakplaat (*kibbeh bi saynieh*); of rauw (*kibbeh nayeh*). De Iraakse versie wordt *kubba*

genoemd en is vaak gemaakt van griesmeel of gemalen rijst.

kubbet hamudh Iraakse *kubba* geserveerd in een hartige groentesoep met citroen.

kunya Achternaam, ook een bijnaam, meestal afgeleid van de naam van het eerstgeboren kind of een persoonlijk kenmerk.

labneh Gezeefde yoghurt.

lahmajin Pizza-achtig brood, belegd met gehakt, specerijen en kruiden en gebakken in een hete oven. (Van *lahme bi ajin*, vlees met deeg.)

ma'al asaf Letterlijk: 'met spijt'. In spreektaal gebruikt voor 'sorry' of 'helaas'.

makdous Babyaubergine gevuld met walnoten, knoflook en pepertjes, ingemaakt in olijfolie.

makloubeh Een stoofpot van groenten, vlees en rijst. De ingrediënten variëren per regio, maar het gerecht wordt bijna altijd omgekeerd geserveerd (letterlijk: 'het omgekeerde').

manoushi (enk.)/**manaeesh** (meerv.)
Pizza-achtig brood uit de Levant, gebakken met verschillende soorten beleg. Het meest gebruikelijk is een mengsel van olijfolie en za'atar. (Letterlijk: 'het geschilderde' of 'het gegraveerde', naar het beleg op het brood.)

marga 1. Bouillon. 2. In Iraaks Arabisch elke stoofpot gemaakt met vlees, groente, fruit of alle drie. (Ook: *marag*.)

mashawi/mashweeyat
Gegrild vlees, respectievelijk in Levantijns en Iraaks dialect.

masquf Iraakse gegrilde vis; letterlijk 'aan het plafond gehangen' van *saqf*, plafond.

mdepress (mannelijk)/**mdepressa** (vrouwelijk)
Arabische spreektaal voor depressief, van het Engelse *depressed*.

Metawali Een neerbuigende term voor sjiieten, daterend uit de Ottomaanse tijd. Tussen Libanese sjiieten vaak onderling gebruikt om een band te scheppen.

meze Een keur aan kleine gerechten, zowel warm als koud, vergelijkbaar met tapas. Meestal geserveerd aan het begin van de maaltijd, aan grote groepen of in restaurants en bars.

mfarakeh Letterlijk: 'het gewrevene' (van dezelfde stam als *frikeh*). In Libanon vaak gebruikt voor fijngesneden groenten, kort gebakken met ei.

mhalabieh	Dessert, meestal gemaakt van melk, suiker en maïzena, op smaak gebracht met rozenwater, pistachenoten en kardemom. Letterlijk: 'gemaakt met melk'.
mjadara	Oud gerecht van linzen en graan (letterlijk: 'de pokdalige', vanwege de linzen in het graan). Ook wel 'Esaus favoriet' genoemd, naar het geloof dat dit het 'rode dat je daar kookt' was waarvoor Esau zijn geboorterecht aan zijn broer Jakob verkocht.
mjadara hamra	Ouderwetse, dorpse variant van *mjadara*, vooral gegeten in het zuiden van Libanon, gemaakt met bulgur en uien die gekarameliseerd zijn tot ze dieprood kleuren (letterlijk 'rode *mjadara*').
mlukhieh	1. *Corchorus olitorius*, de juteplant, waarvan de bladeren worden gebruikt als groente. In de Filippijnen bekend als *saluyot*. 2. Het gerecht gemaakt van *mlukhieh*-blaadjes en vlees (meestal kip of lam, maar in de kustregio's soms ook garnalen, vis of schelpdieren).
mtabal	Arabische naam, vooral gebruikt in Libanon, voor het gegrilde auberginegerecht dat ook wel bekendstaat als *baba ghanouj*. (Letterlijk: 'het gekruide'.)
mutah	Letterlijk: plezier, genot; kort voor *zawaj mutah*, of 'plezierhuwelijk', een tijdelijke vorm van het huwelijk die voornamelijk voorkomt bij sjiieten.
nafis	Ziel, geest, eetlust, identiteit, levendigheid, verlangen (en nog andere betekenissen).
peshmerga	Koerdisch voor guerrillastrijders, letterlijk: 'zij die de dood onder ogen zien'.
qarnabeet	Bloemkool.
qifa nabki	Letterlijk: 'stop, en laat ons wenen'. Een zin die beroemd is geworden door de pre-islamitische dichter Imru al-Kays. Vaak gebruikt om op een vriendelijke manier te spotten met nostalgie of sentimentaliteit, vooral voor dingen die misschien nooit bestaan hebben.
sahtain	Letterlijk: 'dubbele gezondheid'. Net zo gebruikt als 'op je gezondheid' of 'bon appétit', tegen iemand die eet of op het punt staat om te gaan eten.
sayadieh	Vis geserveerd met gekruide rijst en tahinsaus.
Sayyid	1. Een directe mannelijke afstammeling van de profeet Mohammed. 2. Een sjiitische geestelijke.
servees	In Libanon: een gedeelde taxi. Van het Franse 'service'.
shajar	1. Courgette, in Iraaks dialect. 2. Een boom, in Libanees dialect.
sharia	Islamitische wet.
shawrabet shayrieh	Noedelsoep.

shish taouk	Turkse naam, overal in de Levant gebruikt, voor kipke-bab.
shu baarifni	Letterlijk: 'Wat weet ik daarvan?' Vaak gebruikt in de betekenis: 'Dat moet je niet aan mij vragen!' of 'Hoe moet ik dat nou weten?'
souk (ook *souq*)	Markt of bazaar, met name een markt op straat.
suhoor	Maaltijd die tijdens de ramadan voor zonsopgang door moslims wordt gegeten, voor de ochtendgebeden en het begin van een dag lang vasten.
sujuk	Kleine, gekruide worst, waarschijnlijk oorspronkelijk uit Armenië, die je vindt van Centraal-Azië tot in Oost-Europa.
tabouleh	Levantijnse salade van gehakte peterselie, tomaten, munt, lente-uitjes en bulgur.
tabeekh	Maaltijden die thuis op traditionele manier worden be-reid in een *tabkha*, meestal een grote pot. Letterlijk: 'aan het koken'.
tanoor	Cilindrische oven met een open bovenkant, vaak ge-bruikt in het Midden-Oosten om brood in te maken. Bijna identiek aan de antieke Mesopotamische *tinuru*, de Iraanse *tanura* en de Zuid-Aziatische *tandoor*.
tashreesh	Soep bij de oude bedoeïenen, geliefd bij de profeet Mo-hammed, gemaakt van verkruimeld brood met daarop vlees en overgoten met bouillon. Ook *thareed* genoemd.
yakhne	Groentestoofpot die heel langzaam gaar gestoofd wordt, met of zonder vlees, gevonden van het oostelij-ke Middellandse Zeegebied tot in Zuid-Azië.
yaprakis	Turkse naam voor gevulde wijnbladeren (van *yaprak*, blad).
walimah	Banket of feest. Vaak gebruikt voor bruiloften of andere feestelijkheden die dagenlang kunnen duren.
wasta	Intermediair of kanaal om invloed te kunnen uitoefe-nen voor iemand.
za'atar	1. Overkoepelende term voor allerlei mediterrane groe-ne kruiden, van *origanum syriacum* (Syrische oregano, vaak verkeerd vertaald met 'tijm') tot *satureja hortensis* (bonenkruid). 2. Het groenbruine poeder gemaakt van zout, sumak, sesamzaadjes en de gedroogde blaadjes van de verschillende kruiden die bekendstaan onder de naam za'atar (en andere ingrediënten, afhankelijk van de regio).

Selecte bibliografie

Voor deze selecte en zeer subjectieve bibliografie heb ik met opzet de best-sellers – de Thomas Friedmans en Robert Fisks – genegeerd, en in plaats daarvan minder bekende maar minstens even belangrijke boeken opgenomen van auteurs als Sami Zubaida, Zuhair al-Jezairy, Fawwaz Traboulsi en Hanan al-Shaykh. Net zo zullen diegenen die bekend zijn met de kook-kunst uit het Midden-Oosten Claudia Roden en Paula Wolfert vast al ken-nen; hier vind je minder bekende kookboeken, door Sonia Uvezian, Na-wal Nasrallah, Malek Batal en Barbara Abdeni Masaad. *Sahtain.*

Fictie en persoonlijke verhalen

Abinader, Elmaz, *Children of the Roojme. A Family's Journey from Lebanon*, University of Wisconsin Press, 1997.

Awwad, Tawfiq Yusuf, *Death in Beirut* (gepubliceerd in het Arabisch als *Tawaheen Beirut* of 'Molensteen Beiroet'), Three Continents Press, 1984.

Fassihi, Farnaz, *Waiting for an Ordinary Day. The Unraveling of Life in Iraq*, Public Affairs, 2008.

Hage, Rawi, *De Niro's Game*, Harper Perennial, 2008.

Jezairy, Zuhair al-, *The Devil You Don't Know. Going Back to Iraq*, Saqi, 2009.

Kadi, Joanna, red., *Food for Our Grandmothers. Writing by Arab-American and Arab-Canadian Feminists*, South End Press, 1994.

King, Alan, *Twice Armed. An American Soldier's Battle for Hearts and Minds in Iraq*, Zenith Press, 2006.

Maalouf, Amin, *The Rock of Tanios*, Abacus, 1995. In het Nederlands verschenen als *De rots van Tanios*, De Geus, 2008.

Makdisi, Jean Said, *Beirut Fragments. A War Memoir*, Persea, 1999.

Samman, Ghada, *Beirut '75*, University of Arkansas Press, 1995.

Shaykh, Hanan al-, *Beirut Blues*, Anchor, 1996.

   The Locust and the Bird: My Mother's Story, Pantheon Books, 2009.

Stark, Freya, *Baghdad Sketches*, Marlboro Press, 1996.

Yahia, Mona, *When the Grey Beetles Took Over Baghdad*, Peter Halban, 2000.

Geschiedenis en non-fictie

A Community of Many Worlds. Arab Americans in New York City, The Museum of the City of New York/Syracuse University Press, 2002.

Aburish, Saïd K., *Saddam Hussein. The Politics of Revenge*, Bloomsbury, 2001.

The St. George Hotel Bar, Bloomsbury, 1989.

Ajami, Fouad, *The Vanished Imam. Musa Al Sadr and the Shia of Lebanon*, Cornell University Press, 1992.

Badre, Leila, 'Post-war Beirut City Centre: A Large Open-Air Museum', in: *Study Series 9*, International Committee for Museums and Collections of Archaeology and History, 2001.

Batutu, Hanna, *The Old Social Classes and the Revolutionary Movements of Iraq. A Study of Iraq's Old Landed and Commercial Classes and of its Communists, Ba'-thists, and Free Officers*, Saqi, 2004.

Blanford, Nicholas, *Killing Mr. Lebanon. The Assassination of Rafik Hariri and Its Impact on the Middle East*, I.B. Tauris, 2006.

Bou Akar, Hiba, *Displacement, Politics, and Governance. Access to Low-Income Housing in a Beirut Suburb* (bachelorscriptie architectuur), American University of Beirut, 2000.

Bowen, Jr., Stuart W., Hard Lessons. The Iraq Reconstruction Experience (Draft Document), Inspector General, 2 februari, 2009.

Cockburn, Andrew en Patrick, *Out of the Ashes. The Resurrection of Saddam Hussein*, Harper Collins, 1999.

Damrosch, David, *The Buried Book. The Loss and Rediscovery of the Great Epic of Gilgamesh*, Henry Holt, 2006.

Eisenstadt, Lt. Col Michael, 'Iraq: Tribal Engagement Lessons Learned', in: *Military Review*, september-oktober 2007.

Goitein, Shelomo D., *Studies in Islamic History and Institutions*, Leiden, Netherlands: E.J. Brill, 2010.

Ibn Khaldun, Ibn, *The Muqaddimah. An Introduction to History*, N. J. Dawood, red., Franz Rosenthal, vert., Princeton University Press, 2004.

Irwin, Robert, *Night and Horses and the Desert. An Anthology of Classical Arabic Literature*, Anchor Books, 2002.

Jabar, Faleh A., *The Shi'ite Movement in Iraq*, Saqi, 2003.

Jahiz, Al-, Jim Colville, vert., *Avarice and the Avaricious* ('kitab al-bukhala'), Kegan Paul International, 1999.

, R.B. Serjeant, vert. *The Book of Misers: A Translation of al-Bukhala*, Garnet Publishing Limited, 1997.

Johnson, Michael, *All Honorable Men. The Social Origins of War in Lebanon*, I.B. Tauris (in association with the Centre of Lebanese Studies), 2001.

Karsh, Efraim, en Rory Miller, 'Freya Stark in America: Orientalism, Antisemitism and Political Propaganda', in: *Journal of Contemporary History* vol. 39, no. 3 (juli 2004).

Kassir, Samir, *Histoire de Beyrouth*, Librairie Arthème Fayard, 2003.

Kennedy, Philip F., 'Dangling Locks and Babel Eyes: A Biographical Sketch of Abu Nuwas', in: *Abu Nuwas. A Genius of Poetry*, Makers of the Muslim World Series, Oneworld Publications, 2007.

Khalaf, Samir, *Heart of Beirut. Reclaiming the Bourj*, Saqi Books, 2006.

Khalil, Samir al- (pseudoniem van Kanan Makiya), *The Monument. Art, Vulgarity and Responsibility in Iraq*, Andre Deutsch, 1991.

Khater, Akram Fouad, *Inventing Home. Emigration, Gender, and the Middle Class in Lebanon, 1870-1920*, University of California Press, 2001.

Kovacs, Maureen Gallery, vert., *The Epic of Gilgamesh*, Stanford University Press, 1989

Lapidus, Ira M., *A History of Islamic Societies*, Cambridge University Press, 1988.

Lassner, Jacob, *The Topography of Baghdad in the Early Middle Ages: Text and Studies*, Wayne State University Press, 1970.

Mas'udi, Ali al-. Paul Lunde en Caroline Stone, vert., red., *The Meadows of Gold: The Abbasids*, Kegan Paul International, 1989.

Mitchell, Stephen, *Gilgamesh: A New English Version*, Free Press, 2004

Salibi, Kamal, *A House of Many Mansions: The History of Lebanon Reconsidered*, University of California Press, 1990.

Sandars, N.K., vert., *The Epic of Gilgamesh*, Penguin Books, 1972.

Thomas, Bertram, *Alarms and Excursions in Arabia*, Bobbs-Merrill Company, 1931.

Thompson, Elizabeth, *Colonial Citizens: Republican Rights, Paternal Privilege, and Gender in French Syria and Lebanon*, Columbia University Press, 2000.

Tripp, Charles, *A History of Iraq: Second Edition*, Cambridge University Press, 2000.

The Travels of Pedro Teixeira, 1609, London: The Hakluyt Society, 1902.

Eten

Appadurai, Arjun, 'How to Make a National Cuisine: Cookbooks in Contemporary India', in: *Comparative Studies in Society and History* vol. 30, no. 1 (januari 1988), p. 3-24, Cambridge University Press.

Baghdadi, Muhammad al-, Charles Perry, vert., *A Baghdad Cookery Book*, Prospect Books, 2005.

Batal, Malek, samenst., *The Healthy Kitchen: Recipes from Rural Lebanon*, American University of Beirut Press, 2008.

Bottéro, Jean, 'The Culinary Tablets at Yale', in: *Journal of the American Oriental Society* vol. 107, no. 1 (januari-maart 1987), p. 11–19.

'The Most Ancient Recipes of All', in: *Patterns of Everyday Life*, David Waines, ed. *The Formation of the Classical Islamic World*, vol. 10, Ashgate Publishing, Ltd., 2002.

The Oldest Cuisine in the World: Cooking in Mesopotamia, University of Chicago Press, 2004.

Collingham, Lizzie, *Curry: A Tale of Cooks and Conquerors*, Oxford University Press USA, 2007.

Ellison, Rosemary, 'Methods of Food Preparation in Mesopotamia (c. 3000-600 BC)', in: *Journal of the Economic and Social History of the Orient* vol. 27, no. 1 (1984), p. 89-98.

Flandrin, Jean-Louis Flandrin, en Massimo Montanari, eds., *Food: A Culinary History*, Engelse editie door Albert Sonnenfeld (Penguin Books: 2000/voor het eerst gepubliceerd door Columbia University Press, 1999).

Goody, Jack, *Food and Love: A Cultural History of East and West*, Verso, 1998.

Hattox, Ralph S., *Coffee and Coffeehouses: The Origins of a Social Beverage in the Medieval Near East*, University of Washington Press, 1985.

Homan, Michael M., 'Beer and Its Drinkers: An Ancient Near Eastern Love Story', in: *Near Eastern Archaeology* vol. 67, no. 2 (juni 2004), p. 84-95.

Jones, Martin, *Feast: Why Humans Share Food*, Oxford University Press, 2007.

Karim, Kay, *Iraqi Family Cookbook: From Mosul to America*. Iraqi Family Cookbook, LLC, 2006.

Kurlansky, Mark, *Salt. A World History*, Walker and Co., 2002.

Limet, Henri, 'The Cuisine of Ancient Sumer', in: *The Biblical Archaeologist* vol. 50, no. 3 (september 1987).

Manning, Richard, *Against the Grain: How Agriculture Has Hijacked Civilization*, North Point Press, 2004.

Mardam-Bey, Farouk, *Ziryab: Authentic Arab Cuisine*, Ici La Press, 2002.

Massaad, Barbara Abdeni, *Man'oushe: Inside the Street Corner Lebanese Bakery*, Alarm Editions, 2005.

Mouneh: Preserving Foods for the Lebanese Pantry, uitgave in eigen beheer, 2010.

Mintz, Sidney W., *Sweetness and Power: The Place of Sugar in Modern History*, Penguin Books, 1986.

Nasrallah, Nawal, *Delights from the Garden of Eden: A Cookbook and History of the Iraqi Cuisine*, 1stbooks, 2003, 2004.

Potts, Daniel, 'On Salt and Salt Gathering in Ancient Mesopotamia', in: *Journal of the Economic and Social History of the Orient* vol. 27, no. 3 (1984), p. 225-271.

Symons, Michael, *A History of Cooks and Cooking*, Illinois University Press, 2004.

Uvezian, Sonia, *Recipes and Remembrances from an Eastern Mediterranean Kitchen*, The Siamanto Press, 1999.

van Gelder, Geert Jan, *God's Banquet: Food in Classical Arabic Literature*, Diane Publishing Co, 2000.

Waines, David, 'Cereals, Bread and Society: An essay on the staff of life in medieval Iraq', in: *Journal of the Economic and Social History of the Orient* vol. 30, no. 3 (1987), p. 255-285.

Wright, Clifford, *A Mediterranean Feast: The Story of the Birth of the Celebrated Cuisines of the Mediterranean, from the Merchants of Venice to the Barbary Corsairs, with More than 500 Recipes*, William Morrow and Company, 1999.

Yazbeck, Chérine, *The Rural Taste of Lebanon: A Food Heritage Trail*, uitgave in eigen beheer, 2009.

Zubaida, Sami, en Richard Tapper, red., *A Taste of Thyme: Culinary Cultures of the Middle East*, Tauris Parke Paperbacks, 2000.

Zurayk, Rami, en Sami Abdul Rahman, *From 'Akkar to 'Amel: Lebanon's Slow Food Trail*, Slow Food Beirut, 2008.

Websites over eten

Accad Joumana, 'Taste of Beirut: Lebanese Food Recipes for Home Cooking', tasteofbeirut.com.

Karam Khayat, Marie, en Margaret Clark Keatinge, 'Food from the Arab World, 1959', http://almashriq.hiof.no/general/600/640/641/khayat/

Massaad, Barbara Abdeni, 'My Culinary Journey Through Lebanon', http://myculinaryjourneythroughlebanon.blogspot.com/

Riverbend, Herb, 'Is Something Burning?', http://iraqrecipes.blogspot.com

Somekh, Rachel, 'Recipes by Rachel: The Jewish-Iraqi Cooking of Rachel Somekh', recipesbyrachel.com

344